2004 黄河河情咨询报告

黄河水利科学研究院

黄 河 水 利 出 版 社

图书在版编目(CIP)数据

2004 黄河河情咨询报告 / 黄河水利科学研究院.
郑州：黄河水利出版社，2006.10
ISBN 7-80734-114-9

Ⅰ.2… Ⅱ.黄… Ⅲ.黄河-含沙水流-变化-2004-咨询报告 Ⅳ.TV152

中国版本图书馆 CIP 数据核字(2006)第 095105 号

策划编辑：王路平　☎ 0371-66022212　13623813888

出 版 社:黄河水利出版社

地址:河南省郑州市金水路 11 号　邮政编码:450003

发行单位:黄河水利出版社

发行部电话：0371-66026940　传真：0371-66022620

E-mail:hhslcbs@126.com

承印单位:黄河水利委员会印刷厂

开本:787 mm×1 092 mm　1 / 16

印张:22.5

字数:520 千字　印数:1—1 500

版次:2006 年 10 月第 1 版　印次:2006 年 10 月第 1 次印刷

书号:ISBN 7- 80734 -114 - 9 / TV · 471　定价:50.00 元

2004 咨询专题设置及主要完成人员

序号	专题名称	负责人	主要完成人
1	2004 年黄河流域水沙特性分析	尚红霞 茹玉英	尚红霞 茹玉英 孙赞盈 郑艳爽 李小平 彭 红 汪 峰 王卫红 李 萍 张 玮 赵 放 张国俊
2	黄河中游水土保持措施的水沙响应分析	左仲国	左仲国 冉大川 陈江南 张晓华 康玲玲 王金花 董飞飞 张胜利
3	2004 年三门峡库区冲淤变化	侯素珍 王 平	侯素珍 王 平 姜乃迁 田 勇 楚卫斌 伊晓燕 张 超
4	2004 年小浪底水库运用及库区水沙运动特性分析	马怀宝 李书霞	马怀宝 张俊华 陈书奎 李书霞 石标钦 李昆鹏 蒋思奇 王 岩 胡 恬
5	2004 年黄河下游河床演变特性及低含沙水流冲刷时期河道调整规律研究	张晓华 李小平	李小平 尚红霞 张晓华 李 勇 苏运启 曲少军 郑艳爽 孙赞盈 王卫红 彭 红 汪 峰
6	黄河下游“8 · 24”洪水流量沿程增大原因初步探讨	李 勇 孙赞盈 尚红霞	孙赞盈 李 勇 曲少军 彭 红 汪 峰 尚红霞 王卫红 李小平 张俊华 苏运启 申冠卿 李书霞 郑艳爽
7	小浪底水库运用 5 年库区和下游河道冲淤特性分析	尚红霞 茹玉英	尚红霞 茹玉英 韩巧兰 张晓华 李 勇 苏运启 孙赞盈 申冠卿 王卫红 李小平 汪 峰 郑艳爽 彭 红 张 玮 赵 放 张国俊
8	2000~2004 年黄河水沙分析	赵业安	吕光圻 赵业安 戴明英 李雪梅 金双彦 曾茂林

前　言

2004 年黄河来水来沙较多年平均仍显著偏少，如花园口断面来水量较多年(1956～1999 年，下同)均值偏少 39.1%，为 240.8 亿 m^3，入海(利津断面)水量 198.3 亿 m^3，较多年平均值减少 38.3%；相应断面的输沙量分别较多年平均值减少 80.7%和 66.7%，分别为 2.01 亿 t 和 2.70 亿 t。2004 年除伊洛河和大汶河降雨偏多以外，流域其他地区的降雨均偏少。同时，暴雨洪水也显著减少，如只有 8 月下旬黄河中游潼关水文站发生了一次洪峰流量为 2 300 m^3/s 的洪水过程(简称“04·8”洪水)，经过三门峡水库、小浪底水库调节后在下游形成了一次高含沙洪水过程，小浪底洪峰流量 2 590 m^3/s，最大含沙量 352 kg/m^3，平均含沙量 95.3 kg/m^3。洪水在下游传播过程中出现了少有的非漫滩洪水洪峰流量沿程增大的“异常”现象。

小浪底水库以蓄水拦沙运用为主，由于来沙量少，库区淤积量少，并主要集中淤积在支流上。2004 年利用小浪底水库的汛前蓄水量分为两个阶段进行了黄河第三次调水调沙试验，历时 24 d。同时，结合在小浪底库区实施人工扰沙，通过小浪底、三门峡和万家寨三座水库联合调度成功塑造了人工异重流，减少了小浪底库区的淤积，实现了下游河道的全程冲刷。在调水调沙试验期间，为尽快增大高村—孙口“瓶颈”河段的河槽过洪能力，还在下游局部河段进行了人工扰沙试验。

结合 2004 年黄河出现的新情况，重点围绕以下问题开展了咨询分析工作：

(1)初步分析了黄河中游淤地坝建设对泥沙级配的影响和黄河中游水土保持措施不同配置对暴雨洪水的作用。

(2)针对洪水不断减少的状况，寻求减少三门峡水库淤积、降低潼关高程的措施；重点分析了非汛期按最高水位 318 m 控制运用的效果、充分发挥桃汛洪水对潼关高程冲刷作用的可能性、汛期敞泄排沙的作用。

(3)进一步研究小浪底水库异重流形成和输移的条件，并分析了 2005 年小浪底库区人工塑造异重流的可能性；分析小浪底库区支流淤积比例增大的原因。

(4)为维持下游河道的冲刷(减淤)效果，同时尽量减少小浪底库区的淤积速率，对小浪底水库调水调沙运用指标提出意见和建议；研究不同流量级对下游河道的冲刷效果、下游高效冲刷流量级，以及不同粒径泥沙冲淤规律和小浪底水库运用初期维持下游河道不淤积所允许的洪水排沙比。

在研究工作中，因受资料、进度要求等多方面因素的制约，所使用的不少水文泥沙资料为报汛资料，所得结果可能与以后由整编资料分析得到的结果有出入，敬请见谅。

研究报告中参考了大量文献资料，但在参考文献目录中并未全部列出，在此对所有被引用成果的作者表示衷心感谢，并对未列入参考文献目录的作者表示歉意。

咨询报告由姚文艺负责统稿。报告编写中得到了黄委内外不少单位及相关专家的支持和帮助，特此致谢。另外，对黄河水利出版社精心编辑本报告并给予出版表示十分感谢。

黄河水利科学研究院

黄河河情咨询报告项目组

2005 年 5 月

目　录

第一部分　综合咨询研究报告

第一章　黄河流域近5年水沙特点分析

近十几年来，由于人类活动及气候变化等因素的共同影响，黄河的水沙情况发生了很大变化，尤其是在降雨量减少不多的情况下，天然径流量大幅度地减少。本章主要对2000～2004年的降雨、径流、产沙等情况进行了综合分析。

一、降雨

黄河流域2000～2004年平均降雨量为430.9 mm，比多年均值(1956～1999年平均值，下同)偏少3.9%，比20世纪90年代偏多2.1%。其中头道拐以上比多年均值偏少10.4%，三门峡以下比多年均值偏多5.4%，其他分区和多年均值基本持平(见表1-1)。

表1-1　黄河流域年降雨量统计

分　区	不同时段降雨量(mm)							
	2000年	2001年	2002年	2003年	2004年	5年平均	90年代	多年平均
兰州以上	412.9	434.5	375.6	524.9	418.0	433.2	470.9	484.6
兰州—头道拐	182.9	238.3	261.0	282.4	219.4	236.8	266.3	263.5
头道拐—龙门	338.9	418.4	436.9	545.4	415.5	431.0	403.6	435.6
龙门—三门峡	478.7	469.4	505.9	735.7	462.5	530.4	491.7	541.8
三门峡—花园口	657.1	521.6	578.1	991.8	668.4	683.4	603.6	659.5
花园口以下	681.5	525.8	381.7	922.2	988.0	699.8	663.9	647.0
内流区	165.6	293.0	327.1	291.4	272.0	269.8	260.5	274.3
全流域	381.8	404.0	404.2	555.6	409.2	430.9	422.2	448.6

注：2004年是报汛资料，11～12月降雨按20世纪90年代年内分配比例数插补。

5年中年降雨量最多的为2003年，达到555.6 mm，比多年均值偏多23.8%，是新中国成立以来第5位多雨年；最少的是2000年，年降雨381.8 mm，比多年均值偏少14.9%，是新中国成立以来第6位少雨年。年降雨量最多最少的比例为1.46∶1。在2003年出现了多年以来少有的“华西秋雨”现象。2003年前5个月严重偏枯，但进入汛期，特别是秋汛后，降雨大幅度增加，增雨区主要在汾河、泾河、洛河、渭河、三门峡—花园口区间、花园口以下，以上各区7～10月降雨量比多年均值偏多55%～75%，形成了黄河流域自1964年以来的第一次“华西秋雨”。

二、径流量

(一)实测径流量

表1-2是黄河干支流主要水文站的实测水量，可以看出，近5年黄河水量普遍偏枯，如兰州、头道拐、龙门、三门峡、花园口站，5年平均实测水量较多年均值偏少24%～53%，与20世纪90年代相比，亦偏少9%～29%，且越往下游减少越多(见图1-1)。

5年内以2003年的水量最大，该年下游各站实测水量均比20世纪90年代偏多，如花园口站偏多6.2%，利津站偏多36.7%。河津、洑头、华县、黑石关、武陟等支流站2003

年的水量比其他 4 年及 20 世纪 90 年代都有大幅度增加，并且除河津外大部分比多年均值还多。这主要是受“华西秋雨”的影响。但是，对于上、中游各站，其水量仍比 20 世纪 90 年代偏少，如兰州站偏少 15.4%，龙门站偏少 18.1%，三门峡站偏少 3.6%。

表 1-2 黄河干支流主要水文站 2000～2004 年实测径流量统计 （单位：亿 m^3）

水文站	2000 年	2001 年	2002 年	2003 年	2004 年	5 年平均	90 年代	多年平均
唐乃亥	154.5	138.1	105.8	171.6	151.5	144.3	176.0	205.1
兰　州	259.6	235.6	235.8	219.7	235.7	237.3	259.7	314.3
头道拐	140.2	113.3	122.8	115.6	127.7	123.9	156.7	223.9
龙　门	157.2	139.4	156.6	162.3	159.2	154.9	198.2	275.4
三门峡	163.1	142.6	152.1	236.1	166.6	172.1	242.3	362.3
花园口	165.3	165.5	195.6	272.7	240.8	208.0	256.9	395.7
高　村	136.9	129.5	157.7	257.6	229.4	182.2	222.0	370.4
利　津	48.6	46.5	41.9	192.6	198.3	105.6	140.8	321.4
红　旗	24.70	32.57	23.00	44.81	34.47	31.91	35.06	47.50
温家川	1.717	1.823	1.714	2.321	1.993	1.914	4.482	6.229
白家川	6.749	8.672	9.025	8.363	7.071	7.976	9.338	12.12
河　津	1.506	1.619	1.994	6.372	4.661	3.230	5.085	10.88
洑　头	5.880	6.911	6.428	12.47	3.447	7.027	7.500	8.735
华　县	35.54	26.23	26.72	93.38	36.94	43.76	43.74	71.33
黑石关	13.61	7.388	7.667	42.97	20.98	18.52	14.56	27.02
武　陟	4.044	2.995	1.055	18.17	7.088	6.670	3.73	8.284

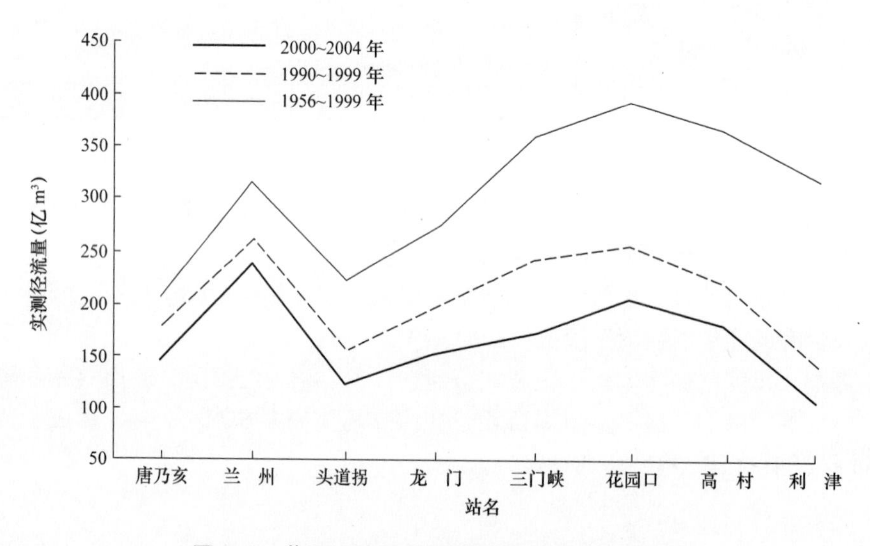

图 1-1 黄河干流沿程不同时段年均实测径流量

图 1-2、图 1-3 分别是兰州和花园口站近 5 年各年水量分配过程，兰州站主要受龙刘水库(龙羊峡水库、刘家峡水库，下同)调节和少量引水耗水影响，各年过程的趋势大体一致。花园口站因受上中游各个水库调节、人工调水调沙试验以及引水耗水等影响，各年内的分配过程各不相同。如 2000 年最大 4 个月水量发生在 3、4、10、11 月份，汛期水量只占 29.9%；2001 年发生在 3、4、5、10 月份，汛期水量只占 27.1%；2002 年发生

在 3、7、8、10 月份，汛期水量占 46.7%；2003 年发生在 9、10、11、12 月份，汛期水量占 51.2%；2004 年发生在 4、6、7、8 月份，汛期水量占 36.9%。

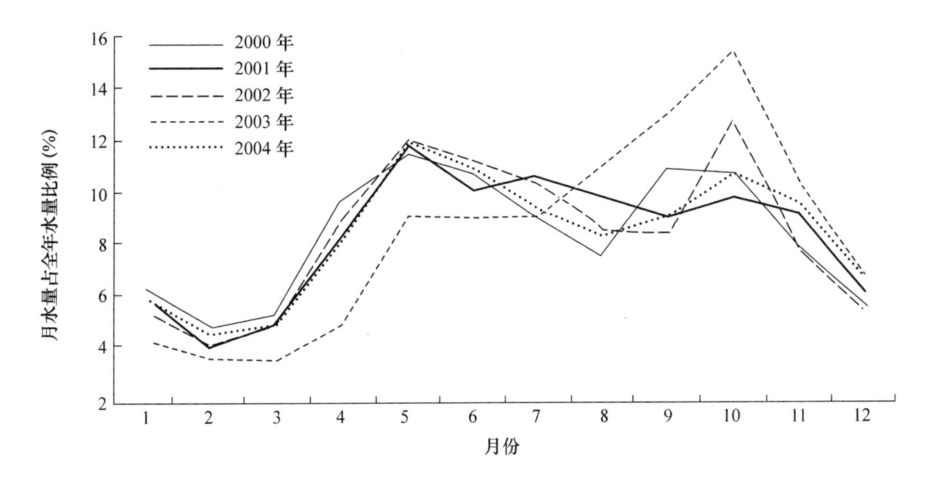

图 1-2　兰州 2000～2004 年实测径流年内分配

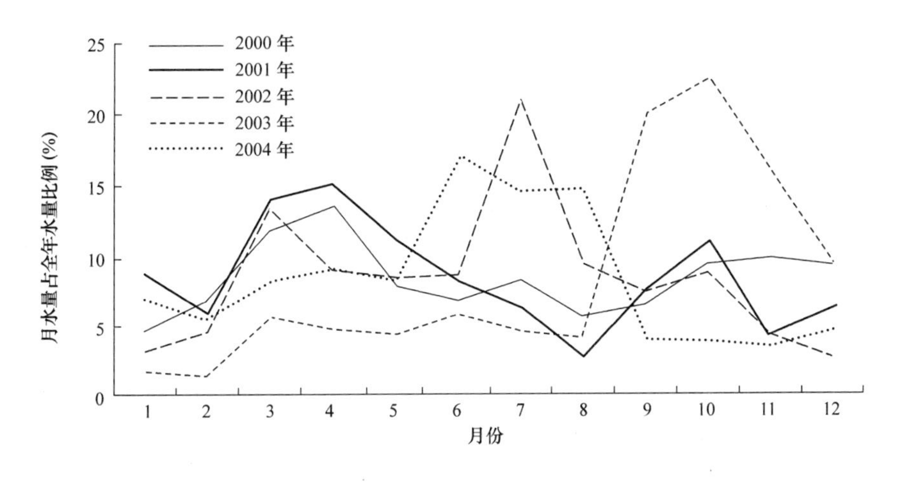

图 1-3　花园口 2000～2004 年实测径流年内分配

(二) 耗水量、水库蓄水量和天然径流量

1. 耗水量

耗水量主要包括农业灌溉用水、工业用水、城镇生活用水和农村人畜用水。近 5 年黄河流域年平均耗水量为 264.0 亿 m^3，与多年均值相比增加了 5.6%，与 20 世纪 90 年代相比减少了 11.0%。5 年中耗水量最多的是 2002 年，比多年均值增加 14.0%；最少的是 2003 年，比多年均值减少 3.0%。在地区分布上与 90 年代相比，兰州以上和头道拐—龙门区间耗水量有所增加，而其他各区则有所下降，尤其是三门峡—花园口区间下降比例较大，约为 1 / 2(见表 1-3)。

表 1-3　黄河流域 2000～2004 年耗水量

分　区	不同时段耗水量(亿 m³)							
	2000 年	2001 年	2002 年	2003 年	2004 年	5 年平均	90 年代	多年平均
兰州以上	27.04	25.34	25.50	26.15	26.0	26.0	21.38	14.88
兰州—头道拐	102.66	102.16	99.01	91.72	101.0	99.31	105.89	92.86
头道拐—龙门	6.27	6.03	5.60	5.97	5.5	5.87	3.87	2.31
龙门—三门峡	33.73	34.16	33.26	29.12	32.0	32.45	35.57	29.02
三门峡—花园口	14.12	12.71	11.84	11.53	12.0	12.44	25.04	30.70
花园口以下	88.27	83.67	109.82	77.75	80.0	87.9	104.80	80.16
合　计	272.09	264.07	285.03	242.24	256.5	264.0	296.55	249.93

注：2004 年 1～6 月引自黄委水调局资料，7～12 月通过近十几年的来水和用水之间的关系估算而得。

2. 水库蓄水量

表 1-4 统计了干流 6 个主要大型水库 2000～2004 年的蓄水量。5 年中 6 个水库共蓄水 16.53 亿 m³，其中 2003 年蓄水最多，为 130.17 亿 m³，2002 年补水最多为 74.8 亿 m³，其他年份有少量补水。到 2004 年末 6 个水库总蓄水量为 237.6 亿 m³。

表 1-4　黄河干流大型水库蓄水量

水库名	1999 年末蓄水量(亿 m³)	蓄变量(亿 m³)					2004 年末蓄水量(亿 m³)
		2000 年	2001 年	2002 年	2003 年	2004 年	
龙羊峡	168.00	−34.00	−23.00	−42.30	64.30	5.00	138.0
刘家峡	27.30	1.50	4.80	−8.30	4.30	−0.60	29.0
万家寨	3.22	0.06	0.95	0.02	0.65	−0.94	3.96
三门峡	1.78	0.60	−0.08	−0.47	3.00	−0.71	4.12
小浪底	17.70	29.40	−2.10	−21.60	54.60	−18.4	59.6
东平湖	3.07	0.45	−0.15	−2.15	3.32	−1.62	2.92
合　计	221.07	−1.99	−19.58	−74.8	130.17	−17.27	237.6

3. 天然径流量

将耗水量和水库蓄水量还原，得到主要站的天然径流量(见表 1-5、表 1-6)，与多年均值相比，偏少 22%～35%，较 20 世纪 90 年代偏少 8%～19%。

表 1-5　黄河干流主要控制站天然径流量

水文站	不同时段天然径流量(亿 m³)							
	2000 年	2001 年	2002 年	2003 年	2004 年	5 年平均	20 世纪 90 年代	多年平均
兰　州	254.14	242.77	214.45	316.66	(270.8)	259.8	283.2	334.8
头道拐	237.30	222.68	199.80	304.61	(256.4)	244.2	286.2	338.0
龙　门	260.09	256.63	239.17	358.36	(303.2)	283.5	331.7	392.2
三门峡	301.05	292.60	267.22	467.50	(337.1)	333.1	411.2	508.5
花园口	349.87	323.33	300.30	575.42	(396.2)	389.0	452.3	568.8

表 1-6　年均降雨、实测、天然径流量

项目	时　段	控制站名				
		兰州	头道拐	龙门	三门峡	花园口
降雨(mm)	2000～2004 年①	433.2	349.9	360.4	404.8	419.9
	1990～1999 年②	470.9	384.2	388.5	417.2	427.8
	1956～1999 年③	484.6	390.9	400.8	440	452.5
	(①–②) / ②	–8.0%	–8.9%	–7.2%	–3.0%	–1.8%
	(①–③) / ③	–10.6%	–10.5%	–10.1%	–8.0%	–7.2%
实测径流(亿 m³)	2000～2004 年①	237.3	123.9	154.9	172.1	208.0
	1990～1999 年②	259.7	156.7	198.2	242.3	256.9
	1956～1999 年③	314.3	223.9	275.4	362.3	395.7
	(①–②) / ②	–8.6%	–20.9%	–21.8%	–29.0%	–19.0%
	(①–③) / ③	–24.5%	–44.7%	–43.8%	–52.5%	–47.4%
天然径流(亿 m³)	2000～2004 年①	259.8	244.2	283.5	333.1	389.0
	1990～1999 年②	283.2	286.2	331.7	411.2	452.3
	1956～1999 年③	334.8	338.0	392.2	508.5	568.8
	(①–②) / ②	–8.3%	–14.7%	–14.5%	–19.0%	–14%
	(①–③) / ③	–22.4%	–27.8%	–27.7%	–34.5%	–31.6%

5 年中 2003 年天然径流量最多，如花园口站为 575.42 亿 m³，比多年均值偏多 1.2%，比 20 世纪 90 年代偏多 27.2%。但是，三门峡以上的天然径流量仍比多年均值偏少。2002 年天然径流量最少，如花园口只有 300.3 亿 m³，比多年均值偏少 47.2%，比 20 世纪 90 年代偏少 33.6%。2003 年水库共蓄水 130.17 亿 m³，2002 年因严重偏枯水库共补水 74.8 亿 m³。

由花园口以上年降雨、天然径流量相关图(见图 1-4)可以看出，20 世纪 90 年代的点子大多都在 1956～1989 年点子上方，而近 5 年的点子又都在 20 世纪 90 年代点子的上方。也就是说，尽管水量已经还原为天然径流，但是近十几年特别是近 5 年天然径流严重衰

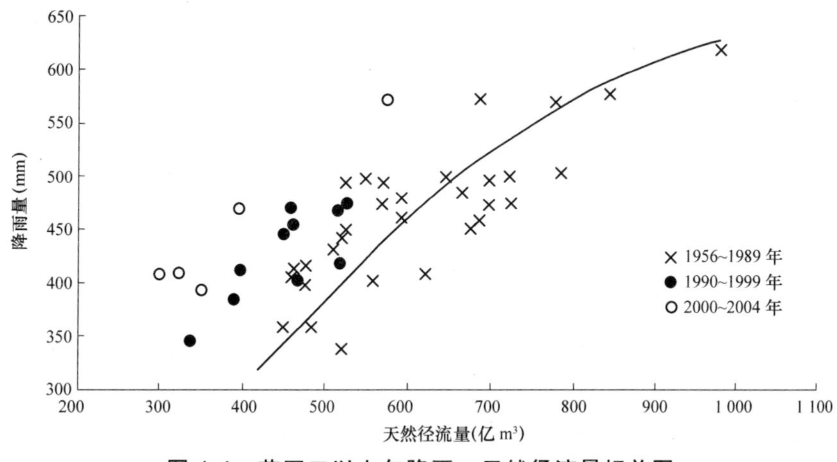

图 1-4　花园口以上年降雨、天然径流量相关图

减，粗略估计可知在同样降雨条件下，20 世纪 90 年代的天然径流量比多年均值偏少 100 亿 m^3 左右，近 5 年要比多年均值偏少 180 亿 m^3 左右。

如果以20世纪50年代人类活动影响较少的天然径流量作为基准(花园口以上年均降雨量为 460.8 mm，天然径流量为 596.8 亿 m^3)，与近 5 年的天然径流量 389 亿 m^3 进行比较，则后者减少了 207.8 亿 m^3。如按 20 世纪 50 年代的降雨量与天然径流量相关关系计算，近 5 年花园口以上年均降雨量 419.9 mm，相应天然径流量应为 543.8 亿 m^3，即因降雨量变化可能导致的天然径流量减少量只有 53.0 亿 m^3，仅占减少量 207.8 亿 m^3 的 25.5%，而诸如水土保持治理等人类活动导致下垫面条件变化所引起的天然径流量减少要占总减水量的 74.5%左右。

三、洪水

(一) 洪水概况

近 5 年，除了 2003 年秋汛在黄河干支流连续发生十几次中常洪水外，其他时间只发生两次小范围的雨洪。

2002 年 7 月中旬，在支流清涧河流域发生暴雨洪水，子长站 7 月 5 日出现建站以来最大洪峰流量 4 250 m^3/s。

2003 年 7 月底，在山西、陕西北部发生暴雨洪水，7 月 30 日支流黄甫川洪峰流量为 6 500 m^3/s，孤山川为 2 900 m^3/s，朱家川为 1 380 m^3/s，窟野河为 2 200 m^3/s。7 月 30 日干流府谷站洪峰流量为 12 900 m^3/s，为建站以来最大值，相应最大含沙量为 219 kg/m^3；吴堡站洪峰流量为 9 400 m^3/s，最大含沙量为 168 kg/m^3。由于吴堡以下无大水量加入，洪峰削减很快，7 月 31 日龙门洪峰为 7 230 m^3/s，最大含沙量为 127 kg/m^3；8 月 1 日潼关洪峰流量为 2 150 m^3/s，最大含沙量为 65 kg/m^3。

2003 年 8 月下旬至 10 月中旬，黄河局部区域出现 1964 年以来少有的 50 多天持续降雨过程，中下游先后出现多次洪水过程。其中渭河洪水 5 次，华县站洪峰在 2 000～3 500 m^3/s 之间，历时 61 d，洪水总量 62.6 亿 m^3，输沙量 1.95 亿 t，平均含沙量 31 kg/m^3。伊洛河洪水 5 次，黑石关洪峰流量在 800～2 300 m^3/s 之间，历时 58 d；下游洪水 5 次，因受水库调节影响，花园口洪峰流量在 2 450～2 780 m^3/s 之间，历时 87 d，洪水总量 146.7 亿 m^3，输沙量 1.22 亿 t，平均含沙量 8.3 kg/m^3。

(二) 典型断面洪水变化特点

1.潼关站

潼关是“上大洪水”的控制站。据统计，1950～1989 年的年均最大洪峰流量为 7 727 m^3/s，1990～1999 年的年均最大洪峰流量为 5 053 m^3/s，后者比前者减小 34.6%。近 5 年的年最大洪峰均值为 2 866 m^3/s，比 1990～1999 年均值减小 43.3 %，近 5 年年最大洪峰流量分别为 2 290、3 000、2 550、4 350、2 140 m^3/s。图 1-5 是潼关站历年最大洪峰流量过程，可以看出，20 世纪 90 年代以后的年最大洪峰流量比 90 年代以前要减少很多。

近年来各级洪水出现的次数都有明显减少，如流量大于 4 000 m^3/s 的洪峰，1960～1989 年年均出现 4.2 次，1990～1999 年年均出现 1.3 次，近 5 年年均仅 0.2 次。这说明近年来不仅洪峰流量减小，而且洪水发生频次也大大减少。

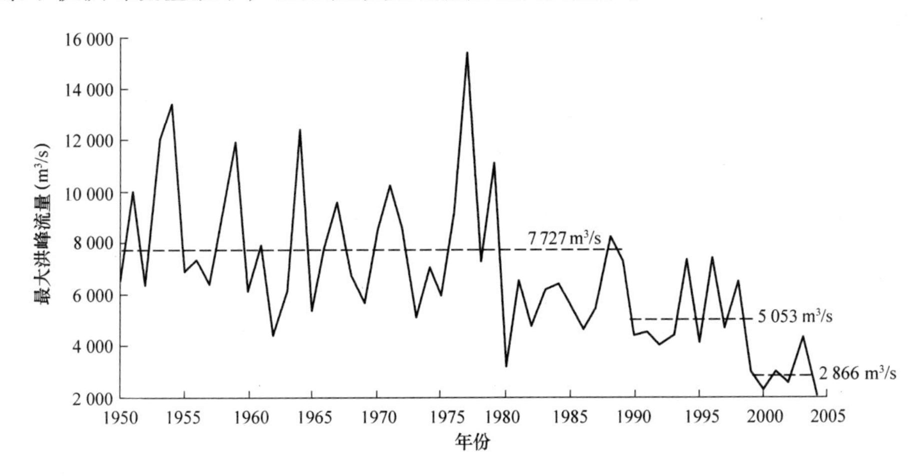

图 1-5 潼关站历年最大洪峰流量过程

从不同流量级出现的天数看，总的趋势是各年代年均出现的大流量天数越来越少，而小流量天数则越来越多(见图 1-6 和表 1-7)。例如，潼关站出现日均流量大于 1 500 m^3 / s 的年均天数在 20 世纪 60、70、80、90 年代分别是 119、75、70、34 d，近 5 年更少，只有 15 d，其中汛期出现的天数分别是 89、65、64、26 d，近 5 年是 13 d，大于 3 000 m^3 / s 的天数分别是 47、20、20、2 d，近 5 年是 2 d。相反，小流量级出现的天数随年代越来越多。

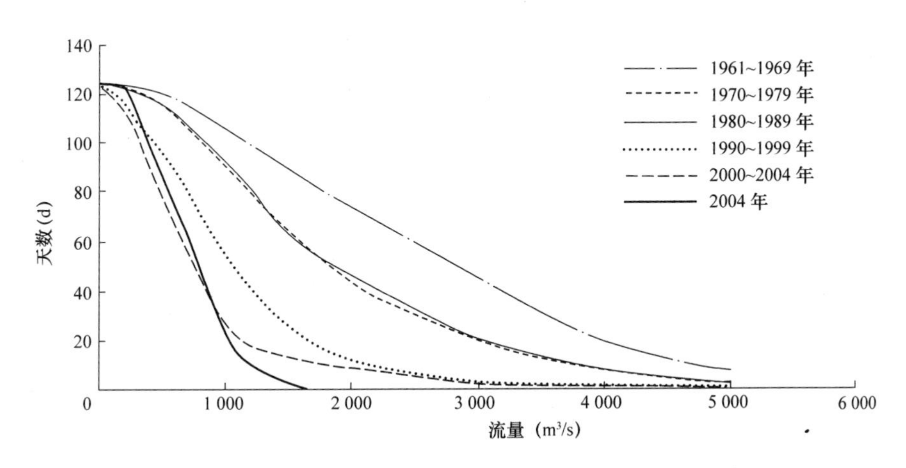

图 1-6 潼关站各年代汛期大于某流量级年均出现天数

2.花园口

图 1-7 是花园口站历年最大洪峰流量过程，可以看出，20 世纪 90 年代以后的年最大洪峰流量比 90 年代以前要减少很多。据统计，1950～1989 年年最大洪峰流量均值为 7 789 m^3 / s，1990～1999 年年最大洪峰流量均值为 4 801 m^3 / s，后者比前者减少了 38.4%。近 5 年的年最大洪峰流量均值为 2 360 m^3 / s，比 1990～1999 年又减少了 50.8%。

表 1-7 潼关站各年代大于某流量级年均出现天数

时段	各流量级出现天数(d)									
	≥1 000 m³ / s		≥1 500 m³ / s		≥2 000 m³ / s		≥3 000 m³ / s		≥4 000 m³ / s	
	全年	汛期	全年	汛期	全年	汛期	全年	汛期	全年	汛期
1961～1969	189	106	119	89	86	74	47	45	20	19
1970～1979	141	90	75	65	49	44	20	19	7.5	7.5
1980～1989	139	93	70	64	48	46	20	20	7.6	7.6
1990～1999	92	53	34	26	14	11	2.1	2	0.5	0.5
2000～2004	41	27	15	13	8	8.4	2.4	2.4	0.2	0.2
2000	40	20	11	4	2	2	0	0	0	0
2001	16	14	3	3	1	1	0	0	0	0
2002	18	7	3	2	1	1	0	0	0	0
2003	96	73	51	51	38	38	12	12	1	1
2004	33	23	6	3	0	0	0	0	0	0

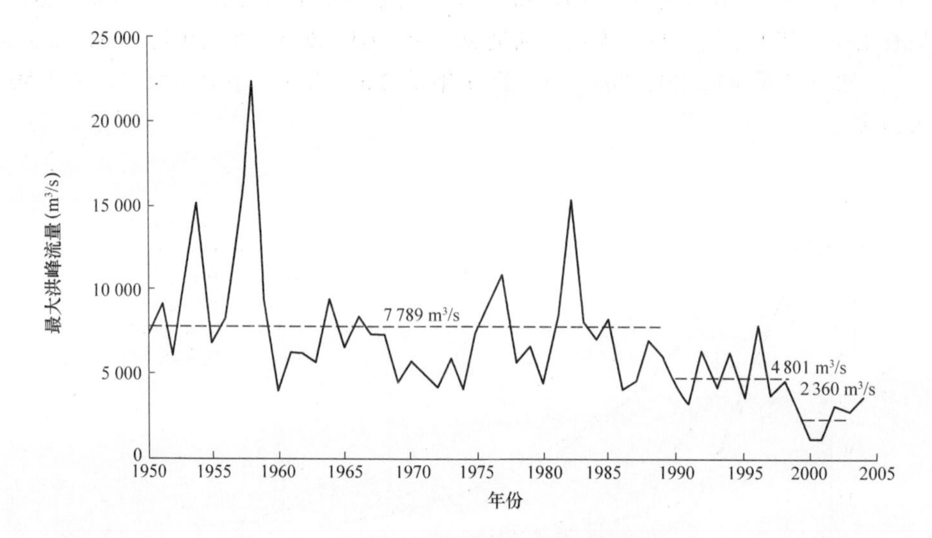

图 1-7 花园口站历年最大洪峰流量过程

就洪峰流量大于 4 000 m³ / s 的洪水出现天数讲，1950～1989 年年均出现 3.6 次，1990～1999 年年均出现 0.9 次，近 5 年没有出现一次；大于 8 000 m³ / s 的洪水，1950～1989 年年均出现 0.5 次，1990～1999 年和近 5 年未出现过。这说明花园口站从 20 世纪 90 年代以来，洪水的峰值和洪水出现的次数都有明显减少，特别是大洪水出现的频次大大减少。

表 1-8 和图 1-8 是反映花园口站各年代不同流量级年均出现的天数统计。与潼关站类似，花园口年均大流量出现的天数随年代逐渐减少，而小流量则逐渐增加。如流量大

于 3 000 m^3/s 的天数，在 20 世纪 50、60、70、80、90 年代分别是 40、53、25、32、4 d，近 5 年只有 0.4 d，大于 5 000 m^3/s 的天数分别是 10、14、3、7、0.2 d，近 5 年为 0。

花园口小流量年均出现的天数，在 20 世纪 90 年代前变化不大，但 90 年代后增加很多，如出现日流量小于 500 m^3/s 的年均天数，在 20 世纪 50、60、70、80、90 年代分别是 42、68、61、49、111 d，近 5 年是 164 d。在灌溉期间，如果花园口日均流量小于 500 m^3/s，则在下游很容易发生断流，需要依靠水库调度补水措施加以避免。

表 1-8　花园口站各年代大于某流量级年均出现天数

时段	不同流量级出现天数(d)									
	≥1 000 m^3/s		≥1 500 m^3/s		≥2 000 m^3/s		≥3 000 m^3/s		≥4 000 m^3/s	
	全年	汛期	全年	汛期	全年	汛期	全年	汛期	全年	汛期
1950～1959	177	117	118	97	87	78	40	39	21	21
1960～1969	214	105	143	89	104	76	53	47	28	26
1970～1979	156	95	82	72	54	50	25	24	12	12
1980～1989	156	97	89	74	61	57	32	32	19	19
1990～1999	94	57	37	31	16	15	3.6	3.5	1.1	1.1
2000～2004	36	20	24	16	19	14	0.4	0.4	0	0
2000	7	0	0	0	0	0	0	0	0	0
2001	14	1	3	0	0	0	0	0	0	0
2002	24	14	18	11	11	11	1	1	0	0
2003	90	57	69	51	60	46	0	0	0	0
2004	47	26	28	16	26	15	1	1	0	0

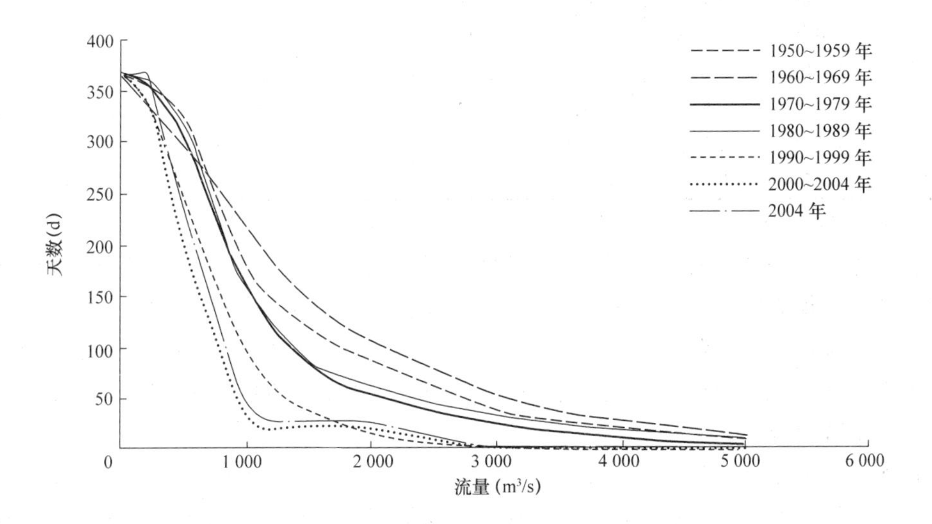

图 1-8　花园口站各年代大于某流量级年均出现天数变化对比图

四、黄河干支流输沙量

近 5 年干支流来沙量大幅度减少，上游头道拐断面年均来沙量为 0.256 亿 t，约为多年均值的 1/5，为 20 世纪 90 年代的 2/3；龙门、潼关、花园口站 5 年平均实测输沙量分别为 2.423 亿、4.192 亿、1.326 亿 t，比多年均值分别减少 69.7%、64.2%和 87.2%，比 20 世纪 90 年代分别减少 52.4%、46.9%和 80.6%。黄河几条主要来沙支流的输沙量也大大减少(见表 1-9、图 1-9)。

表 1-9　黄河干支流主要站实测输沙量统计

站　名	不同时段输沙量(亿 t)							
	2000 年	2001 年	2002 年	2003 年	2004 年	5 年平均	90 年代	多年平均
唐乃亥	0.053	0.067	0.081	0.137	0.087 9	0.085	0.110	0.131
兰　州	0.251	0.217	0.171	0.294	0.153	0.217	0.516	0.720
头道拐	0.284	0.200	0.268	0.279	0.248	0.256	0.409	1.126
龙　门	2.190	2.364	3.352	1.857	2.354	2.423	5.092	8.006
潼　关	3.410	3.423	4.496	6.179	3.452	4.192	7.897	11.700
三门峡	3.570	2.939	4.478	7.768	2.676	4.286	8.112	11.600
小浪底	0.134	0.729	0.753	1.130	1.484	0.846	7.294	11.100
花园口	0.835	0.657	1.160	1.970	2.01	1.326	6.834	10.340
高　村	1.160	0.840	1.230	2.750	2.421	1.680	4.923	9.210
利　津	0.222	0.197	0.543	3.690	2.701	1.471	3.899	8.120
红　旗	0.085	0.080	0.086	0.217	0.041	0.102	0.204	0.262
温家川	0.058	0.113	0.076	0.127	0.053	0.085	0.648	1.015
白家川	0.285	0.957	0.696	0.145	0.478	0.512	0.840	1.269
河　津	0	0.001	0.001	0.013	0.006	0.004	0.035	0.222
洑　头	0.340	0.700	0.442	0.218	0.297	0.399	0.889	0.824
华　县	1.490	1.288	2.395	2.997	1.085	1.851	2.841	3.644
黑石关	0.002	0	0	0.044	0.001	0.009	0.010	0.122
武　陟	0.003	0.010	0.010	0.045	0.008	0.015	0.009	0.047
6 站和	4.025	4.363	6.200	5.174	3.751	4.703	8.534	12.864
3 站和	0.139	0.739	0.763	1.219	1.493	0.871	7.313	11.269

注：6 站指龙门、华县、河津、洑头、黑石关、武陟，3 站指小浪底、黑石关、武陟。

若以龙门、华县、河津、洑头、黑石关、武陟 6 站的输沙量之和代表黄河流域的来沙量，则近 5 年流域年均来沙量为 4.703 亿 t，较多年均值减少 63.4%，较 20 世纪 90 年代均值减少 44.9%。如果以小浪底、黑石关、武陟 3 站的输沙量之和代表进入下游的沙量，则近 5 年进入下游的年均输沙量为 0.871 亿 t，较多年均值减少 92.3%，较 20 世纪 90 年代均值减少 88.1%。

近 5 年流域来沙量最多的是 2002 年，共来沙 6.20 亿 t。2002 年 7、8 月份在无定河、清涧河、延河、泾河发生暴雨洪水，仅这几条支流当年就产沙 4.66 亿 t。其次是 2003 年来沙 5.174 亿 t，占 5 年总沙量的 22.0%。2003 年 8～10 月在渭河发生秋汛强降雨，该年仅华县和洑头产沙 3.215 亿 t。

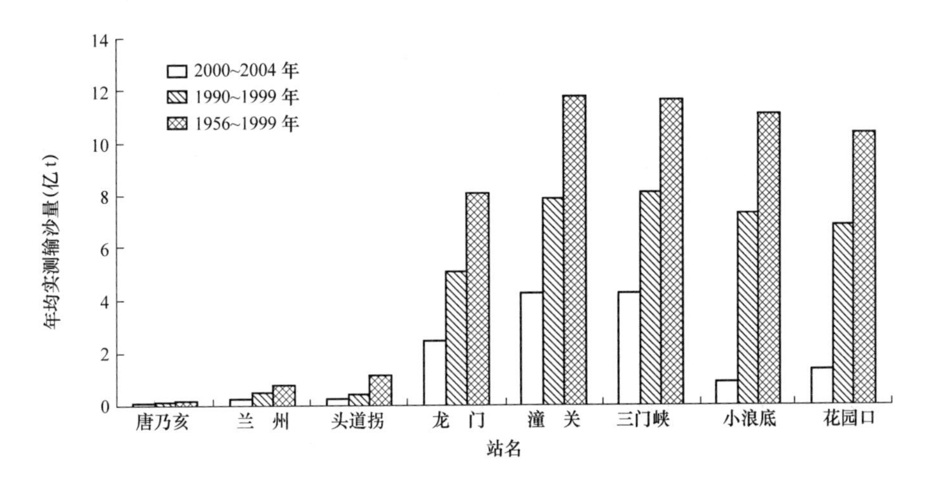

图 1-9 黄河干流主要站各时段年均实测输沙量比较

五、几点认识

(1) 2000～2004 年黄河流域年均降雨量为 430.9 mm，比多年均值偏少 3.9%，比 20 世纪 90 年代偏多 2.1%；实测水量仍严重偏少，干流兰州、头道拐、龙门、三门峡、花园口各站 5 年平均实测水量比多年均值偏少 24%～53%，比 20 世纪 90 年代偏少 9%～29%。2003 年因龙门以下发生 1964 年以来少有的秋雨，花园口和利津实测水量比 20 世纪 90 年代分别偏多 6.2%和 36.7%，但仍比多年均值分别偏少 31.1%和 40.1%。

近 5 年洪峰流量减小，洪水频次减少，流量 1 000 m^3 / s 以上出现时间大幅度缩短，年内长时间为小流量过程。

(2) 近 5 年耗水量平均为 264.0 亿 m^3，比多年均值增加 5.6%，但比 90 年代减少 11.0%；上中游水库运用根据水量丰枯和下游需求进行蓄水和补水。将耗水量和水库蓄水量恢复为河川天然径流量，干流兰州、头道拐、龙门、三门峡、花园口各站 5 年平均天然水量比多年均值偏少 22%～35%，比 20 世纪 90 年代偏少 8%～19%。

(3) 由于产沙区暴雨减少和人类活动的影响，黄河来沙量锐减，中游 6 站总输沙量为 4.703 亿 t，约为多年均值的 1 / 3，为 20 世纪 90 年代的 1 / 2 左右；加之小浪底水库的拦沙作用，进入下游(3 站和)的泥沙只有 0.871 亿 t，仅约为多年均值的 1 / 13，为 20 世纪 90 年代的 1 / 9 左右。

第二章　水土保持措施对洪水的影响及淤地坝对泥沙的分选作用

一、水土保持措施对洪水的影响

（一）典型支流水土保持措施对洪水的影响

在特定的区域和一定的降水条件下，流域洪水特征将主要取决于下垫面条件。20 世纪 70 年代以来黄河中游因实施了大量的水土保持措施，使流域下垫面发生了比较明显的变化，由此使得降水与洪水关系受到影响。

目前的治理状况下，大多流域的生物措施面积所占比重较大。如黄甫川流域 20 世纪 50 年代就开展了水土保持治理，治理的主要特点一是前期治理速度慢、程度低，而后期发展较快；二是以林草措施为主，梯田、淤地坝等措施相对较少。20 世纪 70 年代以前，治理程度仅为 6.8%，相应的林草措施面积比（林草面积与治理面积的比）为 86.25%，其他工程措施面积比仅为 13.75%；1983 年黄甫川流域被列为国家重点治理支流以来，治理速度加快，至 1989 年治理程度达到 17.3%，到 1997 年治理程度已达 28.2%，其中生物措施面积比为 88.36%，但工程措施面积比只有 11.64%，其中坝地面积比仅为 1.79%。

图 2-1～图 2-3 分别是黄甫川、窟野河、清涧河流域次洪降雨量和产流量(次洪洪量或次洪径流深)关系，总体来看，产流量随降雨量的增大而增大，但关系散乱。如以 1970 年为治理前后的分界年份，可以看出，不同支流，其关系的统计规律有所差异。例如，对于黄甫川流域，在 20 世纪 80 年代，降雨量大约小于 50 mm 时，其点据多数偏于 1980 年以前的下方，而到了 1990～1996 年，点据分布又有所上移，由此表明，黄甫川流域在 20 世纪 80 年代水利水保措施有一定的减洪作用，而近年的作用又不太明显。

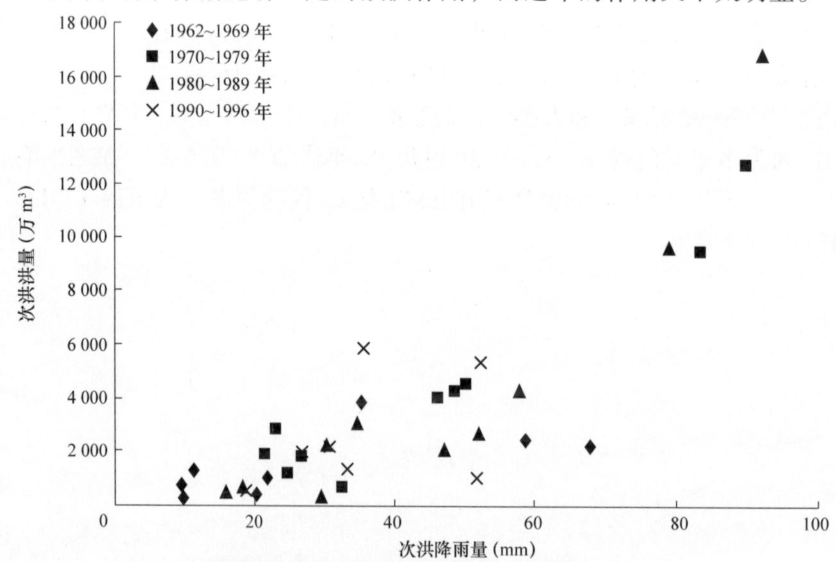

图 2-1　黄甫川流域次洪降雨量与产流量关系（最大 24 h）

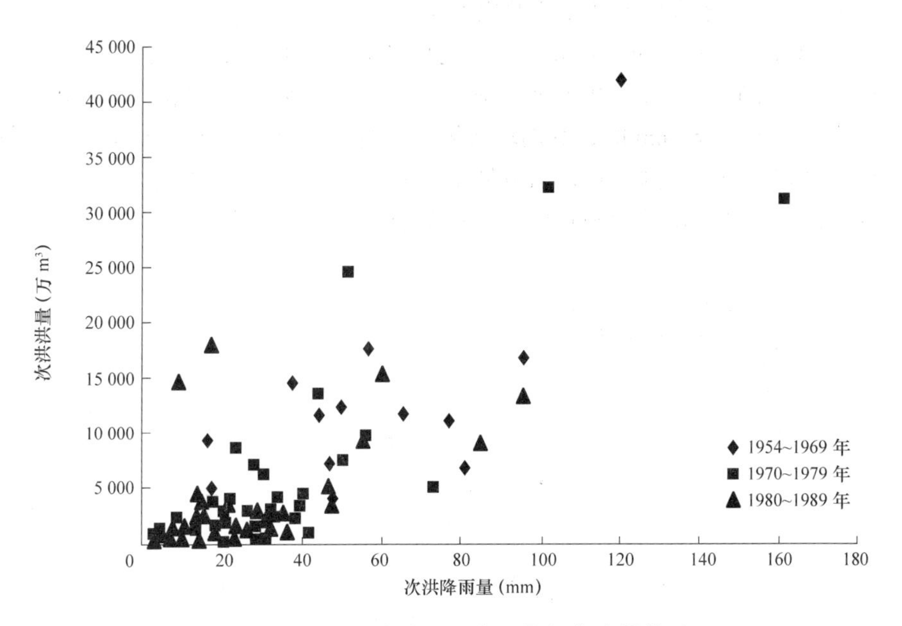

图 2-2 窟野河流域次洪降雨量与产流量关系

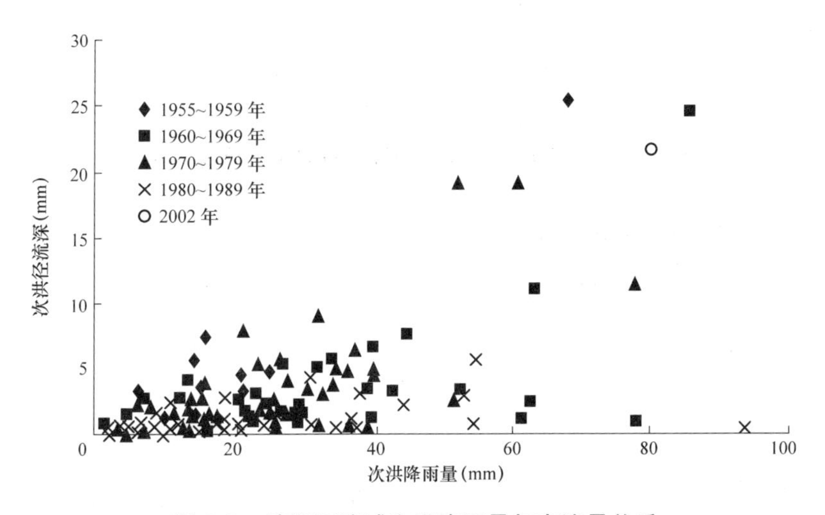

图 2-3 清涧河流域次洪降雨量与产流量关系

对于窟野河流域，次洪降雨量和次洪洪量关系在不同年代没有明显的变化。清涧河也是在 20 世纪 80 年代的水利水保措施作用较明显。

(二)不同治理程度和措施配置对洪水的影响

根据统计，在 20 世纪 90 年代初，三川河流域的治理程度已达 33.1%，比黄甫川流域同期高出 10%以上。同时，措施配置体系也不尽相同，如三川河的工程措施面积比为 22.97%，比黄甫川同期多 20.17%；再者，三川河流域修建中型水库 2 座，小(一)型水库 2 座及小(二)型水库 5 座，控制面积达 708 km^2，占流域面积的 17.02%，其总库容为 3 312 万 m^3，而黄甫川流域主要在其支流十里长川有一些小型坝库，控制面积为 268 km^2，占流域面积的 8.36%，还难以起到显著的拦蓄作用。

图 2-4、图 2-5 分别是黄甫川和三川河流域的降水与洪水关系。显见，在相同最大日降水条件下，自 20 世纪 70 年代治理以来，三川河流域各年代的削峰效果不断增加，尤其在日降水量约大于 35 mm 时，其削峰效果更为明显，而且，降水量约大于 50 mm 时，仍能起到削峰减洪作用。这与黄甫川流域反映的规律是不同的。根据分析，产生这种差异的主要原因是两个流域的治理程度以及治理措施配置体系的不同[1]。

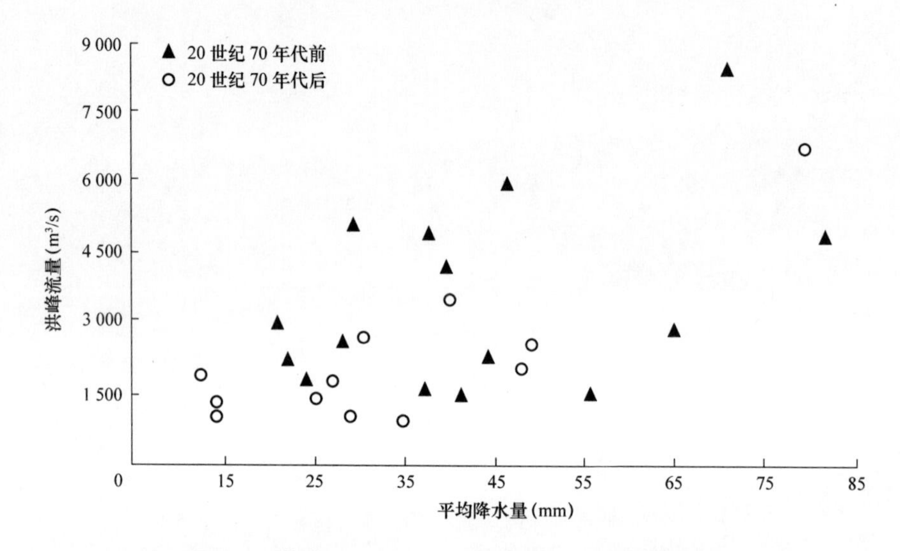

图 2-4　黄甫川流域面平均降水量与洪峰流量关系

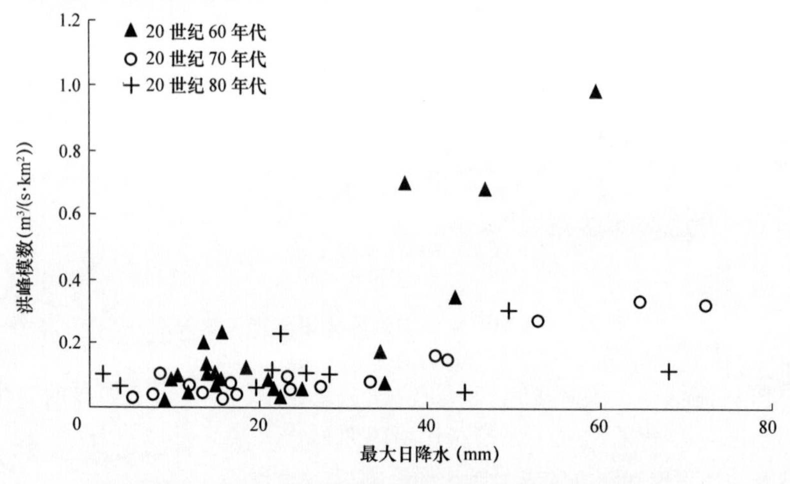

图 2-5　三川河流域最大日降水量与洪峰模数关系

从而也可推知，生物措施仅在降雨量较低情况下才有可能起到一定的滞洪作用，要达到一定的蓄水效益，必须配置一定规模的工程措施(包括梯田、坝地、水库等)。根据文献[1]的分析，坝库的控制面积不能低于 10%。若低于 10%，尽管其他措施治理程度较高，但对大暴雨洪水的控制作用仍不明显。

二、淤地坝对输沙粒径的影响

(一)坝地淤积物粒径空间变化规律初步分析

淤地坝具有巨大的拦蓄泥沙能力。同时，根据泥沙运动力学理论，淤地坝的拦蓄必然对进入下游河道的粒径组成具有一定的影响。以黄河粗泥沙集中来源区中粒径大于0.05 mm粗泥沙模数大于2 500 t / km^{2}的区域为研究对象，通过钻探方法，对54座淤地坝坝地淤积物进行取样资料，根据51组资料分析了淤地坝对输沙粒径的影响。应说明的是，在分析中，排除了3座淤地坝不合理的取样资料。

1.淤地坝对坝地泥沙的分选作用

图2-6是51座淤地坝平均颗粒级配曲线，由图可以看出，坝前淤积物颗粒级配曲线位于坝尾淤积物颗粒级配曲线下方。同时，根据级配资料，坝前和坝尾淤积物中值粒径分别为0.053 mm和0.071 mm，平均粒径分别为0.072 mm和0.135 mm。由此可见，坝前淤积物颗粒组成小于坝尾的。

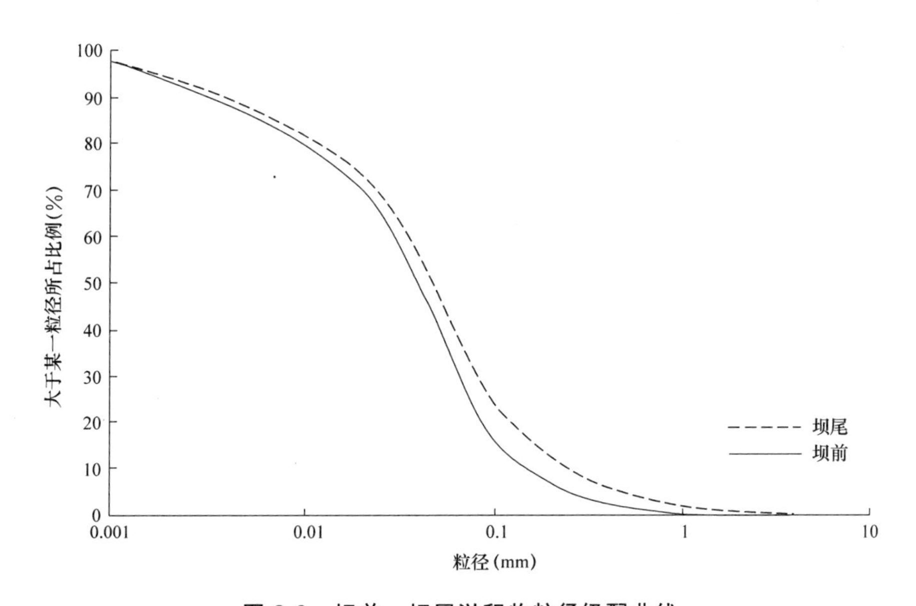

图2-6 坝前、坝尾淤积物粒径级配曲线

图2-7是坝前和坝尾不同粒径级所占比例变化情况，可以看出，对于小于0.1 mm的各组泥沙所占比例，坝前大于坝尾；大于0.1 mm的各组泥沙所占比例，坝前小于坝尾。另外，无论是坝前还是坝尾，均以0.025～0.05 mm的泥沙含量为最高。

2.不同产沙区淤地坝的分选作用

根据本次钻探取样资料，坝尾淤积泥沙平均粒径D_w在0.04～0.551 mm之间，其中D_w>0.4 mm的淤地坝只有1座。据此，以D_w≤0.05 mm、0.05～0.1 mm、0.1～0.2 mm、0.2～0.3 mm、≥0.3 mm分组，对不同泥沙粒径组成条件下坝前、坝尾泥沙粒径进行对比分析。

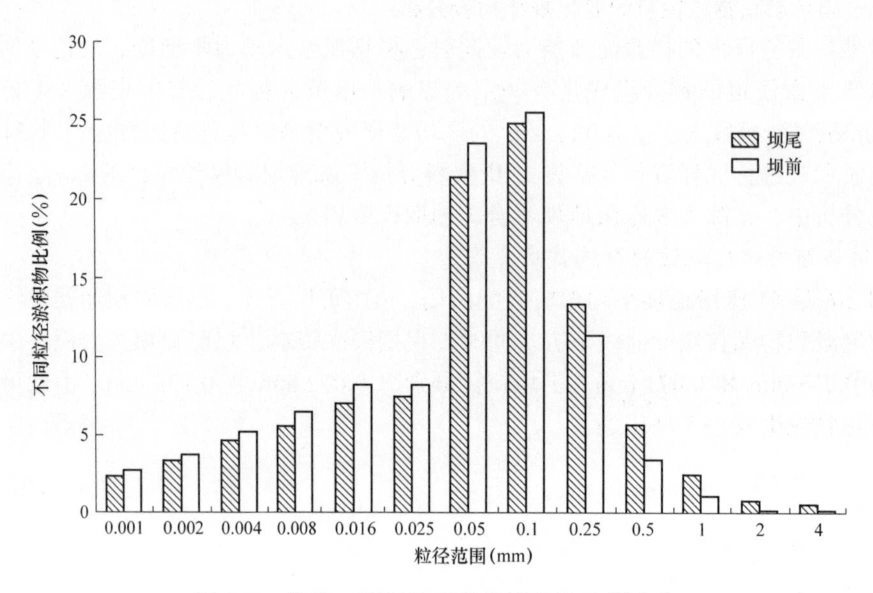

图 2-7　坝前、坝尾不同粒径淤积物比例变化

图 2-8～图 2-12 是分别按 $D_w \leqslant 0.05$ mm、0.05～0.1 mm、0.1～0.2 mm、0.2～0.3 mm、≥0.3 mm 对淤地坝进行分类后的坝前和坝尾泥沙粒径级配曲线。可以看出，在 $D_w \geqslant 0.3$ mm 的情况下，坝前、坝尾泥沙粒径级配差别较大，坝前泥沙粒径明显小于坝尾；随着 D_w 的减小，坝前、坝尾泥沙粒径级配差别越来越小；当 $D_w \leqslant 0.05$ mm 时，两条级配曲线几乎重叠，说明坝前、坝尾泥沙粒径无明显差别。

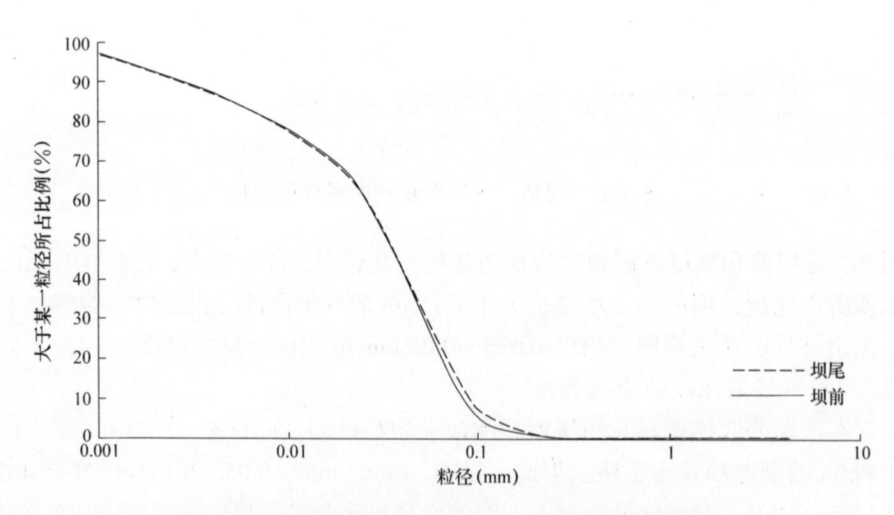

图 2-8　坝尾平均粒径≤0.05 mm 区域的级配曲线

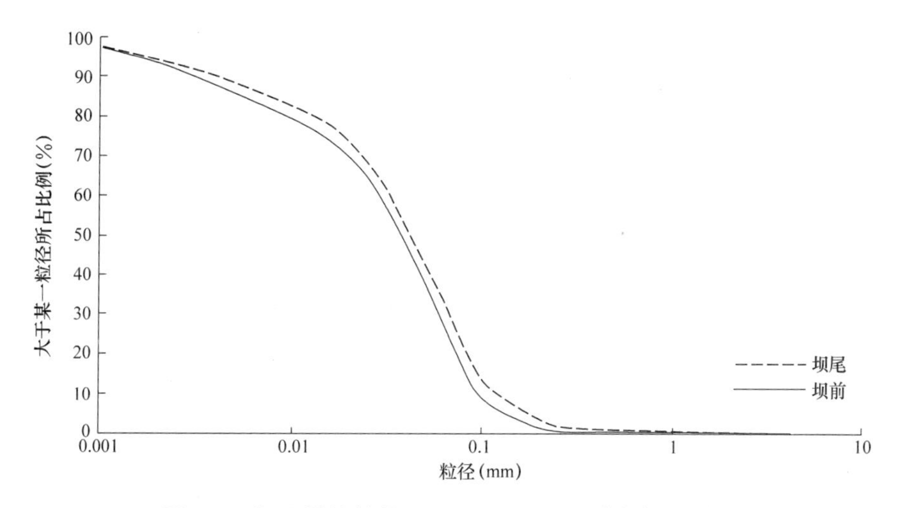

图 2-9　坝尾平均粒径 0.05～0.1 mm 区域的级配曲线

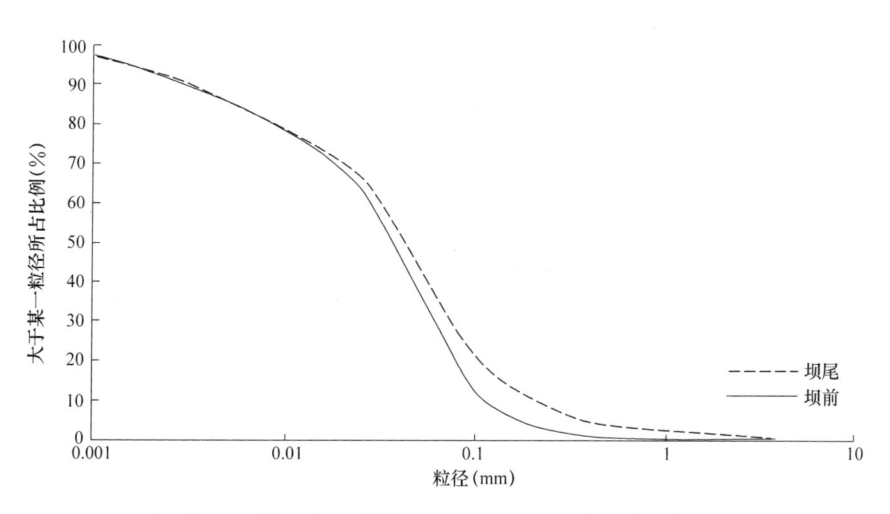

图 2-10　坝尾平均粒径 0.1～0.2 mm 区域的级配曲线

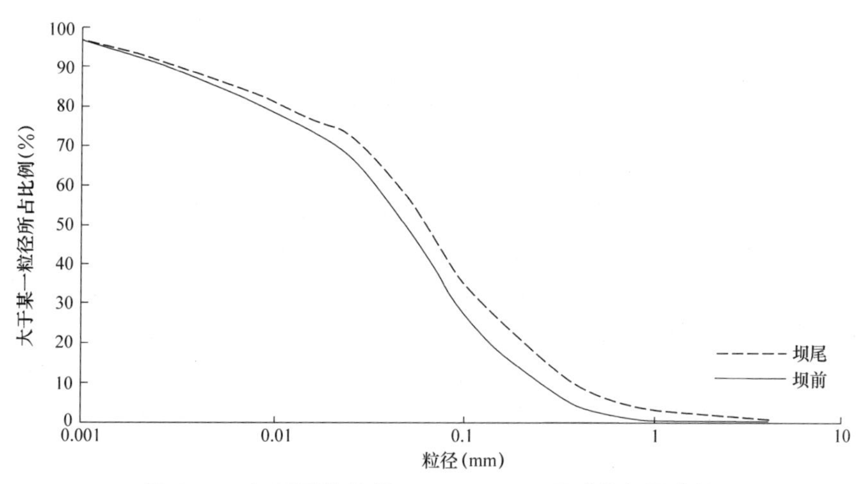

图 2-11　坝尾平均粒径 0.2～0.3 mm 区域的级配曲线

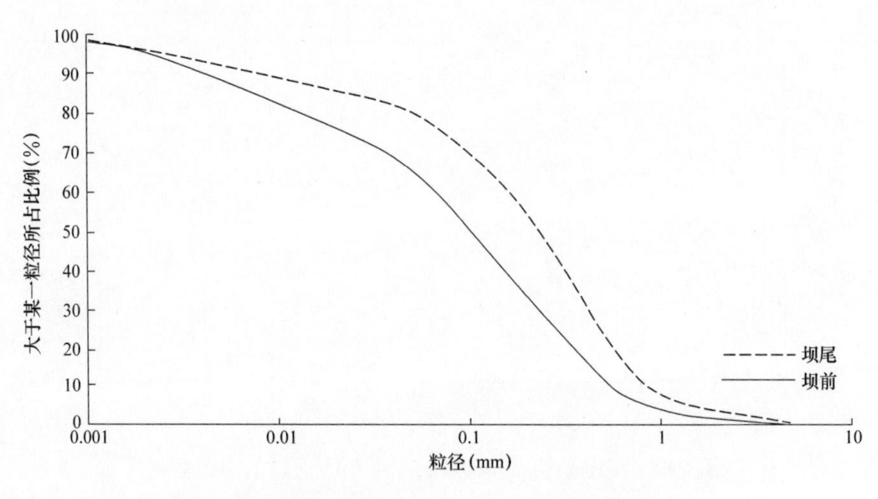

图 2-12 坝尾平均粒径≥0.3 mm 区域的级配曲线

表 2-1 是不同泥沙粒径组成条件下坝前、坝尾泥沙中值粒径和平均粒径对比情况。可以看出，当坝尾淤积物粗时，相应坝前也粗，沿程有明显的细化趋势；当坝尾淤积物组成细时，相应坝前也细，沿程差异较小，没有明显的细化趋势。

表 2-1 坝前、坝尾泥沙中值粒径和平均粒径对比情况

坝尾平均粒径(mm)	中值粒径(mm)		平均粒径(mm)	
	坝尾	坝前	坝尾	坝前
≥0.3	0.234	0.123	0.381	0.210
0.2～0.3	0.089	0.070	0.234	0.093
0.1～0.2	0.052	0.041	0.127	0.053
0.05～0.1	0.044	0.039	0.065	0.047
≤0.05	0.035	0.034	0.043	0.040

3.不同支流的泥沙级配变化分析

图 2-13、图 2-14 分别是黄甫川和无定河流域内坝前、坝尾泥沙粒径级配曲线，可以看出，黄甫川流域内坝前泥沙粒径细化较明显，说明坝地对泥沙粒径的分选作用较大。分析其原因，主要是黄甫川流域砒砂岩面积比例大，侵蚀产沙粒径粗，多年(1966～1997年)输沙平均粒径为 0.16 mm，因而，结合前述统计分析，坝前和坝尾淤积物粒径必然相差较大，坝前、坝尾的泥沙中值粒径分别为 0.10 mm 和 0.14 mm；无定河流域以黄土为主，多年(1966～1997 年)输沙平均粒径仅为 0.05 mm，坝地淤积物中值粒径坝尾为 0.04 mm，坝前略小，两曲线非常接近。

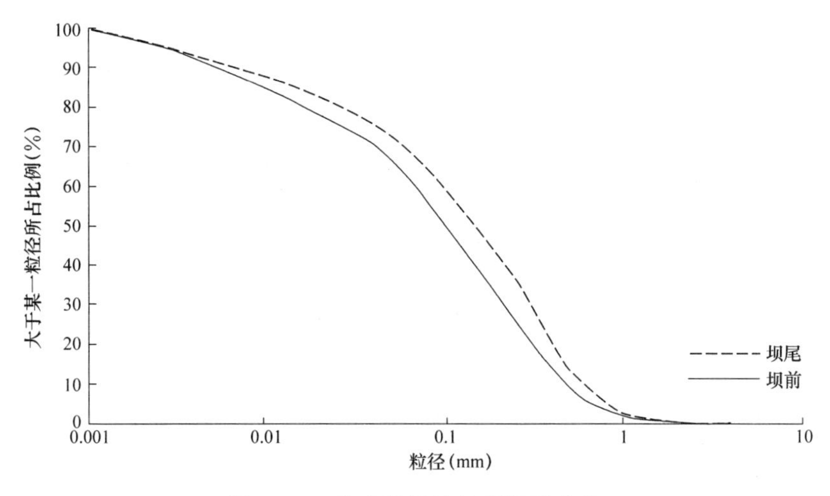

图 2-13　黄甫川泥沙粒径级配曲线

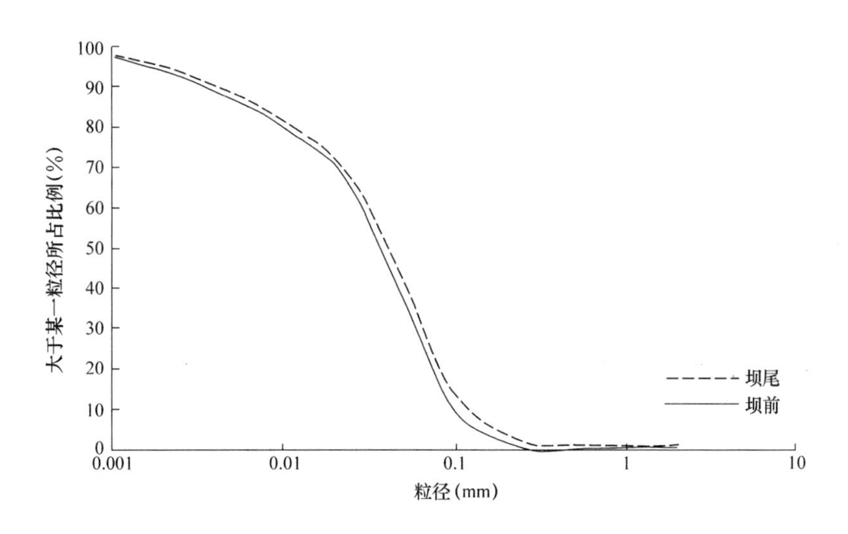

图 2-14　无定河泥沙粒径级配曲线

(二)水土保持措施对输沙粒径变化的作用分析

1. *淤地坝拦沙在水土保持措施减少入黄粗泥沙中起主要作用*

黄河泥沙主要来源于中游，其中河口镇—龙门区间(简称河龙区间)又是粗泥沙主要来源区。在河龙区间的诸多支流中，以黄甫川、窟野河、无定河 3 条支流对黄河泥沙的贡献最大。3 条支流水文站控制流域面积合计为 4.15 万 km^2，占河龙区间总面积的 37%，多年平均(1956～1996 年)输沙量占河龙区间多年平均(1950～1996 年)输沙量的 40%，多年平均粗泥沙输沙量占 45%。其中又以窟野河和黄甫川为甚，两条支流面积合计 1.18 万 km^2，仅占河龙区间面积的 11%，其多年平均粗泥沙输沙量占河龙区间的 27%。

长期以来，对于该区域的水土流失治理备受人们关注，特别是 20 世纪 70 年代以来，大规模的综合治理，取得了很好的减沙效益。根据典型支流淤地坝拦沙量计算成果(见表 2-2)知，在黄甫川、窟野河、无定河和三川河等支流中，20 世纪 70 年代和 80 年代淤地坝拦沙量占水保措施拦减泥沙总量的42%～85%，90年代部分支流淤地坝拦沙量有所减少，但仍占水保措施拦减泥沙总量的33%～67%。

表2-2　典型支流淤地坝拦沙量计算成果

河流	年代	年输沙量(万t)	粗泥沙比例(%)	年粗泥沙量(万t)	淤地坝减沙量(万t)	淤地坝减粗泥沙量(万t)	淤地坝减沙量占水保减沙量(%)	淤地坝减沙量占年输沙量(%)
黄甫川	1954～1969	6 180	49.9	3 080	47	23	40.7	0.8
	1970～1979	6 245	51.2	3 200	189	97	43.3	3.0
	1980～1989	4 280	48.6	2 080	580	282	57.2	13.6
	1990～1996	3 030	43.7	1 320	970	424	64.2	32.0
窟野河	1956～1969	12 860	41.2	5 300	104	43	55.8	0.8
	1970～1979	13 990	42.8	5 990	299	128	52.9	2.1
	1980～1989	6 710	50	3 355	301	151	42.1	4.5
	1990～1996	8 330	45.1	3 760	602	272	42.9	7.2
无定河	1956～1969	21 500	33.2	7 140	1 130	375	76.7	5.3
	1970～1979	11 600	36.4	4 220	4 810	1 750	84.1	41.5
	1980～1989	5 270	31.4	1 655	2 750	864	62.5	52.2
	1990～1996	9 730	25.8	2 510	1 280	330	32.9	13.2
三川河	1969年以前	3 840	18.5	710	117	22	68.8	3.0
	1970～1979	1 830	19.8	362	641	127	85.1	35.0
	1980～1989	964	17.4	168	896	156	74.9	92.9
	1990～1996	1 080	12	130	827	99	67.2	76.6

2.治理前后输沙粒径对比分析

通过对河龙区间主要支流输沙粒径资料分析，可以发现治理前后输沙粒径发生了比较明显的变化(见图2-15和图2-16)。在主要支流中，除窟野河外，其他支流治理后泥沙中值粒径和平均粒径均比治理前小，可见，水土保持措施有使输沙粒径变细的作用。但还应该看到，河龙区间出口的龙门站输沙粒径在治理前后变化不大，说明在目前的治理条件下，还不能使黄河干流泥沙粒径产生根本性变化。

三、主要认识与建议

(1)在目前治理条件下，黄河中游大部分地区水土保持措施对暴雨洪水的控制能力有限，不同措施配置所起控制作用不同。

不同流域，因水土保持措施的配置不同，对暴雨洪水的控制作用不同，根据黄甫川、窟野河、清涧河等典型支流水土保持措施对洪水的影响分析，目前治理措施配置体系下，对大暴雨洪水的作用还不太明显，对于黄甫川、清涧河，也只有在20世纪80年代的作

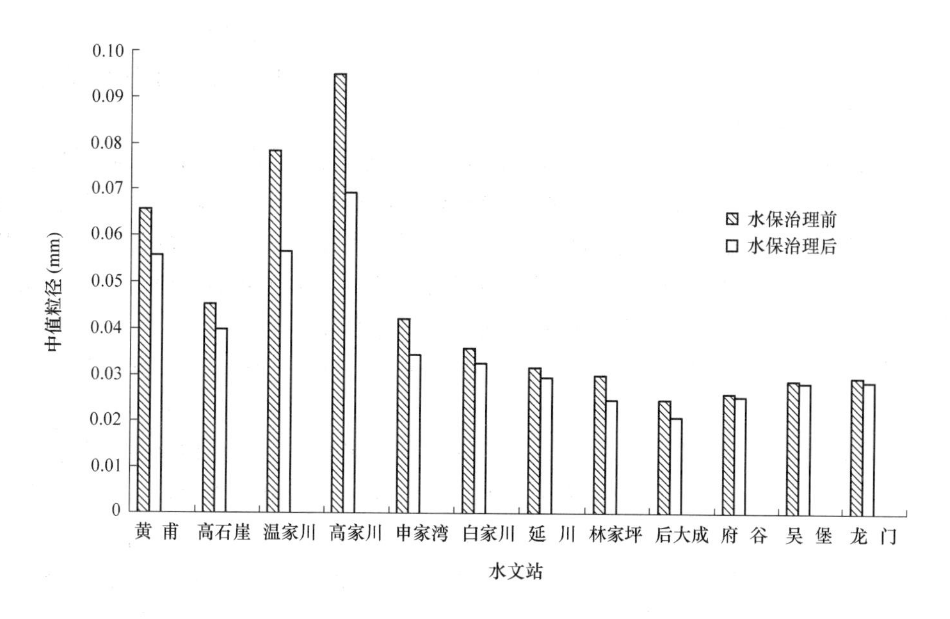

图 2-15　河龙区间实施水保治理前后泥沙中值粒径变化情况

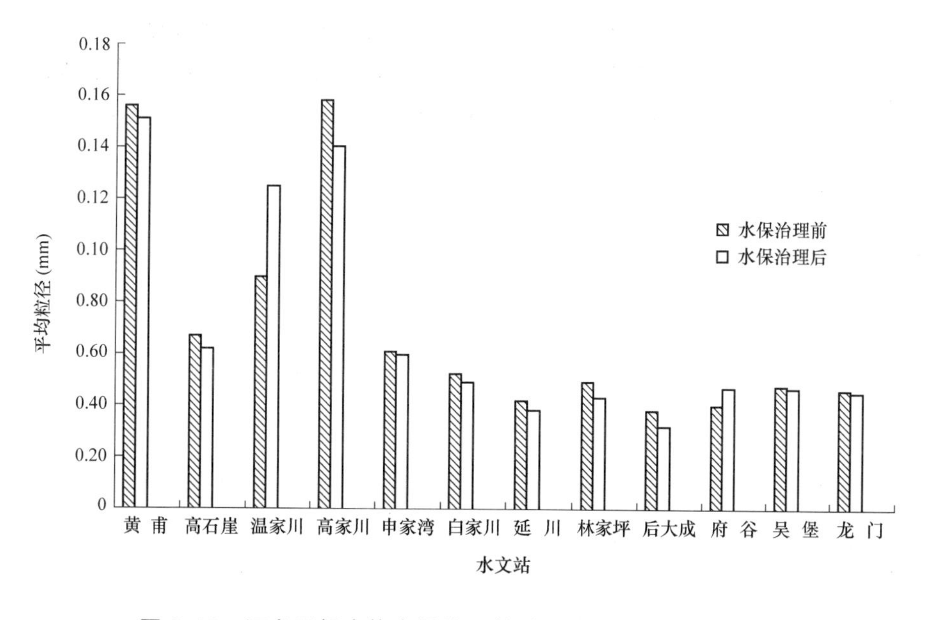

图 2-16　河龙区间实施水保治理前后泥沙平均粒径变化情况

用相对明显一些。如黄甫川的资料表明，当降雨量约小于 50 mm 时，20 世纪 80 年代水利水保措施具有一定的减洪作用；若坝库的控制面积低于 10%，尽管其他措施治理程度较高，但对大暴雨洪水的控制作用仍不明显。

(2)淤地坝对泥沙具有分选作用，对于排洪运行的淤地坝，可以起到淤粗排细的作用。

根据对坝前、坝尾泥沙粒径分析，坝前泥沙粒径小于坝尾，淤地坝对泥沙具有分选作用。对于排洪运行的淤地坝，排出的泥沙粒径也就相对较细，从而起到了淤粗排细的作用。

(3) 在粗泥沙产沙区淤地坝能够起到更好的淤粗排细作用，应加快淤地坝建设，特别是在粗泥沙集中来源区。

泥沙粒径越粗，坝前、坝尾差别越大，分选越明显。从黄甫川和无定河流域内坝前、坝尾泥沙粒径对比分析也可以看出，产沙粒径较粗的黄甫川流域内坝前泥沙粒径细化程度较无定河流域更为明显，说明在粗泥沙产沙区淤地坝能够起到更好的淤粗排细作用。因此，在粗泥沙集中来源区建设淤地坝，不仅可以减少入黄泥沙的绝对量，而且可以在一定程度上使输沙粒径细化，将有效减少入黄粗泥沙含量。

(4) 多沙粗沙区的水土保持措施应以淤地坝建设为重点，同时合理配置坡面治理措施。

在黄河中游水土保持生态建设中，要正确处理工程措施、生物措施和耕作措施的关系。以淤地坝为主的工程措施、以林(草)为主的生物措施和以改进生产方式为主的耕作措施，都是治理水土流失的重要措施，三者相辅相成，互为补充。单打一搞淤地坝工程，没有退耕还林还草等生物措施，坡面侵蚀难以控制，淤地坝的“生存”将面临严峻挑战，因而坡面治理措施大见成效后，可使一些大中型淤地坝长期保持有效库容，延长使用寿命；同样，离开工程单纯搞退耕还林还草，不仅林草生长所需的水分得不到保证，而且老百姓的吃饭问题也难以有效解决，“越穷越垦、越垦越穷”的恶性循环就难以改变。因此，要把林草措施作为淤地坝建设的配套工程，以淤地坝建设巩固退耕还林成果，工程措施、生物措施和耕作措施并举，最终达到综合治理的目的。

第三章 三门峡库区冲淤演变及其对万家寨水库运用的要求

一、三门峡库区近期变化特点

(一)冲淤演变特点

自 1973 年底三门峡水库开始蓄清排浑控制运用以来,潼关以下库区泥沙具有非汛期淤积、汛期冲刷、年内基本冲淤平衡的特点。

非汛期淤积呈中间大两端小的形态，淤积集中河段在黄淤 22—黄淤 36 断面。非汛期淤积量大小取决于来沙多少，淤积分布取决于水库运用水位，如运用水位高时淤积重心就会靠上。随非汛期最高运用水位下调，不同时段的淤积重心也随之改变，如 1974～1979 年非汛期运用水位较高，淤积重心在黄淤 30—黄淤 38 断面之间；1980～1985 年非汛期最高运用水位下调，高水位持续时间缩短，淤积重心下移到黄淤 22—黄淤 35 断面之间；1986 年以后非汛期最高运用水位控制在 324 m 以下，淤积重心明显下移，汛期的冲刷重心也相应下移，特别是 1993 年以后非汛期最高运用水位基本不超过 322 m，淤积重心在黄淤 20—黄淤 33 断面之间。非汛期淤积集中的河段具有大冲大淤的特点(见图 3-1)。

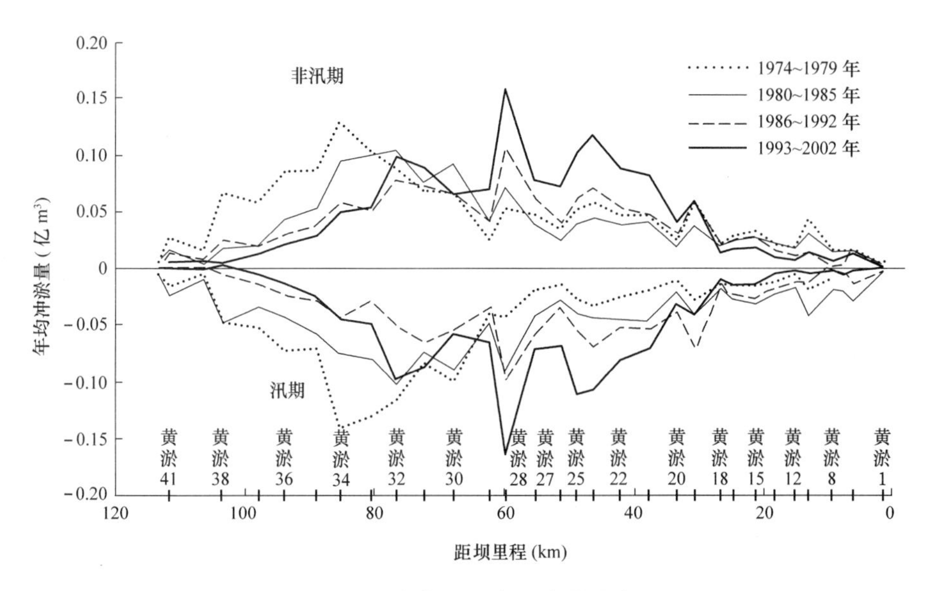

图 3-1 潼关以下库区冲淤分布

非汛期淤积量大的河段汛期冲刷量也大。汛期的冲刷取决于入库水流条件、前期的淤积部位和水库敞泄时间。如 1974～1985 年来水偏丰，除 1977 年出现高含沙洪水外，来沙量偏少，该时段内潼关以下累计淤积 0.594 亿 m^3，基本冲淤平衡；1986 年以后，由于龙羊峡水库投入运用，加之沿黄工农业用水不断增加、降雨量偏少以及水土保持措施的作用等因素，三门峡入库水沙条件发生了很大变化，汛期来水量大幅度减少，洪水发生频率降低，小流量历时增加，汛期的冲刷量小于非汛期的淤积量，至 2002 年累计淤积 2.54 亿 m^3；2003 年非汛期按 318 m 水位运用后淤积重心下移，汛期较大流量持续时间长，同时水库敞泄时间也长。在各种条件都有利的情况下，2003 年汛期不但将当年淤积物全部排出库外，而且将往年淤积下来的 1.378 亿 m^3 泥沙也排出了库外；2004 年汛期冲刷量小，年内累计淤积 0.441 亿 m^3(见表 3-1)。

表 3-1　不同时段冲淤量统计

时段	年均冲淤量(亿 m^3)		
	非汛期	汛期	全年
1974～1979	1.447	–1.206	0.241
1980～1985	1.198	–1:340	–0.142
1986～1992	1.118	–0.965	0.153
1993～2002	1.281	–1.135	0.146
2003	0.825	–2.203	–1.378
2004	0.850	–0.409	0.441

(二)潼关高程变化

潼关断面位于三门峡大坝上游 125.6 km 处，紧靠渭河入黄的汇流区下游，对渭河下游和小北干流部分河段起局部侵蚀基准面的作用。1960 年 9 月三门峡水库蓄水运用后，库区严重淤积，潼关高程(潼关(六)断面流量 1 000 m^3/s 时水位)急剧抬升，至 1962 年 3 月达到 328.07 m，较建库前抬高 4.67 m。经过三门峡水库运用方式的调整和二次改建扩大泄流规模，库区发生冲刷，1973 年汛后潼关高程为 326.64 m。

三门峡水库蓄清排浑运用以来，潼关高程一般为非汛期抬升、汛期下降(见图 3-2)。1974～1985 年水沙条件较为有利，尽管非汛期运用水位较高，潼关高程基本变化在 327 m。1986 年以来为枯水少沙系列，在此期间，虽然三门峡水库最高运用水位继续下调，非汛期潼关高程上升值减小，但汛期冲刷下降值更小，年内冲淤达不到平衡，潼关高程持续抬升(见表 3-2、图 3-3)，1995 年汛后达 328.28 m，累计上升 1.64 m。1996 年潼关河段清淤工程实施以来至 2001 年，潼关高程变化在 328.0～328.5 m 之间，2001 年 10 月底潼关高程为 328.23 m。2002 年 6 月渭河的高含沙小洪水造成潼关高程上升，最高达 329.14 m，为历史最高；汛期冲刷下降，汛后为 328.78 m。2003 年来自渭河的秋汛洪水使得潼关站汛期水量增加，为 1990 年以来的最大值，2 000 m^3/s 以上流量持续时间增长，潼关高程发生持续稳定冲刷，汛末降到 327.94 m。2004 年非汛期抬升 0.30 m、汛期下降 0.26 m，汛后潼关高程为 327.98 m，与 2003 年汛后基本相当。

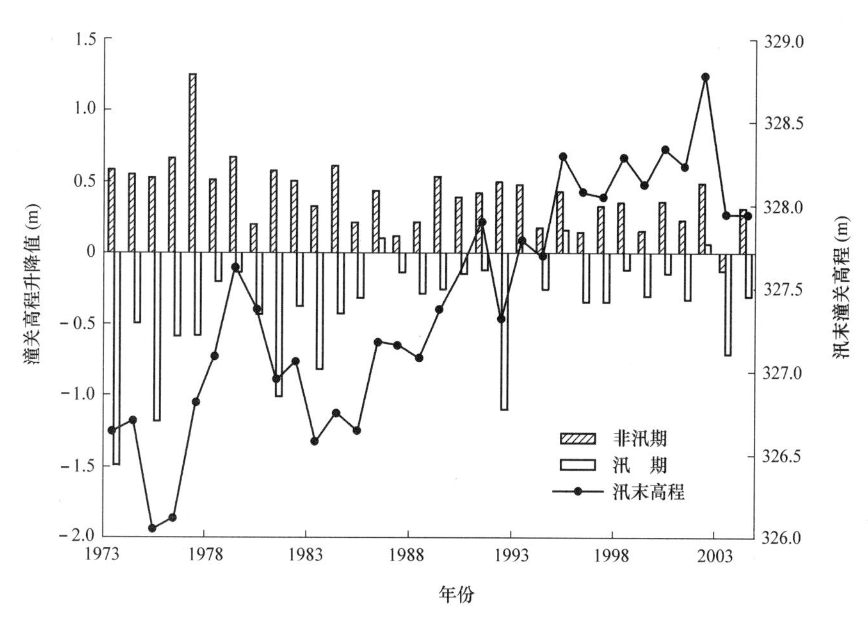

图 3-2 蓄清排浑以来潼关高程变化过程

表 3-2 不同时段潼关高程变化

运用年份	汛期水量(亿 m³)	非汛期坝前水位>322 m 天数(d)	潼关高程年均变化(m)			时段末潼关高程(m)
			非汛期	汛期	全年	
1974～1979	225	74	0.70	–0.53	0.17	327.62
1980～1985	248	57	0.40	–0.57	–0.17	326.64
1986～1995	132	28	0.37	–0.21	0.16	328.28
1996～2001	88	5	0.27	–0.26	0.01	328.23
2002	58	0	0.49	0.06	0.55	328.78
2003	156.8	0	–0.13	–0.71	–0.84	327.94
2004	75	0	0.30	–0.26	0.04	327.98

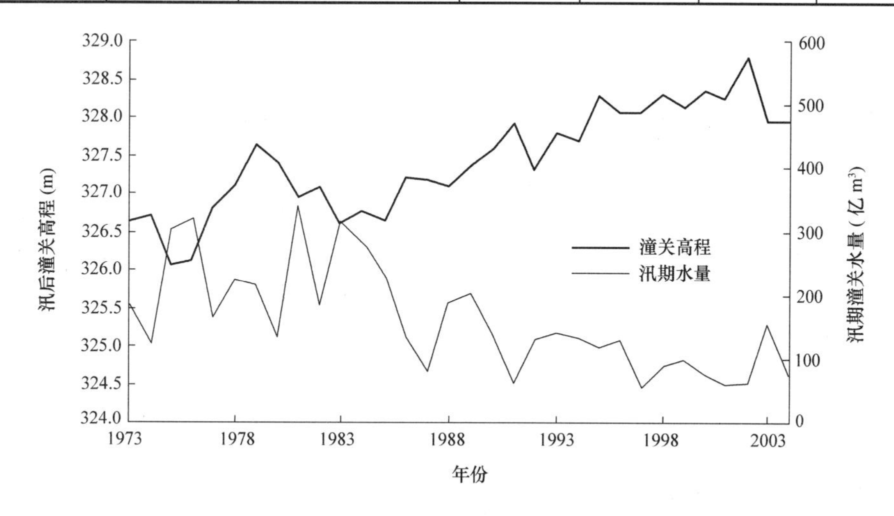

图 3-3 汛后潼关高程与汛期水量历年变化过程

二、2004年概况

2004年为枯水少沙年，潼关断面入库水量209亿 m^3，沙量3.17亿t，较1974～2003年多年平均值分别减少32%和62%。其中，汛期水沙量减少较多，水量75亿 m^3，沙量2.33亿t，较1974～2003年汛期平均值分别减少54%和65%；非汛期水量134亿 m^3，沙量0.84亿t，较1974～2003年非汛期平均值分别减少9%和51%。

汛期上游干支流来水少，导致潼关洪水场次少、洪峰流量小。潼关站洪峰流量大于2 000 m^3/s 的洪水仅有1场，该次洪水是由8月21～26日干流小洪水和渭河高含沙洪水共同形成的，潼关洪峰流量2 300 m^3/s，最大含沙量366 kg/m^3。

2004年非汛期三门峡水库仍按最高水位不超过318 m控制运用，汛期按"洪水排沙，平水发电"的原则运用。非汛期最高水位为317.97 m(4月19日)，平均水位为317.01 m，非汛期243 d中有236 d运用水位集中在315～318 m之间，仅有7 d低于315 m运用，最低水位312.83 m。汛期有两次敞泄运用过程，一次是在黄河调水调沙试验第二阶段(7月2～13日)，最低水位286.6 m，库区冲刷泥沙0.34亿t；另一次是在"04·8"洪水期间，最低水位290.75 m，冲刷泥沙0.52亿t。两次敞泄共冲刷泥沙0.86亿t，其中汛期冲刷0.31亿t。汛期出库泥沙2.638亿t，排沙比为1.13。

2004年潼关以下库区非汛期淤积泥沙0.850亿 m^3，汛期冲刷0.409亿 m^3，全年共淤积泥沙0.441亿 m^3，年内冲淤不平衡，淤积量70%分布在北村以下河段。非汛期淤积重心在黄淤22—黄淤30断面之间。

2003年汛后潼关高程为327.94 m，2004年汛后潼关高程为327.98 m，全年潼关高程上升0.04 m。其中非汛期上升0.30 m，汛期下降0.26 m。汛期潼关高程下降主要发生在"04·8"洪水期间，潼关高程由328.24 m降至327.94 m，下降0.30 m。

三、三门峡水库非汛期318 m控制运用效果

(一)非汛期水库运用水位

从1974～2002年，三门峡水库非汛期320 m以上高水位运用天数逐渐减少(见表3-3)，318～320 m天数略有增加，318 m以上总天数占非汛期天数的比例减小；310 m以下低水位运用天数也有所减少；非汛期最高水位和平均水位均逐渐降低。

表3-3　蓄清排浑运用以来非汛期坝前各级水位运用天数

时段	不同运用水位持续天数(d)						平均水位(m)	最高水位(m)
	<310 m	310～315 m	315～318 m	318～320 m	320～324 m	>324 m		
1974～1979	36	49	29	26	75	27	316.94	325.95
1980～1985	29	72	25	30	82	4	316.55	324.90
1986～1992	27	76	42	33	63	1	315.97	324.06
1993～2002	21	75	63	42	40	0	315.72	323.71
2003	8	55	179	0	0	0	315.59	317.92
2004	0	7	236	0	0	0	317.01	317.97

为了进一步减小三门峡水库运用对潼关河段淤积的影响，2003 年开始进行非汛期运用控制最高水位 318 m 原型试验。2003 年“318 m”原型试验后，最高水位控制不超过 318 m，运用水位在 315～318 m 之间的天数增加，2003 年为 179 d，2004 年为 236 d。

（二）淤积重心和淤积末端下移

非汛期水库运用水位的变化直接影响库区淤积分布。表 3-4 为潼关以下库区各河段不同时段非汛期淤积量及百分数。1974～1985 年运用水位最高，且高水位运用天数较多，淤积重心在黄淤 30—黄淤 36 断面。之后随着最高运用水位的降低和高水位运用天数的减少，淤积重心下移至黄淤 22—黄淤 30 断面。从各河段淤积占总量的百分数看，以大禹渡为界，以上河段的淤积比例逐渐减少，以下河段的淤积比例逐渐增加。

表 3-4　潼关以下库区各河段不同时段非汛期平均淤积量及百分数

时段	项目	坝址—黄淤 12	黄淤 12—黄淤 22	黄淤 22—黄淤 30	黄淤 30—黄淤 36	黄淤 36—黄淤 41	坝址—黄淤 41
1974～1979	淤积量（亿 m^3）	0.115	0.273	0.331	0.557	0.171	1.447
1980～1985		0.096	0.224	0.349	0.464	0.064	1.198
1986～1992		0.006	0.276	0.445	0.323	0.067	1.117
1993～2002		0.048	0.328	0.592	0.303	0.011	1.281
2003		0.034	0.287	0.432	0.075	–0.002	0.826
2004		0.022	0.294	0.452	0.113	–0.030	0.850
1974～1979	占潼关至大坝淤积量的百分数（%）	8	19	23	38	12	100
1980～1985		8	19	29	39	5	100
1986～1992		1	25	40	29	6	100
1993～2002		4	26	46	24	0.8	100
2003		4	35	52	9	– 0.2	100
2004		3	35	53	13	– 4	100

2003 年和 2004 年黄淤 36—黄淤 41 断面之间表现为微冲，黄淤 30—黄淤 36 断面之间淤积比重减小；黄淤 22—黄淤 30 断面之间淤积比重继续加大，占全河段淤积量的 50% 以上，黄淤 12—黄淤 22 断面淤积比重也有所增加。从图 3-4 可以看出，非汛期最高水位 318 m 控制运用后，库区淤积分布发生了较大变化，淤积末端位于黄淤 31—黄淤 32 断面之间，黄淤 32 断面以上有冲有淤，处于自然河道演变状态，其冲淤变化是河床在水流作用下自动调整的结果。

图 3-5 为 2003 年和 2004 年潼关以下库区淤积纵剖面变化。可见，2004 年 6 月淤积三角洲顶点在黄淤 20 断面，汛期发生冲刷，淤积体向坝前推移，在 305 m 高程以下形成小的三角洲，顶点在黄淤 8 断面，即坝前淤积量较 2004 年汛前有所增加。

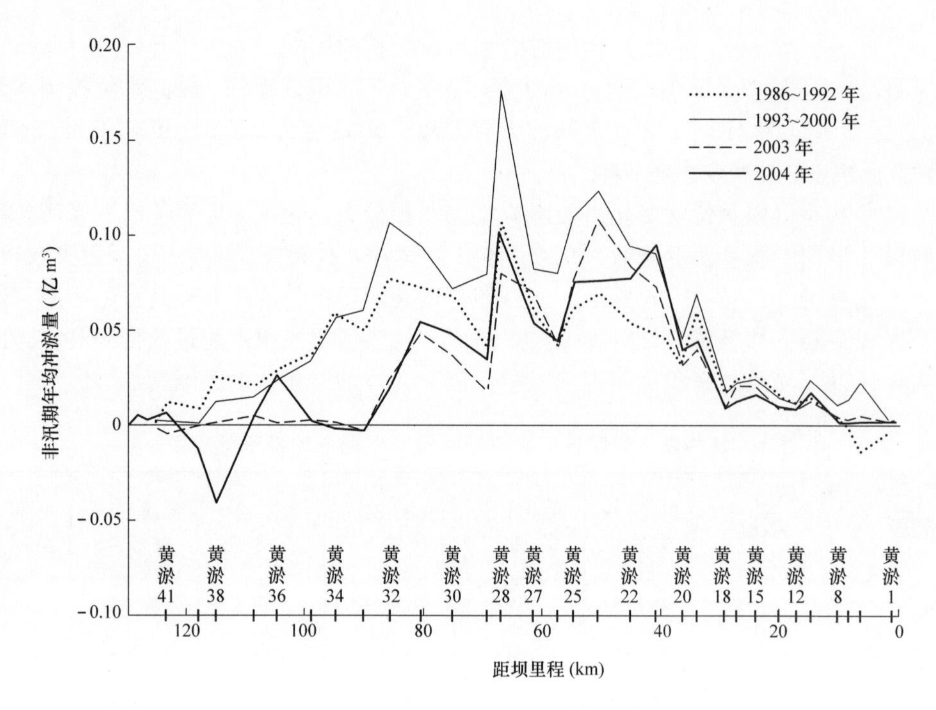

图 3-4 不同时期潼关以下库区冲淤量分布

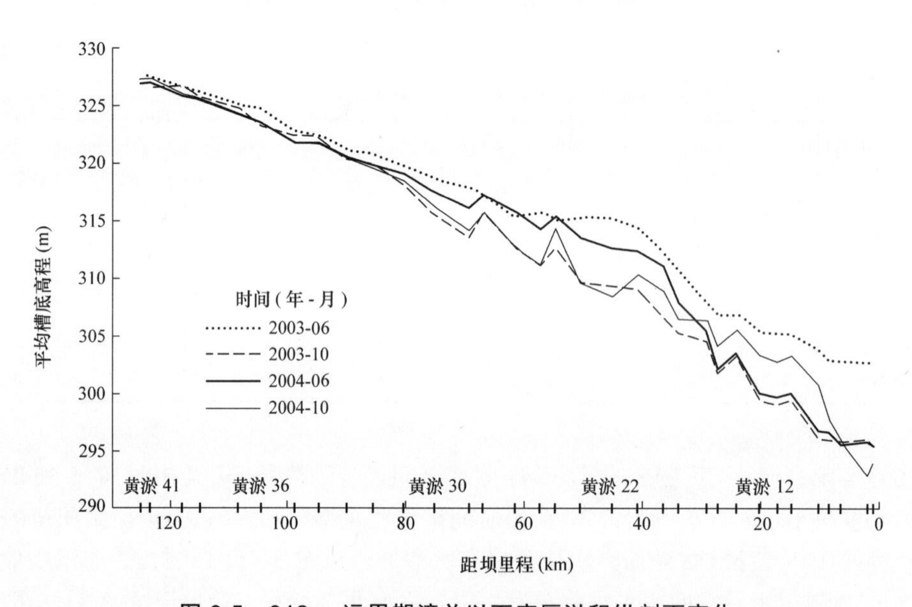

图 3-5 318 m 运用期潼关以下库区淤积纵剖面变化

图 3-6(a)为库区北村—大禹渡(黄淤 22—黄淤 30 断面)和大禹渡—坫埼(黄淤 30—黄淤 36 断面)河段非汛期淤积量占潼关以下淤积量的比例与最高运用水位的关系。随着最高运用水位的降低，黄淤 30—黄淤 36 断面所占淤积比例逐渐减小，黄淤 22—黄淤 30 断面所占淤积比例逐渐增大。但两河段均表现出随运用水位的降低，淤积比例趋稳的特点。这说明，即使最高运用水位继续降低，黄淤 30—黄淤 36 断面淤积量可能减少值是有限的。

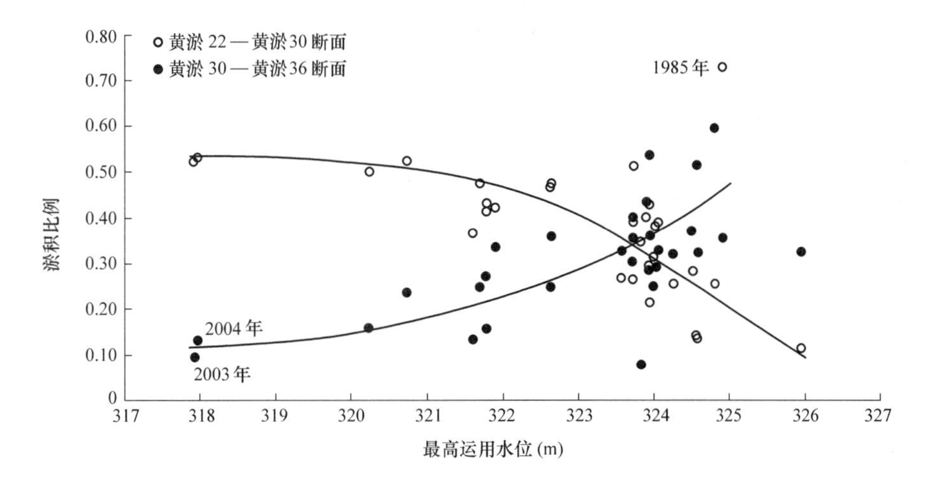

图 3-6(a) 非汛期分河段淤积量占全河段淤积比例与最高运用水位的关系

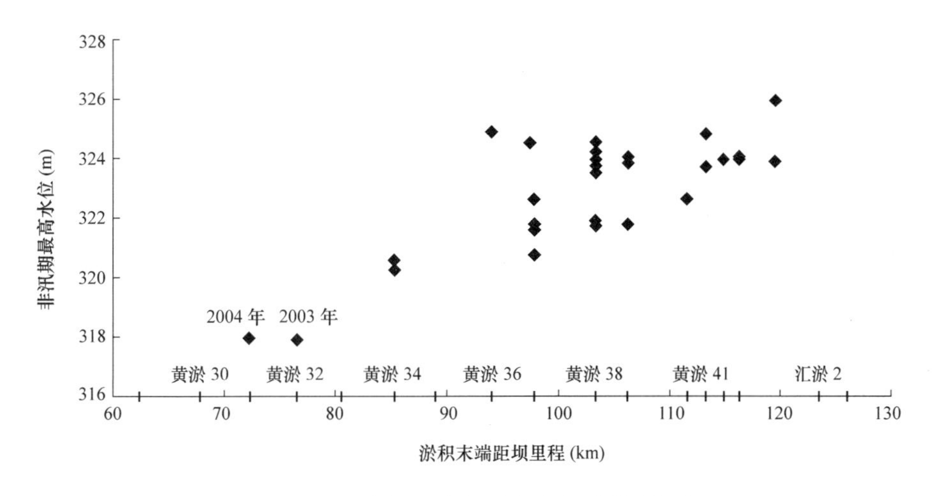

图 3-6(b) 非汛期淤积量占全河段淤积比例

图 3-6(b)为淤积末端距坝里程与最高运用水位的关系，可以看出，随着最高运用水位的降低，淤积末端位置逐渐下移，2003 年和 2004 年非汛期淤积末端位置靠坝前最近。

综上分析知，318 m 运用后淤积重心下移在黄淤 21—黄淤 28 断面之间，淤积末端在黄淤 31—黄淤 32 断面之间，对潼关高程没有直接影响。这种分布有利于汛期冲刷，保持回水影响范围河段年内的冲淤平衡。

四、降低潼关高程对桃汛期万家寨水库运用的要求

(一)桃汛期潼关高程变化规律

三门峡水库蓄清排浑运用以来，非汛期蓄水运用，潼关高程淤积抬升。而桃汛洪水对潼关高程的冲刷降低具有一定作用，是非汛期潼关河床冲刷的唯一机会，可将非汛期淤积的泥沙搬移到下段，有利于汛期排沙。

根据 1974～1998 年资料统计，潼关站桃汛洪峰一般在 2 000～2 800 m^3 / s 之间，平

均为 2 360 m^3/s，平均 11 d 洪量约 13 亿 m^3，水库起调水位一般在 315～322 m 之间，潼关高程平均下降 0.12 m。但是 1998 年 10 月万家寨水库投入运用后，改变了桃汛洪水过程，洪峰流量削减，洪水量减少。桃汛期万家寨水库年均蓄水量 3 亿～4 亿 m^3，削峰比 30%～40%。万家寨水库运用以来，在供水、发电和防凌方面发挥了显著作用，但是对降低潼关高程产生了不利影响，1999～2002 年桃汛期平均洪峰流量 1 827 m^3/s，潼关高程平均抬升 0.02 m。图 3-7 为桃汛期洪峰流量、三门峡水库起调水位及潼关高程变化过程。

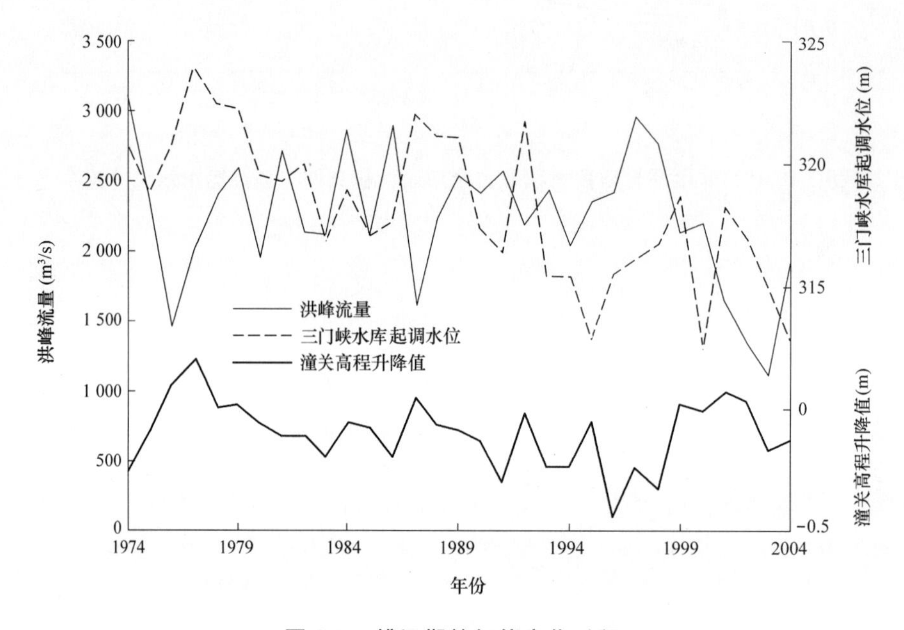

图 3-7　桃汛期特征值变化过程

为了分析桃汛期潼关高程变化规律，以三门峡水库起调水位为参数，根据 1973 年以来的资料点绘潼关高程变化与洪峰流量的关系(见图 3-8)，可知，当桃汛峰值流量小到 1 500 m^3/s 左右，潼关高程难以冲刷下降；当流量大于 1 900 m^3/s 时，潼关高程表现为冲刷下降，同一流量下随起调水位降低，潼关高程的下降值增大；当库水位降低到一定程度后，对潼关高程的影响不会再增加，图 3-8 中起调水位 312 m 的点子落在 316 m 点群附近。

桃汛期三门峡水库起调水位的高低直接影响库区泥沙冲淤分布的变化。2004 年桃汛期起调水位 312.83 m，桃汛从 3 月 18～27 日，根据 3 月 13 日和 4 月 5 日的三门峡库区断面测验资料，黄淤 25 断面以上发生冲刷，黄淤 25 断面以下发生淤积，黄淤 19—黄淤 22 断面之间淤积最多，桃汛期上段冲刷，淤积体向下推移到北村以下，有利于汛期的冲刷(见图 3-9)。因此，桃汛期潼关高程冲刷的条件是洪峰流量大于 1 900 m^3/s、三门峡水库起调水位在 312～316 m 之间冲刷效果较好。1999 年以来万家寨水库桃汛削峰影响了桃汛洪水对潼关高程的冲刷作用，特别是三门峡水库 318 m 控制运用期非汛期潼关高程变化取决于来流条件，桃汛洪水对潼关高程的冲刷作用显得更为重要。鉴于此，希望能调整万家寨水库的运用方式。

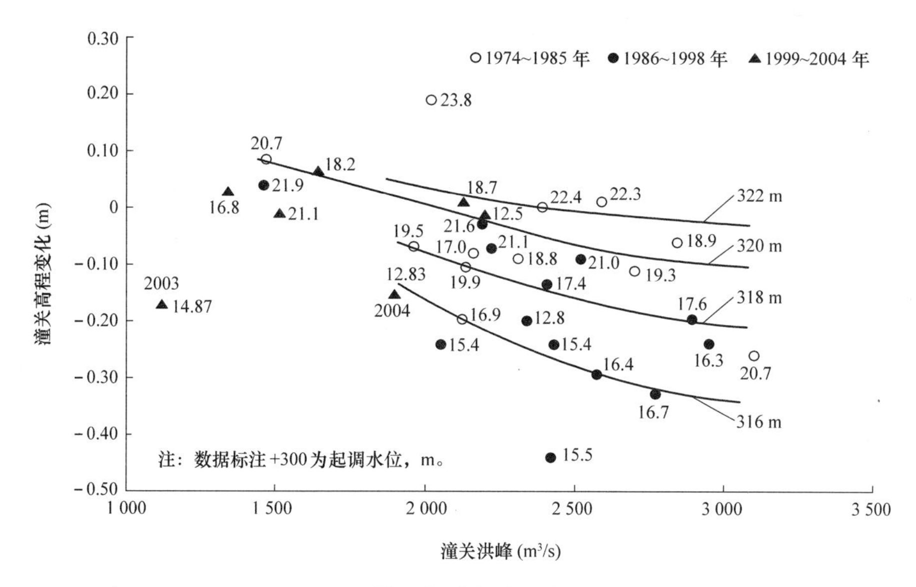

图 3-8　桃汛期潼关高程变化关系

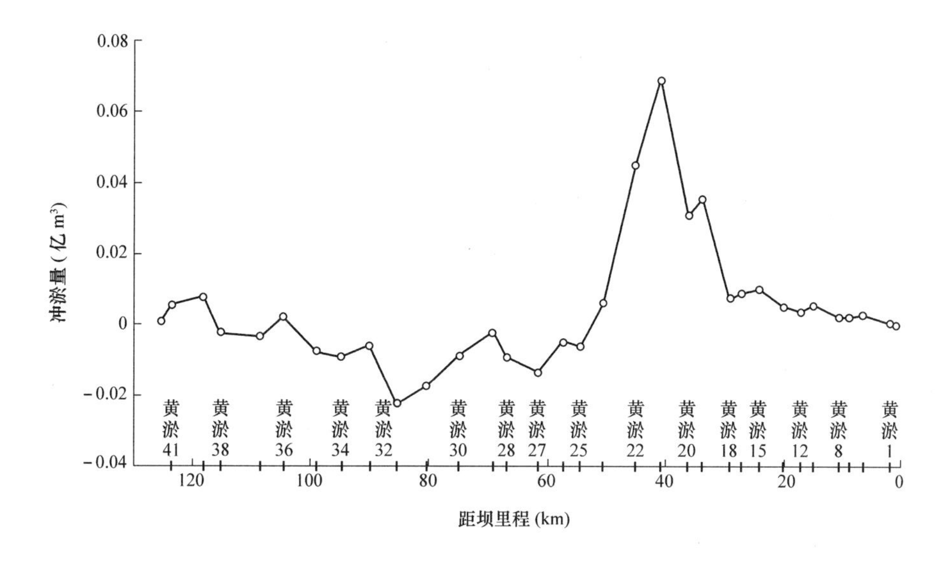

图 3-9　2004 年桃汛期三门峡库区冲淤变化

（二）对万家寨水库运用的建议

由前述知，潼关高程冲刷对桃汛洪水的要求是洪峰流量大于 1 900 m^3 / s，洪量基本保持在多年平均值。由此，对万家寨水库桃汛期的运用要求进行分析。图 3-10 为典型年(2001 年和 2004 年)万家寨水库进出库流量和蓄泄水过程，可以看出，万家寨水库运用过程为：在凌汛期降低水位运用，弃一部分水，在桃汛洪峰起涨时开始蓄水。运用以来洪峰流量削减 600～900 m^3 / s，削峰比在 30%～40%，增蓄水量 3 亿～4 亿 m^3。对桃汛洪水有较大蓄水削峰作用。

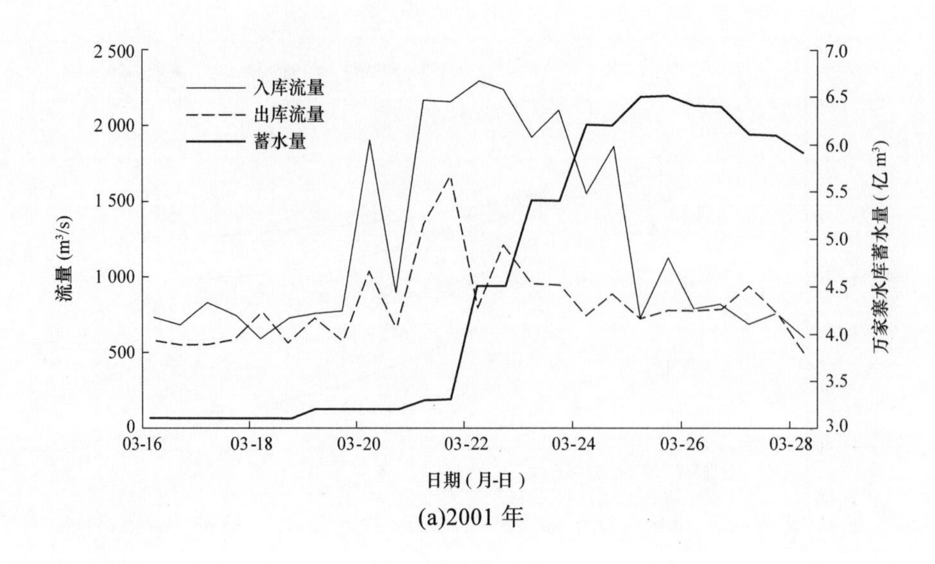

(a)2001 年

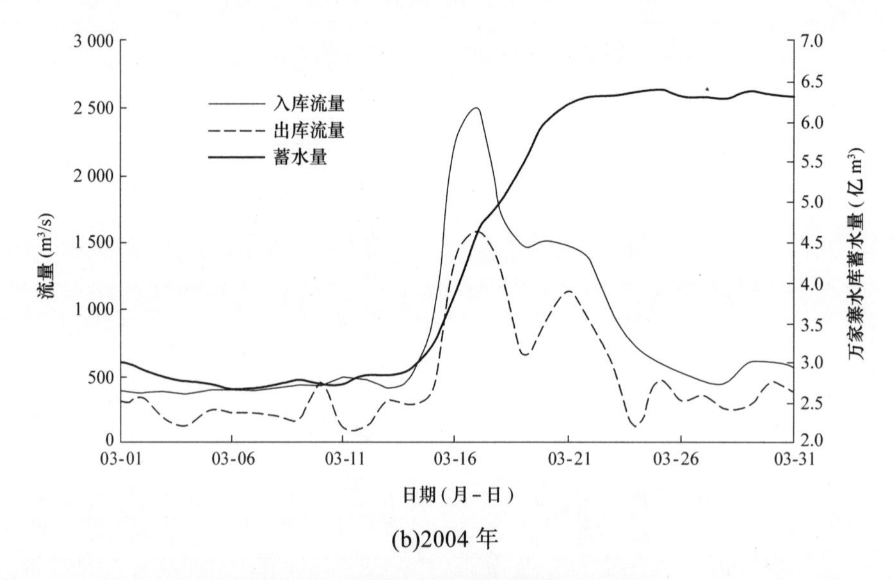

(b)2004 年

图 3-10　典型年万家寨水库蓄泄水过程

要实现万家寨水库运用不影响桃汛洪峰流量的目的，需要调整蓄水时间段，将蓄水时间由洪峰期调整到落水阶段，使其运用不影响桃汛期的洪峰过程。

为了解在落水阶段水量能否满足水库补充蓄水的要求，对 1986～2002 年头道拐站(代表万家寨入库站)桃汛洪水过程进行了统计分析。若从峰后第 2 天起算 10 天的水量，在扣除调峰发电水量(平均流量按 250 m^3 / s 考虑)后，富裕水量供水库蓄水。从表 3-5 统计结果看，10 天的富裕水量可以满足水库补水要求。但是，各年的洪水峰型和水量不同，表 3-6 为统计时段各流量级出现情况，峰后 10 天流量均在 500 m^3 / s 以上，除发电用水外，可以为水库提供补水。表 3-7 为不同富裕水量的出现年数，富裕水量在 3 亿 m^3 以上出现频率为 88%，可以基本满足水库蓄水要求。

表 3-5　头道拐桃汛洪峰落水期水量统计

10 d 水量(亿 m^3)	发电需水量(亿 m^3)	富裕水量(亿 m^3)
6.28	2.16	4.12

表 3-6　头道拐桃汛洪峰落水期流量级统计

流量级(m^3/s)	1 000～1 500	800～1 000	500～800
年均天数(d)	0.8	1.6	7.6

表 3-7　扣除发电水量后富裕水量情况

富裕水量(亿 m^3)	>3.5	3～3.5	2.5～3.0
年数	12	2	2

因此，建议洪峰后第 2 天开始蓄水，对冰期槽蓄量小的年份可适当提前蓄水。同时，由于万家寨水库的泥沙淤积严重，可利用桃汛洪水进行冲刷，恢复库容。

以 2004 年为例对蓄水时间进行调整，洪峰后第 2 天开始蓄水，蓄水时控制出库流量第 1 天为 800 m^3/s、第 4 天 500 m^3/s，结果 5 天蓄水量已满足补水要求。图 3-11 为调整后的蓄泄水过程。对桃汛流量较小的年份，下泄流量可以减小，并以满足调峰发电流量为基数。

如果考虑削峰流量在 600～900 m^3/s，潼关洪峰可从平均 1 800 m^3/s 增加到 2 400～2 700 m^3/s，三门峡水库起调水位按 312～316 m 运用，桃汛期潼关高程可降低 0.2～0.3 m。

这样调整蓄水时间后，既不影响桃汛洪峰，也能满足万家寨水库蓄水的要求，如果万家寨水库峰前泄水能和桃峰结合，还可以增大水库下游桃汛洪峰流量。

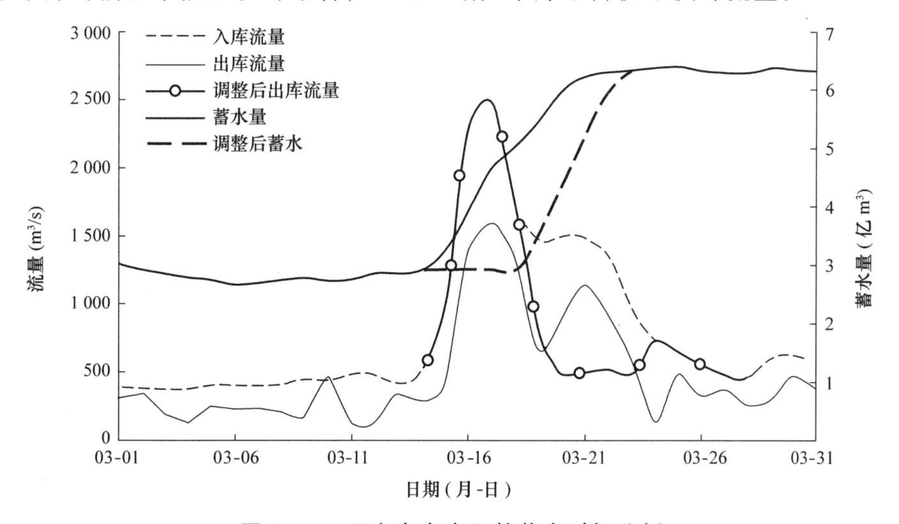

图 3-11　万家寨水库调整蓄水时间分析

五、认识与建议

(1)三门峡水库非汛期 318 m 控制运用，库区淤积重心下移，淤积末端在黄淤 32 断面上下，潼关河段为自然河段演变状态，潼关高程基本不受水库运用的影响。桃汛期起调水位 312.83 m，北村以上河段冲刷、以下淤积，淤积部位集中在黄淤 23 断面以下(距坝址 50 km)。淤积部位下移有利于减少对上段产生的累计影响，有利于汛期的冲刷，同时也有利于充分发挥桃汛洪水对潼关高程的冲刷作用。

建议三门峡水库继续开展 318 m 控制运用试验，桃汛期起调水位仍按 312 m 左右控制。

(2)桃汛洪水对潼关高程的冲刷作用与洪峰流量和坝前水位密切相关，洪峰流量大于 1 900 m^3/s 时潼关高程多冲刷下降，同流量起调水位越低潼关高程下降值越大，起调水位在 312～316 m 冲刷效果较好。

(3)1999 年以来万家寨水库桃汛期蓄水削峰影响了桃汛洪水对潼关高程的冲刷效果，建议调整万家寨水库桃汛期蓄水时间段，在桃汛洪峰过后第 2 天开始蓄水，既不影响桃汛洪峰流量，也可保证万家寨水库的发电蓄水。同时，三门峡水库桃汛期起调水位降低到 312～316 m，有利于增加桃汛洪峰对潼关高程的冲刷作用。

第四章　小浪底库区冲淤演变及异重流输移特性分析

一、小浪底水库运用以来库区冲淤特点

小浪底水库 1999 年 10 月 25 日下闸蓄水至目前以蓄水拦沙为主，期间进行了三次调水调沙试验。在一般情况下，小浪底水库下泄清水，洪水期间水库以异重流为主排出细泥沙，绝大多数粗泥沙拦在库里，进入黄河下游的泥沙明显减少，从而使得下游河道发生了持续的冲刷。

1999 年 11 月～2004 年 10 月，小浪底水库年均入库水量 171.2 亿 m^3，入库沙量 21.409 亿 t，出库沙量 3.687 亿 t，排沙比为 17%。

根据断面测验资料，5 年水库淤积泥沙总量 14.991 亿 m^3(见表 4-1)，其中干流淤积 12.887 亿 m^3，占总淤积量的 86%，支流淤积 2.104 亿 m^3，占总淤积量的 14%。干流淤积主要发生在 2003 年和 2001 年，淤积量分别为 4.623 亿 m^3 和 3.471 亿 m^3，分别占干流总淤积量的 36%和 27%。2004 年水库排沙比增大，干流仅淤积 0.297 亿 m^3，占干流 5 年总淤积量的 2%。支流淤积主要发生在 2004 年，为 0.877 亿 m^3，占支流 5 年总淤积量的 42%。

表 4-1　小浪底水库 1999～2004 年干、支流冲淤量统计

时　段 (年-月)	干流 (亿 m^3)	左岸支流 (亿 m^3)	右岸支流 (亿 m^3)	支流合计 (亿 m^3)	总冲淤量 (亿 m^3)
1999-10～2000-11	3.471	0.200	0.144	0.344	3.815
2000-11～2001-12	2.557	0.199	0.250	0.449	3.006
2001-12～2002-10	1.939	0.145	0.019	0.164	2.103
2002-10～2003-10	4.623	0.164	0.106	0.270	4.893
2003-10～2004-10	0.297	0.504	0.373	0.877	1.174
1999-10～2004-10	12.887	1.212	0.892	2.104	14.991

从干流淤积形态看，在距坝 60 km 以内的库段，5 年内河底高程平均抬升 40 m 左右(见图 4-1)。1999 年开始，随着水库运用水位升高，河底高程逐渐抬高，淤积三角洲顶点逐渐上移，到 2001 年汛前干流距坝 60 km 以内的河段河底高程平均抬高 18 m。由于 2001 年和 2002 年异重流排沙和水库调水调沙试验运用，虽然距坝 60 km 以内的平均河底仍然抬高，但在距坝 60～90 km 之间，平均河底明显下降。2003 年汛期由于运用水位较高，入库沙量大，致使距坝 60～100 km 之间库段河床明显抬升。2003 年汛期距坝 70～110 km 之间河底高程达到 5 年间的最高值。2004 年由于调水调沙试验和水库异重流排沙，距坝 60～110 km 之间河段，河底明显降低，基本恢复到 2001 年状态，但距坝

60 km 以内的河床仍在升高。

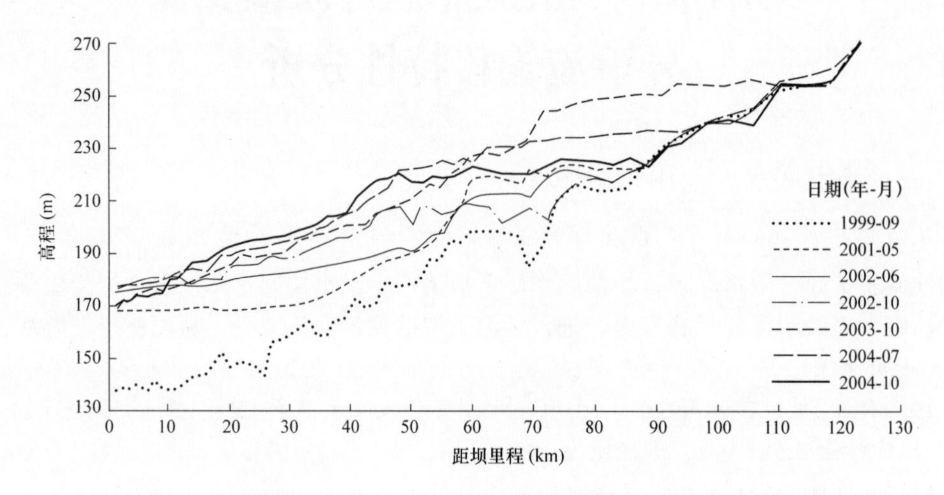

图 4-1 小浪底水库 1999～2004 年干流主槽最低河底高程沿程变化

二、2004 年库区淤积特征

2004 年进行了第三次调水调沙试验，汛期经历了“04・8”洪水，小浪底库区河床发生了较大幅度的冲淤调整。

(一)2004 年库区冲淤量

根据库区断面测验资料统计，2004 年小浪底水库全库区淤积量为 1.174 2 亿 m³，支流淤积量为 0.877 4 亿 m³，占全库区淤积总量的 74.7%(见表 4-2)。其中非汛期三门峡水库下泄清水，库区冲淤调整很小；5～7 月份主要为调水调沙试验期间的淤积量，占总量的 98%，干支流均为淤积；7～10 月份反映的是“04・8”洪水期变化，干流冲刷、支流淤积，全库区略有冲刷。

表 4-2 2004 年各时段库区淤积量

河段	不同时段淤积量(亿 m³)			
	2003 年 10 月～2004 年 5 月	2004 年 5 月～2004 年 7 月	2004 年 7 月～2004 年 10 月	2003 年 10 月～2004 年 10 月
干流	0.224 4	0.752 1	–0.679 7	0.296 8
支流	–0.022 7	0.399 0	0.501 2	0.877 4
全库区合计	0.201 7	1.151 1	–0.178 5	1.174 2

图 4-2 为汛期(5～10 月)干、支流淤积量。可以看出，只有大峪河发生冲刷，东阳河、西阳河、芮村河、畛水河、石井河、涧河等支流淤积量较大，表 4-3 为部分支流冲淤量。

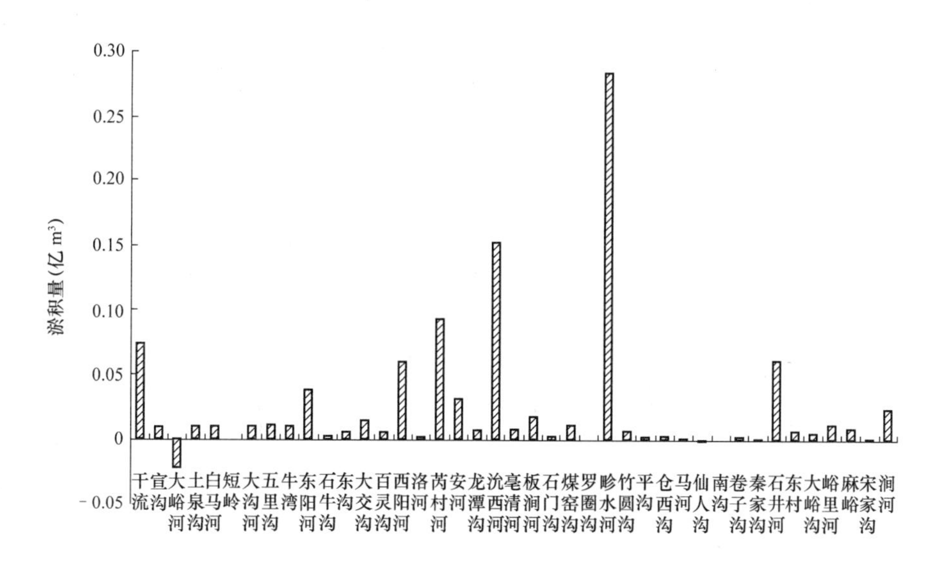

图 4-2　2004 年汛期干、支流淤积量分布

表 4-3　部分支流冲淤量

支流		位置	不同时段淤积量(亿 m³)			
			2003 年 10 月～2004 年 5 月	2004 年 5 月～2004 年 7 月	2004 年 7 月～2004 年 10 月	全年
左岸	大峪河	HH3—HH4	0.030 3	0.023 5	-0.045 3	0.008 4
	东阳河	HH18—HH19	-0.019 9	0.014 9	0.023 0	0.018 0
	西阳河	HH23—HH24	-0.004 7	0.016 3	0.044 0	0.055 5
	芮村河	HH25—HH26	-0.008 5	0.042 1	0.051 1	0.084 7
	沇西河	HH32—HH34	0.051 0	0.130 2	0.022 1	0.203 3
右岸	板涧河	HH36—HH37	-0.007 6	0.025 8	-0.008 3	0.010 0
	畛水河	HH11—HH12	-0.077 7	0.028 8	0.255 6	0.206 6
	石井河	HH13—HH14	0.018 1	0.000 3	0.060 8	0.079 3

黄河第三次调水调沙试验(6 月 19 日 9 时～7 月 13 日 8 时)期间,小浪底水库水位从近 250 m 降至 225 m，库区三角洲顶坡段发生了明显冲刷，冲起的泥沙大部分淤积在下游库段。从 5～7 月淤积量沿程分布看，HH53 断面以上略有淤积，HH53—HH40 断面为冲刷，HH40 断面以下为淤积，即三角洲发生冲刷，但冲起的泥沙组成较粗，输移距离短，在 HH40 断面以下发生淤积，淤积量沿程减小(见图 4-3(a))。该时段干流总体淤积，淤积量约为 0.752 1 亿 m³(见表 4-4)。

7～10 月库区的冲淤变化主要是“04·8”洪水造成的。“04·8”洪水(8 月 22～31 日)期间，库水位从 224.16 m 降至 219.61 m，三角洲顶坡段再次发生冲刷，库区上段的冲刷发展到 HH29 断面,HH29—HH9 断面为淤积,HH9 断面以下干流为冲刷(见图 4-3(b))。该时段干流总体冲刷，冲刷量约为 0.679 7 亿 m³(见表 4-4)。

从汛期(5～10月)冲淤量看，HH53断面以上略有淤积，HH53—HH37断面为冲刷，HH37—HH7断面为淤积，HH7断面以下有少量冲刷，总淤积量约为0.072 4亿 m^3(见图4-3(c))。

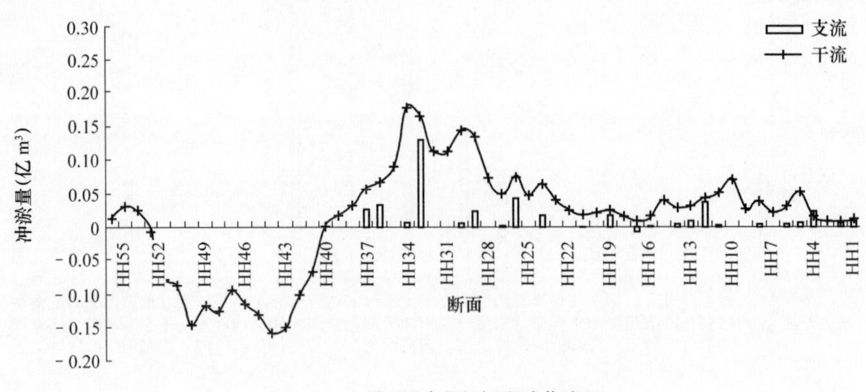

(a) 5～7月(调水调沙试验期间)

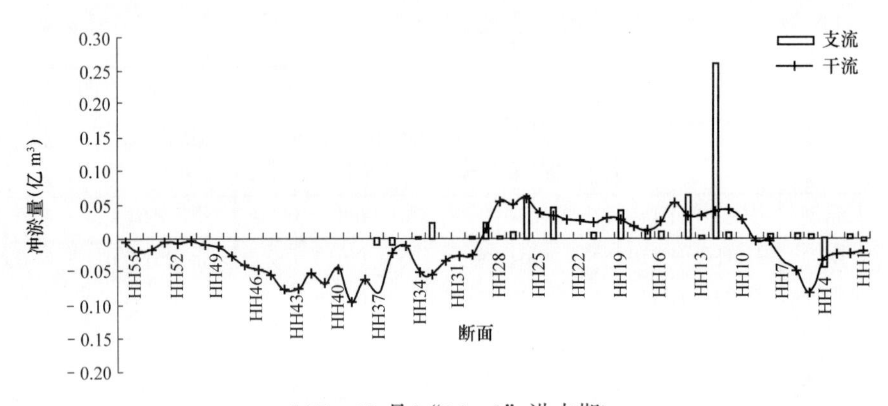

(b)7～10月(“04·8”洪水期)

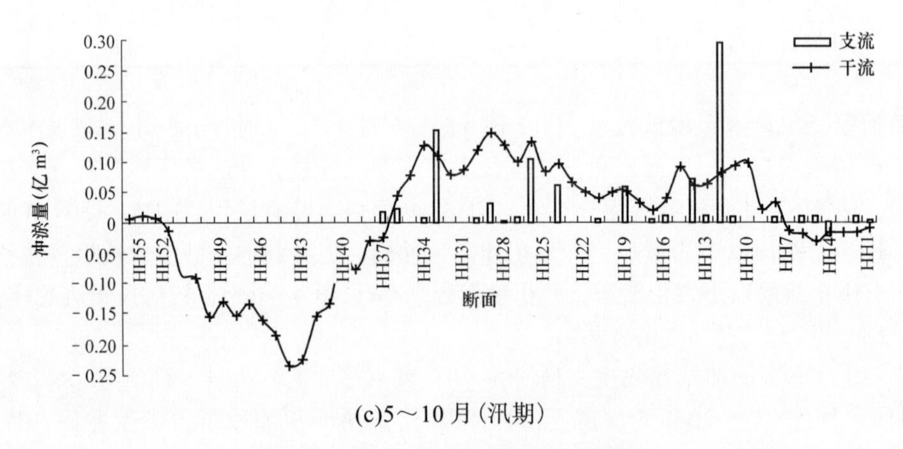

(c)5～10月(汛期)

图4-3　小浪底库区不同时段冲淤分布

表 4-4　2004 年汛期干流分段冲淤量

时段(年-月)	冲淤位置	冲淤量(亿 m^3)
2004-05～2004-07	HH53 断面以上	0.068 6
	HH53～HH40 断面	–1.375 7
	HH40 断面以下	2.059 1
2004-07～2004-10	HH29 断面以上	–1.052 1
	HH29～HH9 断面	0.652 0
	HH9 断面以下	–0.279 5

(二)库区淤积纵剖面调整特点

黄河第三次调水调沙试验期间,三角洲顶点从 HH41 断面(距坝 72.6km)下移到 HH29 断面(距坝 48 km),下移距离 24.6 km,顶点高程下降 23 m 多。在距坝 94～110 km 的河段内,河底高程恢复到了 1999 年水平(见图 4-4)。其中 HH53—HH40 断面之间三角洲顶坡段洲面发生强烈冲刷,平均冲深 12.85 m,在 HH40 断面以下发生淤积,平均淤积 3.37 m。

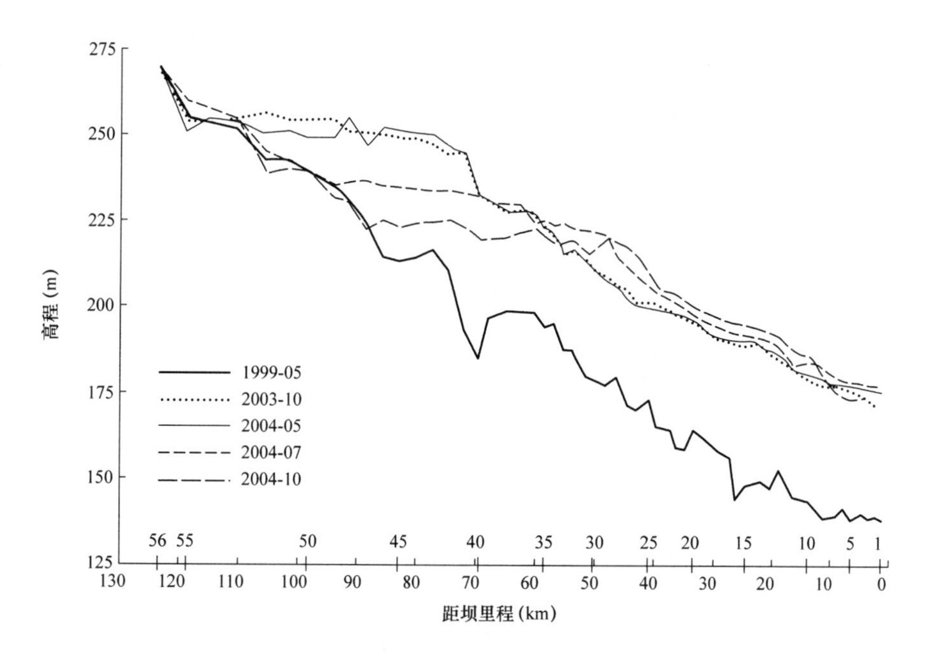

图 4-4　小浪底库区干流纵剖面

调水调沙试验之后,“04·8”洪水期间库水位进一步降低,小浪底水库三角洲顶坡段再次发生冲刷,三角洲顶点下移到 HH27 断面附近(距坝 44.53 km),顶点高程为 217.71 m,在距坝 88.54(HH47 断面)～110 km 的库段内,河底高程略低于 1999 年河底高程。小浪底水库三角洲洲面及其以下库段床面进一步发生冲淤调整。HH29 断面以上干流发生冲刷,平均冲刷 6.21 m;HH29—HH9 断面之间的干流库段在异重流运行过程中产生淤积,平均淤积厚度 3.03 m;HH9 断面以下床面降低(平均 4.46 m)。

(三)支流淤积特点

总体来看，支流的冲淤与所入汇相应河段的冲淤变化基本同步。

例如，八里胡同以上库段淤积量较大，其间的支流板涧河、沇西河、芮村河、西阳河等随着干流河床较大幅度的抬升也发生了大量淤积；八里胡同及其以下库段淤积量较小，位于该区间的支流如东阳河、石井河、畛水河、大峪河等只在沟口附近产生淤积。

调水调沙试验之后，“04·8”洪水使小浪底水库三角洲洲面及其以下库段床面进一步发生冲淤调整，在小浪底库区回水末端以下发生异重流。HH29 断面以上干流发生冲刷，该区间的支流沟口段也相应发生了少量冲刷，如板涧河；HH29—HH9 断面之间的干流库段在异重流运行过程中产生淤积，其间的支流如西阳河、芮村河、东阳河等由于异重流倒灌亦产生大量淤积，沟内河底高程同沟口干流河底高程基本持平；HH9 断面以下河段由于干流淤积面降低，其间的支流如大峪河淤积面亦随之下降。

支流淤积主要是干流浑水倒灌的结果。若支流位于干流异重流潜入点下游，则干流异重流会沿河底倒灌支流，倒灌长度取决于异重流的动力条件。2004 年支流的淤积主要是调水调沙试验及“04·8”洪水期间异重流倒灌的结果。调水调沙试验期间形成的异重流能量小，倒灌支流距离短，淤积量较小，特别是近坝段更小。“04·8”洪水期形成的异重流能量较大，支流特别是畛水河倒灌距离长，淤积相对较多。

支流口门处淤积面高程随着干流的冲淤同步调整，如支流口门处干流冲刷时，支流口门段淤积面随之下降；干流淤积面抬高后，对支流的影响范围增长，淤积量增大。

三、2004 年小浪底水库排沙分析

2004 年汛期小浪底水库入库沙量 2.638 亿 t，出库沙量 1.487 亿 t，排沙比为 56.4%(见表 4-5)，为水库运用以来最大值，其中“04·8”洪水期出库沙量占总出库沙量的 95.7%。

表 4-5　小浪底水库汛期排沙统计

项目	调水调沙试验期 (7 月 1～31 日)	洪水期 (8 月 22～31 日)	汛期
入库沙量(亿 t)	0.385	1.711	2.638
出库沙量(亿 t)	0.054 8	1.423	1.487
淤积量(亿 t)	0.330	0.288	1.151
排沙比(%)	14.2	83.2	56.4

在调水调沙试验期间，7 月 8 日 13 时 50 分异重流开始排出库外，至 7 月 11 日 20 时停止排沙，历时约 78 h。7 月 7～14 日人工塑造异重流期间入出库沙量、不同粒径组排沙比、淤积物组成见表 4-6。细泥沙(d<0.025 mm)、中泥沙(0.025<d<0.05 mm)、粗泥沙(d>0.05 mm)、全沙排沙比分别为 36.48%、3.29%、1.48%、14.24%。出库泥沙主要由细泥沙组成，细泥沙的含量接近 90%，粗泥沙的含量 3.28%。可见，大于 0.025 mm 的中粗泥沙绝大部分淤积在库区，排沙量中以小于 0.025 mm 的泥沙为主，水库基本起到了淤粗排细的效果。

表 4-6　小浪底水库异重流期间不同粒径组排沙情况

项目	细泥沙	中泥沙	粗泥沙	全沙
入库沙量(亿 t)	0.133 5	0.131 9	0.119 5	0.384 9
入库泥沙组成(%)	34.68	34.27	31.05	100
出库沙量(亿 t)	0.048 7	0.004 3	0.001 8	0.054 8
出库泥沙组成(%)	88.87	7.85	3.28	100
淤积量(亿 t)	0.084 8	0.127 6	0.117 8	0.330 2
淤积物组成(%)	25.68	38.65	35.67	100
排沙比(%)	36.48	3.29	1.48	14.24

2004 年 8 月 22～31 日，中游发生一场小洪水过程通过三门峡水库进入小浪底水库，进库最大流量 2 960 m^3/s，最大含沙量 542 kg/m^3，沙量为 1.711 亿 t。小浪底水库出库含沙量较高，出库最大流量为 2 690 m^3/s，最大含沙量为 346 kg/m^3，洪水期间 100 kg/m^3 以上含沙量历时达 44 h，洪水期小浪底水库出库泥沙 1.423 亿 t，排沙比达到 83%。形成如此高的排沙比主要受三个方面的影响，一是直接入库高含沙洪水；二是小浪底水库排沙之前，坝前浑水面高程一般为 191～203 m，形成浑水水库，前期浑水悬浮泥沙增加了水库的排沙量；三是洪水期间，小浪底库区淤积三角洲产生较强烈的冲刷(明流冲刷)，冲起泥沙增加了入库水流含沙量，在水库回水末端以下产生异重流。

在考虑了明流冲刷和前期浑水水库影响的情况下，利用沙量平衡及异重流排沙计算方法对“04・8”洪水期异重流的排沙比进行粗略的估算，异重流排沙比约为 36%；利用韩其为[2]不平衡输沙含沙量及级配沿程变化公式计算，洪水排沙比约为 37.7%。

从表 4-7 看，汛期出库沙量中细泥沙为 1.149 亿 t，占总排沙量的 77.3%；细泥沙排沙比为 95.8%，几乎全部排出库外；粗泥沙的排沙比为 15.5%，大部分淤积在库内。可见，通过异重流排沙，水库基本起到了淤粗排细的效果。

表 4-7　小浪底水库汛期不同粒径组排沙情况

项目	细泥沙	中泥沙	粗泥沙	全沙
入库沙量(亿 t)	1.199	0.799	0.64	2.638
出库沙量(亿 t)	1.149	0.239	0.099	1.487
淤积量(亿 t)	0.05	0.56	0.541	1.151
排沙比(%)	95.8	29.9	15.5	56.4

因此，充分利用异重流排沙特点，合理调度使用水库拦沙库容，多拦对下游不利的粗沙，将会更好地发挥水库的拦沙减淤效益。

四、2005 年小浪底库区异重流形成条件分析

(一)小浪底水库补沙量及河床条件分析

小浪底水库可补充泥沙主要来自库区三角洲的冲刷。

从目前小浪底水库淤积形态看，由于小浪底水库淤积三角洲洲面高程较低而不具备冲刷的条件(见图 4-4)。

2004 年黄河调水调沙试验期间，库区三角洲顶坡段发生了明显冲刷。与调水调沙试验以前 5 月份纵剖面相比，三角洲的顶点从 HH41 断面(距坝 72.6km)下移到 HH29(距坝 48.0 km)断面，下移距离 24.6 km，顶点高程下降 23 m 以上。2004 年 8～10 月，特别是 8 月下旬洪水，小浪底水库三角洲顶坡段再次发生冲刷，三角洲顶点下移到 HH27 断面附近(距坝 44.53 km)，顶点高程为 217.71 m。在距坝 94～110 km 的河段内，河底高程恢复到了 1999 年水平。

据分析，小浪底水库在调水调沙试验之前，蓄水位在 250 m 左右，调水调沙试验之后库水位不可能低于汛限水位 225 m，表明在整个调水调沙试验期间小浪底库区淤积三角洲均位于水库回水范围之内，难以产生冲刷。这意味着汛前调水调沙试验期间靠小浪底库区三角洲冲刷补沙的可能性很小。

在 2001～2004 年，异重流潜入位置在三角洲顶点以下，运行到坝前距离在 60～70 km 之间，河床比降变幅在 10‱～33‱之间。2005 年汛期小浪底库区淤积三角洲均位于水库回水范围之内，顶点高程低(217.71 m)，调水调沙期蓄水位保持在三角洲顶点以上，如果水沙条件满足能够形成异重流，异重流潜入点一般在回水末端附近，距坝一般在 90 km 以上，异重流运行到坝前需要经过三角洲顶坡段和三角洲前坡段。三角洲顶坡段比降平缓，约为 1.4‱，需要克服更大的阻力，异重流能够输移和排沙需具有更大的能量，同时异重流远距离运行的沿程能量损失也更大，对排沙出库十分不利。

(二) 三门峡水库补充沙量分析

1.补充沙量分析

三门峡水库汛初排沙有两种情况，一是若水库上游没有洪水，则依靠降低水位排沙，其排沙量主要是坝前漏斗的淤积泥沙；二是洪水期敞泄排沙，包括了洪水挟带的泥沙、沿程冲刷补充泥沙量、坝前冲刷量。

在平水期三门峡水库可补沙量主要为淤积在坝前的泥沙。据历年资料分析，在汛初水库大幅度降低水位排沙运用时，可补充的沙量一般在 0.4 亿～0.6 亿 t 之间。2004 年 7 月调水调沙试验期三门峡库区冲刷泥沙 0.34 亿 t，2004 年汛期坝前淤积量增加，如黄淤 18 断面以下淤积量增加 0.14 亿 m^3，2005 年调水调沙时三门峡库区可补充泥沙量大于 2004 年的 0.34 亿 t，但不会大于多年平均值。

2.冲刷含沙量

1) 场次洪水冲刷分析

图 4-5 为敞泄期或洪水期冲刷含沙量(三门峡含沙量–潼关含沙量)和出库平均流量的关系，可以看出，坝前平均水位低于 300 m 的点据多分布在下方，高于 300 m 的点据多分布在上方。统计来看，1 000 m^3/s 流量时约为 40 kg/m^3，2 000 m^3/s 时约为 80 kg/m^3。平均水位低于 300 m 时，即使流量小，冲刷含沙量也可达 100 kg/m^3 以上。

2) 典型场次冲刷过程

对于单场洪水或一次敞泄过程来说，冲刷含沙量过程与流量的关系有较大差别。在较稳定的低水位情况下，流量大则冲刷含沙量大。另外，在低水位敞泄状态，初期流量

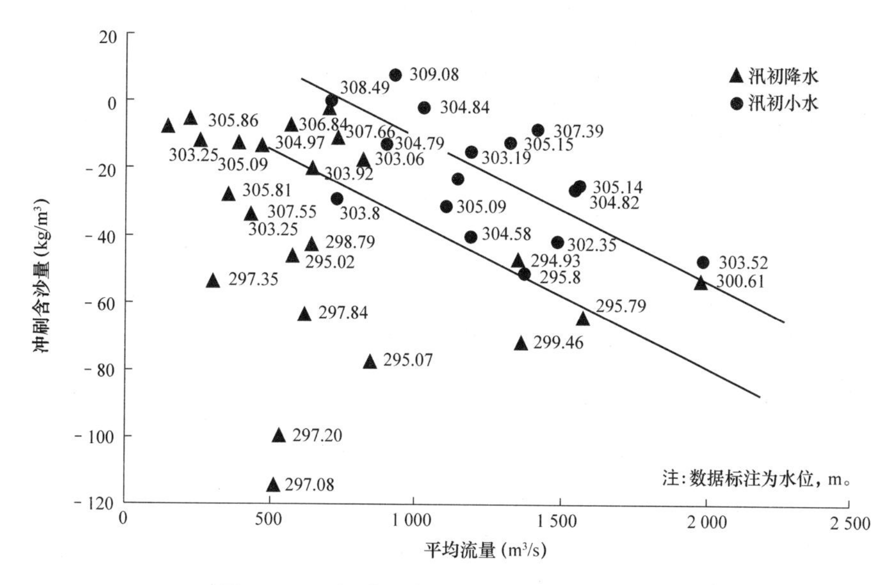

图 4-5　汛初冲刷含沙量与出库流量的关系

较小时冲刷含沙量也会较大，如 2003 年 7 月 17～19 日，日均流量 500～720 m^3 / s，冲刷含沙量达 200～300 kg / m^3，2004 年调水调沙试验期 7 月 8 日流量 968 m^3 / s 时冲刷含沙量 220 kg / m^3；初期流量大时坝前水位不会太低，冲刷含沙量相对小，如 1998 年和 1999 年，敞泄第一天流量在 2 000 m^3 / s 以上，而冲刷含沙量在 80～100 kg / m^3。洪水期敞泄状态，冲刷含沙量与历时相关，随着历时的延长冲刷含沙量减小，如 2003 年 8 月 27 日～9 月 10 日，随着敞泄历时的延长虽然出库流量增加，但冲刷含沙量呈减小趋势，后期渐趋稳定。

3.敞泄期出库泥沙统计

根据库水位在 300 m 以下，敞泄时间 3～10 d，出库平均流量 2 000 m^3 / s 以下的资料分析，出库平均流量为 1 200 m^3 / s，出库平均含沙量 110 kg / m^3。从含沙量关系看，入库含沙量 50 kg / m^3，冲刷含沙量 56 kg / m^3，冲刷泥沙 0.50 亿 m^3，其中小于 0.01 mm 细沙占排沙总量的 30%，相应平均含沙量 37 kg / m^3。

对出库平均流量 1 000 m^3 / s 以下敞泄资料分析，出库平均流量为 768 m^3 / s，出库平均含沙量 94 kg / m^3；入库含沙量 38 kg / m^3，冲刷含沙量 49 kg / m^3，冲刷泥沙 0.39 亿 m^3；其中小于 0.01 mm 细沙占排沙总量的 32%，相应平均含沙量 30 kg / m^3。

综合分析表明，敞泄期平均流量 1 000 m^3 / s 左右，冲刷含沙量在 40 kg / m^3 以上；平均流量 1 500 m^3 / s 左右，冲刷含沙量在 60 kg / m^3 以上；平均流量 2 000 m^3 / s 左右，冲刷含沙量在 80 kg / m^3 以上。敞泄初期水位在 290 m 左右时，冲刷含沙量在 100 kg / m^3 以上，甚至可达 300 kg / m^3，补充总沙量一般为 0.4 亿～0.5 亿 m^3。

五、认识

(1) 2004 年汛初进行了第三次调水调沙试验，汛期发生了“04 · 8”高含沙洪水，小浪底库区发生了较大幅度的冲淤调整，干流河段总体表现为上冲下淤且总淤积量较少，支流淤积量大。

河床纵剖面发生调整，淤积三角洲冲刷下移。两次调整的结果，干流 HH53—HH40 断面平均下降约 19 m；HH29—HH7 断面之间淤积，平均抬升约 6 m；HH7 断面以下冲刷下降 4 m 左右。

(2) 2004 年汛期水库的排沙比达 56.4%，排沙量集中在“04 · 8”高含沙洪水期，占总排沙量 95.7%；细沙的排沙比达 95.8%，粗泥沙的排沙比为 15.5%，通过异重流排沙基本达到了淤粗排细的效果。

(3) 支流的淤积主要为调水调沙试验及“04 · 8”洪水期间异重流倒灌的结果。调水调沙试验期间异重流能量小，倒灌距离短，淤积量较少；“04 · 8”洪水形成的异重流能量较大，倒灌距离长，淤积相对较多。支流口门处淤积面高程随着干流的冲淤同步调整，支流口门处干流冲刷时，支流口门段淤积面随之下降。

(4) 2005 年小浪底库区淤积三角洲位于库水位 225 m 回水范围之内，若调水调沙之前及期间黄河中游不发生洪水，塑造异重流的沙源仅为三门峡水库槽库容的泥沙，可补充沙量在 0.34 亿～0.5 亿 t。但是，库区的河床条件对异重流输移和排沙十分不利。

第五章　低含沙水流冲刷期下游河道冲淤演变规律分析

一、2004 年来水来沙条件及河床冲淤调整概况

(一)来水来沙特点

1.水沙量

2003 年 11 月～2004 年 10 月黄河下游来水(小浪底、黑石关、武陟 3 站之和，下同)286.45 亿 m^3，为多年平均值(1919～2000 年，下同)的 73%。非汛期水量 203.72 亿 m^3，汛期水量 82.73 亿 m^3(见表 5-1)。非汛期平均流量为 970 m^3/s，汛期平均流量只有 778 m^3/s，非汛期的平均流量大于汛期的平均流量。2004 年下游河道全年的来沙量几乎全部集中在汛期，非汛期只有主要支流伊洛河和沁河来了不到 3 万 t 的泥沙；汛期来沙 1.489 亿 t，其中小浪底水库排沙 1.486 亿 t，进入下游河道的泥沙仅为多年平均值的 10.6%。2004 年进入黄河下游的水量主要集中在非汛期，沙量集中在汛期，水沙不同步现象表现非常突出，是该年水沙特点之一。

表 5-1　2004 年黄河下游主要站水量、沙量统计

站名	2003 年 11 月～2004 年 6 月		2004 年 7～10 月		2003 年 11 月～2004 年 10 月	
	水量(亿 m^3)	沙量(亿 t)	水量(亿 m^3)	沙量(亿 t)	水量(亿 m^3)	沙量(亿 t)
小浪底	182.40	0	69.19	1.486	251.59	1.486
黑石关	15.76	0	8.99	0.002	24.74	0.002
武陟	5.56	0	4.55	0.001	10.11	0.001
进入下游	203.72	0	82.73	1.489	286.45	1.489
花园口	203.36	0.517	87.12	1.718	290.48	2.235
夹河滩	197.11	0.977	86.14	1.633	283.25	2.610
高村	193.72	1.149	86.05	1.636	279.77	2.786
孙口	186.31	1.274	88.70	1.770	275.01	3.043
艾山	179.71	1.520	109.12	1.972	288.83	3.491
泺口	157.36	1.260	109.04	1.963	266.40	3.223
利津	140.67	1.400	107.66	2.072	248.33	3.472

2004 年黄河下游各控制站日平均流量主要在 1 000 m^3/s 以下，历时为 265～298 d，全年流量在 500～1 000 m^3/s 的历时最长，为 124～215 d。流量大于 3 000 m^3/s 的历时花园口有 1 d，艾山为 2 d，其他站都没有出现日均流量大于 3 000 m^3/s 的过程。2004 年全年来水量的 40%以上集中在 500～1 000 m^3/s 流量级，只有 30%左右的水量是通过

2 000 m^3 / s 以上流量排泄的。可见，1 000 m^3 / s 以下的小流量历时长、3 000 m^3 / s 以上流量几乎没有出现是 2004 年水沙的第二个特点。

2004 年非汛期由于小浪底水库下泄清水，花园口日平均含沙量全部小于 10 kg / m^3，夹河滩出现含沙量大于 10 kg / m^3 的只有 3 d，利津站出现大于 10 kg / m^3 的天数最多，为 37 d，进入利津的 1.400 亿 t 泥沙，全部来自下游河道自身的补给。2004 年汛期小浪底站日均含沙量大于 10 kg / m^3 的有 9 d，相应水量为 15.35 亿 m^3，占汛期水量的 22.2%，沙量为 1.454 亿 t，占汛期沙量的 97.9%。下游河道来沙高度集中是 2004 年水沙的第三个特点。

根据 2004 年黄河下游实测引水引沙资料计算，2004 年全下游实测引水量为 54.35 亿 m^3，引沙量为 0.280 亿 t，平均引水含沙量 5.1 kg / m^3，与多年平均引水含沙量 17.45 kg / m^3 相比明显偏小。从引水、引沙量的年内分布看，主要集中于非汛期。非汛期全下游引水 46.58 亿 m^3，引沙 0.215 4 亿 t，分别占年引水、引沙量的 86%和 77%；汛期引水 7.77 亿 m^3，引沙 0.064 3 亿 t，分别占年引水、引沙量的 14%和 23%。从引水、引沙量的沿程分布来看，自上而下引水量和引沙量基本上是逐步增加的，夹河滩以上引水较少，泺口—利津的引水最多。

相对往年，2004 年下游水量不平衡问题不是很突出。若不计区间加水和区间损耗，水量差为 38.12 亿 m^3。根据区间实测引水资料统计，2003 年利津以上河段引水 54.35 亿 m^3，从水量平衡的角度看，区间增多了 16.23 亿 m^3。这主要是由于汛期下游降雨较多，金堤河、大汶河等加水未计算引起的。

2.洪水

2004 年黄河下游共发生 3 场洪水，其中前两场分别发生于 6 月和 7 月，第三场洪水为 8 月下旬发生的“04 · 8”高含沙洪水。三场洪水均未漫滩。

2004 年 6 月 19 日 9 时至 7 月 13 日 8 时，进行了黄河第三次调水调沙试验。整个调水调沙试验过程可分为三个阶段，其中第一阶段小浪底水库清水下泄，小浪底水文站水量 23.01 亿 m^3，沙量为 0；伊洛河和沁河同期来水 0.24 亿 m^3，小黑武(小浪底、黑石关、武陟，下同)水量 23.25 亿 m^3，沙量为 0(见表 5-2)。第二阶段，小浪底水库异重流排沙，小浪底水文站水量 21.72 亿 m^3，沙量为 0.044 亿 t，平均含沙量 2.03 kg / m^3；伊洛河和沁河同期来水 0.54 亿 m^3，小黑武水量 22.27 亿 m^3，沙量为 0.044 亿 t，平均含沙量 1.98 kg / m^3。第三阶段，小浪底水文站水量 2.06 亿 m^3，沙量为 0；伊洛河和沁河同期来水 0.31 亿 m^3，小黑武水量共 2.38 亿 m^3。

2004 年 8 月下旬受降雨影响，黄河中游渭河和北洛河发生高含沙洪水,小浪底入库最大含沙量高达 542 kg / m^3、最大流量为 2 960 m^3 / s，入库洪水在小浪底水库形成异重流。结合前期浑水水库作用，小浪底水库形成一场出库最大含沙量 352 kg / m^3 的极细沙高含沙水流过程，该过程在黄河下游河道形成一次高含沙洪水，简称“04 · 8”洪水。图 5-1 为小浪底水库出库水沙过程线。“04 · 8”洪水是小浪底水库投入运用以来含沙量最高的洪水，也是输沙量最大的一次洪水。

2004 年 8 月 22～30 日小浪底水库下泄水量 13.66 亿 m^3，沙量 1.423 亿 t，第一阶段水沙量分别为 4.29 亿 m^3 和 0.816 亿 t，第二阶段水沙量分别为 9.37 亿 m^3 和 0.607 亿 t。同期，

表 5-2　2004 年黄河调水调沙试验下游各站水沙量统计

站名	历时(d)	水量(亿 m^3)	沙量(亿 t)	含沙量 (kg / m^3)
小浪底	24	47.44	0.044	0.92
黑石关	24	0.81	0.000 098	0.12
武陟	24	0.33	0.000 019	0.06
小黑武	24	48.59	0.044	0.90
花园口	24	47.92	0.211	4.40
夹河滩	24	47.15	0.311	6.59
高村	24	46.98	0.355	7.55
孙口	24	47.35	0.468	9.88
艾山	24	47.70	0.544	11.40
泺口	24	45.97	0.543	11.81
利津	24	46.24	0.680	14.71

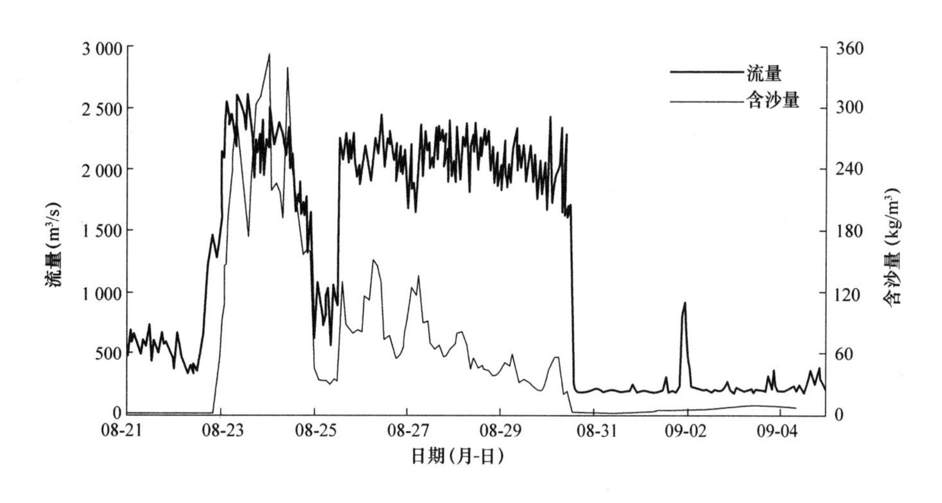

图 5-1　“04·8”洪水小浪底水库出库水沙过程线

伊洛河(黑石关站)来水 0.82 亿 m^3，沁河(武陟站)来水 0.45 亿 m^3，进入下游(小浪底、黑石关、武陟)的水量为 14.93 亿 m^3，沙量 1.423 亿 t(见表 5-3)。该时期大汶河加水 4.08 亿 m^3。

“04·8”洪水在下游河道的演进过程中出现了一些特殊现象，主要表现在以下几个方面：

(1)洪峰流量从小浪底站的 2 590 m^3 / s 演进到花园口站的 4 150 m^3 / s，增加了 1 560 m^3 / s。扣除该过程中伊洛河和沁河增加的 200 m^3 / s 流量，洪峰流量从小浪底演进到花园口增大了 1 360 m^3 / s。

表 5-3　“04 · 8”洪水下游各站水沙量统计

站名	水量 (亿 m^3)	平均流量 (m^3/s)	沙量 (亿 t)	平均含沙量 (kg/m^3)
小浪底	13.66	1 757	1.423	104.2
黑石关	0.82	105	0	0.1
武陟	0.45	58	0	0.2
小黑武	14.93	1 920	1.423	95.3
花园口	16.45	2 116	1.509	91.7
夹河滩	16.67	2 144	1.337	80.2
高村	15.65	2 013	1.308	83.6
孙口	15.53	1 997	1.338	86.2
艾山	19.29	2 481	1.464	75.9
泺口	18.71	2 406	1.365	73.0
利津	18.74	2 410	1.357	72.4

注：按日均水沙资料统计。

(2)“04 · 8”洪水的第一阶段，自夹河滩至孙口峰型有明显向尖瘦型发展的趋势，主要表现在洪水历时沿程缩短(或基本不变)、洪峰流量沿程不衰减(见表 5-4)。

表 5-4　“04 · 8”洪水第一阶段洪水特征值统计

站名	起涨时间 (年-月-日 T时：分)	结束时间 (年-月-日 T时：分)	历时 (h)	水量 (亿m^3)	平均流量 (m^3/s)	最大流量 (m^3/s)
小浪底	2004-08-22T14:00	2004-08-24T23:24	57.4	4.04	1 957	2 590
花园口	2004-08-23T16:00	2004-08-25T20:00	52	5.02	2 682	4 150
夹河滩	2004-08-24T04:00	2004-08-26T08:00	52	5.23	2 794	3 830
高村	2004-08-24T12:00	2004-08-26T12:00	48	4.80	2 779	3 840
孙口	2004-08-24T20:00	2004-08-26T18:00	46	4.43	2 677	3 930
艾山	2004-08-25T03:42	2004-08-27T06:00	50.3	4.79	2 645	3 520
泺口	2004-08-25T14:10	2004-08-27T16:00	49.8	4.41	2 458	3 330
利津	2004-08-26T00:00	2004-08-28T04:00	52	4.48	2 394	3 210

(二)2004 年下游河道冲淤分析

1.全年冲淤变化特点

根据 2003 年 11 月、2004 年 4 月和 2004 年 10 月三次实测大断面资料，采用断面法计算，2004 年全下游(白鹤—汉 3 河段)共冲刷 1.171 1 亿 m^3(见表 5-5)，其中非汛期和汛期分别冲刷 0.329 3 亿 m^3 和 0.841 8 亿 m^3。从沿程分布看，非汛期冲刷主要集中在花园口—高村河段，冲刷了 0.465 1 亿 m^3，泺口—利津河段发生微淤，淤积 0.073 5 亿 m^3，其他各河段基本处于冲淤平衡。汛期全下游都发生了冲刷，高村以上河段和艾山—利津河段冲刷量相对较多，高村—艾山河段和利津以下河段冲刷量较小。

表 5-5　2004 年黄河下游河道断面法冲淤量成果

河段	不同时段(年-月)冲淤量(亿 m^3)		
	2003-11～2004-04	2004-04～2004-10	2003-11～2004-10
小浪底—花园口	–0.014 3	–0.163 9	–0.178 2
花园口—夹河滩	–0.333 1	–0.064 2	–0.397 3
夹河滩—高村	–0.132 0	–0.152 3	–0.284 3
高村—孙口	0.028 9	–0.068 0	–0.039 1
孙口—艾山	–0.014 6	–0.039 8	–0.054 5
艾山—泺口	0.019 1	–0.128 5	–0.109 4
泺口—利津	0.073 5	–0.198 6	–0.125 1
利津—汊 3	0.043 3	–0.026 5	0.016 8
全下游	–0.329 3	–0.841 8	–1.171 1

应说明的是，由于 2003 年黄河下游发生历时较长的秋汛洪水，2003 年汛后大断面是在 2003 年 11 月下旬秋汛结束以后进行测量的，所以 2004 年的非汛期冲淤量实际上是从 2003 年 11 月下旬至 2004 年 4 月中下旬之间的河道冲淤量。

2.调水调沙试验期冲淤变化特点

根据沙量平衡法计算，第一阶段小浪底—利津河段冲刷 0.373 亿 t，第二阶段小浪底—利津河段冲刷 0.283 亿 t，第三阶段小浪底—利津河段冲刷 0.009 亿 t。整个调水调沙试验期间下游河道小浪底—利津河段冲刷 0.665 亿 t，单位水量冲刷效率 0.013 9 t / m^3。从整个调水调沙试验过程看，黄河下游各河段均为冲刷，其中小浪底—花园口、高村—孙口、泺口—利津河段冲刷相对较多，冲刷量分别为 0.169 亿、0.123 亿 t 和 0.150 亿 t，分别占总冲刷量的 25.4%、18.5%和 22.6%(见表 5-6)。

表 5-6　调水调沙试验期间下游河道冲淤量

河段	不同时段冲淤量(亿 t)			
	第一阶段	第二阶段	第三阶段	全过程
小浪底—花园口	–0.089	–0.076	–0.005	–0.169
花园口—夹河滩	–0.052	–0.045	–0.004	–0.101
夹河滩—高村	–0.040	–0.007	0.000 2	–0.046
高村—孙口	–0.054	–0.071	0.001	–0.123
孙口—艾山	–0.049	–0.024	–0.001	–0.074
艾山—泺口	0	–0.003	0.002	–0.001
泺口—利津	–0.089	–0.058	–0.003	–0.150
小浪底—高村	–0.181	–0.128	–0.008	–0.317
高村—利津	–0.193	–0.155	–0.001	–0.349
小浪底—利津	–0.373	–0.283	–0.009	–0.665

3.“04·8”洪水冲淤变化特点

利用日均水沙资料，不考虑洪水期下游河道的引水引沙，采用沙量平衡法计算，“04·8”洪水在下游河道发生了微淤，全下游(小浪底—利津河段)淤积了0.066亿t。

从沿程分布来看，高村以上河段和艾山以下河段发生了淤积，淤积量分别为0.115 5亿t和0.106 8亿t，高村—艾山河段发生了冲刷，冲刷量为0.156 1亿t。

二、不同时期分组泥沙输沙特点

(一)分组泥沙冲淤概况

黄河下游河道冲淤主要取决于水沙条件和河床边界条件，水沙条件除水沙量和水沙过程以外，还包括泥沙级配。相同水流条件下，不同粒径泥沙的输移特性和引起的河道冲淤也具有明显的差异。根据1965～1999年资料统计，进入下游的水量年均为414.17亿m^3，来沙11.18亿t，淤积2.25亿t，淤积比为20%。来沙组成中细颗粒泥沙(粒径小于0.025 mm，下同)占50%，但在淤积物组成中仅占20%，相应的淤积比(即该粒径组淤积量占该粒径组来沙量比例，下同)仅为8%(见表5-7)；中颗粒泥沙(粒径0.025～0.05 mm，下同)在来沙组成中占27%，在淤积物组成中占25%，相应的淤积比仅19%；粗颗粒泥沙(粒径大于0.05 mm，下同)在来沙组成中占23%，但在淤积物组成中占55%，相应的淤积比为47%；尤其是特粗颗粒泥沙(粒径大于0.1 mm，下同)在来沙组成中仅占3%，但其在淤积组成中占16%，相应淤积比高达86%。

表5-7 1965～1999年下游泥沙冲淤概况

时期	项目	全沙	各粒径组比例(%)			
			细泥沙(d<0.025)	中泥沙(0.025<d<0.05)	粗泥沙(d>0.05)	特粗泥沙(d>0.1)
1965～1999年	来沙量	11.18	50	27	23	3
	淤积量	2.25	20	25	55	16
	淤积比(%)	20	8	19	47	86
1965～1973年	来沙量	16.5	48	25	27	4
	淤积量	4.1	9	23	68	15
	淤积比(%)	25	4	23	63	89
1974～1990年	来沙量	10.18	53	27	20	3
	淤积量	1.1	26	25	49	27
	淤积比(%)	11	5	10	25	84
1991～1999年	来沙量	7.77	50	27	20	3
	淤积量	2.57	33	28	31	9
	淤积比(%)	33	22	34	51	85

注：粒径单位为mm，来沙量和淤积量单位为亿t。

(二)分组泥沙淤积量与来沙组成关系分析

从图5-2可以看出，各时期来沙组成中，细泥沙均在50%左右，中泥沙在25%左右，粗泥沙在 27%左右，粗泥沙中特粗泥沙比例在 3%左右。

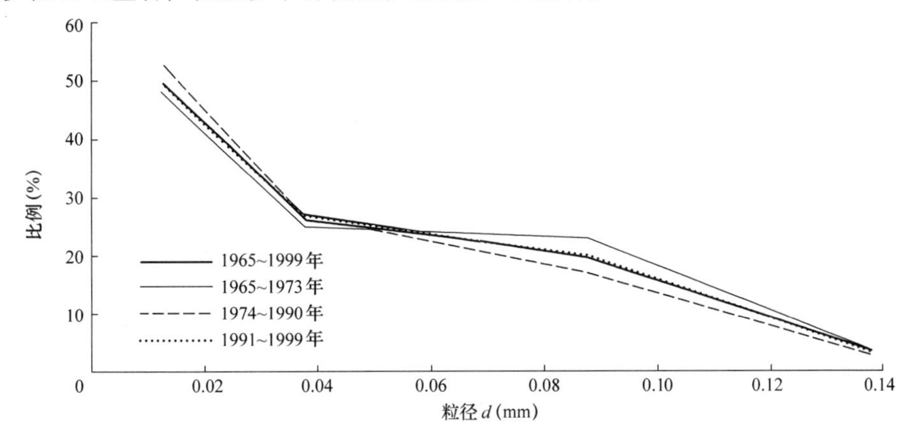

图 5-2　不同时期来沙组成情况

不同时期水沙条件和边界条件不同，使得下游河道淤积物组成变化比较大(见图 5-3)。由图 5-3 可以看出，各时期淤积物组成中，中泥沙和特粗泥沙比例变化相对比较小，而细泥沙和粗泥沙比例变化比较大。淤积物组成中粗泥沙比例最大的时期是 1965～1973 年，为 68%；细泥沙和中泥沙比例最大的时期是 1991～1999 年，分别为 33%和 28%。

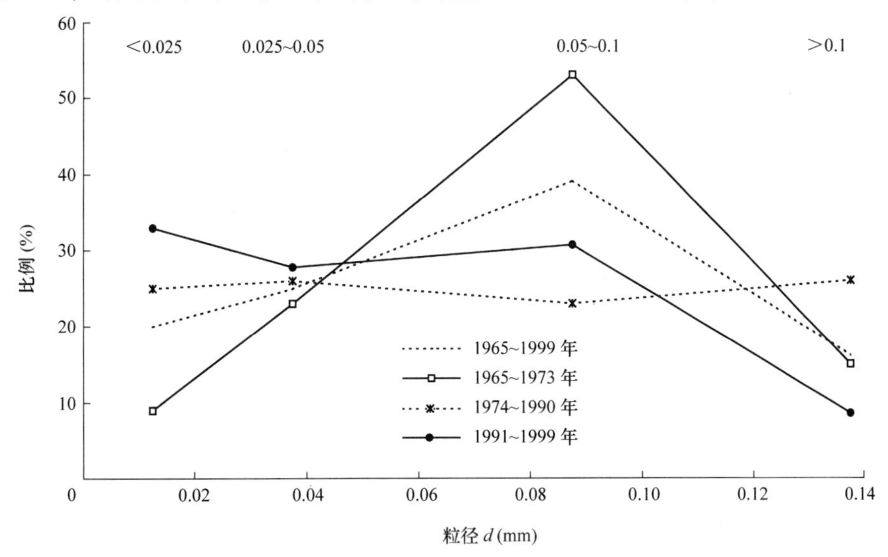

图 5-3　不同时期淤积物组成情况

由于水沙条件和边界条件的变化，不同粒径泥沙淤积比除特粗沙外，差别都比较大。细泥沙和中泥沙淤积比最小的是 1974～1990 年，分别为 5%和 10%。粗泥沙中 0.05～0.1 mm 的粗泥沙淤积比变化最大，在 15%～55%之间，粗泥沙中的特粗泥沙淤积比各时期变化不大，均在 80%～90%之间。细泥沙和中泥沙淤积比最大的均是 1991～1999 年，分别为 22%和 34%。

对比不同时期水量和细泥沙及特粗泥沙淤积情况(见表 5-8)可以看出，随着水量的变化，细泥沙淤积比变化较大，特粗泥沙淤积比变化不大，汛期表现更加显著。

表 5-8　不同时期水量与细泥沙和特粗沙淤积比关系

时期	全年				汛期			
	下游水量(亿m³)	利津水量(亿m³)	细泥沙淤积比(%)	特粗泥沙淤积比(%)	下游水量(亿m³)	利津水量(亿m³)	细泥沙淤积比(%)	特粗泥沙淤积比(%)
1965～1973年	461.01	337.33	4	89	252.10	158.26	8	88
1974～1990年	475.94	298.82	5	84	299.93	192.78	14	89
1991～1999年	250.67	129.59	22	85	111.47	81.32	31	90
1965～1999年	414.17	265.21	8	86	239.17	155.24	15	89

(三)20 世纪 90 年代分组泥沙淤积特点及原因分析

由 20 世纪 90 年代下游来水量与各粒径组泥沙淤积比关系(见图 5-4)可以看出，下游河道各粒径组泥沙的淤积比基本上伴随着来水量变化而变化，水量大时淤积比减小，水量小时淤积比增大。但不同粒径组的变化幅度相差增大，细泥沙淤积比的调整最为敏感；中泥沙变化幅度小于细泥沙；粗泥沙变幅更小；而特粗泥沙的淤积比除个别点据外，总体上变化不大。由于下游冲淤调整主要发生在汛期，因此全年各粒径组泥沙淤积规律与汛期基本相同。

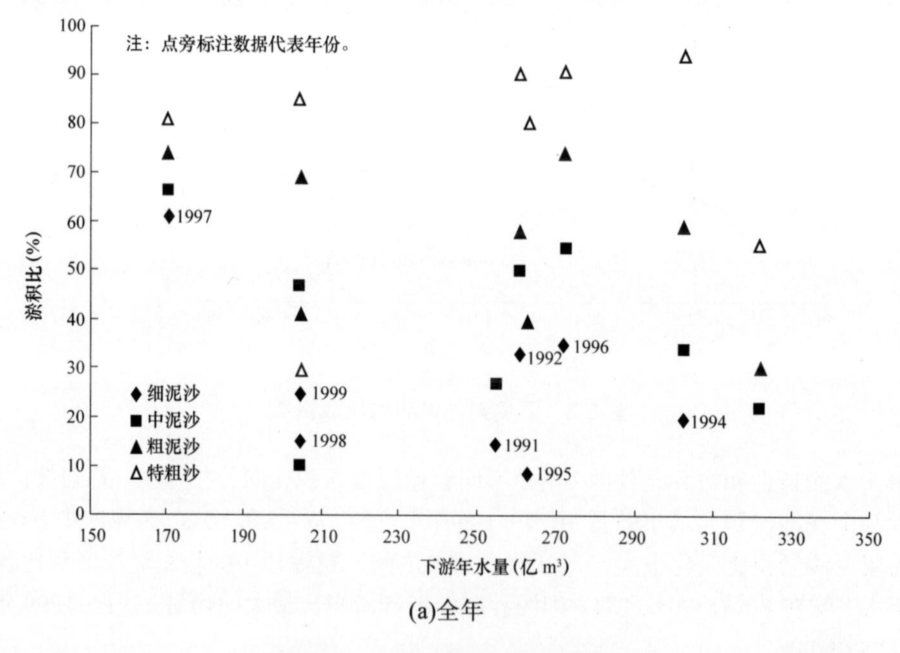

(a)全年

图 5-4　下游水量与淤积比关系

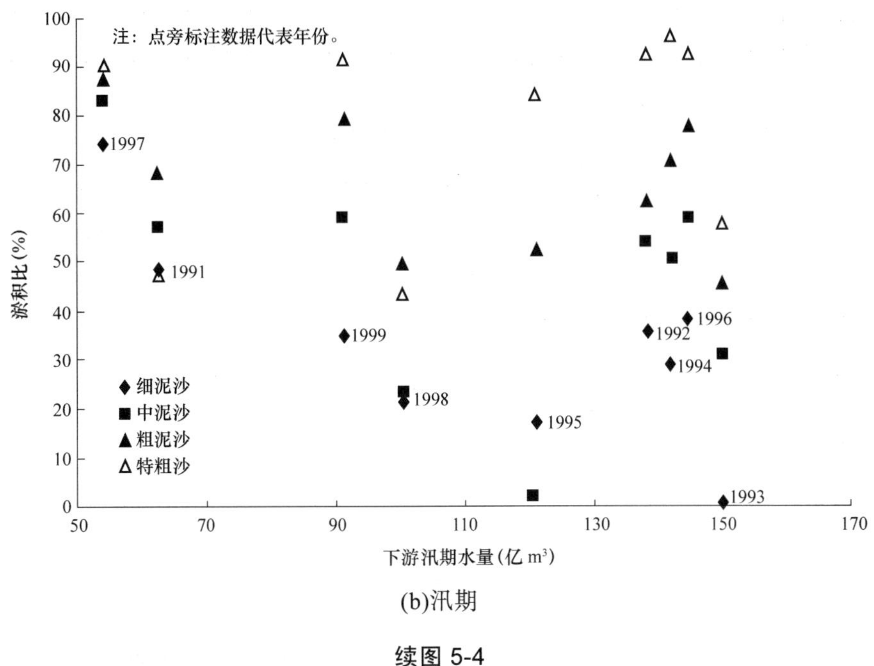

(b)汛期

续图 5-4

1991～1999 年细泥沙和中泥沙淤积比增大较多，其原因主要有以下三方面，一是汛期水量偏小，河道输沙能力降低，各粒径组泥沙淤积比都较大；二是断流期间，来沙无论粗细全部淤积在断流河段以上的河道内，造成细泥沙和中泥沙淤积比增大，如 1997 年断流长达 226 d，各级粒径泥沙淤积比均超过 60%(见表 5-9)；三是洪水漫滩将细泥沙淤积在滩地，如 1992 年和 1996 年由于洪水漫滩，细泥沙和中泥沙年淤积比分别超过 30%和 50%。由图 5-4 可以看出年水量接近情况下，未发生洪水漫滩的 1991 年和 1995 年细泥沙淤积比均在 20%以下，明显小于 1992 年和 1996 年。

表 5-9 典型年份淤积比情况

时间	来水量(亿 m³)	来沙量(亿 t)	利津水量(亿 m³)	全沙淤积(亿 t)	不同粒径淤积比(%)				
					全沙	细泥沙	中泥沙	粗泥沙	特粗泥沙
1992 年	261.02	11.24	109.83	4.75	42	33	50	57	90
1996 年	272.23	11.46	150.81	5.98	52	35	54	74	91
1997 年	170.56	4.4	38.85	2.90	66	61	66	74	81
1992 年汛期	138.02	10.76	94.66	4.94	46	37	54	62	92
1996 年汛期	144.48	11.31	128.43	6.34	56	38	59	77	92
1997 年汛期	54.01	4.37	2.43	3.51	80	74	83	88	90

三、低含沙水流冲刷时期细颗粒泥沙含沙量对河道冲淤的影响

小浪底水库运用初期以下泄细颗粒泥沙为主。为研究不同细颗粒泥沙含量对河道冲淤的影响，点绘清水冲刷时期单位水量冲淤量与花园口来沙系数的关系(见图 5-5)。由

图 5-5 看出，总体上来说下游单位水量冲刷量随来沙系数的增大而减小，单位水量淤积量则随来沙系数增大而增大。同时，细沙含量对单位水量冲淤量的影响趋势与此相对应。

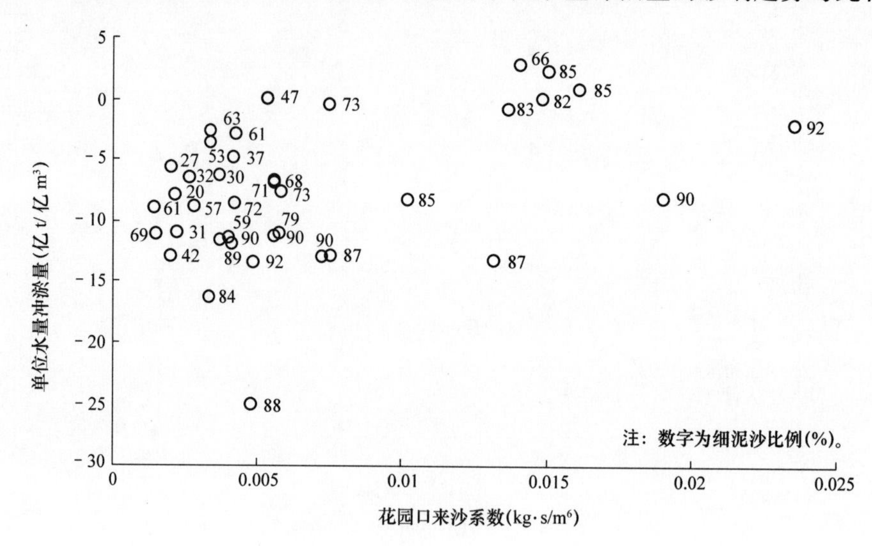

图 5-5 黄河下游单位水量冲淤量与花园口来沙系数的关系

下游冲淤相对平衡时(单位水量冲淤量为 0)，细沙含量越大花园口的来沙系数越高，那么，下游冲淤平衡的允许含沙量也越高。根据图 5-5 建立基本满足下游冲淤相对平衡的含沙量与流量、细颗粒泥沙比例的关系为

$$S = 0.025QP^{1.76} \tag{5-1}$$

式中：S 为含沙量，kg / m³；Q 为流量，m³ / s；P 为细颗粒泥沙的沙量百分数(%)。

根据式(5-1)，可绘制清水冲刷期下游流量与不淤含沙量的关系(见图 5-6)。以洪水平均流量 3 500 m³ / s 为例，在细颗粒泥沙比例为 90%时，下游冲刷平衡的平均含沙量约为 75 kg / m³。“04 · 8”洪水花园口平均流量为 3 280 m³ / s，平均含沙量为 92 kg / m³，洪水期间黄河下游基本冲淤平衡，点子位于工作曲线上方(见图 5-6)，说明建立的关系是比较合理、安全的。

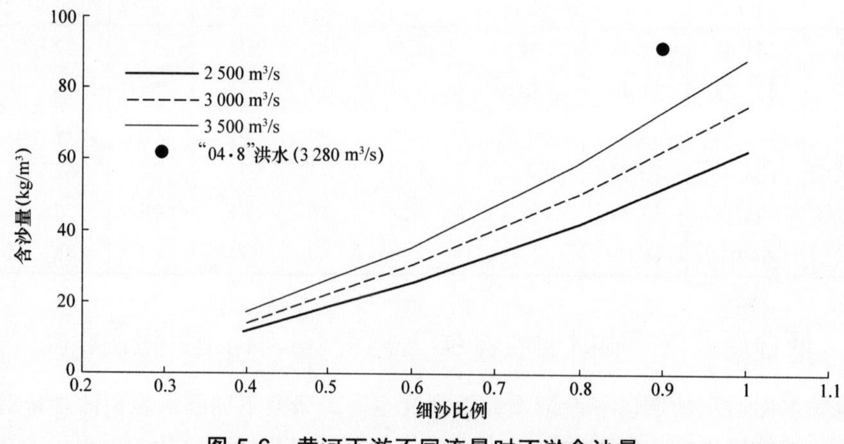

图 5-6 黄河下游不同流量时不淤含沙量

四、低含沙水流冲刷期不同粒径泥沙冲淤特点

根据 1961～1964 年间的 28 场洪水、2002～2004 年间的 14 场洪水分析，在 42 场洪水中三黑小(三门峡、黑石关、小浪底)最小水量 4.05 亿 m^3，最小沙量为 0，最小平均流量为 308 m^3/s，最小平均含沙量为 0；最大水量 70.1 亿 m^3，最大沙量 2.0 亿 t；最大平均流量为 5 707 m^3/s，最大平均含沙量 96.6 kg/m^3；历时最小 4 d，最长 43 d(见表 5-10)。

表 5-10　水库拦沙运用期洪水特征值统计

值限	历时 (d)	水量 (亿 m^3)	沙量 (亿 t)	平均流量 (m^3/s)	平均含沙量 (kg/m^3)	来沙系数 ($kg \cdot s/m^6$)	$P<0.025$ (%)
最小	4	4.05	0	308	0	0	0
最大	43	70.1	2.0	5 707	96.6	0.036 2	97

图 5-7 为全下游的单位水量冲淤量与三黑小的平均流量关系。可以看出，洪水平均流量在 3 500 m^3/s 以下时，平均流量越大洪水的冲刷效率越高。场次洪水平均流量大于 3 500 m^3/s 后，随着流量增大洪水的冲刷效率不再显著增大，基本维持在 20 kg/m^3。

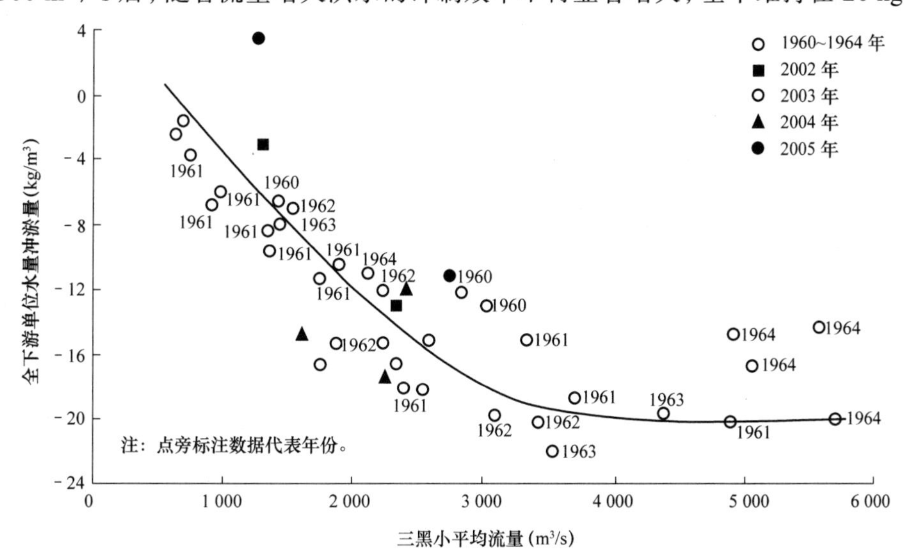

图 5-7　水库拦沙运用期全下游单位水量冲淤量与三黑小的平均流量的关系

2002 的两场洪水的冲刷效率均偏小，其中一场为 3 月初春灌期间的小洪水，引水量较大，全下游平均引水流量为 463 m^3/s，冲刷效率明显降低；另一场为 2002 年调水调沙试验期的洪水，由于下游部分河段发生了漫滩，一部分泥沙在滩地发生淤积，致使全下游的冲刷效率降低。2003 年和 2004 年的几场洪水基本符合该关系，只有“04 · 8”洪水发生微淤。

另外，把与图 5-7 相对应的分组泥沙的单位水量冲淤量与平均流量建立关系(见图 5-8)，可以看出，全沙、细颗粒泥沙和中颗粒泥沙的冲刷效率都是随着流量增大先迅速增大，

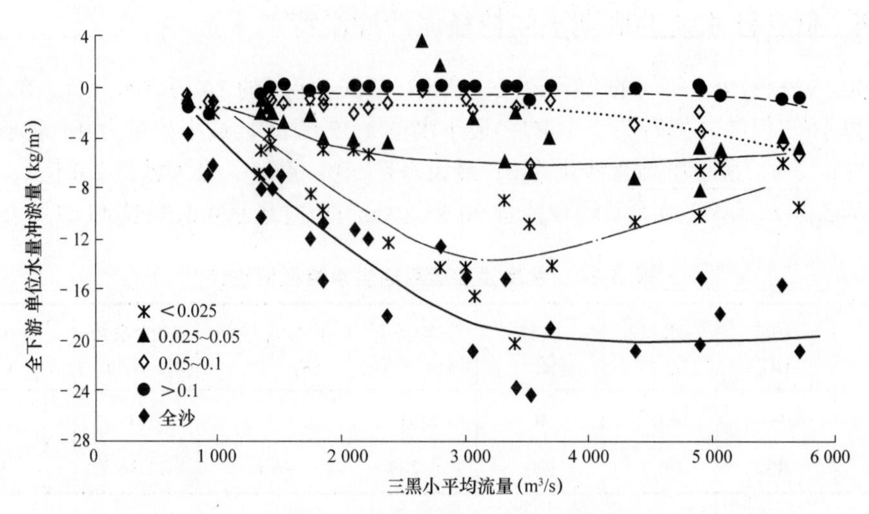

图 5-8 水库拦沙运用期分组泥沙单位水量冲淤量与平均流量关系图

达到一定的程度就保持平衡或略有减弱的下凹型曲线；粗颗粒泥沙和特粗颗粒泥沙的冲刷效率随着流量的增大先变化不明显，当流量达到一定的量级后才显著增加的上凸型曲线。

从图 5-7 和图 5-8 可以看出，当流量大于 4 000 m³／s 后，全沙的冲刷效率不再显著增大，甚至有几场洪水的冲刷率略有减小。

黄河下游泥沙粒径小于 0.025 mm 的细颗粒泥沙的冲刷程度主要取决于河道的补给量，随着清水下泄时间的推移，细颗粒泥沙的补给量不断减少，细颗粒泥沙冲刷效率减小。对于粒径在 0.025～0.05 mm 的中颗粒泥沙，当流量从 1 000 m³／s 增加到 2 500 m³／s 时，中颗粒泥沙的冲刷效率明显增加，流量大于 2 500 m³／s 以后中颗粒泥沙的冲刷维持在 6 kg／m³ 左右，说明在冲刷前提下该粒径组泥沙挟沙能力大约为 6 kg／m³。对于粒径在 0.05～0.1 mm 的粗颗粒泥沙，由于该粒径组的泥沙粒径大，起动流速也大，只有当水流达到一定量级才会发生冲刷，初步分析认为在流量达到 5 000 m³／s 时开始发生冲刷。由于拦沙后期细颗粒泥沙补给量的减少大于粗泥沙和特粗颗粒泥沙的冲刷量，故图 5-7 中流量较大的 1964 年的几场洪水的冲刷效率偏小。

五、低含沙水流冲刷期河道沿程调整特点

(一)低含沙水流冲刷期河道调整特点

对比小浪底水库和三门峡水库运用初期下游河道的冲刷情况可见(见表 5-11)，2000～2004 年与 1960～1964 年相比，在全下游冲刷量偏小的前提下，从各河段冲刷量占全下游冲刷量的比例来看，冲刷分布特点由 1960～1964 年的“上段多冲、下段少冲”变为 2000～2004 年“两头多冲、中间少冲”，高村—艾山河段冲刷量减小，艾山—利津冲刷量增大。其主要原因是 1999 年 11 月～2004 年 10 月汛期花园口日平均流量在 1 000 m³／s 以下历时 328.4 d(见图5-9)，占全年历时的 90%，相应水量占全年的 74%；而 1960～1964 年 1 000～1 500 m³／s 历时年均将近 70 d，从而导致两时期冲刷分布不同。

表 5-11　下游清水冲刷时期河道冲淤情况

时段	冲淤量	花园口以上	花园口—高村	高村—艾山	艾山—利津	利津以上
1999 年 10 月～2004 年 10 月	冲淤量(亿 t)	−2.466	−2.749	−0.336	−0.964	−6.515
	占下游比例(%)	38	42	5	15	100
1960 年 9 月～1964 年 10 月	冲淤量(亿 t)	−5.429	−6.6	−3.572	−0.914	−16.514
	占下游比例(%)	33	40	22	5	100

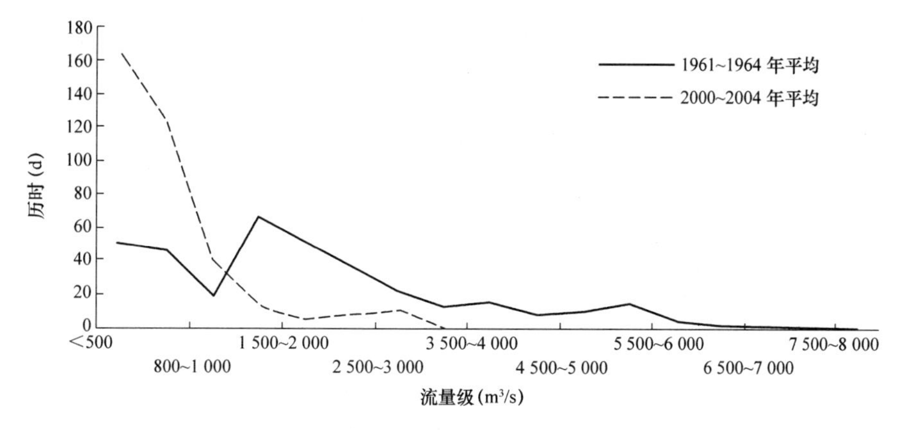

(a)各级流量级出现的历时

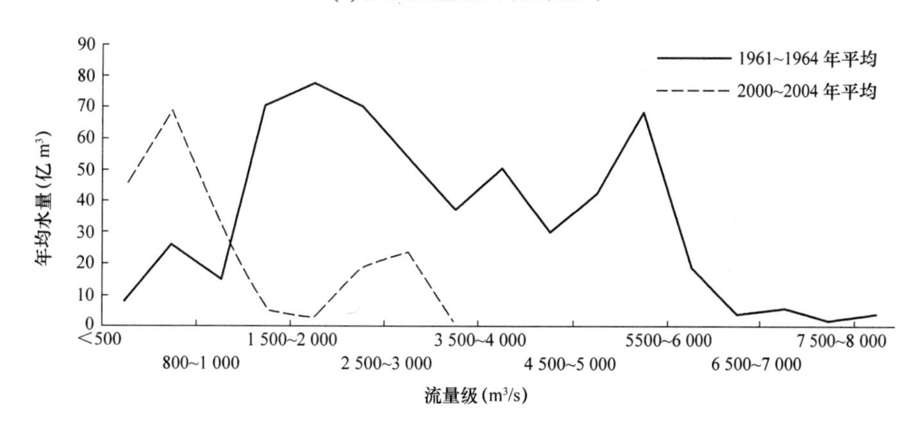

(b)各级流量级相应的水量

图 5-9　花园口不同时期各级流量级出现的历时及相应的水量

(二)河道冲淤调整与水沙的关系

由图 5-10 可见，花园口以上河段在洪水期各级流量下基本上都发生冲刷；而花园口以下各河段基本上都有一个随着流量增加由冲刷转为淤积的过程。花园口以下各河段都存在单位水量冲刷量最大的流量。在达到该流量级后，随着流量的增加单位水量冲刷量增加不明显。

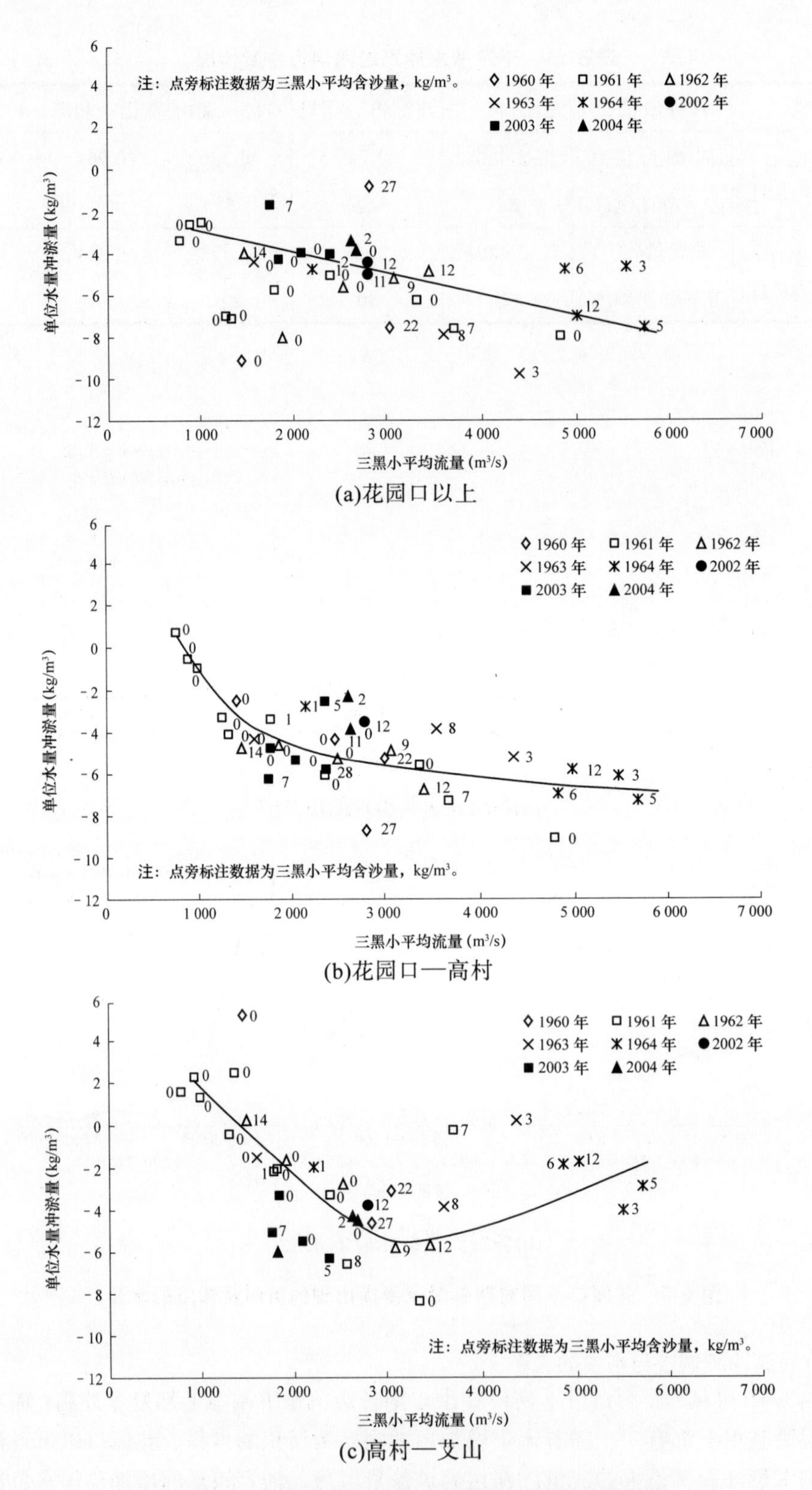

(a)花园口以上

(b)花园口—高村

(c)高村—艾山

图 5-10 分河段单位水量冲淤量与平均流量的关系

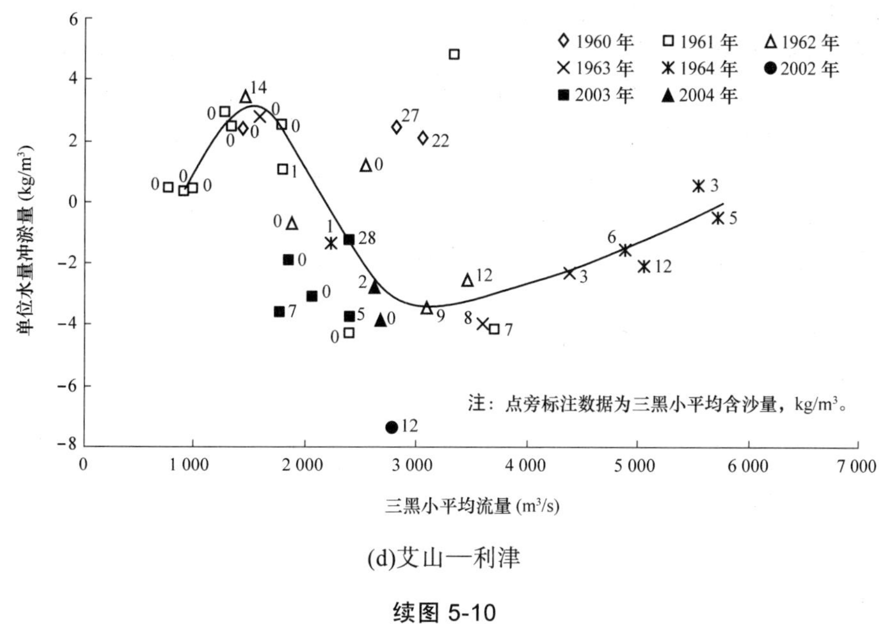

(d)艾山—利津

续图 5-10

图 5-11 为利用日平均资料建立了单位水量冲淤量与流量的关系。可以看出，1960～1964 年、2000～2004 年两个时期各河段单位水量冲淤量的变化基本上与图 5-10 反映的相同。但图 5-11 中存在一些特殊情况，如 1960～1964 年花园口以上河段在 600～800 m^3/s 时淤积量偏大等。分析表明，出现这些特殊现象的原因主要有：

(1)图 5-11(a)中 1960～1964 年花园口以上河段在 600～800 m^3/s 时淤积量偏大，主要是由于 1963 年和 1964 年小浪底水库开始滞洪排沙引起花园口以上河段发生回淤。

(2)图 5-11(b)中 2000～2004 年花园口以上河段在 1 800～2 000 m^3/s 流量级时发生了淤积。该流量级出现的天数有 6 d，其中 5 d 该河段发生了冲刷，5 d 冲刷量为 0.024 4 亿 t，另外一天由于处于“04·8”洪水过程中，含沙量很高，小浪底出库含沙量为 217.1 kg/m^3，演进到花园口含沙量为 196.8 kg/m^3，因而含沙量高引起该河段淤积。

(3)图 5-11(b)中 2000～2004 年艾山—利津河段在 1 400～1 600 m^3/s、1 600～1 800 m^3/s 和 1 800～2 000 m^3/s 三个流量级淤积偏大。前两个流量级主要是由于统计的该流量级有几天是处于春灌期，艾山—利津的水量衰减显著，引起淤积严重。从表 5-12 可以看出，1999 年 10 月～2004 年 10 月花园口 1 400～1 600 m^3/s 共出现 13 d，其中 9 d 在春灌期，引水较大，如进入花园口水量 11.78 亿 m^3，艾山水量 5.65 亿 m^3，到利津只剩 0.62 亿 m^3，这 9 d 期间艾山—利津的水量减幅为 89%，河段淤积 0.072 4 亿 t；非春灌期的有 4 d，花园口水量 5.14 亿 m^3，艾山水量 5.70 亿 m^3，利津水量 5.18 亿 m^3，水量减幅仅为 9.1%，河段冲刷 0.007 1 亿 t。因此，该流量级的淤积主要是由于春灌期引水较大引起河段淤积造成的。同理，1 600～1 800 m^3/s 流量级也存在春灌期淤积、非春灌期冲刷的特点(见表 5-12)。

(4)图 5-11(b)中 2000～2004 年花园口—高村河段在 2 400 m^3/s 以上较大流量级发生了淤积。分析原因，其中 2 400～2 600 m^3/s 主要集中在 2003 年的秋汛洪水过程中的

34 d、2004 年调水调沙试验过程中的 2 d 和“04·8”洪水过程中的 1 d，共 37 d。由于 2003 年秋汛洪水过程中蔡集工程 9 月 18 日出险至 10 月 29 日复堵，这期间洪水进入滩地并发生了淤积，使得花园口—高村河段发生淤积。2 600～2 800 m³ / s 主要发生在 2002 年调水调沙试验过程中的 4 d、2003 年秋汛洪水过程中的 10 d、2004 年调水调沙试验过程中的 13 d。同样，由于 2003 年秋汛洪水过程中因蔡集工程出险，洪水进入滩地，该河段淤积了 0.197 6 亿 t，其他洪水则冲刷了 0.080 3 亿 t；2002 年调水调沙试验期间该河段发生漫滩淤积，共同引起该河段大流量时淤积。根据上述原因，修正后的关系见图 5-12。

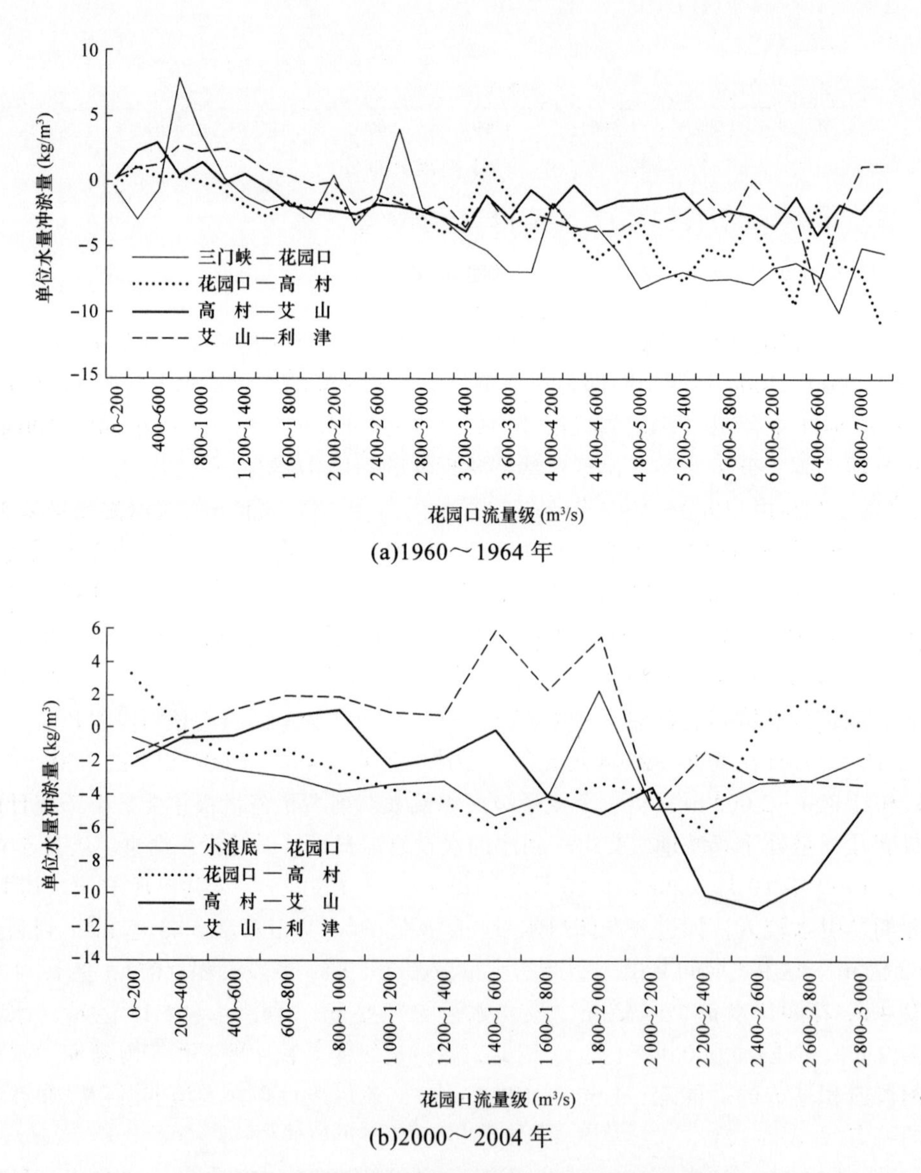

图 5-11 不同时段下游各河段分流量级的冲刷效率

表 5-12　艾山—利津河道冲淤分析

流量级 (m^3/s)	天数 (d)	春灌期					洪水期				
		天数 (d)	艾山水量 (亿 m^3)	利津水量 (亿 m^3)	水量减幅 (%)	艾山—利津冲淤量 (亿 t)	天数 (d)	艾山水量 (亿 m^3)	利津水量 (亿 m^3)	水量减幅 (%)	艾山—利津冲淤量 (亿 t)
1 400～1 600	13	9	5.65	0.62	89.0	0.072 4	4	5.70	5.18	9.1	－0.007 1
1 600～1 800	9	4	2.27	0.15	93.6	0.029 8	5	8.66	7.91	8.6	－0.005 3

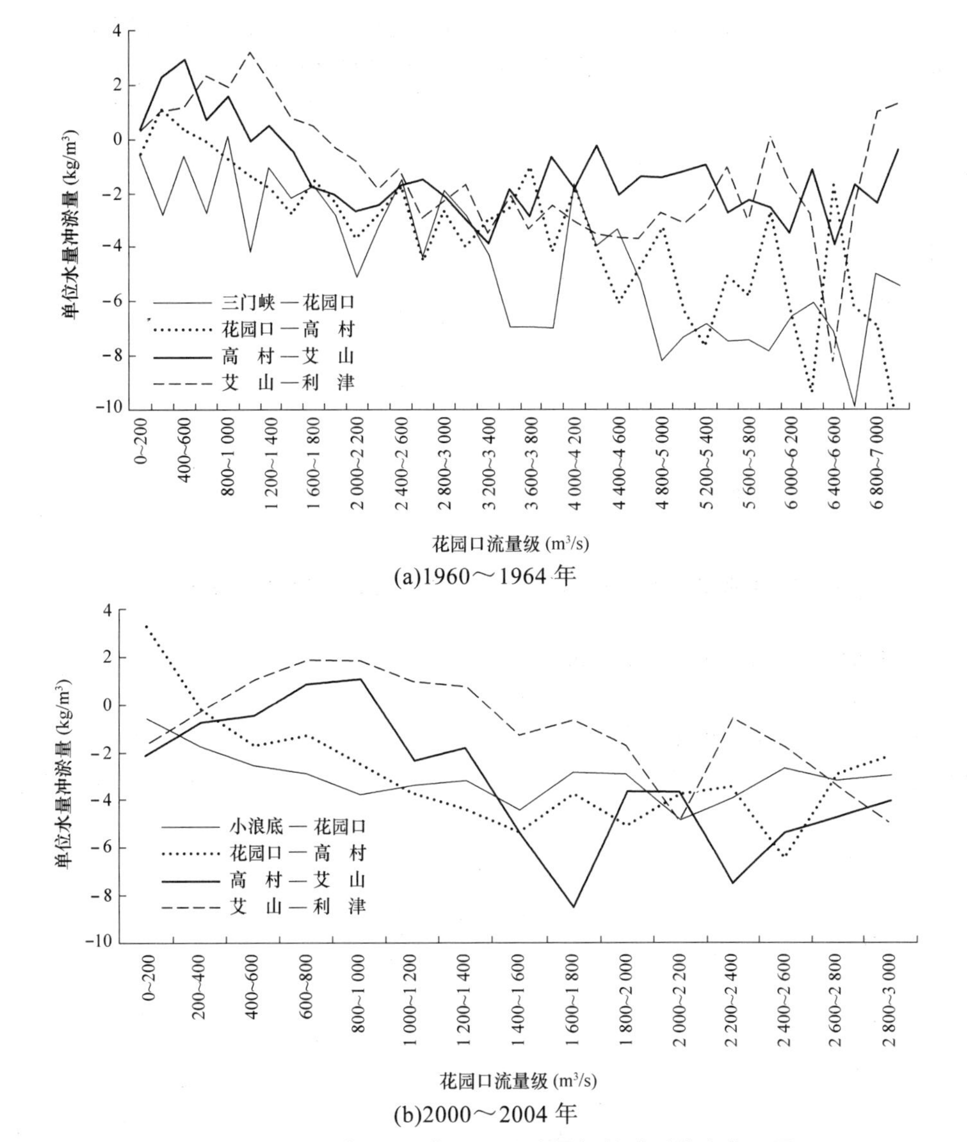

图 5-12　不同时段下游各河段分流量级的冲刷效率修正图

由图 5-10、图 5-12 可以看出，不同河段由冲转淤的流量条件为：花园口—高村为 600～800 m^3 / s、高村—艾山为 1 200～1 400 m^3 / s、艾山—利津为 2 000～2 200 m^3 / s。

单位水量淤积量较大的流量级为：花园口—高村为 200～400 m³/s、高村—艾山为 800～1 000 m³/s、艾山—利津为 1 000～1 200 m³/s；冲刷量较大、再增大后单位水量冲刷量增大不明显的流量级各河段都基本上在 3 000 m³/s。

图 5-13 为下游低含沙冲刷期各河段不同洪峰流量与单位水量冲淤关系。可以看出，小浪底水库异重流排沙或清水冲刷条件下，下游河道冲淤尤其是冲刷距离与洪峰平均流量具有较好的相关关系。洪峰平均流量越大，冲刷距离越长，上段冲刷、下段淤积的分界河段越靠近下游。花园口洪峰平均流量 800 m³/s 条件下，高村以上河段发生显著冲刷，高村—艾山河段淤积最为严重(平均含沙量衰减约 2 kg/m³)，艾山—利津窄河段淤积不明显。当花园口洪峰平均流量 1 500 m³/s 时，冲刷发展到艾山，高村—艾山河段也有一定程度的冲刷，淤积主要集中在艾山—利津窄河段(平均含沙量衰减约 2 kg/m³)。

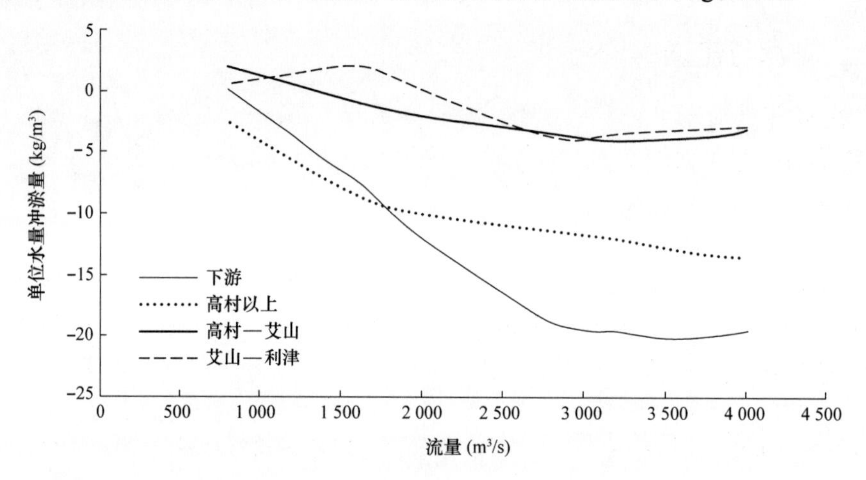

图 5-13 低含沙水流冲刷期各河段不同洪峰流量与单位水量冲淤量关系

(三)河道边界条件对河道输沙能力的影响

1.断面形态变化的影响

1986 年以后黄河下游河道萎缩，河槽断面面积减小、宽度缩窄、断面形态趋于窄深，河道主槽内流速增加，水流输沙能力增强。图 5-14 表征的利津断面不同时期输沙

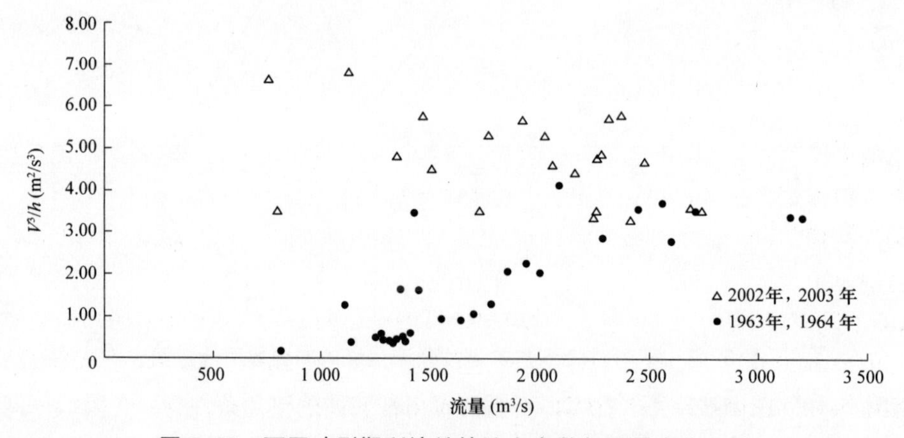

图 5-14 不同冲刷期利津站挟沙力参数与流量变化关系

因子(V^3/h)变化规律表明，2000～2004 年同流量条件下的输沙因子要明显大于 1960～1964 年，尤其在 2 000 m^3/s 小流量条件下，前者约为后者的 2 倍以上。这也是近年来艾山以下窄河段冲刷效率较高、同流量水位下降较为明显的主要原因。

2.河槽物质组成的影响

河道冲刷期泥沙的补给主要来自于主槽的冲刷和滩岸的坍塌，随着河道整治工程的不断完善、河势的逐渐稳定，2000～2004 年滩岸坍塌所导致的泥沙补给明显减少。但 20 世纪 90 年代以来，长期枯水少沙、尤其洪水较少，致使河槽泥沙组成发生了明显的细化。2004 年第三次调水调沙试验前实测资料表明，高村—孙口河段，河槽表层至 4 m 深的河床范围内，小于 0.025 mm 的细颗粒泥沙占全沙的 37%，明显大于 1960 年以前河槽内细沙占全沙约 10%的比例。

六、认识与建议

(1) 2004 年进入黄河下游的水量为 286.45 亿 m^3，泥沙量 1.489 亿 t，分别占多年均值的 73%和 10.6%。泥沙基本上全部来自于汛期，且小浪底水库下泄量占 99.8%。洪水最大洪峰流量仅为 4 150 m^3/s。

(2) 2004 年全下游河道冲刷 1.711 亿 m^3，其中汛期和非汛期冲刷量分别占全年冲刷量的 71.88%和 28.12%。冲刷量主要集中在高村以上游荡性河段，共冲刷 0.860 亿 m^3，占总冲刷量的一半还多；冲刷最少的河段为高村—艾山河段，不足全下游的 8%；利津—汊 3 河段年内还发生了少量淤积，主要发生在非汛期，淤积量约为 0.043 亿 m^3。同时，艾山—利津河段在非汛期也发生了淤积。

(3) 根据 1965～1999 年的资料统计，进入下游河道的泥沙中以细泥沙为主，占 50%左右。多年淤积物中细泥沙淤积比很小，约为 8%，而特粗泥沙占到 86%。

(4) 下游河道冲淤相对平衡时，来沙中细泥沙含量越高，花园口断面的临界来沙系数也相对越大。下游河道冲淤相对平衡时的含沙量、流量及细颗粒泥沙含量的关系为

$$S = 0.025QP^{1.76}$$

式中：S 为含沙量，kg/m^3；Q 为流量，m^3/s；P 为细泥沙的沙重百分数(%)。

(5) 在小浪底水库拦沙运用的冲刷时期，全沙、细泥沙和中泥沙的冲刷效率均随流量增大而增大，但达到一定程序时，冲刷效率增加率不再增大或略有降低；粗泥沙和特粗泥沙冲刷效率随流量增大变化很小，基本上在 0～2 kg/m^3 之间，不过，当流量达到 4 000 m^3/s 以上时，才略有增大，但仍在 4 kg/m^3 左右。

总的来说，对于全沙的冲刷效率而言，当流量小于 4 000 m^3/s 时，随流量增大明显增大，但流量大于 4 000 m^3/s 后，冲刷效率趋稳，基本上在 20 kg/m^3 左右。由此，从有利于河槽的冲淤平衡角度而言，建议黄河下游河道的平滩流量取为 4 000 m^3/s 左右较合适。

(6) 不同河段由冲刷转为淤积的流量条件为：花园口—高村为 600～800 m^3/s；高村—艾山为 1 200～1 400 m^3/s；艾山—利津为 2 000～2 200 m^3/s。单位水量淤积量较大的流量级为：花园口—高村为 200～400 m^3/s；高村—艾山为 800～1 000 m^3/s；艾山—利津为 1 000～1 200 m^3/s。

小浪底水库投入运用以来，冲刷最小的河段集中在高村—艾山，主要是由于 1 000～1 500 m^3 / s 流量级历时过长引起的。因此，建议减少花园口平均流量为 1 000～1 500 m^3 / s 流量级出现的机遇。

第六章　认识与建议

一、对多沙粗沙区治理的建议

(1)流域治理程度和水保措施配置不同，对不同量级洪水的减水减沙作用也不同。生物措施仅在降水量较低情况下才能起到一定的滞洪作用，要达到一定的蓄水效益，必须配置一定规模的工程措施(包括梯田、坝地、水库等)，坝库控制面积达到10%以上，对暴雨洪水的控制作用才比较明显。

(2)淤地坝对流域来沙具有一定的分选作用，流域来沙粗，淤积物组成也粗，坝尾和坝前淤积物组成差别大，沿程分选、细化明显；流域来沙细，淤积物组成也细，当来沙平均粒径小于 0.1 mm 时，坝尾和坝前淤积物组成差别小，沿程分选、细化不明显。因此，加快淤地坝建设，特别是在粗泥沙来源区建设淤地坝具有较好的拦粗排细效果，同时也需要把林草措施作为淤地坝建设的配套工程。

二、对万家寨、三门峡水库运用指标的建议

针对洪水不断减少的状况，应采取多种措施减少三门峡水库淤积、降低潼关高程。

(1)桃汛洪水对潼关高程的冲刷作用与洪峰流量和坝前水位密切相关，洪峰流量大于 1 900 m^3 / s 时潼关高程多冲刷下降。1999 年以来万家寨水库桃汛期蓄水削峰影响了对潼关高程的冲刷效果，建议调整万家寨水库桃汛期蓄水时间，在桃汛洪峰过后第 2 天开始蓄水，既不影响桃汛洪峰流量，也可保证万家寨水库的发电蓄水。同时，三门峡水库桃汛期起调水位降低到 312～315 m 有利于增加桃汛洪峰对潼关高程的冲刷作用。

(2)三门峡库区非汛期淤积重心和淤积末端的位置主要取决于最高水位的变化，随着最高水位的降低淤积重心和淤积末端下移，2003～2004 年非汛期 318 m 控制运用、最高水位 317.97 m，淤积重心下移到黄淤 22—黄淤 30 断面(2000 年前在黄淤 22—黄淤 36 断面)。其中，桃汛期起调水位 312.83 m，北村以上河段冲刷，以下淤积，淤积部位集中在黄淤 23 断面以下(距坝址 50 km)。淤积部位下移有利于减少对上段产生的累计影响，有利于汛期的冲刷，同时也有利于充分发挥桃汛洪水对潼关高程的冲刷作用。建议三门峡水库继续开展 318 m 控制运用试验，桃汛期起调水位仍按 312 m 左右控制。

(3)洪水期敞泄排沙效果明显。由于近年来洪水较少，为维持三门峡水库的年内冲淤平衡，建议根据当年的洪水情况，适当降低汛期敞泄排沙流量、延长敞泄时间。

三、关于小浪底水库库区冲淤演变和异重流排沙的认识

(1)2004 年汛期小浪底库区发生了较大幅度的冲淤调整，干流河段总体表现为上冲下淤、淤积量少；支流淤积量大。支流淤积 0.88 亿 m^3，占淤积总量的 75%。支流淤积主要是调水调沙试验及“04・8”洪水期间异重流倒灌的结果。尤其是“04・8”洪水形成的异重流，能量较大，倒灌距离长，淤积相对较多。支流沟口淤积厚度与干流淤积基本同步。

(2)2004 年汛期小浪底水库排沙比较大，达到 56.4%，排沙主要集中在“04 · 8”高含沙洪水期，洪水期排沙量占汛期排沙总量的 95.7%。“04 · 8”洪水期排沙比达 83%，其中细泥沙排沙比 95.8%，粗泥沙排沙比 15.5%，通过异重流排沙基本达到了淤粗排细的效果。洪水期排沙比较大是异重流排沙和前期浑水水库中滞留泥沙出库的共同结果，建议小浪底水库充分利用洪水排沙。

(3)2000～2004 年异重流潜入点均在三角洲顶点以下(距坝 60～70 km)，异重流在比降较大的前坡段运行，有利于异重流向坝前输移。而 2004 年汛后小浪底水库淤积三角洲顶点高程较低，为 217.71 m(距坝 44.53 km)，前坡段比降约 10‰，顶坡段比降只有 1.4‰。按汛初水位接近汛限水位 225 m 左右考虑，回水末端距大坝约 80 km。异重流在回水末端附近形成后，在比降较缓的三角洲顶坡段运行较长距离(约 30 km)，这种边界条件对异重流的运行是十分不利的。根据三门峡水库敞泄排沙资料的分析，在中游不发生洪水的情况下，三门峡水库可补充沙量约 0.4 亿 t，2005 年汛前调水调沙单靠三门峡水库排沙即使能够形成异重流，也没有足够大的能量，经过比降极其平缓的三角洲顶坡段，对运行至坝前并排沙出库十分不利。

四、对确定小浪底水库调水调沙运用指标的建议

(1)以清水或异重流排沙为主的洪水，下游河道冲刷发展的距离与洪峰平均流量具有较好的相关关系，即洪峰平均流量越大，冲刷距离越长，上冲下淤的分界河段也越靠近下游。花园口洪峰平均流量 1 000 m^3/s 条件下，高村以上河段发生显著冲刷，高村—艾山河段淤积最为严重，平均含沙量衰减约 2 kg/m^3；艾山—利津窄河段淤积不明显。当花园口洪峰平均流量 1 500 m^3/s 时，冲刷发展到艾山，高村—艾山河段有一定程度的冲刷，淤积主要集中在艾山—利津窄河段，平均含沙量衰减约 3 kg/m^3。三门峡水库蓄水运用期艾山—利津窄河段冲刷较少，小浪底水库投入运用以来冲刷最小的河段集中在高村—艾山，主要是 1 000～1 500 m^3/s 流量级历时过长引起的。因此，为尽快改善高村—艾山骆驼峰河段排洪能力较小的状况，建议减少花园口平均流量为 1 000～1 500 m^3/s 流量级洪峰出现的机遇。

(2)以清水或异重流排沙为主的洪水，不同流量级洪水的冲刷效果不同，随着洪峰平均流量的增大，河道冲刷效率明显提高，当洪水平均流量为 3 500 m^3/s 时冲刷效率最高，平均达到 20 kg/m^3。洪峰进一步增大，冲刷效率变化不大。为此，建议小浪底水库调水调沙期花园口洪峰平均流量按 3 500～4 000 m^3/s 进行控制。

以清水或异重流排沙为主的洪水期河道冲刷的主要是细颗粒泥沙，其次为中泥沙和粗泥沙。细泥沙的补给状况决定了全沙冲刷效率的变化趋势。而细泥沙的补给在很大程度上来自于滩地的坍塌，较小洪水主流坐弯塌滩，有利于细沙的补给，冲刷效率相对较高；较大洪水主流趋直居中，滩地坍塌减弱，细沙补给少，冲刷效率减弱。分析表明，平均流量 3 000 m^3/s 量级的洪水细沙冲刷效率最大，达到 15 kg/m^3，随流量的进一步增大，细沙冲刷效率明显降低，中泥沙变化不大，粗泥沙冲刷比例明显提高。可见，平均流量超过 3 500 m^3/s 的洪峰冲刷效率变化不大，主要是细颗粒泥沙补给不足的结果。

(3)多年平均水沙条件下，下游河道淤积的粒径小于 0.025 mm 的泥沙占全沙的 50%，

淤积比一般在 10%以下，90%以上的泥沙可以输沙入海；而中泥沙（粒径 0.025～0.05 mm）和粗泥沙（粒径大于 0.05 mm）分别占全沙的 27%和 23%，淤积比分别为 19%和 47%，其中，特粗泥沙（粒径大于 0.1 mm）淤积比达到 86%。在小浪底水库拦减中、粗泥沙的条件下，为减少下游河道淤积量，小浪底水库临界排沙比可按 50%控制，并可尽量少拦或不拦粒径小于 0.025 mm 的细泥沙。

但是，由于细泥沙淤积比随下游河道水量减少、引水比例增大、洪水漫滩程度增加而增大，当利津水量较小时，细泥沙淤积比例也会显著增大。为此，建议小浪底水库运用初期利用洪水排沙，同时控制下游引水量。

第二部分　专题研究报告

第一专题　2004年黄河流域水沙特性分析

2004年黄河流域除大汶河和伊洛河降雨偏多外，各区域降雨量与历年同期相比普遍偏少，干支流控制站水沙量与历年同期相比均偏少。同时汛期没有发生大面积、长历时强降雨过程，黄河干支流水势基本平稳，没有发生较大洪水，2004年是一个枯水枯沙年份。

2004年小浪底水库前期蓄水较多，利用汛限水位以上的前期蓄水和期间来水，从6月19日开始，进行了基于人工扰动方式和更大空间尺度上的黄河第三次调水调沙试验。受短历时局地暴雨影响，黄河流域部分干支流7、8月出现了一些小洪水过程，其中龙门站超过1 000 m^3/s的小洪水共有6次，最大的一次发生在8月23日，洪峰流量仅为2 100 m^3/s。利用这几次洪水过程，在小北干流适时进行了放淤试验。8月19～23日渭河流域降雨形成洪水过程，泾河张家山、渭河华县洪峰流量分别为1 280 m^3/s和1 050 m^3/s，加上北干流来水，黄河潼关出现2 140 m^3/s的小洪水，三门峡、小浪底水库出库最大流量分别为2 960 m^3/s和2 690 m^3/s，洪水演进至下游形成花园口、夹河滩、高村、孙口洪峰流量分别为3 990、3 830、3 820 m^3/s和3 930 m^3/s的洪水过程，在区间汇流不多的情况下，出现了花园口以上河段洪峰流量沿程明显增大、夹河滩—孙口河段洪峰流量几乎没有衰减的特殊现象。

本专题利用报汛资料，全面、系统地分析了黄河流域2004年降雨、来水来沙、水库运用情况、洪水情况等，并对2004年主要水库蓄水进行了简单的还原，深化了对黄河水沙变化特点的认识。

第一章　降雨概况

一、汛期降雨

2004 年 7～10 月份黄河流域除大汶河和伊洛河降雨分别较同期多年平均值偏多 54%和 10%外，各区域降雨量与历年同期相比普遍偏少，偏少范围在 2%～29%(见图 1-1)。汛期降雨量最大的是大汶河区域的下港站(见表 1-1)，整个汛期最大降雨量达 947 mm。

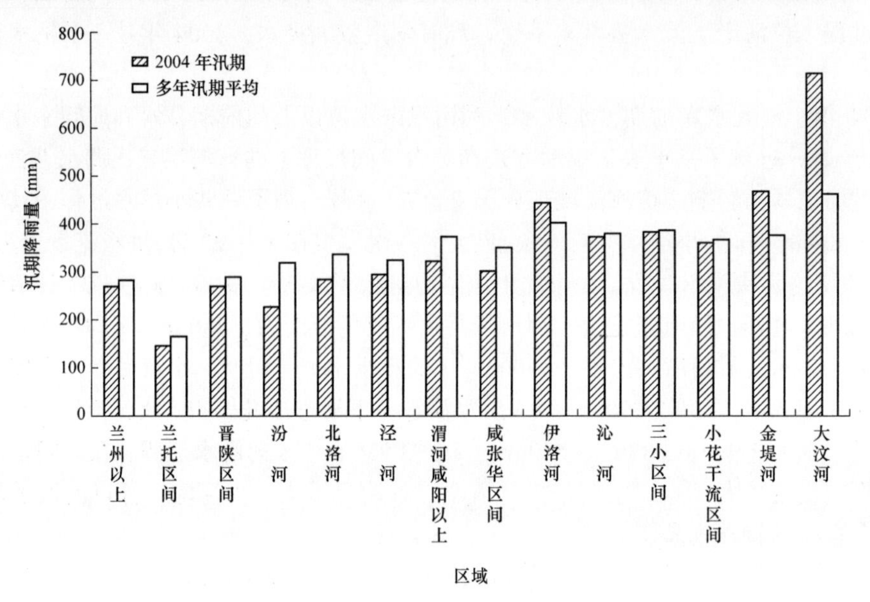

图 1-1　2004 年汛期黄河流域各区域降雨情况

二、各月降雨对比

对比 2004 年汛期各月降雨量(见图 1-2)可以看出，6～9 月伊洛河和大汶河降雨比较大。由表 1-1 还可以看出，6 月份黄河流域降雨量与历年同期相比，除兰州以上和泾渭河、伊洛河偏少外，其余地区较常年偏多，其中三小区间偏多 105%，沁河偏多 44%，小花干流区间和金堤河、大汶河偏多 60%～80%(见图 1-3)。

2004 年 7 月份黄河流域降雨量与历年同期相比，兰州以上、晋陕区间略偏少，兰托区间偏少 14%，泾渭洛汾河偏少 1%～24%，三花干流区间略偏多，伊洛沁河偏多 16%～19%，下游偏多 85%左右；8 月份黄河流域降雨量与历年同期相比，兰州以上、兰托区间、北洛河、渭河、三花干流区间、伊洛河接近常年，金堤河偏少 10%，汾河偏少 31%，泾河偏多 9%，晋陕区间偏多 18%，汶河偏多 50%；9 月份黄河流域降雨量与历年同期相比，兰州以上偏少 7%，兰托区间偏少 25%，晋陕区间偏少 41%，汾河、北洛河分别偏少 20%和 15%，金堤河偏少 43%，泾渭河偏多 10%左右，三花区间除沁河偏多 13%外，其他地区偏多 43%～69%，大汶河偏多 44%。

表 1-1　2004 年汛期降雨情况

区域	6月		7月		8月		9月		10月		7～10月			
	雨量(mm)	距平(%)	雨量(mm)	距平(%)	雨量(mm)	距平(%)	雨量(mm)	距平(%)	雨量(mm)	距平(%)	雨量(mm)	距平(%)	最大雨量(mm)	
													量值	地点
兰州以上	65.3	-8	88.3	-4	87.8	-1	63.7	-7	29.3	-13.6	269.1	-4	451	久治
兰托区间	29.4	9	48.9	-14	66.6	3	23.5	-25	7.1	-47	146.1	-12	269	呼和浩特
晋陕区间	62.1	20	97.6	-4	120.1	18	34.5	-41	18.1	-34.2	270.3	-7	484	大路峁
汾河	76.6	27	87.4	-23	72.7	-31	52.4	-20	15.1	-57.7	227.6	-29	337	大庙
北洛河	61.5	5	86.8	-22	112.2	3	65.8	-15	19.9	-47.9	284.7	-15	361	张村驿
泾河	47.2	-18	79.8	-24	113.1	9	79.8	8	20.3	-49.8	293	-9	394	庆阳
渭河咸阳以上	62.4	-13	90.7	-21	96.6	-5	105.2	3	30.5	-45.7	323	-14	472	崂峪口
咸张华区间	56.8	-12	75.1	-26	91.2	-5	109.6	16	25.8	-55.1	301.7	-14	530	大峪
伊洛河	65.3	-11	168.8	16	110.4	-6	142.4	69	20.7	-62.4	442.3	10	678	茅沟
沁河	100.5	44	176.5	19	105.5	-13	78.3	13	12.8	-68.2	373.1	-2	482	柳树底
三小区间	129.9	105	150	1	112.5	1	111.6	43	8.3	-83.2	382.4	-1	522	石井
小花干流区间	97.2	60	146.6	2	99.5	-6	110.9	51	3.3	-92.8	360.3	-2	457	高山
金堤河	114.6	76	281.6	84	113.5	-10	35.9	-43	35.8*		466.8	24		
大汶河	153.3	80	394.1	86	225.9	50	91.7	44	2.5	-92.7	714.2	54	947	下港

注：历年均值统计至 2000 年。*表示该值为多年平均值。

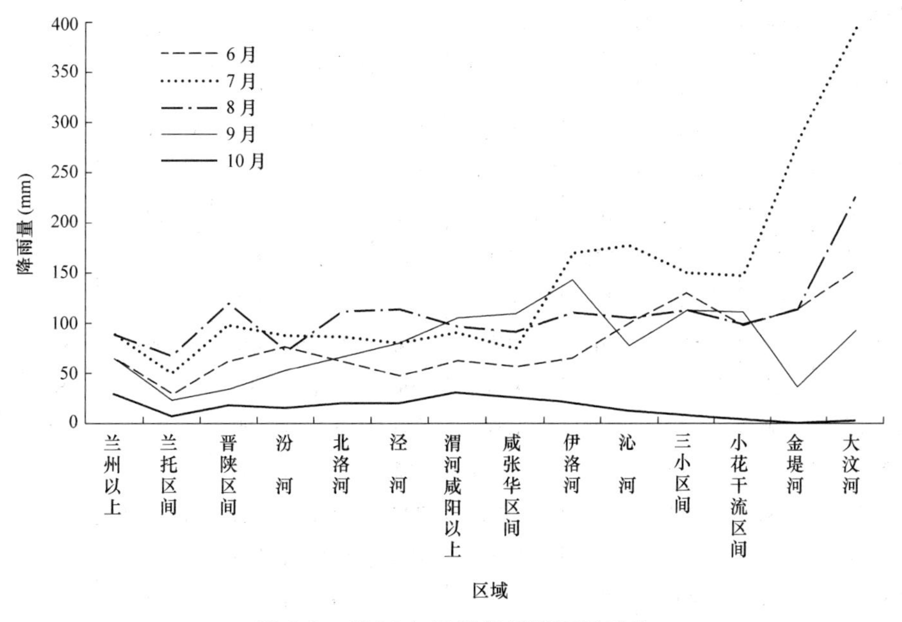

图 1-2　2004 年汛期各月降雨量对比

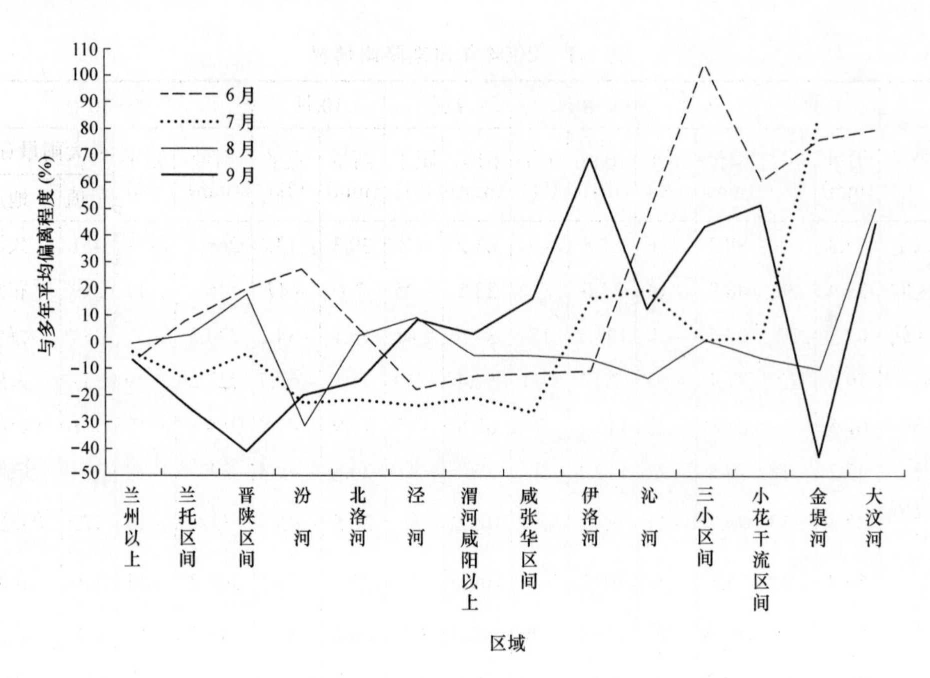

图 1-3　2004 年 6～9 月降雨与多年同期偏离情况

对比不同时期各区域降雨中心情况(见表 1-2)，可以看出上中游降雨中心主要集中在 8 月份，三花间降雨中心出现在 6 月份，花园口以下和伊洛河及沁河降雨中心出现在 7 月份。

表 1-2　2004 年 6～10 月降雨中心降雨量及地点

区域	6月		7月		8月		9月		10月	
	量值(mm)	地点	量值(mm)	地点	量值(mm)	地点	量值(mm)	地点	量值(mm)	地点
兰州以上	135	若尔盖	153	碌曲	165	久治	110	久治	73	久治
兰托区间	61	呼和浩特	107	呼和浩特	128	头道拐	47	呼和浩特	12	银川
晋陕区间	169	裴沟	206	林家坪	338	大路峁	83	临镇	34	大村
汾　　河	141	张留庄	160	芦家庄	136	大庙	93	张留庄	31	京力香
北 洛 河	100	黄龙	137	黄龙	235	铁边镇	93	合阳	34	哭泉
泾　　河	86	苦水掌	183	正宁	183	合水	125	开边	39	正宁
渭河咸阳以上	134	崂峪口	149	武山	164	魏家堡	199	黑峪口	46	梁山上
张咸华区间	127	罗李村	154	美源	206	大峪	163	大峪	53	罗李村
三小区间	160	李村	295	七泉	246	铁门镇	209	七泉	59	桑坪
伊 洛 河	142	东沟	298	五龙口	205	飞岭	104	武陟	58	董村
沁　　河	268	曹村	277	王屋	209	石寺	144	北段村	31	窑口
小花干流区间	172	高山	228	高山	125	白墙	149	化工	8	小浪底
金堤河	162	柳屯	429	柳屯	176	上官村	51	孔村		
大汶河	215	下港	583	戴村坝	323	下港	134	楼德	4	卧虎山

第二章　流域水沙特点

一、实测仍然偏少

2004 年除大汶河戴村坝水量大约 28 亿 m^3，与多年平均相比偏多 140%左右，沁河武陟水量 10.1 亿 m^3，与多年平均相比偏多 14%外，其余流域各站实测水量与多年平均相比，普遍偏小 10%～52%(见图 2-1)。主要控制站唐乃亥、头道拐、龙华河洑、进入下游和利津站年水量分别为 151.56 亿、126.78 亿、212.31 亿、286.62 亿 m^3 和 248.22 亿 m^3(见表 2-1)，与多年平均相比分别偏少 26%、43%、51%、27%和 27%。

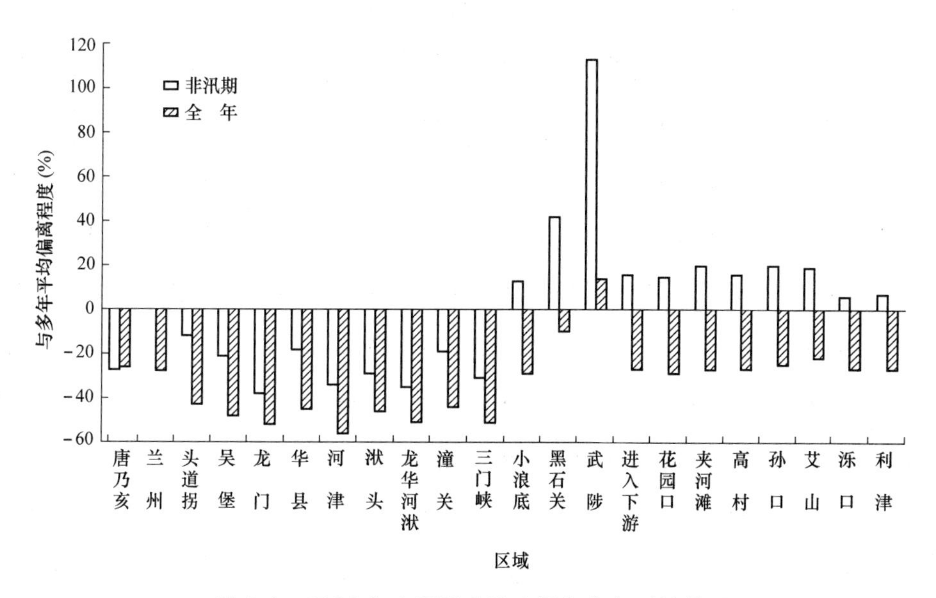

图 2-1　2004 年主要干支流水量与多年对比情况

二、年内水量分配不均

2004 年非汛期唐乃亥、头道拐、龙华河洑水量分别为 59.57 亿、89.63 亿 m^3 和 131.22 亿 m^3，较多年同期相比分别偏少 27%、12%和 35%(见表 2-1)。由于小浪底水库泄水，进入下游和利津站水量分别为 203.96 亿 m^3 和 140.7 亿 m^3,较多年同期分别偏多 16%和 7%。黑石关和武陟较多年同期偏多 42%和 113%，武陟为 20 世纪 70 年代以来同期水量之最，这是近年来首次出现的一个新特点。2004 年非汛期较 2003 年非汛期水量增加，没有一个站出现历年同期倒序排位第一。

2004 年汛期大汶河戴村坝水量大约 24 亿 m^3，较多年同期偏多 150%左右；主要控制站唐乃亥、头道拐、龙华河洑、进入下游和利津水量分别为 91.99 亿、37.15 亿、81.09 亿、82.66 亿、107.52 亿 m^3，较多年同期分别偏少 39%、71%、62%、71%和 57%(见表 2-1)，汛期减少幅度明显大于非汛期。

表 2-1　2004 年黄河流域主要控制站水量统计　（单位：亿 m^3）

水文站	非汛期		汛期						全年		汛期最大流量（m^3/s）
	11 月～次年 6 月	距平（%）	7 月	8 月	9 月	10 月	7～10 月	距平（%）	11 月～次年 10 月	距平（%）	
唐乃亥	59.57	−27	18.4	23.77	27.72	22.1	91.99	−39	151.56	−26	1 280
兰州	145.42	0	22	19.72	21.38	25.49	88.59	−62	234.01	−28	1 720
头道拐	89.63	−12	3.9	8.94	17.07	7.24	37.15	−71	126.78	−43	970
吴堡	94.97	−21	7.77	14.17	16.46	9.04	47.44	−67	142.41	−48	2 740
龙门	101.26	−38	11.68	17.2	18.52	11.34	58.74	−63	160	−52	2 100
华县	24.61	−18	2.12	5.59	5.21	5.02	17.94	−58	42.55	−45	1 050
河津	2.97	−34	0.46	1.1	0.56	0.36	2.48	−55	5.45	−56	90.7
洑头	2.38	−29	0.26	1.02	0.34	0.31	1.93	−55	4.31	−46	377
龙华河洑	131.22	−35	14.52	24.91	24.63	17.03	81.09	−62	212.31	−51	
潼关	134.07	−18	12.73	21.83	23.47	16.68	74.71	−64	208.78	−44	2 140
三门峡	112.44	−31	13.56	19.02	20.48	12.8	65.86	−59	178.3	−51	5 130
小浪底	182.65	13	31.19	25.66	5.65	6.64	69.14	−73	251.79	−29	2 940
黑石关	15.75	42	2.05	3.22	2.06	1.65	8.98	−64	24.73	−10	241
武陟	5.56	113	0.96	2.08	0.89	0.61	4.54	−55	10.1	14	203
进入下游	203.96	16	34.2	30.96	8.6	8.9	82.66	−71	286.62	−27	
花园口	202.43	15	34.67	35.26	9.72	9.47	89.12	−69	291.55	−29	3 990
夹河滩	195.81	20	34.25	33.49	8.92	8.93	85.59	−70	281.4	−27	3 830
高村	193.73	16	34.15	34.18	9.29	9.15	86.77	−69	280.5	−27	3 820
孙口	186.31	20	35.65	33.55	10.29	9.22	88.71	−68	275.02	−25	3 930
艾山	178.71	19	38.3	45.23	18.57	7.02	109.12	−62	287.83	−22	3 520
泺口	157.38	6	38.78	44.5	18.32	7.44	109.04	−59	266.42	−27	3 330
利津	140.7	7	39.06	43.26	17.89	7.31	107.52	−57	248.22	−27	3 200

注：历年均值统计至 2000 年。

2004 年水量年内分配仍然不均，汛期水量占年的比例除唐乃亥超过 60%以外，其余各站均在 50%以下，特别是头道拐和小浪底水量占全年的比例不到 30%(见图 2-2)。

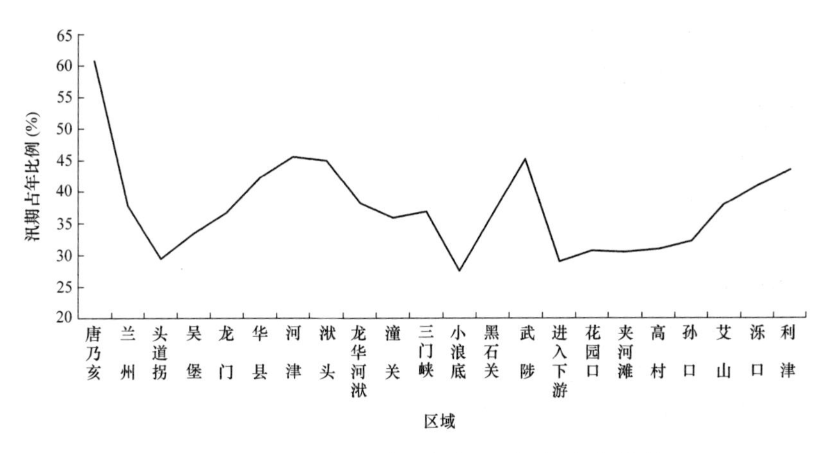

图 2-2　2004 年主要干支流水量汛期占年比例

三、中大流量过程较少而小流量过程较多

河道输沙能力不仅取决于水量，与水流的流量大小也有密切的关系。黄河干流 3 000 m^3 / s 以上的大流量输沙能力比较大，而 1 000 m^3 / s 以下的小流量造床和输沙作用都较小。

1996 年以前，黄河干流各站汛期 3 000 m^3 / s 以上的大流量年均都有出现(见表 2-2)，

表 2-2　中下游主要站汛期各流量级出现情况

水文站	时段	不同流量级(m^3 / s)天数(d)			占汛期比例(%)		
		<1 000	1 000～3 000	>3 000	<1 000	1 000～3 000	>3 000
唐乃亥	2004	93.0	30.0	0	76	24	0
	1997～2003	87.4	35.6	0	71	29	0
	1956～1996	59.3	62.1	1.6	48	50	1
兰州	2004	107.0	16.0	0	87	13	0
	1997～2003	86.7	36.3	0	70	30	0
	1967～1996	39.5	74.7	8.8	32	61	7
龙门	2004	115.0	8.0	0	93	7	0
	1997～2003	109.0	13.9	0.1	89	11	0
	1950～1996	44.0	69.4	9.6	36	56	8
潼关	2004	100.0	23.0	0	81	19	0
	1997～2003	98.4	24.2	0.4	80	20	0
	1950～1996	27.4	70.7	24.9	22	58	20
花园口	2004	89.0	33.0	1.0	72	27	1
	1997～2003	98.0	24.4	0.6	80	20	0
	1950～1996	25.1	67.1	30.8	20	55	25
利津	2004	75.0	48.0	0	61	39	0
	1997～2003	104.4	18.6	0	85	15	0
	1950～1996	34.5	59.3	29.2	28	48	24

潼关以下年均出现 24.9～30.8 d，占汛期的 20%以上，而 1 000 m^3 / s 以下的小流量历时唐乃亥 60 d 左右，约占到汛期的一半时间，兰州和龙门各 40 d 左右，占汛期的 30%以上，潼关以下各站在 25.1～34.5 d，占汛期的 20%～30%。

1997～2003 年汛期流域 3 000 m^3 / s 以上的大流量很少出现，干流 1 000～3 000 m^3 / s 的中流量级也很少出现，主要是 1 000 m^3 / s 以下的小流量，因此这反映出特枯水系列的一个特点，即河道绝大多数时间都是小流量过程。

2004 年汛期 3 000 m^3 / s 以上的大流量级仅花园口在 8 月份高含沙洪水期出现 1 d 外，其余时间各站没有出现；1 000～3 000 m^3 / s 的中流量级占汛期历时，龙门、潼关、花园口、利津分别为 7%、19%、27%、39%，沿程增加 32%；整个汛期仍然以小于 1 000 m^3 / s 的小流量为主，占汛期历时的 60%以上。

四、实测沙量偏少

2004 年无强降雨，流域产沙很少，主要干支流控制站运用年沙量与多年平均相比均偏小(见图 2-3)，其偏少程度除唐乃亥偏少 33%外，其余均在 60%以上。主要来沙控制站龙华河洑和进入下游的年沙量分别仅 3.785 亿 t 和 1.488 亿 t(见表 2-3)，较多年均值偏少 73%和 89%。由于黄河下游河道沿程冲刷，花园口、高村沙量均超过 2 亿 t，艾山、利津沙量超过 3 亿 t，较多年同期偏少 59%～79%。

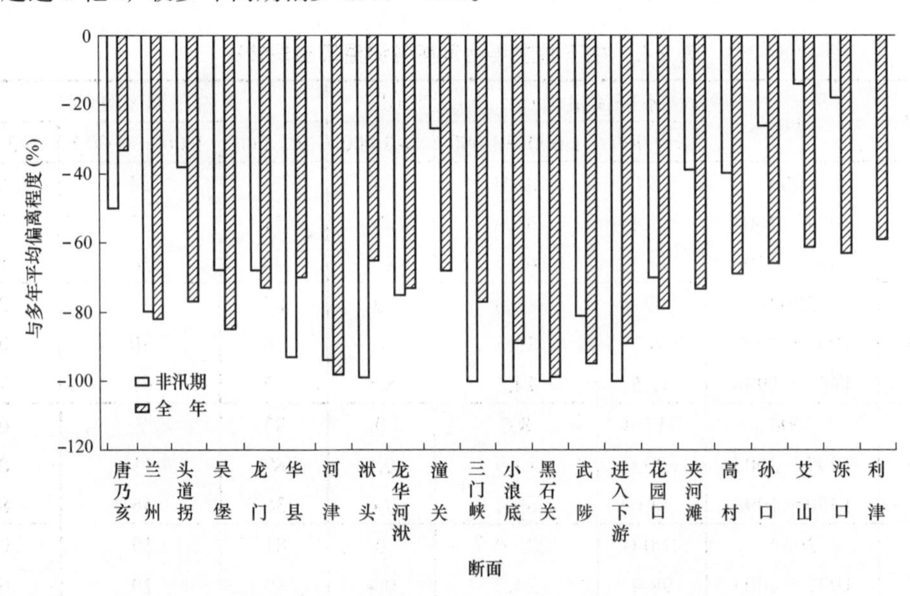

图 2-3　2004 年运用年主要干支流年沙量与多年对比情况

汛期主要干支流控制站沙量与多年同期相比，除唐乃亥外，偏少程度基本都在 70%以上，龙华河洑和进入下游的沙量分别仅 3.402 亿 t 和 1.487 亿 t，较多年均值偏少 72%和 85%(见表 2-3)。非汛期黄河下游花园口、高村、艾山沙量与多年同期相比分别偏少 70%、40%、14%,利津沙量与多年同期相比偏多 9%。由于 2004 年非汛期小浪底水库泄水，黄河下游持续冲刷，高村以下沙量偏少程度较小。

表 2-3　2004 年黄河流域主要控制站沙量统计　（单位：亿 t）

水文站	非汛期		汛期						全年		汛期占年(%)
	11 月～次年 6 月	距平(%)	7 月	8 月	9 月	10 月	7～10 月	距平(%)	11 月～次年 10 月	距平(%)	
唐乃亥	0.019	-50	0.016	0.031	0.018	0.004	0.069	-27	0.088	-33	78
兰州	0.031	-80	0.083	0.029	0.018	0	0.129	-82	0.16	-82	81
头道拐	0.149	-38	0.004	0.031	0.063	0.011	0.109	-88	0.258	-77	42
吴堡	0.246	-68	0.141	0.304	0.054	0.016	0.515	-89	0.761	-85	68
龙门	0.355	-68	0.895	0.988	0.109	0.03	2.022	-74	2.377	-73	85
华县	0.026	-93	0.082	0.929	0.043	0.024	1.078	-68	1.104	-70	98
河津	0.002	-94	0.001	0.004	0	0	0.005	-98	0.007	-98	71
洑头	0	-99	0.001	0.295	0.001	0	0.297	-62	0.297	-65	100
龙华河洑	0.383	-75	0.979	2.216	0.153	0.054	3.402	-72	3.785	-73	90
潼关	0.835	-26	0.327	1.639	0.239	0.111	2.316	-77	3.151	-70	76
三门峡	0	-100	0.55	1.997	0.098	0.031	2.676	-74	2.676	-77	100
小浪底	0	-100	0.053	1.427	0.004	0	1.484	-85	1.484	-89	100
黑石关	0	-100	0	0.001	0	0	0.001	-99	0.001	-99	100
武陟	0.001	-81	0.001	0.001	0	0	0.002	-97	0.003	-95	67
进入下游	0.001	-100	0.054	1.429	0.004	0	1.487	-85	1.488	-89	100
花园口	0.512	-70	0.149	1.538	0.023	0.008	1.717	-81	2.229	-79	77
夹河滩	0.97	-39	0.195	1.405	0.045	0.011	1.656	-80	2.626	-73	63
高村	1.15	-40	0.198	1.47	0.066	0.018	1.752	-77	2.901	-69	60
孙口	1.274	-26	0.274	1.363	0.117	0.017	1.77	-76	3.043	-66	58
艾山	1.505	-14	0.321	1.474	0.166	0.011	1.972	-73	3.478	-61	57
泺口	1.257	-18	0.358	1.353	0.242	0.011	1.963	-72	3.22	-63	61
利津	1.398	9	0.434	1.241	0.385	0.011	2.071	-71	3.469	-59	60

汛期主要干支流控制站沙量占全年的比例除头道拐为 42%外（见图 2-4），其余各水文站基本均在 60%以上。

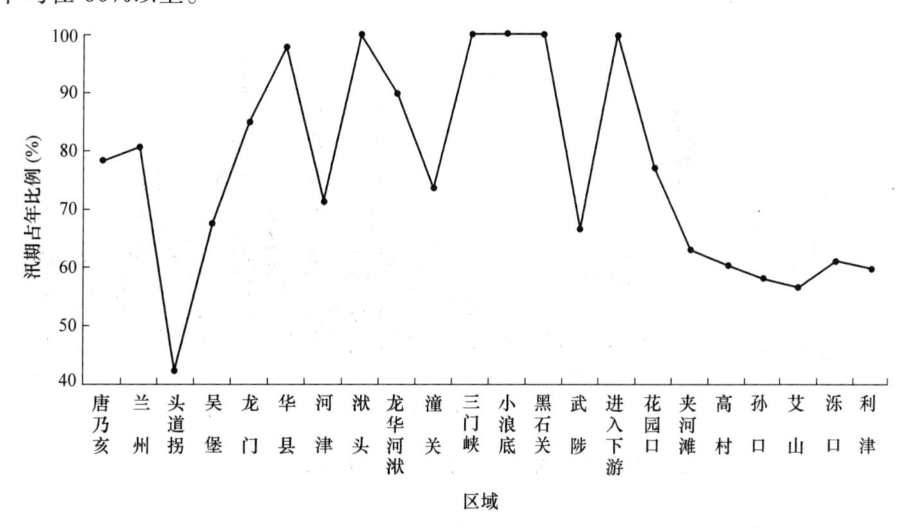

图 2-4　2004 年主要干支流沙量汛期占年比例

第三章　洪水情况

2004 年 3 月下旬桃汛期，龙门站出现持续洪水过程，3 月 17 日 10.7 时最大洪峰流量 2 100 m^3 / s，潼关 3 月 19 日 10.2 时最大洪峰流量为 1 900 m^3 / s。

2004 年整个汛期由于黄河流域没有发生大面积、长历时强降雨过程，各干支流水势基本平稳，没有发生较大洪水，仅主汛期部分干支流受短历时局地暴雨影响，出现了一些小洪水过程。其中中游龙门站超过 1 500 m^3 / s 的小洪水共有 6 次，潼关站洪峰流量大于 2 000 m^3 / s 的洪水仅 1 次，渭河华县洪峰流量大于 1 500 m^3 / s 的洪水仅 1 次，下游花园口洪峰流量大于 1 500 m^3 / s 的洪水 4 次，大汶河戴村坝洪峰流量大于 1 000 m^3 / s 的洪水 3 次。以下将分别对各次洪水来源及特性进行分析。

一、黄河中游干流洪水来源及特性

2004 年黄河中游干流龙门站发生小洪水 6 次，最大的一次发生在 8 月 23 日 12.8 时，洪峰流量仅为 2 100 m^3 / s(见图 3-1)；潼关站洪峰流量大于 2 000 m^3 / s 的洪水仅 1 次，洪峰流量仅为 2 140 m^3 / s，发生在 8 月 22 日 12.8 时；渭河华县洪峰流量大于 1 500 m^3 / s 的洪水仅 1 次，洪峰流量 1 050 m^3 / s，发生在 8 月 22 日 16.8 时。

中游 6 次洪水中有 2 次是高含沙量洪水。一次是为了配合小浪底水库调水调沙试验，万家寨泄水；一次是河龙区间与渭河及北洛河形成的“8 · 24”洪水。其中万家寨泄水和“8 · 24”洪水传播到下游，其余 4 次洪水传播进入三门峡水库或小浪底水库后，被水库拦蓄，在下游没有出现洪水过程，这类洪水简称“中游洪水”。利用这几次洪水过程，在小北干流适时进行了放淤试验。

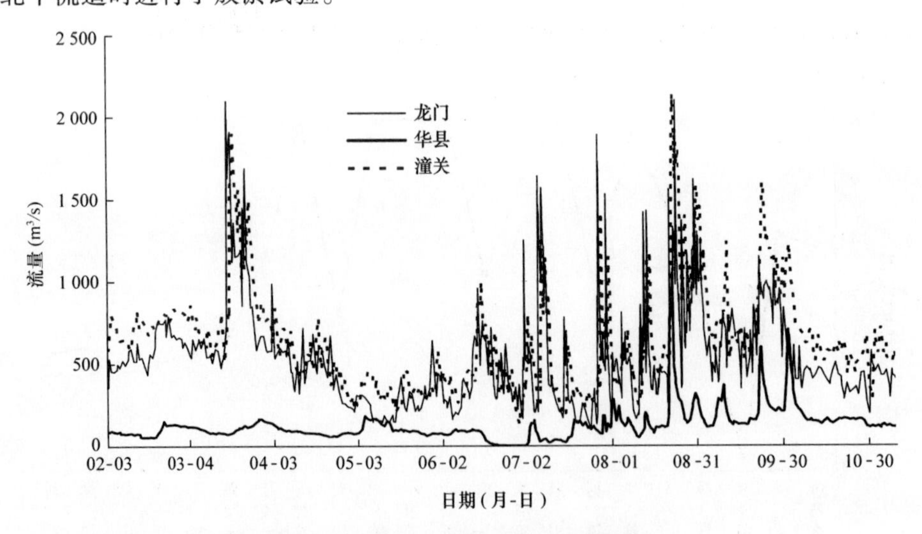

图 3-1　龙门、华县、潼关流量过程

(一) 中游桃汛洪水

2004 年 3 月下旬的中游洪水主要来源于上游的桃汛洪水，各支流无洪水加入，头道拐洪峰流量 2 850 m^3 / s(见表 3-1)，比汛期最大洪峰流量还大；龙门站洪峰流量 2 100 m^3 / s，与汛期最大洪峰流量并列；潼关洪峰流量 1 900 m^3 / s，该次洪水被三门峡水库及小浪底水库拦蓄，三门峡出库最大流量 1 360 m^3 / s，小浪底出库最大流量仅 958 m^3 / s，两水库的削峰率分别为 28.4%及 29.6%。

表 3-1 黄河中游干流洪水来源及特征值(3 月 15～30 日洪水)

站名	水量(亿 m^3)	洪峰流量		最高水位	
		数值(m^3 / s)	峰现时间(月-日 T 时:分)	数值(m)	相应时间(月-日 T 时:分)
头道拐	14.48	2 850	03-15T14:12	988.9	03-15T23:00
万家寨	12.72	1 950	03-16T21:00	898.08	03-16T21:00
吴堡	12.33	2 700	03-16T15:30	639.13	03-16T15:30
龙门	11.83	2 100	03-17T10:42	384.25	03-17T07:54
潼关	13.09	1 900	03-19T10:12	327.96	03-19T10:12
三门峡	11.42	1 360	03-18T20:00	275.94	03-18T20:00
小浪底	8.20	958	03-21T11:12	134.55	03-21T11:12

(二)中游汛期第一次洪水(万家寨泄水)

为了配合 2004 年小浪底水库调水调沙试验，万家寨水库从 6 月 24 日加大泄量，到 7 月 5 日，共补水 3.5 亿 m^3，期间最大流量 1 730 m^3 / s(7 月 4 日 14.2 时)，形成了龙门洪峰流量 1 640 m^3 / s(7 月 5 日 18.5 时)的洪水过程，该次洪峰 7 月 6 日 21.9 时到达潼关站，潼关最大流量 1 250 m^3 / s；洪水到达三门峡水库，三门峡水库 7 月 7 日 14.1 时最大下泄流量 5 130 m^3 / s；经小浪底水库调水调沙运用，下游花园口站出现最大流量 2 920 m^3 / s(7 月 11 日 9 时)的洪水过程。

(三)中游第一次高含沙量洪水(7 月 26～28 日)

受降雨的影响，湫水河、无定河和清涧河 7 月 26 日均发生了高含沙洪水。湫水河林家坪站洪峰流量为 420 m^3 / s(见表 3-2)，最大含沙量 416 kg / m^3；无定河白家川站洪峰流量 780 m^3 / s，最大含沙量达 900 kg / m^3；清涧河延川站洪峰流量为 1 750 m^3 / s，最大含沙量达 630 kg / m^3；这 3 条支流的洪量分别占龙门洪量的 4%、25%及 12%，沙量分别占 7%、55%及 25%。支流洪水于 7 月 27 日 3.5 时演进到黄河干流龙门站，形成 2004 年黄河中游第一次高含沙量洪水，洪峰流量 1 890 m^3 / s，最大含沙量为 390 kg / m^3(7 月 27 日 3 时)。洪峰由龙门经过 25.5 h 传播到潼关，潼关洪峰流量为 1 420 m^3 / s，最大含沙量 83 kg / m^3。本次洪水通过三门峡水库、小浪底水库调蓄后(两库蓄水 0.33 亿 m^3)，最大流量分别为 951 m^3 / s 及 391 m^3 / s，削峰率较高，分别达到 33%及 58.9%。本次洪水期间，小北干流于 7 月 26 日 16.9 时至 28 日 2.5 时进行了放淤试验。

表 3-2　黄河中游干流洪水来源情况(7 月 26～28 日洪水)

河名	站名	水量($\times10^6m^3$)	沙量(万 t)	洪峰流量		最大含沙量	
				数值(m^3/s)	峰现时间(月-日T时:分)	数值(kg/m^3)	相应时间(月-日T时分)
清凉寺沟	杨家坡	0.83		420	07-26T06:48		
湫水河	林家坪	7.18	251.79	420	07-26T06:54	416	07-26T05:36
黄河	吴堡	69.4	697.46	966	07-26T07:00	250	07-26T12:00
三川河	后大成	4.09	63.20	200	07-26T16:12	312	07-26T16:12
屈产河	裴沟	1.25	35.46	105	07-26T08:00	448	07-26T08:00
无定河	白家川	39.6	1 950.22	780	07-26T11:12	900	07-26T07:36
清涧河	延川	19.5	870.87	1 750	07-26T05:06	630	07-26T12:00
延河	甘谷驿	5.03	167.42	190	07-26T04:36	480	07-26T04:36
黄河	龙门	160	3 528.51	1 890	07-27T03:30	390	07-27T03:00
渭河	华县	20.4	86.02	181	07-28T14:54		
汾河	河津	3.77		31.8	07-28T19:18		
北洛河	洑头	4.47		36.6	07-28T08:00		
黄河	潼关	186	1 139.63	1 420	07-28T05:00	83	07-29T08:00
黄河	三门峡	121	551.52	951	07-28T20:00	55.8	07-30T08:00
黄河	小浪底	61.5	0	391	07-29T08:00		

(四)中游第二次高含沙量洪水(7 月 28～31 日)

受 7 月 28～30 日黄河上中游局地降雨的影响，吴堡—龙门区间的部分支流发生了高含沙洪水，其中屈产河裴沟站 7 月 29 日 6.7 时发生了 2004 年的最大洪峰，流量为 1 460 m^3/s(见表 3-3)，同时出现最大含沙量 545 kg/m^3；三川河后大成站 7 月 29 日 12.3 时，出现该年度最大洪峰，流量 286 m^3/s，同时出现最大含沙量 474 kg/m^3；昕水河大宁站于 7 月 29 日 8.7 时同时出现该年度最大流量 250 m^3/s 和最大含沙量 555 kg/m^3，3 条支流高含沙量洪水洪量分别占龙门洪量的 25%、8%及 4%，沙量分别占 59%、10%及 8%。支流高含沙洪水与干流吴堡站洪峰 568 m^3/s 共同演进到龙门，演化为 2004 年黄河中游第二次高含沙洪水，洪峰流量为 1 530 m^3/s，最大含沙量为 310 kg/m^3；龙门洪峰经过 21.5 h 传播到潼关，洪峰流量为 1 150m^3/s，最大含沙量为 115 kg/m^3；该次洪水经过三门峡水库和小浪底水库调蓄后(两库蓄水 0.43 亿 m^3)，出库最大流量分别为 851 m^3/s 及 437 m^3/s，两库削峰率分别为 26%及 49%。利用中游高含沙量洪水，小北干流于 7 月 30 日 11.6 时至 31 日 6.5 时进行了第二轮放淤试验。

8 月 4 日 8 时，龙门流量 737 m^3/s，含沙量 49 kg/m^3，小北干流开始第三次放淤，到 18 时停止运行，是该年度放淤历时最短的一次。

表 3-3　黄河中游干流洪水来源情况（7 月 28～30 日洪水）

河名	站名	水量（$\times 10^6 m^3$）	沙量（万 t）	洪峰流量		最大含沙量	
				数值（m^3/s）	峰现时间（月-日T时:分）	数值（kg/m^3）	相应时间（月-日 T 时:分）
黄河	吴堡	65.8	90.66	568	07-28T06:00	76.7	07-26T20:00
三川河	后大成	8.26	196.05	286	07-29T12:18	474.0	07-29T12:18
屈产河	裴沟	25.4	1 175.68	1 460	07-29T06:42	545.0	07-29T03:54
昕水河	大宁	4.02	163.74	250	07-29T08:42	555.0	07-29T09:30
黄河	龙门	102	2 003.26	1 530	07-29T20:30	310.0	07-30T10:00
渭河	华县	19.0	150.29	133	07-30T07:30	102.0	07-30T16:00
汾河	河津	4.61		30.5	07-31T08:00		
北洛河	洑头	3.84		30.5	07-30T08:00		
黄河	潼关	136	1 158.45	1 150	07-30T18:00	115.0	07-30T16:24
黄河	三门峡	123	638.54	851	07-30T20:00	59.6	07-31T20:00
黄河	小浪底	63.8		437	08-01T06:00		

（五）中游第三次高含沙量洪水（8 月 10～14 日）

受降雨影响，黄河中、上游部分干支流出现了高含沙小洪水过程。黄甫川黄甫站 10 日 5.5 时出现 2004 年度最大洪峰，流量为 2 120 m^3/s（见表 3-4），最大含沙量 550kg/m^3；

表 3-4　黄河中游干流洪水来源情况（8 月 10～14 日洪水）

河名	站名	水量（$\times 10^6 m^3$）	沙量（万 t）	洪峰流量		最大含沙量	
				数值（m^3/s）	峰现时间（月-日T时:分）	数值（kg/m^3）	相应时间（月-日 T 时:分）
黄甫川	黄甫	19.6	567.13	2 120	08-10T05:30	550.0	08-10T05:30
黄河	府谷	32.7	336.10	4 100	08-10T08:36	287.0	08-10T09:12
窟野河	温家川	13.6	203.51	350	08-10T15:24	386.0	08-10T17:00
秃尾河	高家川	2.19	104.35	400	08-12T01:24	388.0	08-12T02:00
黄河	吴堡	117	725.55	1 430	08-12T10:48	130.0	08-12T16:00
无定河	白家川	14.9	312.82	250	08-10T18:36	400.0	08-10T20:00
清涧河	延川	4.55	199.01	205	08-12T07:12	620.0	08-12T07:12
延河	甘谷驿	19.1	944.08	960	08-10T08:00	875.0	08-10T05:30
黄河	龙门	254	3 490.72	1 430	08-13T06:30	572.0	08-11T08:00
渭河	华县	43.8	287.17	199	08-12T13:18	122.0	08-13T20:00
汾河	河津	10.0		32.8	08-13T10:12		
北洛河	洑头	8.45	45.22	43.4	08-13T08:00	144.0	08-13T14:30
黄河	潼关	333	1 708.61	1 180	08-14T07:00	86.0	08-13T02:00
黄河	三门峡	201	644.43	1 160	08-14T20:00	58.8	08-17T08:00
黄河	小浪底	182	0	705	08-17T06:00		

黄河天桥水库预泄，府谷 10 日 8.6 时出现该年度最大洪峰，流量为 4 100 m^3/s，最大含沙量为 287 kg/m^3。支流窟野河温家川 10 日 15.4 时洪峰流量 350 m^3/s，最大含沙量 386 kg/m^3；秃尾河高家川站发生洪峰流量为 400 m^3/s、最大含沙量为 388 kg/m^3 的洪水；两条支流水量分别占吴堡洪量的 12%和 2%，沙量分别占 28%和 14%。黄河吴堡 12 日 10.8 时洪峰流量 1 430 m^3/s，最大含沙量为 130 kg/m^3。延河甘谷驿 10 日 8 时洪峰流量 960 m^3/s，最大含沙量 87 kg/m^3，洪水水沙量分别占龙门水沙量的 7.5%及 27%；无定河白家川 10 日 18.6 时洪峰流量 250 m^3/s，最大含沙量 400 kg/m^3，洪水水沙量分别占龙门水沙量的 5.9%及 8.9%；清涧河延川 12 日 7.2 时洪峰流量 205 m^3/s，最大含沙量 620 kg/m^3，洪水水沙量占龙门水沙量的比例不大。受支流高含沙洪水的影响，黄河龙门站 13 日 6.5 时出现最大洪峰流量 1 430 m^3/s、最大含沙量 572 kg/m^3 的高含沙洪水，该次洪水从龙门经过 24.5 h 演进到潼关，洪峰流量为 1 180 m^3/s，最大含沙量仅 86 kg/m^3，三门峡水库借机排沙，出库最大流量 1 160 m^3/s，小浪底水库出库最大流量 705 m^3/s（蓄水 0.3 亿 m^3），小浪底水库削峰率为 39.2%。利用中游高含沙量洪水，小北干流进行了第四轮放淤试验。

上述汛期三次高含沙量洪水，龙门站洪水总量 5.16 亿 m^3，占该站汛期总水量 58.74 亿 m^3 的 8.8%；沙量 0.902 2 亿 t，占汛期总沙量 2.022 8 亿 t 的 44.6%。潼关站汛期三次洪水，水沙总量分别约占该站汛期水沙总量的 8.8%、17.3%。

（六）“8·24”洪水（8 月 22～29 日）

8 月 22～29 日，黄河上、中游部分地区发生了明显的降雨过程，受降雨影响，部分干支流发生了洪水，窟野河温家川站 22 日 7.4 时出现 2004 年度的最大洪峰 1 350 m^3/s，同时出现最大含沙量 424 kg/m^3；吴堡站 22 日 17.9 时出现该年度的最大洪峰 2 740 m^3/s，最大含沙量 55 kg/m^3；龙门站 8 月 23 日 12.8 时出现洪峰 2 100 m^3/s，最大含沙量仅 85 kg/m^3；渭河华县站 22 日 6.8 时发生该年度最大洪峰 1 050 m^3/s，最大含沙量 695 kg/m^3，北洛河 21 日 23 时出现洪峰 377 m^3/s，最大含沙量 770 kg/m^3。受渭河和北洛河高含沙洪水影响，潼关 22 日 12.8 时出现洪峰流量为 2 140 m^3/s、最大含沙量为 442 kg/m^3 的高含沙洪水。为了配合小浪底水库排沙，三门峡水库泄放了该次洪水，出库最大流量为 2 960 m^3/s，最大含沙量 542 kg/m^3。

二、下游洪水特性

黄河下游 6～8 月份发生了 4 次洪水过程，分别是 6 月 16～18 日的预泄洪水、调水调沙试验期间 6 月 19～29 日及 7 月 3～13 日的两次洪水和 8 月下旬的高含沙洪水（见图 3-2）。4 次洪水花园口洪峰流量分别为 2 310、2 970、2 950 m^3/s 及 3 990 m^3/s，最大含沙量分别为 6.61、7.22、13.1 kg/m^3 及 359 kg/m^3。

（一）洪水组成及演进

1.第一次洪水（小浪底水库预泄洪水）

6 月 16～18 日的小浪底水库预泄清水，洪水历时仅 48 h（见图 3-3），最大流量 2 400 m^3/s；花园口洪峰流量 2 310 m^3/s，最大含沙量仅 6.1 kg/m^3（见表 3-5），洪水历时 64 h；花园口—夹河滩洪峰变化不大；夹河滩—高村河段洪峰明显坦化，高村洪峰流量为

2 040 m³／s，较夹河滩洪峰流量减少 360 m³／s，削峰率 15%；高村—利津河段洪峰流量变化不大，洪水过程明显变瘦，利津洪峰流量为 2 010 m³／s。

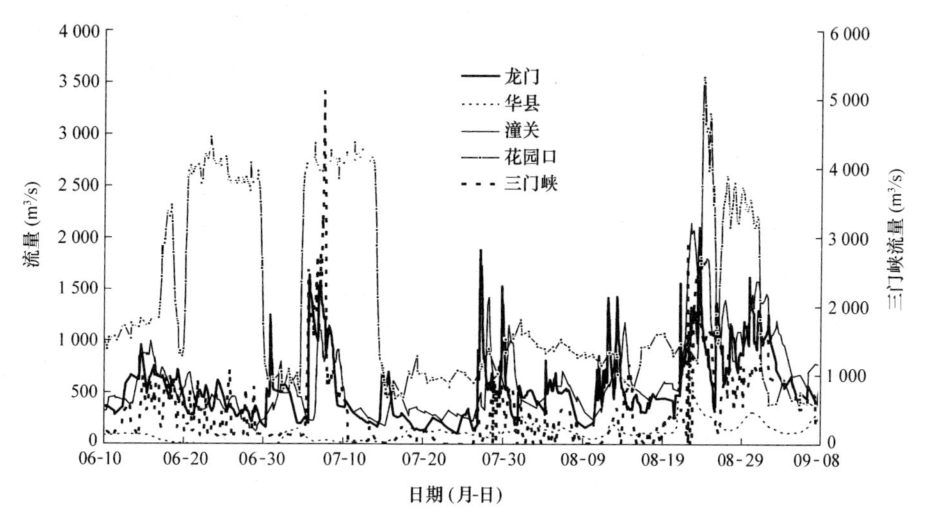

图 3-2 黄河下游洪水来源情况

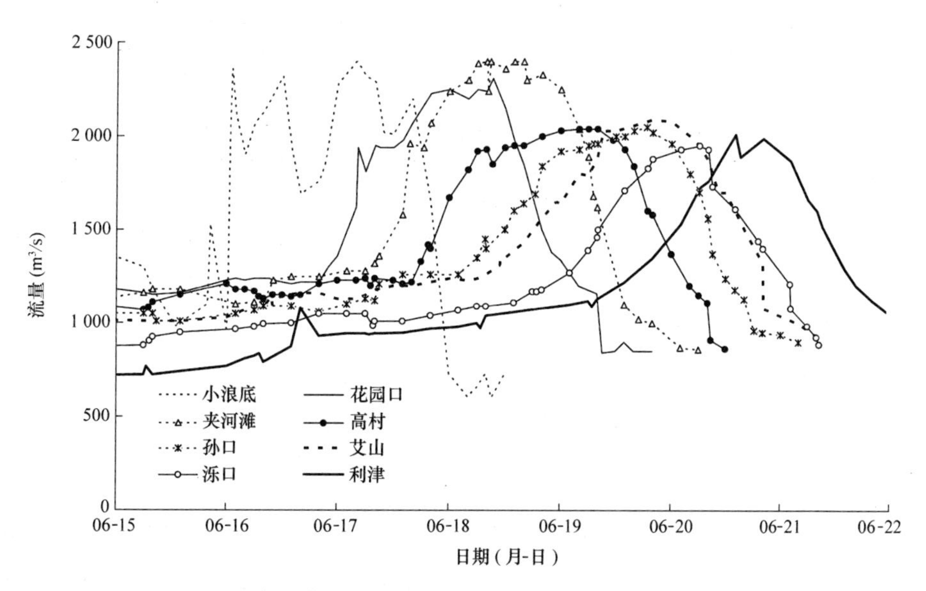

图 3-3 预泄洪水沿程变化情况

2.第二次洪水(调水调沙试验第一阶段)

6 月 19～29 日小浪底水库进行了调水调沙试验的第一阶段，该时期上中游无暴雨洪水，其下游的洪水过程由小浪底水库泄水产生。小浪底洪水历时 232 h，洪峰流量 3 300 m³／s(见表 3-6)，到花园口洪水历时延长到 242 h，洪峰流量为 2 970 m³／s，至利津洪水历时延长至 296 h(见图 3-4)。下游河道没有漫滩，洪水在主槽内演进，洪水过程峰型沿程变化不大，坦化程度较低。

表 3-5　小浪底预泄洪水(6 月 16～18 日)特征值

站名	起始时间 (月-日T时:分)	洪水 历时 (h)	水量 (亿 m^3)	沙量 (亿 t)	洪峰流量		最大含沙量	
					数值 (m^3 / s)	时间 (月-日T时:分)	数值 (kg / m^3)	时间 (月-日T时:分)
小浪底	06-16T00:00	48	3.44		2 400	06-17T04:00		
黑石关	06-16T00:00	48	0.06		40.5	06-16T02:00		
武陟	06-16T00:00	48	0.01		9.4	06-17T14:00		
下游	06-16T00:00	48	3.51					
花园口	06-16T20:00	76	4.05	0.017 7	2 310	06-18T09:18	6.61	06-17T08:00
夹河滩	06-17T06:00	75	4.66	0.047 2	2 400	06-18T14:00	12.00	06-17T20:00
高村	06-17T16:00	76	4.39	0.036 4	2 040	06-19T04:00	10.60	06-19T08:00
孙口	06-18T02:00	76	4.31	0.053 9	2 050	06-19T18:42	22.60	06-19T12:00
艾山	06-18T04:00	76	4.40	0.049 7	2 090	06-19T20:00	15.50	06-19T20:00
泺口	06-18T10:00	76	3.90	0.044 9	1 950	06-20T06:00	14.20	06-20T08:00
利津	06-19T02:00	76	4.00	0.067 6	2 010	06-20T14:00	23.30	06-20T20:00

表 3-6　黄河下游洪水来源及水沙特征值统计(调水调沙试验第一阶段 6 月 19～29 日)

站名	起始时间 (月-日T时:分)	洪水 历时 (h)	水量 (亿 m^3)	沙量 (亿 t)	洪峰流量		最大含沙量	
					数值 (m^3 / s)	时间 (月-日T时:分)	数值 (kg / m^3)	时间 (月-日T时:分)
小浪底	06-19T09:18	231.9	23.01	0	3 300	06-21T16:30		
黑石关	06-19T09:30	232.5	0.15	0	30.7	06-19T08:54		
武陟	06-19T08:00	234	0.09	0	15.6	06-19T09:18		
下游			23.25	0				
花园口	06-20T00:00	242	22.48	0.087	2 970	06-23T06:00	7.22	06-22T00:00
夹河滩	06-20T12:00	244	22.04	0.137	2 830	06-23T16:00	9.46	06-21T08:00
高村	06-20T12:00	248	21.66	0.176	2 800	06-24T00:30	12.6	06-23T12:00
孙口	06-21T06:00	258	22.51	0.229	2 760	06-24T12:00	15.8	06-25T16:00
艾山	06-21T12:00	258	22.93	0.278	2 830	06-25T02:00	16.7	06-26T02:00
泺口	06-21T16:00	292	22.67	0.278	2 760	06-25T09:18	15.2	06-27T02:00
利津	06-22T04:00	296	22.99	0.366	2 730	06-25T20:36	24	06-25T02:00

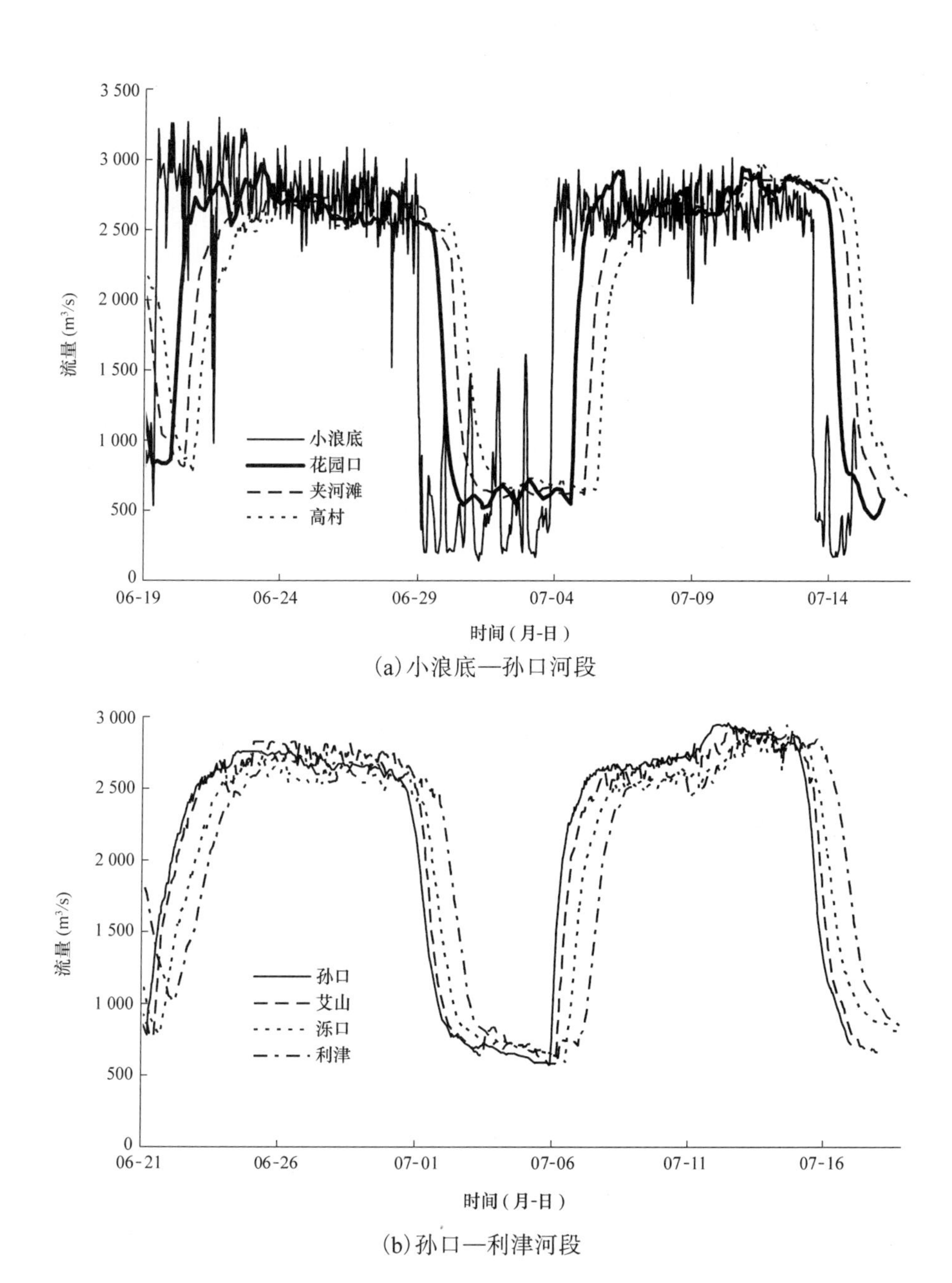

(a) 小浪底—孙口河段

(b) 孙口—利津河段

图 3-4　2004 年调水调沙试验期间流量过程线

3.第三次洪水(调水调沙试验第二阶段)

7 月 3～13 日是黄河进行调水调沙试验的第二阶段，采用万家寨、三门峡水库及小浪底水库三库水沙对接调度，以冲刷小浪底水库三角洲尾部段，在小浪底水库形成异重流。试验期间，黄河万家寨水库 7 月 4 日 14.2 时最大下泄流量 1 730 m^3/s(见表 3-7)，河曲站 7 月 3 日 22 时最大流量 1 530 m^3/s，府谷站 7 月 4 日 6 时最大流量 1 420 m^3/s，调水调沙洪水加上府谷—吴堡区间无控区加水，吴堡站 7 月 4 日 21 时最大流量 2 450 m^3/s，龙门站 7 月 5 日 18.5 时最大流量 1 610 m^3/s，潼关站 7 月 7

日 0 时最大流量 1 190 m³/s，洪水到达三门峡水库后，为配合小浪底水库调水调沙试验，三门峡水库加大泄量，最大下泄流量 5 130 m³/s，最大含沙量 446 kg/m³，沙峰明显滞后于洪峰。经小浪底水库调水调沙运用，由小浪底洪水历时 228.6 h，至花园口洪水历时延长至 236 h，洪水历时增加 7.4 h，最大洪峰流量由小浪底的 3 020 m³/s 削减至 2 950 m³/s，削减程度仅为 2%；利津洪水历时 288 h，较花园口历时明显增加，但洪峰流量变化不大。由于洪水全部在主槽运行，洪水过程峰型沿程变化不大，坦化程度较低(见图 3-4)。

表 3-7　黄河下游洪水来源及水沙特征值统计(调水调沙试验第二阶段)

站名	起始时间(月-日 T时:分)	历时(h)	洪峰流量(m³/s)	洪峰时间(月-日 T时:分)	最大含沙量(kg/m³)	沙峰时间(月-日 T时:分)	水量(亿 m³)	沙量(亿 t)
河曲	07-02T18:00	86	1 530	07-03T22:00	16	07-04T02:00	3.03	0.007 8
府谷	07-03T03:00	95	1 480	07-05T07:24	11.8	07-04T14:00	3.00	0.008 9
吴堡	07-04T15:00	93	2 450	07-04T21:00	27.8	07-04T20:36	3.22	0.032
龙门	07-06T16:00	66	1 640	07-05T18:30	53	07-05T17:00	3.55	0.067
华县	07-06T08:00	120	42	07-08T06:00	35.6	07-06T08:00	0.13	0.000 3
潼关	07-06T08:00	120	1 250	07-06T21:54	35.6	07-06T20:00	3.24	0.039 1
三门峡	07-03T20:00	229	5 130	07-07T14:06	446	07-07T20:18	7.199	0.431 9
小浪底	07-03T20:04	228.6	3 020	07-10T09:05	12.8	07-09T02:00	21.72	0.044
黑石关	07-03T20:00	229.1	153	07-10T12:00	0		0.39	0
武陟	07-03T20:00	228	32.4	07-12T00:00	0.08		0.15	0
花园口	07-04T16:00	236	2 950	07-10T18:00	13.1	07-10T12:00	22.62	0.119
夹河滩	07-05T04:00	240	2 900	07-11T04:00	14.2	07-11T20:00	22.37	0.163
高村	07-05T15:00	242.6	2 970	07-11T07:42	12.6	07-12T12:00	22.5	0.170
孙口	07-06T00:00	252	2 960	07-12T09:36	17.8	07-12T16:00	23.1	0.239
艾山	07-06T06:00	251.8	2 950	07-12T16:00	17.5	07-13T08:00	22.73	0.263
泺口	07-06T12:30	271.5	2 950	07-12T22:12	16.8	07-14T02:00	22.72	0.266
利津	07-07T04:00	288	2 950	07-13T20:06	23.1	07-14T14:00	23.4	0.324

4. 第四次洪水(“8·24”高含沙量洪水)

根据小浪底以上来水来沙情况，8 月 22 日 20 时，黄河小浪底水库开始加大泄流，至 23 日 8.6 时小浪底水文站最大流量达到 2 690 m³/s(见图 3-5)，其后流量一直维持在 2 000～2 500 m³/s 之间，24 日 0 时最大含沙量为 346 kg/m³，在下游形成了一次高含沙洪水过程。

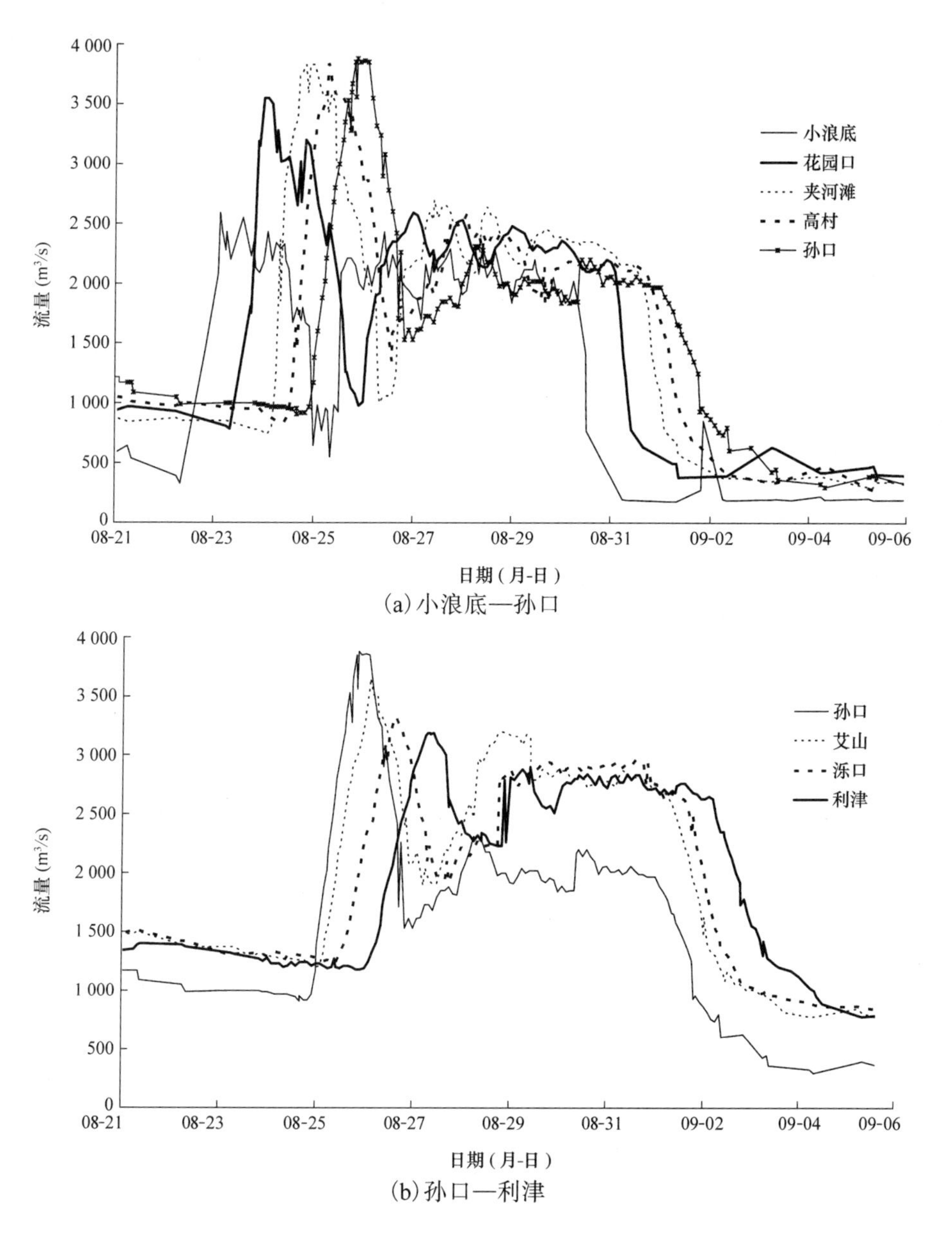

(a)小浪底—孙口

(b)孙口—利津

图 3-5　2004 年 8 月流量过程线

花园口水文站流量于 23 日 17 时 42 分起涨[1]，至 24 日 0.8 时最大流量达到 3 990 m^3 / s（见表 3-8），在区间没有明显加水的情况下（期间小花区间并无降雨过程，伊洛河黑石关站流量约 130 m^3 / s，沁河武陟站流量约 60 m^3 / s，加上小花干流区间来水，合计平均流量在 200～250 m^3 / s 之间），花园口与小浪底洪峰流量相比明显偏大，最高水位 93.31 m，24 日 18.8 时最大含沙量为 359 kg / m^3。从花园口到孙口，洪峰流量几乎没有衰减。

[1] 李勇，孙赞盈等，黄河下游"8・24"洪水流量沿程增大原因初步探讨，黄河水利科学研究院，zx-2004-41-54 (N30)2005.1。

表 3-8　黄河下游洪水来源及水沙特征值统计（“8·24”高含沙洪水）

站名	起始时间 (月-日T时:分)	结束时间 (月-日T时:分)	洪峰流量 (m^3/s)	洪峰出现时间 (月-日T时:分)	最大含沙量 (kg/m^3)	沙峰出现时间 (月-日T时:分)	水量 (亿 m^3)	沙量 (亿 t)
温家川	08-20T08:00	08-28T08:00	1 350	08-22T07:24	424	08-22T09:00	0.631	0.063 3
白家川	08-19T22:00	08-28T08:00	134	08-22T07:06	65	08-22T08:00	0.423	0.012 8
吴堡	08-21T08:00	08-29T20:00	2 740	08-22T17:54	55.0	08-23T04:00	6.34	0.083 7
龙门	08-20T11:00	08-29T21:00	2 100	08-23T12:48	85.0	08-23T14:00	7.53	0.299 0
华县	08-20T11:00	08-30T08:00	1 050	08-22T06:48	695	08-21T09:00	2.94	0.747 0
湫头	08-20T11:00	08-29T00:00	377	08-21T23:00	770	08-21T11:00	0.662	0.239 4
潼关	08-21T06:00	08-31T12:00	2 140	08-22T12:48	442	08-22T14:00	11.79	1.437 8
三门峡	08-22T01:00	08-31T12:00	2 960	08-22T03:00	542	08-22T06:00	9.68	1.629 1
小浪底	08-22T08:00	08-31T20:00	2 690	08-23T08:36	346	08-24T00:00	13.67	1.420 0
黑石关	08-22T08:00	08-31T20:00	136	08-23T08:30			0.85	
武陟	08-22T08:00	08-31T20:00	71	08-22T06:00			0.47	0
花园口	08-23T14:00	09-02T02:00	3 990	08-24T00:48	359	08-24T18:48	16.66	1.53
夹河滩	08-24T02:00	09-02T14:00	3 830	08-24T19:19	258	08-25T11:11	16.66	1.41
高村	08-24T10:00	09-02T22:00	3 820	08-25T07:07	199	08-26T08:08	16.40	1.40
孙口	08-24T18:00	09-03T06:00	3 930	08-25T19:19	179	08-27T08:08	15.52	1.31
艾山	08-25T00:00	09-03T12:00	3 520	08-26T05:05	177	08-27T06:06	19.77	1.49
泺口	08-25T11:00	09-03T23:00	3 330	08-26T14:14	152	08-28T16:16	19.03	1.38
利津	08-25T22:00	09-04T10:00	3 200	08-27T10:10	146	08-29T08:08	19.30	1.29

4 次洪水，花园口水沙量分别为 65.81 亿 m^3、1.754 亿 t，其中 8 月高含沙洪水水沙量分别占汛期的 18.7%及 89%。

(二) 黄河下游洪水的坦化特性

洪峰传播过程中的坦化情况见图 3-6。可以看出，多数情况下，由于洪水波的坦化及下游引水的影响，洪峰流量沿程衰减，只是衰减程度不同而已。6 月 16～18 日洪水，夹河滩—高村河段洪峰衰减度(单位里程洪峰衰减值)较大，为 3.9 $m^3/(s·km)$，其余河段洪峰有增有减；6 月 19～29 日洪水在小浪底—夹河滩河段洪峰衰减度较大，沿程至孙口河段衰减度逐渐减小，孙口—艾山河段可能由于大汶河加水，洪峰增大；7 月 3～13 日洪水，小浪底—花园口和花园口—夹河滩河段洪峰衰减度接近，高村以下河段衰减度非常小；但是 8 月 22～30 日洪水的洪峰在传播过程中表现异常，小浪底—花园口河段洪峰沿程增大明显，孙口—艾山河段洪峰衰减度达 6.5 $m^3/(s·km)$，减小明显，其原因已有专门分析[1]。总的来说，洪峰坦化比较复杂，仅从这 4 次洪水的坦化还看不出明显的规律。

[1] 李勇，孙赞盈等，黄河下游“8·24”洪水流量沿程增大原因初步探讨，黄河水利科学研究院，zx-2004-41-54 (N30)2005.1。

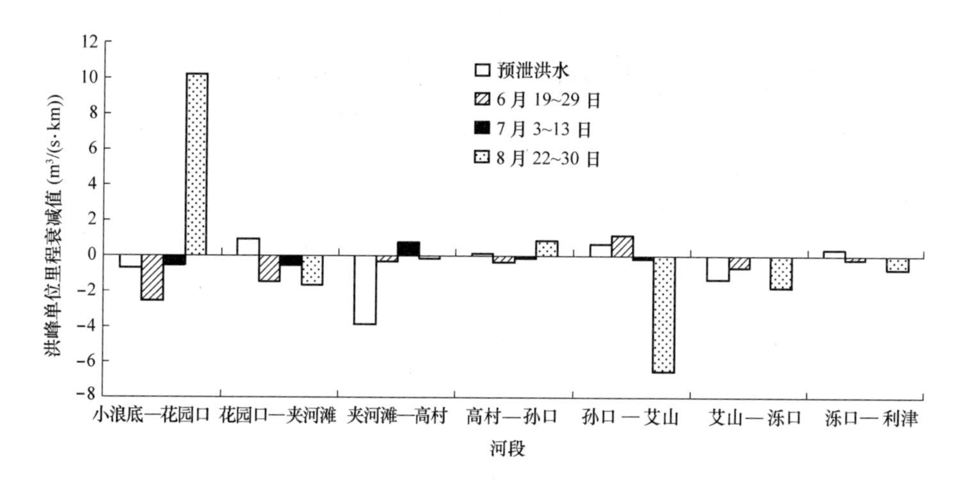

图 3-6　2004 年黄河下游洪峰衰减情况

三、大汶河洪水

2004 年汛期大汶河戴村坝洪峰流量大于 1 000 m^3 / s 的洪水 3 次(见图 3-7)，洪峰流量分别为 1 140 m^3 / s(7 月 18 日 20.4 时)、1 980 m^3 / s(7 月 31 日 21 时)、1 680 m^3 / s(8 月 29 日 6 时)，其中 7 月下旬和 8 月下旬的洪水，1 000 m^3 / s 以上流量持续 24 h 以上。

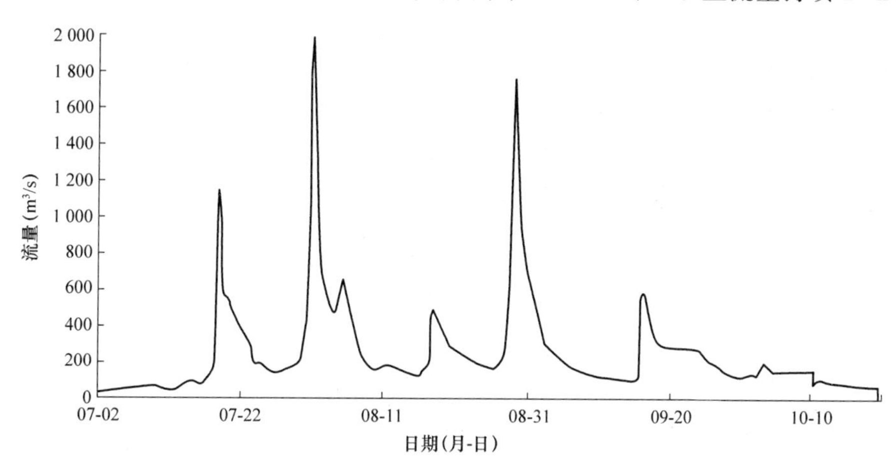

图 3-7　2004 年汛期大汶河戴村坝洪水过程

第四章　水库运用及对干流水沙的影响

截至 2004 年 11 月 1 日(见表 4-1)，黄河流域主要水库蓄水总量 244.32 亿 m^3，其中龙羊峡水库蓄水总量 146 亿 m^3，占总蓄水量的 60%；小浪底水库和刘家峡水库蓄水总量分别为 43.9 亿 m^3 和 32.8 亿 m^3，分别占总蓄水量的 18%和 13.4%。与 2003 年同期相比蓄水总量减少 43.07 亿 m^3。

2004 年非汛期共补水 102.55 亿 m^3，与 2003 年同期相比补水总量增加 79.75 亿 m^3；非汛期补水总量中，小浪底水库和龙羊峡水库分别占 52%和 32%，刘家峡水库占 11%。汛期蓄水 59.48 亿 m^3，与 2003 年同期相比蓄水减少 114 亿 m^3，汛期蓄水量中，龙羊峡水库、刘家峡水库、小浪底水库分别占汛期增加蓄水量的 69%、19%和 9%。

一、龙羊峡水库、刘家峡水库运用对干流水沙的调节

(一) 龙羊峡水库和刘家峡水库运用情况

龙羊峡水库是多年调节水库，刘家峡水库是年调节水库，这两个水库控制了黄河主要少沙来源区的水量，对水流的调节能力比较大，两库联合运用改变了干流的来水条件。

1. 龙羊峡水库

2004 年为保障黄河不断流，龙羊峡水库泄水量大、泄水时间长达 8 个月(见图 4-1)，从 2003 年 11 月 1 日～2004 年 6 月 1 日共补水 35 亿 m^3，水位下降 13.2 m，而后转入蓄水运用，截至 2004 年 11 月 1 日水库水位升至 2 570.36 m，蓄水量为 146 亿 m^3。2004 年龙羊峡水库蓄水量 8 亿 m^3，与 2003 年同期相比，少蓄水 41.9 亿 m^3；非汛期补水 33 亿 m^3，较 2003 年同期多补水 3.7 亿 m^3；汛期蓄水 41 亿 m^3，较 2003 年同期少蓄水 45.6 亿 m^3。全年水位上升 3.08 m，水位升幅较 2003 年的 19.58 m 明显减少。

表 4-1　2004 年主要水库运用情况

水库	2003 年 11 月 1 日		2004 年 7 月 1 日		2004 年 11 月 1 日		非汛期变量	汛期变量	年蓄水变量
	水位 (m)	蓄水量① (亿 m^3)	水位 (m)	蓄水量② (亿 m^3)	水位 (m)	蓄水量③ (亿 m^3)	②–① (亿 m^3)	③–② (亿 m^3)	③–① (亿 m^3)
龙羊峡	2 567.28	138.00	2 555.05	105.00	2 570.36	146.00	– 33	41	8
刘家峡	1 727.56	32.50	1 718.31	21.40	1 728.95	32.80	– 11.1	11.4	0.3
万家寨	972.28	5.61	975.09	5.99	965.87	3.99	0.38	– 2	– 1.62
三门峡	315.69	1.95	317.10	4.36	314.19	2.18	2.41	– 2.18	0.23
小浪底	264.21	92.10	236.58	38.50	242.01	43.90	– 53.6	5.4	– 48.2
陆浑	318.85	6.40	309.50	3.25	316.51	5.50	– 3.15	2.25	– 0.9
故县	534.62	6.47	515.91	3.61	529.91	5.57	– 2.86	1.96	– 0.9
东平湖	42.34	4.36	41.26	2.73	42.35	4.38	– 1.63	1.65	0.02
合计		287.39		184.84		244.32	– 102.55	59.48	– 43.07

注：–为水库补水。

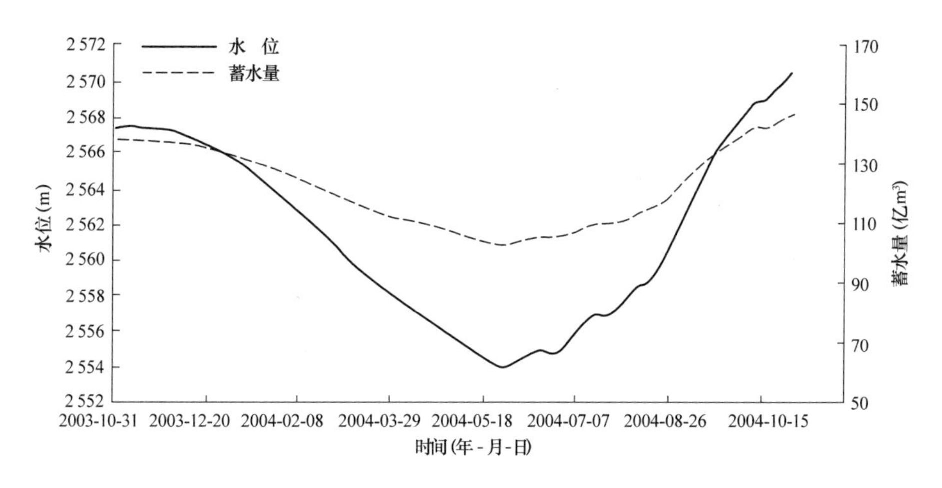

图 4-1 龙羊峡水库 2004 年运行情况

2. 刘家峡水库

2004 年刘家峡水库年蓄水量仅 0.3 亿 m^3，全年基本平衡，较 2003 年同期少蓄水 10.4 亿 m^3；非汛期补水 11.1 亿 m^3，汛期蓄水 11.4 亿 m^3。全年经历了泄水、蓄水循环五个阶段(见图 4-2)，即 2003 年 11 月 1 日至 2004 年 1 月 9 日，水库泄水 2.5 亿 m^3，水位下降 2.16 m；其后转入防凌蓄水，到 3 月 31 日水位上升 9.22 m，蓄水量增加 11.6 亿 m^3；4～5 月春灌溉泄水、6 月防汛及排沙泄水，至 7 月 1 日，水库泄水 20.1 亿 m^3，水位下降 16.27 m；7 月 23 日以后，开始大量蓄水，至 10 月 18 日，水位达到 1 731.98 m，蓄水量为 36.7 亿 m^3；10 月 19 日以后转入泄水运用。运用年内最高水位和最低水位相差 20.8 m，全年水位上升 1.39 m，较 2003 年水位上升的 10.28 m 明显减小。

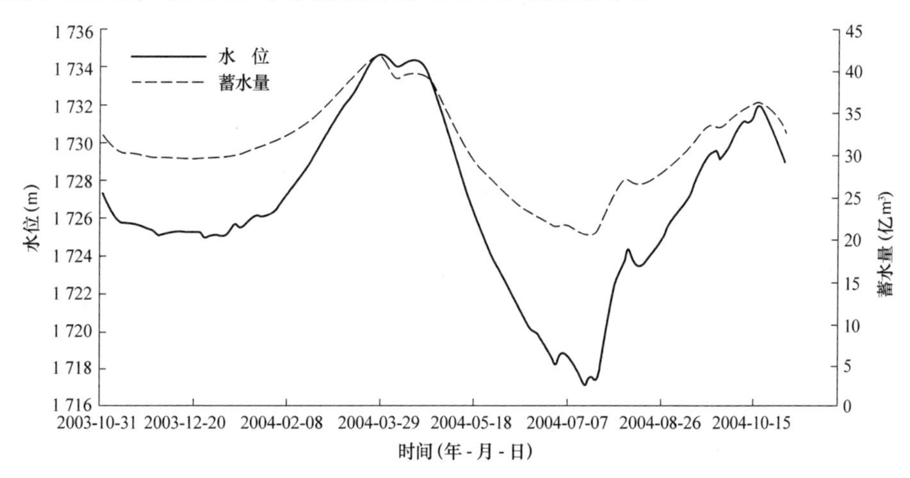

图 4-2 刘家峡水库 2004 年运行情况

(二)龙羊峡水库和刘家峡水库联合调度对干流水量的调节

1.对干流水量的调节

龙刘两库将汛期来水调节到非汛期下泄，影响到水量的年内分配。由表 4-2 可见，两库非汛期补水量占兰州实测水量的 39%，汛期蓄水仅占兰州实测水量的 40%，如果没有龙刘两库调节，兰州汛期占全年比例为 54%，接近多年平均的 55%(1950～2000 年)，较实测汛期占全年比例增加 16%；头道拐实测汛期水量仅占全年来水量的 29%，如果没有龙刘两库调节，头道拐汛期占全年比例为 58%，超过多年平均的 55%。

表 4-2　2004 年水库运用对干流水量的调节

项目	2003 年 11 月～2004 年 6 月	2004 年 7～10 月	2003 年 11 月～2004 年 10 月	汛期占年(%)
龙羊峡蓄泄水量(亿 m^3)	−33	41	8	
刘家峡蓄泄水量(亿 m^3)	−11.1	11.4	0.3	
两库合计(亿 m^3)	−44.1	52.4	8.3	
兰州水量(亿 m^3)	145.42	88.59	234.01	38
两库蓄补占兰州(%)	−39	40	3	
还原两库后兰州水量(亿 m^3)	112.42	129.59	242.01	54
头道拐水量(亿 m^3)	89.63	37.15	126.78	29
两库蓄补占头道拐(%)	−49	141	7	
还原两库后头道拐水量(亿 m^3)	56.63	78.15	134.78	58
小浪底蓄泄水量(亿 m^3)	−53.6	5.4	−48.2	
花园口水量(亿 m^3)	202.43	89.12	291.55	31
小浪底蓄补占花园口(%)	−26	6	−17	
还原小浪底水库后花园口水量(亿 m^3)	148.83	94.52	243.35	39

2. 对水流过程的调节

龙羊峡水库汛期蓄水运用削减了洪水和中大流量过程(见图 4-3)。出库与进库相比，

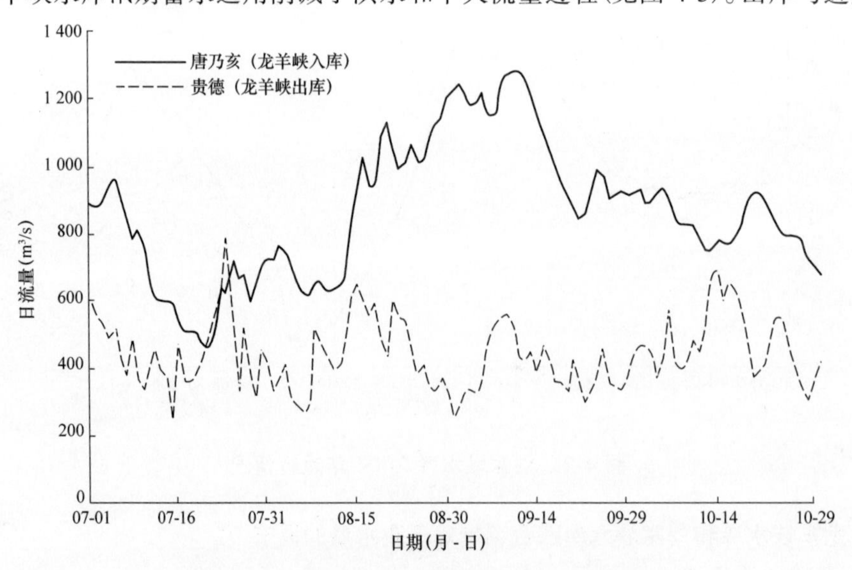

图 4-3　汛期龙羊峡进出库日平均流量情况

500 m³/s 以下的流量级历时明显增加，1 000 m³/s 以上的流量级历时明显减少，即 500 m³/s 以下的流量级历时由入库的 3 d 增加到出库的 90 d，1 000 m³/s 以上的流量级历时入库 30 d，出库没有一天；入库 500～1 000 m³/s 流量级的水量为 61.14 亿 m³，占汛期水量的 66%，而出库 500 m³/s 以下的流量级的水量为 30.25 亿 m³，占汛期水量的 65%(见表 4-3)。

表 4-3　龙羊峡水库汛期对水流的调节情况

项目	各流量级(m³/s)历时(d)			各流量级(m³/s)水量(亿 m³)			
	<500	500～1 000	>1 000	<500	500～1 000	>1 000	合计
唐乃亥	3	9	30	1.24	61.14	29.61	91.99
贵德	90	33		30.25	16.56		46.81

二、小浪底水库运用及对水沙的调节

(一)水库运用情况

2003 年 11 月 1 日～2004 年 11 月 1 日，小浪底水库共补水 48.2 亿 m³，其中非汛期补水 53.6 亿 m³。2004 年非汛期库水位比较高(见图 4-4)，前 7 个月时间水位都在 255 m 以上，2004 年 6 月 19 日 8 时～7 月 13 日 8 时，由于水库调水调沙运用，库水位由 249.06 m 降到 225 m，共下降 24.06 m，蓄水量由 57.6 亿 m³ 减少到 24.6 亿 m³，水库补水 33 亿 m³，占年补水量的 68%。8 月 31 日以后开始迅速蓄水运用，到 11 月 1 日，增加 23.59 亿 m³，库水位上升 22.4 m。2004 年汛期小浪底水库仅蓄水 5.4 亿 m³，较 2003 年汛期蓄水量的 70.6 亿 m³ 明显减少。

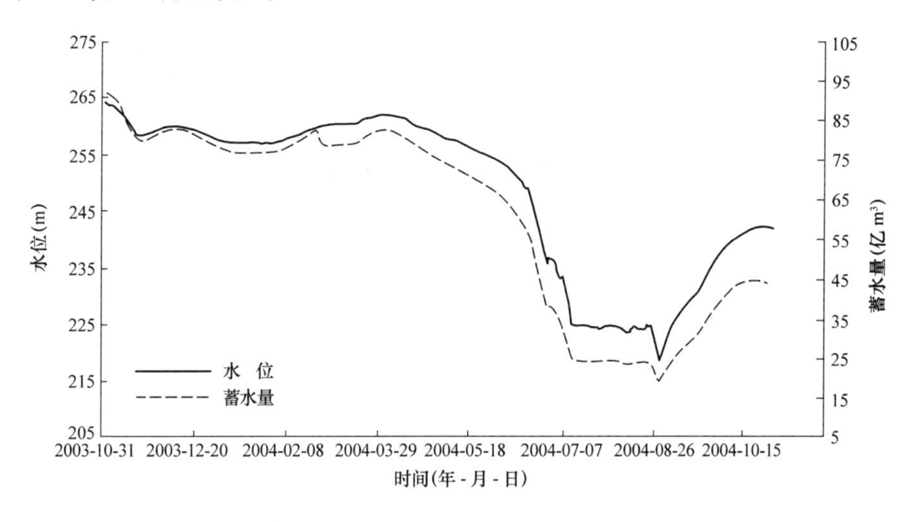

图 4-4　小浪底水库 2004 年运行情况

(二)水库对水量的调节

小浪底水库是多年调节水库，对黄河下游来水量的影响是汛期蓄水，非汛期补水，改变下游水量的年内分配。2004年汛期花园口实测水量89.12亿 m^3，占全年实测水量的31%(见表4-2)，还原小浪底水库影响水量后花园口汛期水量为94.52亿 m^3，占年水量的39%，增加了8%。2004年非汛期花园口实测水量202.43亿 m^3，占全年实测水量的69%，还原水库影响水量后花园口非汛期水量为148.83亿 m^3，占年水量的61%，较多年平均的43%增加了18%。

(三)对泥沙的调节

2004年小浪底水库进库沙量2.676亿t，出库沙量1.484亿t，水库排沙比为55%。水库在汛期排沙，由图4-5可见，汛期有两次比较大的排沙过程。7月份排沙是水库调水调沙试验时的异重流排沙，出库最大流量达3 020 m^3/s，最大含沙量仅12.8 kg/m^3，出库沙量0.044亿t，排沙比为10%。2004年8月22日8时～31日20时，三门峡水库泄放了一场最大流量为2 960 m^3/s、最大含沙量542 kg/m^3 的高含沙洪水过程，该次洪水出库水量9.22亿 m^3，沙量1.66亿t，小浪底水库相应进行排沙，排沙期间出库最大流量达2 690 m^3/s，最大含沙量346 kg/m^3，排沙量1.43亿t，排沙比高达86%。

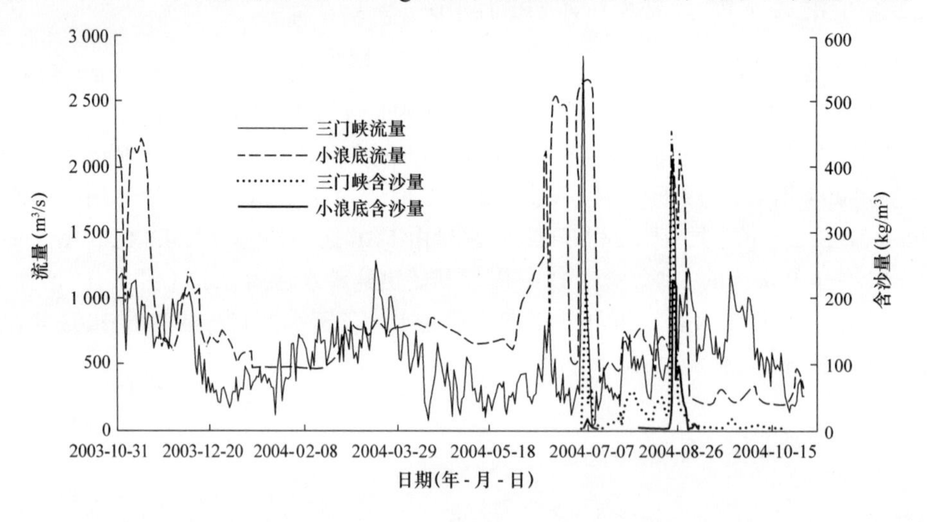

图4-5 2004年小浪底水库对水沙过程的调节

第五章　近5年流域中下游水沙资源配置特点

随着流域治理开发程度的不断提高，黄河流域径流泥沙的空间和时间分布正在发生明显的改变，特别是在水量较枯的年份，干支流骨干工程的调节和沿黄引水引沙对流域水沙的空间和时间分布影响更大(见表5-1和表5-2)。

表5-1　黄河中下游水量时空分布

时段(年-月)	6站水量(亿m^3)	区间耗水量(亿m^3)		水库蓄水量(亿m^3)		下游引水量(亿m^3)	利津水量(亿m^3)
		潼关以上	潼关—三门峡	龙羊峡、刘家峡	小浪底		
1950-11～1960-10	480.9	-4.5	2.9			27.8	463.9
1960-11～1964-10	594.5	-0.1	4.6			38.4	627.6
1964-11～1973-10	429.2	12.0	-8.2	5.5		39.7	397.2
1973-11～1980-10	398.4	1.1	2.5	-0.2		87.1	306.5
1980-11～1985-10	484.9	-3.3	6.6	-0.1		95.2	388.2
1985-11～1999-10	284.9	0.7	5.3	11.2		100.7	154.4
1950-11～1999-10	413.3	1.3	2.0	4.2		67.0	346.4
1999-11～2004-10	230.98	12.67	22.06	5.22	7.55	68.27	104.49
		各项占6站水量的比例(%)					
1950-11～1960-10		-0.9	0.6			5.8	96.5
1960-11～1964-10		0.0	0.8			6.5	105.6
1964-11～1973-10		2.8	-1.9	1.3		9.2	92.5
1973-11～1980-10		0.3	0.6	0.0		21.9	76.9
1980-11～1985-10		-0.7	1.4	0.0		19.6	80.1
1985-11～1999-10		0.3	1.9	3.9		35.4	54.2
1950-11～1999-10		0.3	0.5	1.0		16.2	83.8
1999-11～2004-10		5.5	9.6	2.3	3.3	29.6	45.2

注：①6站为龙门、华县、河津、洑头、黑石关、小董；②数值为年均值。

表 5-2 黄河中下游泥沙时空分布

时段 (年-月)	6站沙量 (亿 t)	冲淤量(亿 t)				下游 引沙量 (亿 t)	利津 沙量 (亿 t)
		潼关 以上	潼关— 三门峡	小浪底 水库	下游 河道		
1950-11～1960-10	18.24	0.74			3.61	1.07	13.21
1960-11～1964-10	17.43	2.77	11.62		－5.78	0.79	11.23
1964-11～1973-10	17.14	3.05	－1.33		4.44	1.10	10.73
1973-11～1980-10	12.01	－0.05	0.27		1.47	1.85	8.23
1980-11～1985-10	8.31	－0.05	－0.27		－0.96	1.23	8.76
1985-11～1999-10	7.99	1.12	0.16		2.24	1.30	4.01
1950-11～1999-10	13.14	1.24	0.76		1.83	1.25	8.80
1960-11～1999-10	11.83	1.37	0.96		1.38	1.29	7.67
1999-11～2004-10	4.69	0.06	－0.10	3.6	－1.82	0.45	1.5
		各项占6站沙量的比例(%)					
1950-11～1960-10		4.1			19.8	5.9	72.4
1960-11～1964-10		15.9	66.7		－33.1	4.5	64.4
1964-11～1973-10		17.8	－7.8		25.9	6.4	62.6
1973-11～1980-10		－0.4	2.3		12.3	15.4	68.5
1980-11～1985-10		－0.6	－3.2		－11.6	14.8	105.4
1985-11～1999-10		14.0	2.0		28.0	16.3	50.2
1950-11～1999-10		9.5	5.8		14.0	9.5	67.0
1960-11～1999-10		11.6	8.1		11.7	10.9	64.8
1999-11～2004-10		1.3	－2.1	76.8	－38.8	9.6	32.0

注：①6站为龙门、华县、河津、洑头、黑石关、武陟；②数值为年均值。

一、近5年来水来沙大量减少，输送至河口的水沙量大大减少

1986年以来，随着降雨减少，龙羊峡水库和小浪底水库投入运用，工农业用水迅速增加，黄河流域中下游来水量和沙量不断减少，1985～1999年6站(龙门、华县、河津、洑头、黑石关、小董，下同)水沙量分别为284.9亿 m^3 和7.99亿 t，与20世纪50年代的水沙量相比，分别减少41%和56%；1999～2004年6站水沙量分别只有230.98亿 m^3 和

4.69 亿 t，与 50 年代的水沙量相比，分别减少 52%和 74%。

同时，由于人类活动干预的增强，输送至河口地区的水沙量也在大幅度减少，1985～1999 年利津水沙量分别只有 154.4 亿 m^3 和 4.01 亿 t，分别仅为 20 世纪 50 年代的 33%和 30%，分别占 6 站水沙量的 54%和 50%；1999～2004 年利津水沙量分别为 104.49 亿 m^3 和 1.5 亿 t，分别仅为 20 世纪 50 年代的 23%和 11%，分别占 6 站水沙量的 45%和 32%。

二、水库及河道淤积量分布发生变化

三门峡、小浪底水库的运用，造成黄河中下游河道淤积分布与 20 世纪 50 年代截然不同的变化，中下游河道冲淤特性变化受来水来沙和水库运用方式的共同影响。1950～1960 年基本为自然状况，泥沙淤积主要集中在下游，年均淤积泥沙 3.61 亿 t，同期潼关以上河道淤积量有 0.74 亿 t(主要是小北干流淤积 0.65 亿 t)。1960 年三门峡水库投入运用后，泥沙淤积分配发生重大变化，1960～1999 年潼关以上(北干流、渭河、北洛河)、潼关—三门峡(三门峡库区)、下游河道各河段均发生淤积，年均共淤积泥沙 3.71 亿 t，各河段分别淤积 1.37 亿 t、0.96 亿 t、1.38 亿 t，分别占总淤积量的 37%、26%、37%。小浪底水库 1999 年投入运用后，下游河道淤积分布又一次发生大的改变，主要是泥沙淤积在小浪底库内，而下游河道发生冲刷，1999～2004 年中下游河道年均共淤积泥沙 1.74 亿 t，其中小浪底库区淤积 3.6 亿 t，下游冲刷 1.82 亿 t。

如果以水沙条件及水库运用方式的不同来分析，实际上是泥沙在水库上下游的不同分配。在三门峡水库“蓄水运用”的 1960～1964 年，由于受回水的影响，水库上游均发生严重淤积，集中淤积在潼关—三门峡河段，但下游河道冲刷；“滞洪排沙”期潼关以上继续淤积，潼关—三门峡发生冲刷，而下游河道严重淤积；1973 年“蓄清排浑”运用后，水库运用水位降低，同时遇较为有利的水沙条件，各河段淤积均不大，形势较好；1986 年后水沙条件发生重大变化，各河段均发生淤积，由于流量较小，大部分泥沙集中淤积在中水河槽(或主槽)内，防洪形势日趋紧张；1999 年后小浪底水库拦沙运用，下游河道发生了一定量的冲刷，但由于水量少、流量小，冲刷有限，同时流域遭遇持续枯水系列，中游河道仍然发生淤积。

三、下游引水量大大增加，引沙量随水沙条件变化

自 1958 年下游开始大规模引水以来，虽经历了 1962～1965 年的停灌期，但总的发展趋势是引水量越来越大。20 世纪 50 年代年均引水量 27.8 亿 m^3，到 1985～1999 年发展到最高峰达年均 100.7 亿 m^3，是 50 年代的 3.6 倍，1999 年后由于来水量减少等各种原因，引水量有所下降，1999～2004 年均 68.27 亿 m^3 左右。

引沙量基本上是随引水量变化，也呈现增加的趋势，50 年代年均引沙量 1.07 亿 t，1985～1999 年达到最大为年均 1.3 亿 t。但由于来水含沙量不同，因此各时期变化较大，在三门峡水库和小浪底水库拦沙的 1960～1964 年和 1999～2004 年引沙量都比较小，1980～1985 年下游来水含沙量低，引沙量也有所下降。

四、引水比例高，引沙比例低，水少沙多加剧

引水比例与引沙比例相差较大，其变化幅度也不一致。从各时期下游引水量占 6 站

水量的比例来看，引水比例是不断提高的，20 世纪 50 年代只有 5.8%的水被引走，经过不断增加，1985～1999 年达到 35.4%，1999～2004 年有所下降，为 29.6%。虽然引沙的比例也在增加，但变化幅度远低于引水量，50 年代引沙量占 6 站的比例与引水比例近似为 5.9%，1985～1999 年达到最大也仅 16.3%，1999～2004 年又降低到 9.6%。因此，黄河下游的水资源的利用要大大高于沙量的利用，更加剧了水少沙多的矛盾。

五、径流泥沙配置的整体变化

总体上来看，20 世纪 50 年代流域年均水沙量(6 站)分别为 480.9 亿 m^3 和 18.24 亿 t，人类活动对水沙条件的干预作用较小，只有 6%的水沙量在下游被引走，径流在中游输移过程中的耗损(渗漏、蒸发等)约为 0.3%，泥沙在中下游河道内的淤积为 24%，通过中下游河道输送到河口(利津水文站)的水沙量分别占 6 站的 97%和 72%。

60 年代以后，黄河治理开发程度不断提高，部分径流、泥沙被拦蓄在干支流水库里，同时由于沿黄引水引沙量明显增加，进入河口地区的水沙比例逐渐减少。干支流骨干水库汛期蓄水、非汛期泄水，明显改变了水沙量的年内分配；同时由于汛期的蓄水量大于非汛期的泄水量，也使得干流年径流量有所较少。特别是 80 年代以后，这种变化趋势更加明显。

统计表明，1985～1999 年，流域年均径流、泥沙(6 站)分别为 284.9 亿 m^3 和 7.99 亿 t，较 50 年代水沙偏少 41%和 56%；下游引水引沙量分别占 35%和 16%，较 50 年代分别提高了 29%和 10%；中游河道径流量损耗占 6%，中下游河道淤积泥沙量占 44%，较 50 年代增加了 20%；入海水量和泥沙分别仅占 6 站的 54%和 50%，较 50 年代分别减少了 43%和 22%。

1999～2004 年流域年均径流、泥沙(6 站)分别为 230.98 亿 m^3 和 4.69 亿 t，分别较 50 年代水沙偏少 52%和 74%；下游引水引沙量分别占 29.6%和 9.6%，较 50 年代分别提高了 53.8%和 3.7%；中游河道径流量损耗占 15.1%，中下游河道淤积泥沙量占 59%，分别较 50 年代增加了 15%和 41.1%；入海径流和泥沙只有 6 站的 45.2%和 32%，较 50 年代分别减少了 51.3%和 40.4%。

六、水沙配置计算中反映出的问题

(一)水量不平衡的问题

从表 5-1 中下游水量分布计算看出，4 站到利津各段占 6 站水量 1999～2004 年各项合计仅 93.1%，不考虑区间加水，年平均有 15.9 亿 m^3 水量不平衡，直接影响到沙量平衡法河道及水库冲淤量的计算。

(二)河道冲淤量不同计算方法的问题

从表 5-2 中 1999～2004 年泥沙配置计算可见，各项合计仅 78.8%，有 21.2%即 0.99 亿 t 沙量不平衡。经分析认为，主要问题存在于河道冲淤量计算上。冲淤量现有河道断面法和沙量平衡法两种计算方法。

第六章　主要认识

⑴2004 年汛期黄河流域降雨量除大汶河和伊洛河分别偏多 54%和 10%外，其余各区域降雨量与历年同期相比普遍偏少，偏少范围在 2%～29%。10 月降雨偏少极多，达 14%～93%；大汶河 6 月和 7 月偏多均在 80%以上。

⑵2004 年干支流控制站水沙量与历年同期相比大部分偏少，属枯水枯沙年份。主要控制站唐乃亥、头道拐、龙华河洑、进入下游年水量分别为 151.56 亿、126.78 亿、212.31 亿、286.62 亿 m^3，分别偏少 26%、43%、51%、27%；主要来沙控制站龙华河洑和进入下游的沙量分别仅 3.785 亿 t 和 1.488 亿 t，较多年均值偏少 73%和 89%。汛期水沙量减少幅度大于非汛期。2004 年大汶河戴村坝水量大约 28 亿 m^3，沁河武陟水量 10.1 亿 m^3，与多年同期相比分别偏多 140%和 14%。

⑶2004 年没有大的洪水过程，头道拐、龙门、花园口最大洪峰流量分别仅为 2 850 m^3/s、2 100 m^3/s、3 990 m^3/s。

⑷龙门站超过 1 500 m^3/s 的小洪水出现 6 次，在小北干流适时进行了放淤试验；黄河下游出现了 4 次洪水过程，分别是预泄洪水、调水调沙的两个阶段及小浪底水库大量排沙的“8·24”洪水，其中“8·24”洪水期间花园口洪峰流量大于小浪底洪峰流量。

⑸截至 2004 年 11 月 1 日 8 时流域 8 座主要水库蓄水总量 244.32 亿 m^3，与 2003 年同期相比蓄水总量减少 43.07 亿 m^3。非汛期共补水 102.55 亿 m^3，与 2003 年同期相比补水总量增加 79.75 亿 m^3；汛期蓄水 59.48 亿 m^3，与 2003 年同期相比蓄水减少 114 亿 m^3。

⑹2004 年水库对水量的调节主要表现在年内分配上，头道拐实测汛期水量仅占全年来水量的 29%，如果没有龙刘两库调节，头道拐汛期占全年比例为 58%，超过多年平均的 55%。2004 年汛期花园口来水量占全年来水量的 31%，还原小浪底水库影响水量后花园口汛期水量占年水量的 39%。

⑺1999～2004 年 6 站水沙量年平均分别只有 230.98 亿 m^3 和 4.693 亿 t，与 50 年代的水沙量相比，分别减少 52%和 74%；利津年平均水沙量分别为 104.49 亿 m^3 和 1.5 亿 t，分别仅为 50 年代的 23%和 11%，分别占 6 站水沙量的 45%和 32%；1999～2004 年均引水 68.27 亿 m^3，引沙 0.45 亿 t，分别占 6 站水沙量的 29.6%和 9.6%；1999～2004 年龙门—利津年均淤积泥沙 1.74 亿 t，较 50 年代减少 60%，较小浪底运用前减少 55%，占 6 站沙量的 37%，其中小浪底—利津冲刷 1.82 亿 t。

第二专题　黄河中游水土保持措施的水沙响应分析

黄河中游是黄河流域洪水及泥沙的主要来源区，尤其是河口镇至龙门区间(以下简称河龙区间)，其面积仅占全流域面积的 14.8%，而来沙量却高达 10.3 亿 t(1956～1969 年平均)，占全河来沙量 16 亿 t 的 64.3%。河龙区间不仅来沙量大，而且泥沙颗粒粗。根据最新研究成果，$d \geqslant 0.1$ mm 的泥沙在黄河下游的淤积比达 83.1%，对黄河的危害极大。由水文资料统计分析可知：黄河中游龙门、华县、河津、洑头 4 站 $d \geqslant 0.1$ mm 的粗泥沙为 6 716 万 t，其中，河龙区间为 5 317 万 t，占 79.17%，并且主要来源于河龙区间的窟野河、黄甫川和无定河等支流(见表 1)。就龙门站洪峰流量大于 10 000 m^3 / s 的洪水而言，主要来自窟野河、黄甫川、孤山川、秃尾河、佳芦河、无定河等支流(见表 2)。因此，分析这一地区水土保持措施对洪水、泥沙的影响，特别是典型支流水土保持措施的水沙响应关系，对于重点支流治理具有重要的指导意义。

表 1　黄河中游主要支流泥沙特征值统计

河名	站名	时段	多年平均输沙量(万 t)	大于等于某粒径级泥沙(万 t)		
				0.025 mm	0.05 mm	0.10 mm
黄河	河口镇	1958～1995	11 593	4 493	1 984	449
黄河	吴堡	1958～1995	51 216	26 872	15 359	4 698
黄河	龙门	1956～1995	81 300	44 235	22 066	5 766
黄河	三门峡	1954～1995	122 200	55 945	24 519	4 536
黄河	小浪底	1961～1995	105 500	46 385	19 824	3 530
黄河	花园口	1954～1995	108 200	45 819	19 615	3 041
黄河	利津	1957～1995	82 400	32 747	12 011	559
黄甫川	黄甫	1966～1995	4 842	2 973	227	1 506
孤山川	高石崖	1966～1995	2 197	1 240	784	296
岚漪河	裴家川	1966～1995	1 221	666	366	187
窟野河	温家川	1958～1995	10 860	6 915	5 259	3 324
秃尾河	高家川	1965～1995	1 844	1 358	997	512
佳芦河	申家湾	1966～1995	1 356	850	548	245
湫水河	林家坪	1966～1995	1 900	913	428	76.7
三川河	后大成	1963～1995	1 892	851	350	50.6
无定河	白家川	1962～1995	11 368	7 095	3 661	857
清涧河	延川	1964～1995	3 565	1 949	830	117
昕水河	大宁	1965～1995	1 430	567	210	32.8
延河	甘谷驿	1963～1995	4 905	2 802	1 337	343.5
汾河	河津	1957～1995	1 947	648.7	254.4	39.3
渭河	华县	1956～1995	36 286	13 233	4 075	714
泾河	张家山	1964～1988	24 925	11 234	3 897	769
北洛河	洑头	1963～1988	8 613	4 654	1 628	197

表 2　龙门站洪峰流量大于 10 000 m^3／s 的洪水来源

年份	干流龙门(m^3／s)	支流最大洪峰流量(m^3／s)					
		黄甫川	孤山川	窟野河	秃尾河	佳芦河	无定河
1958	10 800 (07-13)			2 760 (07-13)	2 040 (07-13)	3 890 (07-13)	1 840 (07-13)
1959	12 400 (07-21)			8 760 (07-21)	2 720 (07-21)		
1959	11 300 (08-04)	2 900 (08-03)	2 730 (08-03)	10 000 (08-03)			
1964	17 300 (08-13)	1 000 (08-12)	3 990 (08-12)	4 100 (08-12)	2 090 (08-12)	1 870 (08-12)	950 (08-13)
1966	10 100 (07-29)	1 620 (07-28)	1 190 (07-28)	8 380 (07-28)			1 500 (07-26)
1967	15 300 (08-07)	2 650 (08-05)	5 670 (08-06)	6 630 (08-06)			
1967	21 000 (08-11)	1 300 (08-10)	2 140 (08-10)	4 250 (08-10)			1 130 (08-10)
1967	14 900 (08-20)			3 370 (08-20)	2 170 (08-20)	1 940 (08-20)	
1967	14 800 (09-02)	2 160 (09-01)	2 070 (09-01)	6 500 (09-01)	1 000 (09-01)		1 630 (09-01)
1970	13 800 (08-02)	1 550 (08-02)	2 700 (08-01)	4 450 (08-02)	3 500 (08-02)	5 770 (08-02)	1 760 (08-02)
1971	14 300 (07-26)	4 950 (07-23)	2 430 (07-25)	13 500 (07-25)	2 760 (07-23)	1 400 (07-23)	1 770 (07-24)
1972	10 900 (07-20)	8 400 (07-19)		6 260 (07-19)			970 (07-20)
1976	10 600 (08-03)		2 330 (08-02)	14 000 (08-02)			
1977	13 600 (08-03)		10 300 (08-02)	8 480 (08-02)			
1979	13 000 (08-12)	4 660 (08-11)	2 310 (08-11)	6 300 (08-11)			
1988	10 200 (08-06)	6 790 (08-05)	2 880 (08-05)	3 190 (08-05)			
1994	10 600 (08-05)	1 500 (08-04)		6 060 (08-04)		1 130 (08-05)	3 220 (08-05)
1996	11 100 (08-10)	5 110 (08-09)	1 030 (08-08)	10 000 (08-09)			

注：表中括号内数据为日期(月-日)。

第一章　黄河中游暴雨洪水侵蚀产沙基本特征

黄河中游多沙粗沙区是我国水土流失最严重的地区，其主要特征是暴雨洪水侵蚀产沙强度大，同时其时空分布的集中性和多变性也十分突出。

一、强度大

河龙区间多年平均降水量为440.7 mm(1995年以前)，实测年径流量54.9亿m^3，实测年输沙量7.192亿t，多年径流系数和输沙模数分别约为0.11万t/(km^2·a)和0.64万t/(km^2·a)。而据部分支流次降雨量100 mm以上洪水产流产沙统计，洪水径流系数和侵蚀产沙模数最大可达0.6万t/km^2和5万t/km^2以上(见表1-1)，可见暴雨产流产沙强度之大。

表1-1　河龙区间部分支流大于100 mm暴雨产流产沙特征

河名	站名	控制面积(km^2)	洪水时段(年-月-日)	洪峰流量(m^3/s)	洪水径流模数(万m^3/km^2)	洪水输沙模数(万t/km^2)	相应面平均雨量(mm)	径流系数
黄甫川	黄甫	3 199	1959-07-29～31	2 500	1.88	1.31	105	0.18
黄甫川	黄甫	3 199	1959-08-03～06	2 900	3.77	1.68	121	0.31
孤山川	高石崖	1 263	1959-08-03～06	2 730	3.91	1.37	123	0.32
牸牛川	新庙	1 527	1976-08-02～04	4 290	4.95	1.59	104	0.48
孤山川	高石崖	1 263	1977-08-02～03	10 300	8.78	5.43	141	0.62
牸牛川	新庙	1 527	1989-07-21～23	8 150	6.88	1.35	138	0.50
黄甫川	黄甫	3 199	1989-07-21～24	11 600	4.33	1.97	102	0.42
清涧河	子长	913	2002-07-04	4 670	6.60	4.48	105	0.63

二、分布集中

黄河中游多沙粗沙区不仅侵蚀产沙量很大，而且产沙过程的集中程度也为其他地区所罕见。据人类活动影响较小时期(1969年前)的实测资料统计，年内最大1 d沙量占年沙量的28.9%，最大30 d沙量占年沙量的61.5%，汛期沙量占年沙量的97.6%(见表1-2)。大量研究成果表明，高强度、大面积暴雨的出现对黄河输沙量影响很大。

表1-2　多沙粗沙区17条支流各历时降雨量、径流量、泥沙量年内分配

项目	X_1/X_a	X_{30}/X_a	X_f/X_a
降雨量	10.8	37.5	73.5
径流量	10.5	33.0	62.9
输沙量	28.9	61.5	97.6

注：X_1、X_{30}、X_f、X_a分别为年均最大1 d、最大30 d、汛期(6～9月)和年降雨量(径流量、输沙量)。

三、复杂多变

由于降雨过程的多变性、水利水保措施的多样性和下垫面的复杂性，致使侵蚀产沙年际间多变，输沙量年际之间的波动幅度很大，其最大年输沙量为最小年输沙量的数十倍甚至数百倍。例如，窟野河最大 1 d 沙量的年际波动幅度高达 168.5 倍，该流域下游神木至温家川区间，1959 年的沙量高达 1.35 亿 t，而 1965 年的沙量仅为 18 万 t，两者相差达 750 倍。

第二章　典型支流水土保持措施对洪水的影响

黄河中游自然地理环境非常复杂，不同区域差别很大，本章分别选取位于河龙区间上、中、下段的黄甫川、窟野河和清涧河为典型进行分析。

一、典型支流概况

(一)黄甫川流域概况

黄甫川流域位于黄河中游河龙区间的上段，是黄河主要多沙粗沙支流之一，全长 137 km，流域面积 3 246 km^2，其中黄土丘陵沟壑区 918.3 km^2，覆沙黄土丘陵沟壑区 546.1 km^2，砒砂岩丘陵沟壑区 1 781.6 km^2。黄甫川流域的降雨多以暴雨形式出现，且降雨过程历时短、强度大，加之复杂的地形和粗细搭配的产沙，极易形成高含沙洪水。

该流域 20 世纪 50 年代就开展了水土流失治理工作，治理的主要特点一是前期治理速度慢、程度低，而后期发展较快；二是以林草措施为主，梯田、淤地坝等措施相对较少。20 世纪 70 年代以前，治理程度仅为 6.8%，相应的林草措施面积比(林草面积与治理面积的比)为 86.25%，其他工程措施仅为 13.75%；自从 1983 年黄甫川流域被列为国家重点治理支流以来，治理速度加快，至 1989 年治理程度为 17.3%，到 1997 年治理程度达到 28.2%，其中生物措施面积比为 88.36%，但工程措施面积比只有 11.64%，其中坝地面积比仅为 1.79%。

(二)窟野河流域概况

窟野河为黄河中游河龙区间右岸多沙粗沙支流，河长 241.8 km，流域面积为 8 076 km^2。流域内具有黄土丘陵、沙质丘陵、砾质丘陵三大地貌类型交错过渡的特征。该流域为黄河中游侵蚀产沙最严重地区之一，生态、环境脆弱，人类活动频繁，治理难度较大。截至 1989 年底，该流域有中型水库 1 座，小(一)型水库 8 座，总库容 4 501 万 m^3，治沟骨干工程 65 座，总库容 9 422.4 万 m^3，淤地坝 737 座，总库容 7 835 万 m^3，坝库合计总库容 21 758.4 万 m^3，治理程度为 17.4%。

(三)清涧河流域概况

清涧河流域位于黄河中游河龙区间下段右岸，发源于陕西省安塞县，流经子长县、清涧县和延川县，于延川县苏亚河汇入黄河，河长 167.8 km，平均比降 4.8‰，总面积 4 080 km^2，水土流失面积 4 006 km^2。流域位于黄土丘陵沟壑区第一副区，延川以上为梁峁丘陵区，属强度侵蚀类型区，大部分地区为荒山秃岭，植被稀少，水土流失严重。截至 1999 年底，流域内初步完成水土流失治理面积 1 199.4 km^2，其中梯田、水土保持林、人工种草的面积分别占治理面积的 14.98%、57.09%、9.34%，治理程度为 29.9%。

二、典型支流水保措施对洪水的影响

在特定的区域和一定的降水条件下，洪水特征将主要取决于下垫面条件。黄河中游受人类活动影响，主要是 20 世纪 70 年代以来实施的大量水土保持措施，使流域下垫面发生了比较明显的变化，必将影响降水—洪水关系，通过治理前、后对比，可以分析水保措施对洪水的影响。

图 2-1～图 2-3 分别是黄甫川、窟野河、清涧河流域次洪降雨量和产流量(洪量或径流深)关系，总体来看，产流量随降雨量的增大而增大，但关系散乱。如以 1970 年为治理前后的分界年份，可以看出，对于窟野河来说，降雨量大约小于 50 mm 时，1970 年以后的点据多数偏于下方，表现出水利水保措施有一定的减洪作用；降雨量大于 50 mm 时，1970 年前、后的点据混在一起，没有明显的单向变化趋势，看不出水利水保措施对洪水的影响。

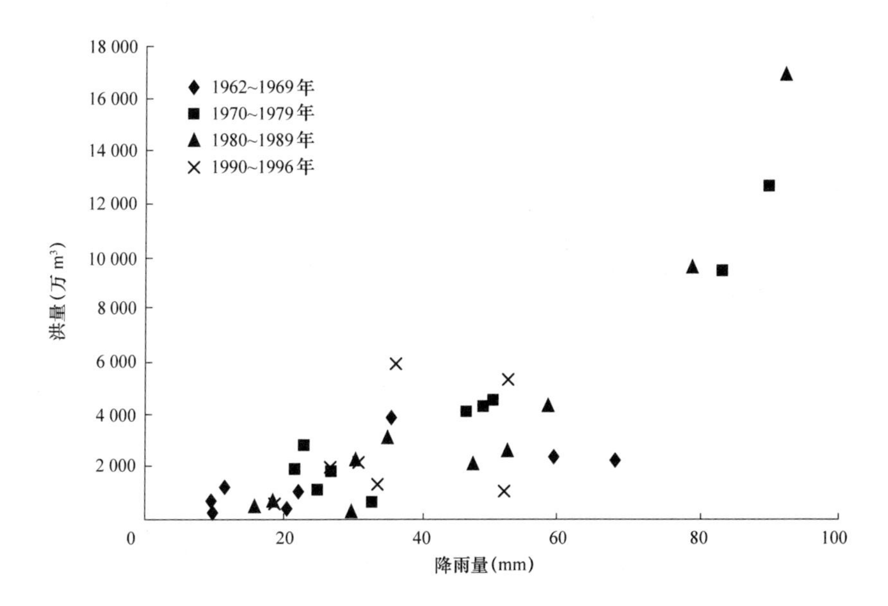

图 2-1 黄甫川流域次洪降雨量和产流量关系

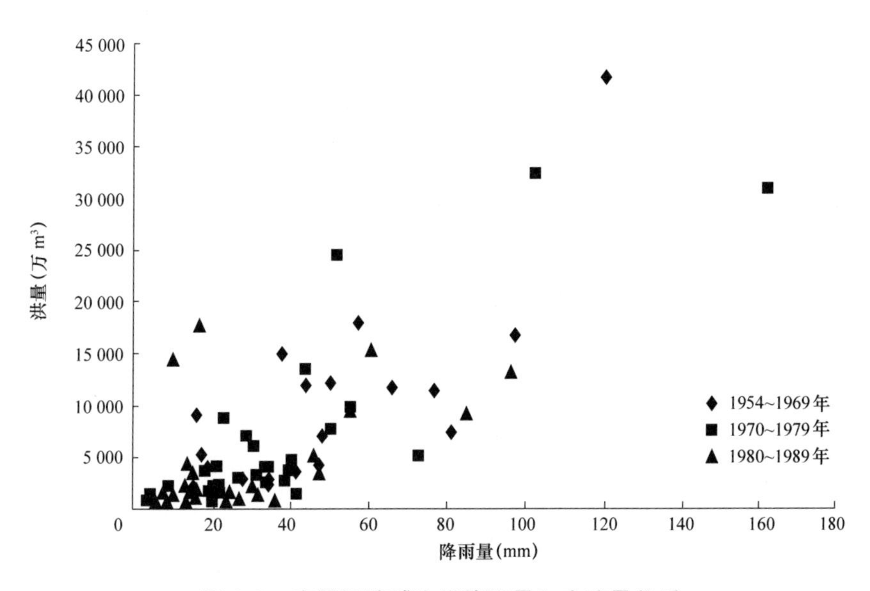

图 2-2 窟野河流域次洪降雨量和产流量关系

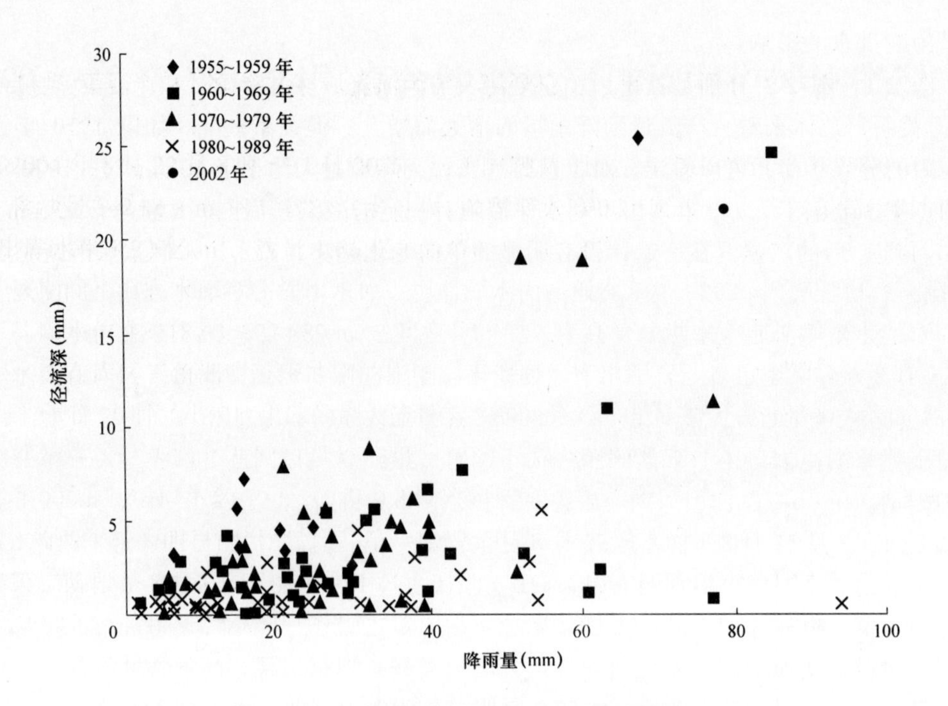

图 2-3　清涧河流域次洪降雨量和产流量关系

第三章　不同治理程度和措施配置对洪水的影响

根据统计，20 世纪 90 年代初，三川河流域治理程度已达 33.1%，比黄甫川流域同期高 10%以上。同时，措施配置体系也不尽相同，如三川河的工程措施面积比为 22.97%，比黄甫川同期多 20.17 个百分点；再者，三川河流域修建中型水库 2 座，小(一)型水库 2 座及小(二)型水库 5 座，控制面积达 708 km^2，占流域面积的 17.02%，其总库容为 3 312 万 m^3，而黄甫川流域主要在其支流十里长川有一些小型坝库，控制面积为 268 km^2，占流域面积的 8.36%，还难以起到显著的拦蓄作用。

图 3-1 为黄甫川流域日平均降雨量与洪峰流量关系，图 3-2 和图 3-3 分别为三川河流域最大日降雨量与洪量模数及洪峰模数关系。可见，无论是洪峰流量或洪量，在相同最大日降雨条件下，自 20 世纪 70 年代治理以来，三川河流域各年代的削峰效果不断增加，尤其在日降雨量约大于 35 mm 时，其削峰效果更为明显，而且，日降雨量约大于 50 mm 时，仍能起到削峰减洪作用。这与黄甫川流域反映的规律是不同的。根据分析，这种差异主要是由于两个流域的治理程度以及治理措施配置体系的不同所造成的。

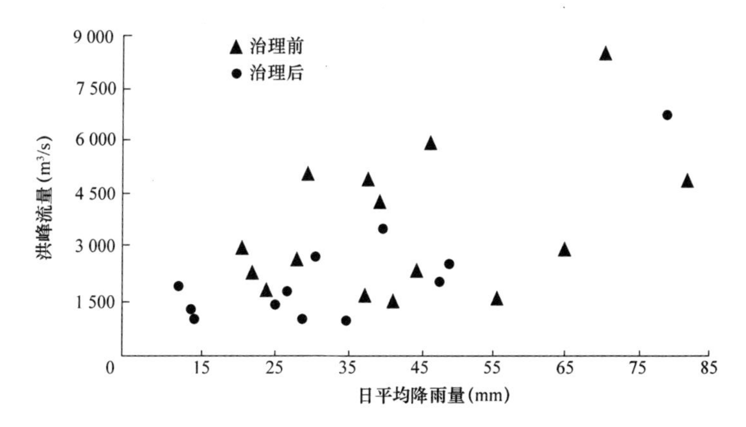

图 3-1　黄甫川流域日平均降雨量与洪峰流量关系

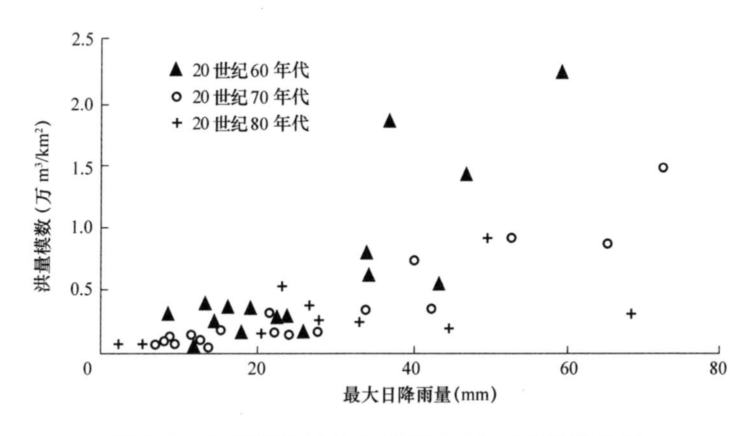

图 3-2　三川河流域最大日降雨量与洪量模数关系

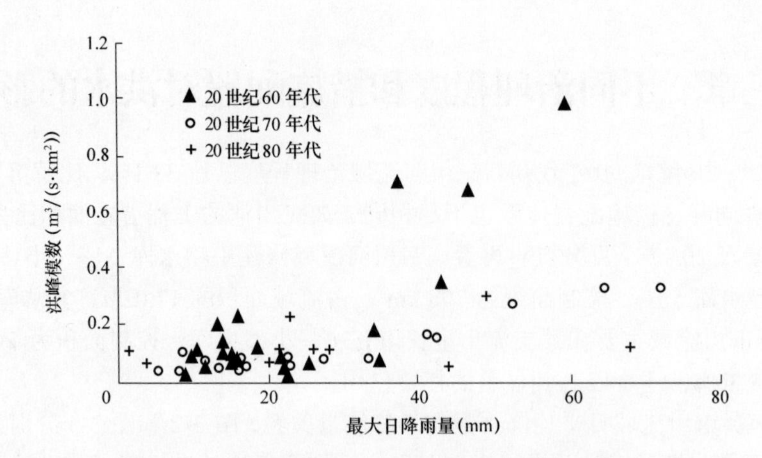

图 3-3　三川河流域最大日降雨量与洪峰模数关系

从而也可推知，生物措施仅在降雨量较低情况下才有可能起到一定的滞洪作用，要达到一定的蓄水效益，必须配置一定规模的工程措施(包括梯田、坝地、水库等)。从黄甫川和三川河的对比结果可作初步推论，坝库的控制面积不能低于 10%。若低于 10%，尽管其他措施治理程度较高，但对大暴雨洪水的控制作用仍不明显[1]。

第四章　典型支流水沙关系变化分析

黄土地区的产流模式主要为超渗产流，即当雨强小于下渗速率时，雨水主要用于下渗；当雨强大于下渗速率时，超过入渗速率部分的降水将滞留地表，达到一定的滞留量以后则可形成漫流。在漫流过程中同样会产生土壤入渗量和蒸散发现象。如遇到低洼地带后，首先形成填洼积水，洼地蓄满后则继续漫流或汇流。

坡面林草植被可以增加降水过程中的截留量，并因增加地表阻力而使地表滞留量和土壤入渗量增加，从而延长了入渗及蒸散发过程，增加了入渗量及蒸散发量，减缓了汇流过程；梯田对于改变地形、改良土壤有很大的作用，能够很好地拦蓄天然降水。这些因素促使了地表径流子过程之间的再分配，减小了坡面水流的冲刷作用，同时林草植被还可以降低雨滴对地表土壤的击溅作用，梯田可以增加土壤颗粒的稳定性，从而减少土壤侵蚀。

据有关小区试验资料和研究成果，坡面措施对产流产沙具有明显的影响作用，在此不再赘述。以下对较大流域在经过坡面治理加上库坝拦蓄作用下的水沙关系变化情况进行分析。

图 4-1～图 4-3 分别是黄甫川、窟野河、清涧河流域年降水量、年径流量和年输沙量变化过程，可以看出，除个别年份年径流量和年输沙量相对偏大外(以年降水量为基础)，如黄甫川 1972 年、1979 年、1988 年，窟野河 1966 年和 1976 年，清涧河 1977 年，总的趋势是年径流量和年输沙量变化与年降水量变化具有很好的一致性。

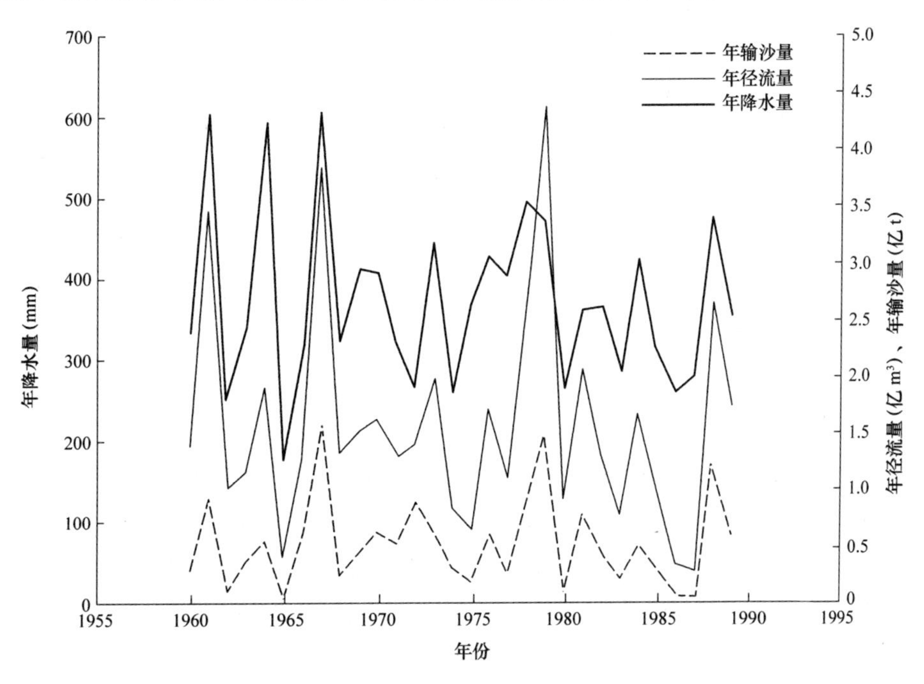

图 4-1　黄甫川流域年降水量、年径流量、年输沙量变化过程

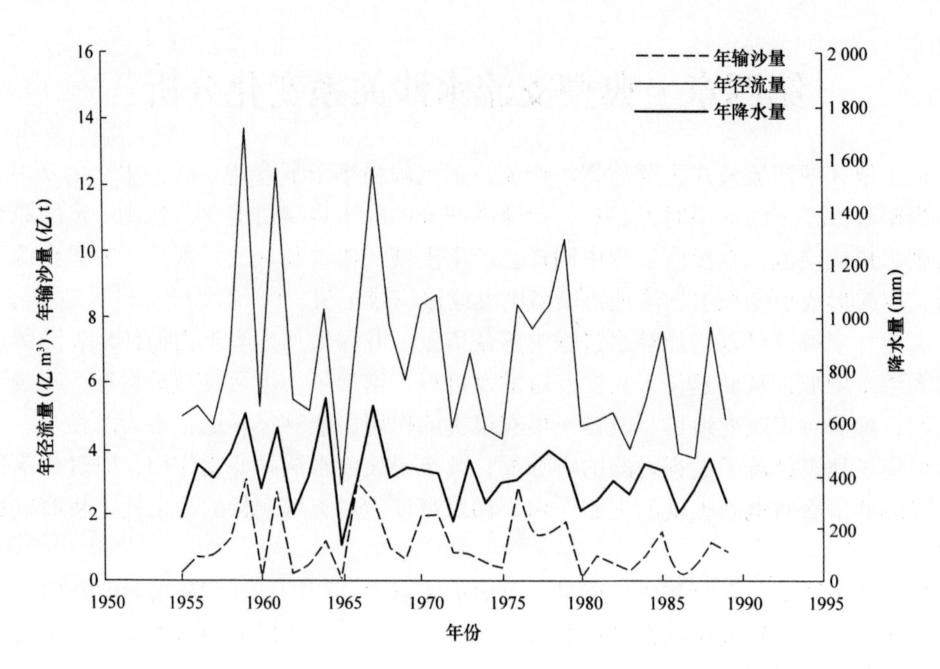

图 4-2 窟野河流域年降水量、年径流量、年输沙量变化过程

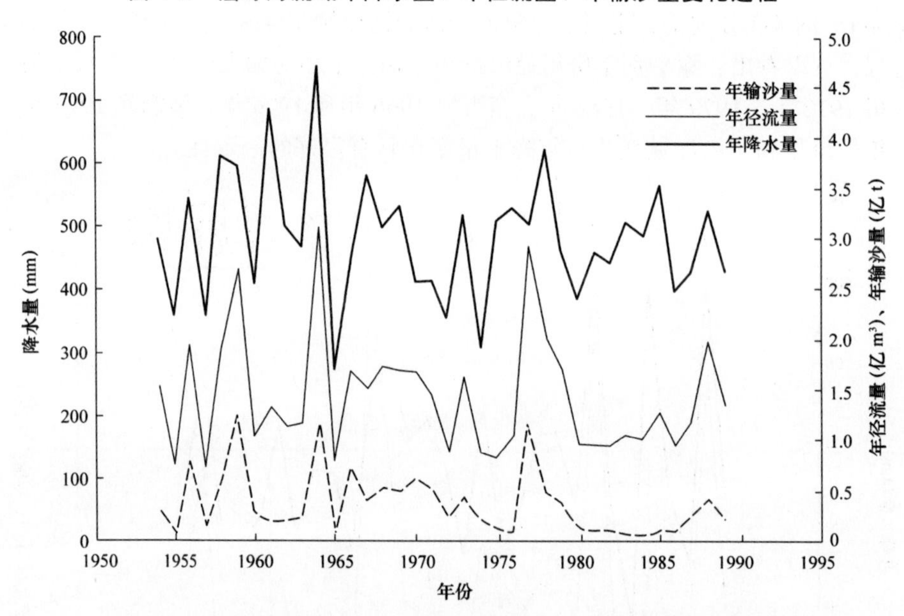

图 4-3 清涧河流域年降水量、年径流量、年输沙量变化过程

经分析，年径流量和年输沙量相对偏大，主要是由于高强度大暴雨所造成的。如窟野河流域 1976 年 7 月 27～28 日、8 月 1～3 日两次普降暴雨，最大 24 小时降雨量为 207.9 mm，最大 1 小时降雨量为 51.7 mm。温家川站 8 月 2 日输沙量高达 17 600 万 t，占全年沙量的 61%，两次洪水水量占全年水量的 42%，沙量占 90.6%。清涧河 1977 年 7 月 5 日有大范围降雨，寺湾、子长、马家砭、曹家坪的日降雨量均在 100 mm 以上，延川站日均流量达 719 m^3/s，日均输沙率为 489 t/s。1988 年 8 月 3～5 日，黄甫川流域普降暴雨，降雨量呈均匀分布，3 d

降雨量各站均在 100 mm 以上，大部分雨量居历史第二位，二道河湾雨量为历史资料之首。其中，8 月 4 日暴雨中心纳林川的奎洞布拉站降雨量达 114 mm，中心区沙圪堵、古城等站的日降雨量均在 90～100 mm 之间。据调查，该日下午 2 时左右，忽鸡图沟白家渠最大 1 h 降雨量达 60 mm。该流域 1988 年、1979 年、1972 年最大 24 h 洪量分别排第 1、2、4 位，相应洪水降雨量分别排第 1、2、3 位(见表 4-1)。

表 4-1　黄甫川实测大洪水特征值

日期 (年-月-日)	降雨量 (mm)	洪量 (万 m^3)	洪峰 流量 (m^3 / s)	输沙量 (万 t)	平均 含沙量 (kg / m^3)	最大 含沙量 (kg / m^3)	径流系数
1971-07-23	46.3	3 970	4 950	3 160	796	1 250	0.27
1972-07-19	83.2	9 460	8 400	8 200	867	1 210	0.36
1978-08-07	50.4	4 630	4 120	2 710	585	1 110	0.29
1979-08-10	89.7	12 600	4 960	6 270	497	1 400	0.44
1981-07-21	34.8	2 540	5 120	1 900	748	1 220	0.24
1988-08-05	92	14 600	6 790	9 070	621	1 000	0.50
1989-07-21	79	9 850	11 600	4 830	490	1 850	0.39
1992-08-08	60.2	5 330	4 700	2 860	537	1 080	0.28
1996-08-09	39.6	5 890	5 110	3 630	616	1 190	0.46
2003-07-30	67.5	5 170	6 500	1 430	277	517	0.24

从黄甫川、窟野河和清涧河流域年输沙量—年径流量关系(见图 4-4～图 4-6)可以看出，清涧河流域治理后(1970 年以后)，中小水年份输沙量相对略有减少，大水年份仍然是大沙年；窟野河流域治理后，多数年份输沙量还相对略有增加，其原因主要与该流域大量开矿等人类活动造成人为水土流失有关。但总体来看，除个别发生高强度大暴雨且降雨量高度集中的年份外(如前述)，治理前后年输沙量和年径流量关系没有发生大的趋势性变化。

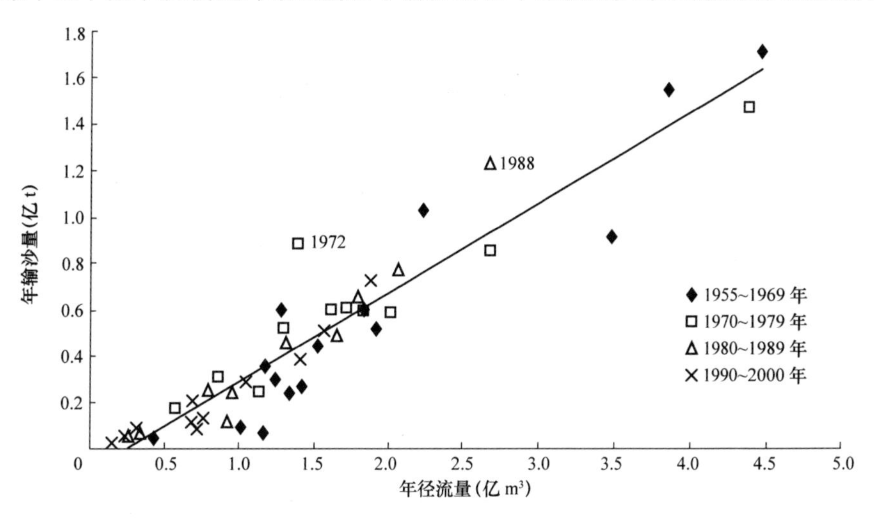

图 4-4　黄甫川流域年输沙量—年径流量关系

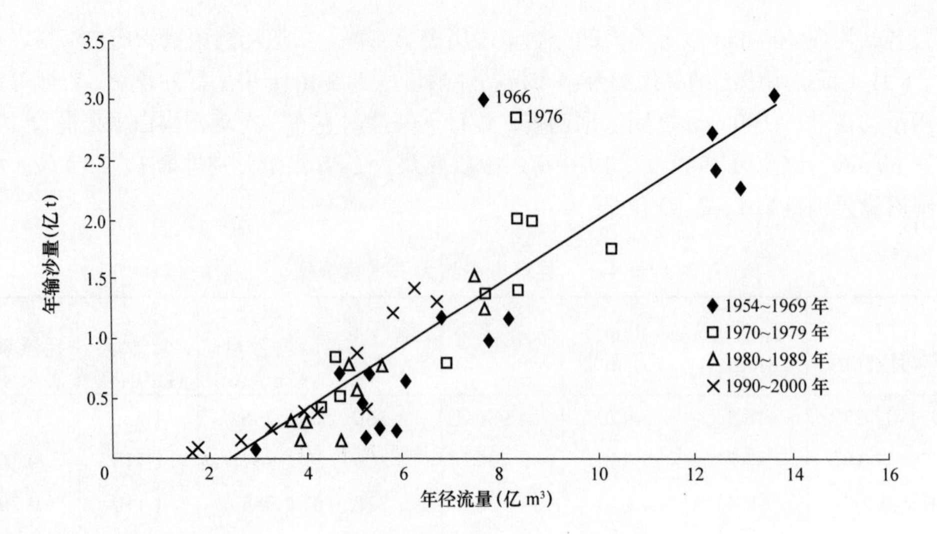

图 4-5 窟野河流域年输沙量—年径流量关系

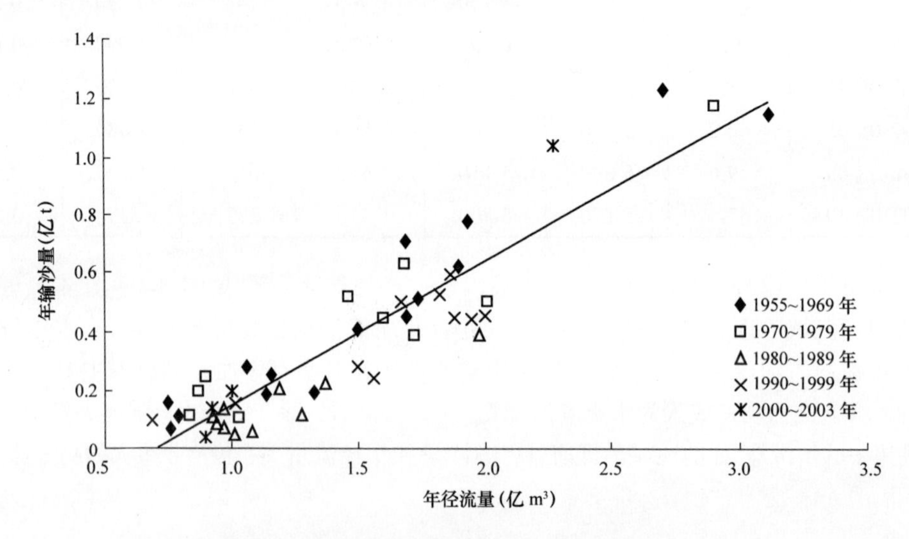

图 4-6 清涧河流域年输沙量—年径流量关系

第五章　水土保持措施对输沙粒径的影响

一、坝地淤积物粒径空间变化规律初步分析

淤地坝具有巨大的拦蓄泥沙的能力，同时，根据淤地坝对水流条件的改变和泥沙运动力学理论，淤地坝对拦蓄泥沙粒径的空间变化和进入下游河道的粒径组成应具有一定的影响。本章根据坝地淤积物钻探取样资料，对淤积物粒径空间变化规律进行了初步分析。

(一)取样点分布范围及取样方法

1.取样点分布范围

本次共获得54座淤地坝坝地淤积物钻探取样资料，主要集中在以0.05 mm为粗泥沙界限且粗泥沙模数大于2 500 t/(km^2·a)为指标划定的粗泥沙集中来源区，面积约5.82万km^2。

2.取样方法

每座淤地坝布设2个钻孔，即沿坝地中泓线(避开溢洪道)在坝前和坝尾分别钻孔取样，钻孔深度为2.5 m，每0.5 m取1个样(混合)，以5个样颗粒级配的算术平均值作为每一钻孔的级配结果。

(二)坝地淤积物粒径分析

1.资料合理性分析

根据54座淤地坝取样颗分资料，坝尾淤积物平均粒径大于坝前的有46座，占85.2%；小于坝前的有8座，其中有3座相对差值大于10%，其余为3%左右。经分析，造成坝前淤积物明显比坝后粗的原因，可能是土样代表性较差或受到人为因素的影响，如14取样点坝前淤积物平均粒径约是坝尾的2倍，并且坝前淤积物最大粒径达4 mm以上，而坝尾则没有，2～4 mm的粒径也只占0.18%，应视为不合理现象。因此，在以下进行坝地淤积物粒径空间变化分析中，排除了3座淤地坝资料。

2.坝地淤积物粒径空间变化

图5-1是51座淤地坝平均颗粒级配曲线，由图5-1可以看出，坝前淤积物颗粒级配曲线位于下方。同时，根据级配资料，坝前和坝尾淤积物中值粒径分别为0.053 mm和0.071 mm，平均粒径分别为0.072 mm和0.135 mm。由此可见，坝前淤积物颗粒组成小于坝尾。

图5-2是坝前和坝尾不同粒径级所占比例变化情况，可以看出，对于小于0.1 mm的泥沙所占比例，坝前大于坝尾；大于0.1 mm的泥沙所占比例，坝前小于坝尾。需要说明的是，0.1 mm这一界限是对51座淤地坝粒径资料进行平均得出的结果，对于不同区域、不同坝地，由于来水来沙条件和受坝地制约的水流边界条件不一样，其结果会存在差异。

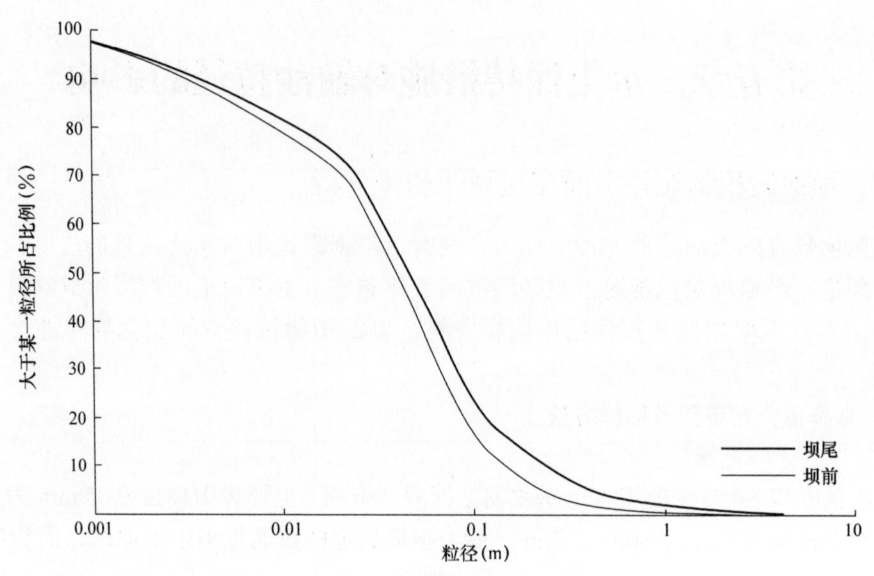

图 5-1　坝前、坝尾淤积物粒径级配曲线

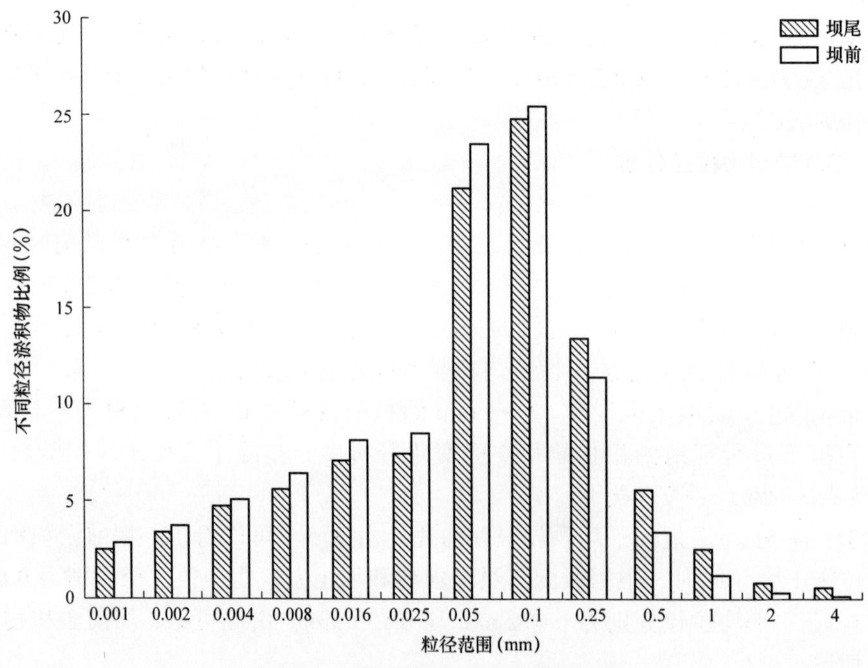

图 5-2　不同粒径淤积物比例变化图

3.不同泥沙粒径组成条件下坝前、坝尾泥沙粒径对比分析

1)坝前、坝尾泥沙粒径级配对比

根据泥沙运动规律，泥沙的落淤不仅与水流条件有关，还与泥沙粒径组成有关。若以坝尾淤积泥沙平均粒径(D_w)代表来沙粒径情况，则根据本次钻探取样资料分析知，D_w 在 0.04～0.551 mm 之间，其中 D_w>0.4 mm 的淤地坝只有 1 座。据此，以 D_w≤0.05 mm、0.05～0.1 mm、0.1～0.2 mm、0.2～0.3 mm、≥0.3 mm 分组，对不同泥沙粒径组成条件下

坝前、坝尾泥沙粒径进行对比分析。

图 5-3～图 5-7 分别是 D_w≥0.3 mm、0.2～0.3 mm、0.1～0.2 mm、0.05～0.1 mm、≤0.05 mm 坝前、坝尾泥沙粒径级配曲线。经对比可以看出：在 D_w≥0.3 mm 的情况下，坝前、坝尾泥沙粒径级配差别较大，坝前泥沙粒径明显小于坝尾；随着 D_w 的减小，坝前、坝尾泥沙粒径级配差别越来越小；当 D_w≤0.05 mm 时，两条级配曲线几乎重叠，说明坝前、坝尾泥沙粒径无明显差别。

2）坝前、坝尾泥沙中值粒径和平均粒径对比

表 5-1 是不同泥沙粒径组成条件下坝前、坝尾泥沙中值粒径和平均粒径对比情况。可以看出，对于不同的淤地坝，随着泥沙粒径的变细，坝前、坝尾泥沙中值粒径和平均粒径的差别均明显减小。

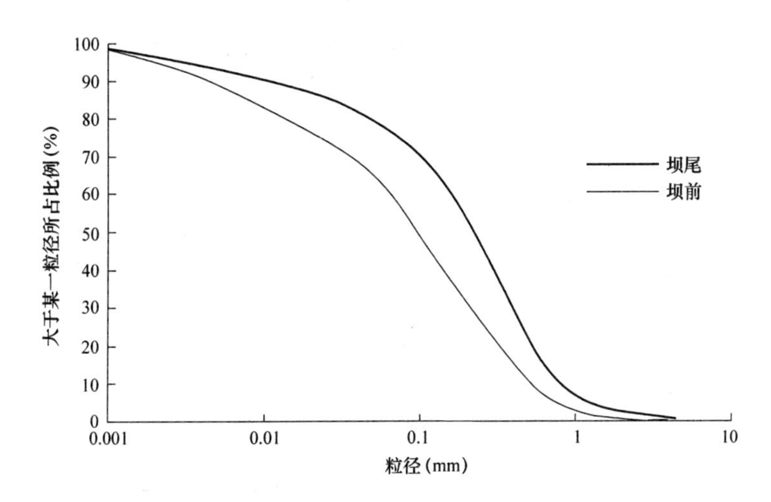

图 5-3 泥沙粒径级配曲线（D_w≥0.3 mm）

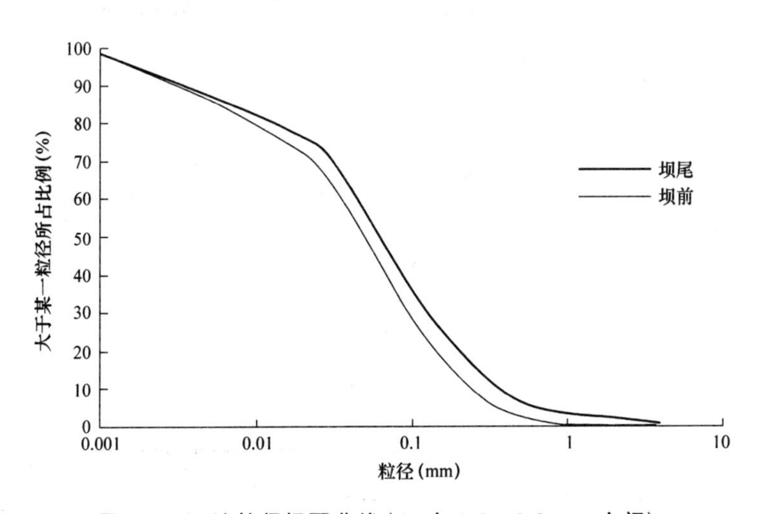

图 5-4 泥沙粒径级配曲线（D_w 在 0.2～0.3 mm 之间）

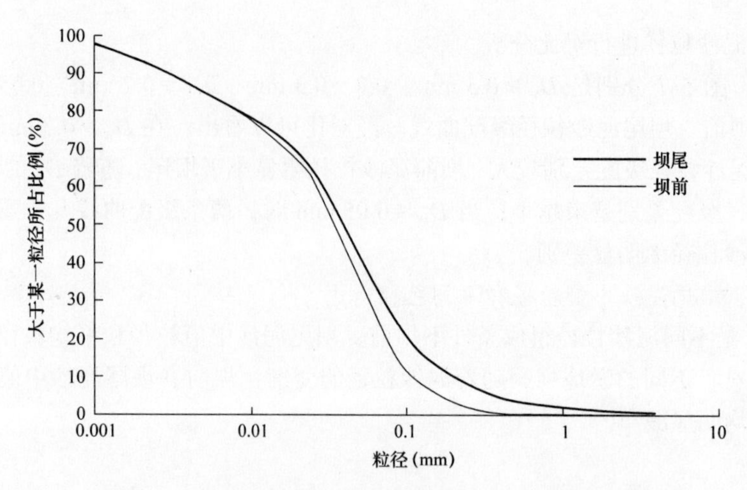

图 5-5　泥沙粒径级配曲线(D_w在 0.1～0.2 mm 之间)

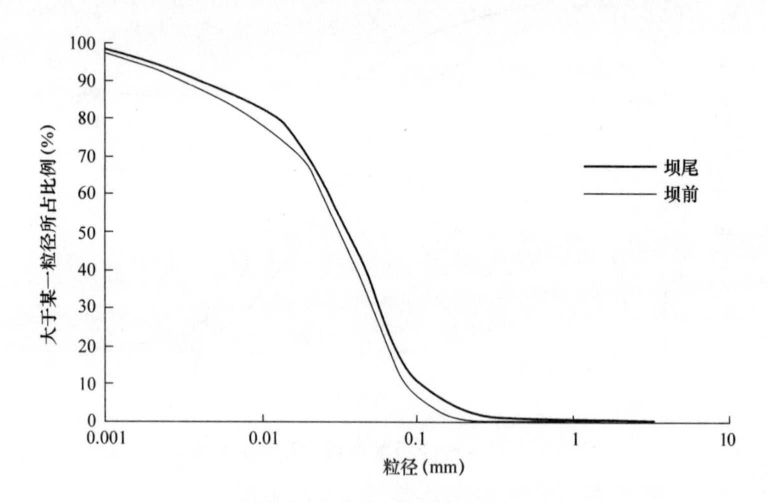

图 5-6　泥沙粒径级配曲线(D_w在 0.05～0.1 mm 之间)

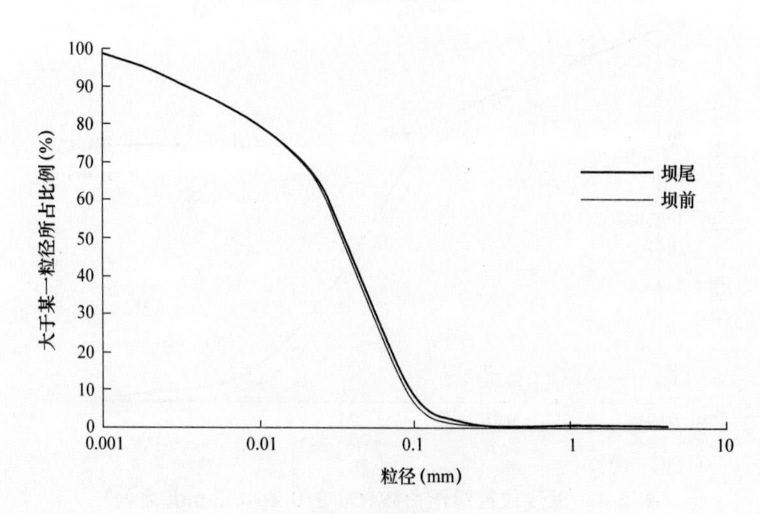

图 5-7　泥沙粒径级配曲线(D_w≤0.05 mm)

表 5-1　不同泥沙粒径组成条件下坝前、坝尾泥沙中值粒径和平均粒径对比

坝尾平均粒径(mm)	中值粒径(mm)			平均粒径(mm)		
	坝尾	坝前	坝尾–坝前	坝尾	坝前	坝尾–坝前
≥0.3	0.234	0.123	0.111	0.381	0.210	0.171
0.2～0.3	0.089	0.070	0.019	0.234	0.093	0.141
0.1～0.2	0.052	0.041	0.011	0.127	0.053	0.074
0.05～0.1	0.044	0.039	0.005	0.065	0.047	0.018
≤0.05	0.035	0.034	0.001	0.043	0.040	0.003

注：中值粒径和平均粒径分别是某一组坝地算术平均值。

3)不同支流对比

图 5-8、图 5-9 分别是黄甫川和无定河流域坝前、坝尾泥沙级配曲线，可以看出黄甫川流域坝前泥沙粒径细化较明显，说明坝地对泥沙粒径的分选作用较大。分析其原因，主要是黄甫川流域砒砂岩面积比重大，侵蚀产沙粒径粗，多年(1966～1997 年)输沙平均粒径为 0.16 mm，而无定河流域地面以黄土为主，多年(1966～1997 年)输沙平均粒径仅为 0.05 mm。这一结论与上述 1)、2)部分得出的结论完全一致。

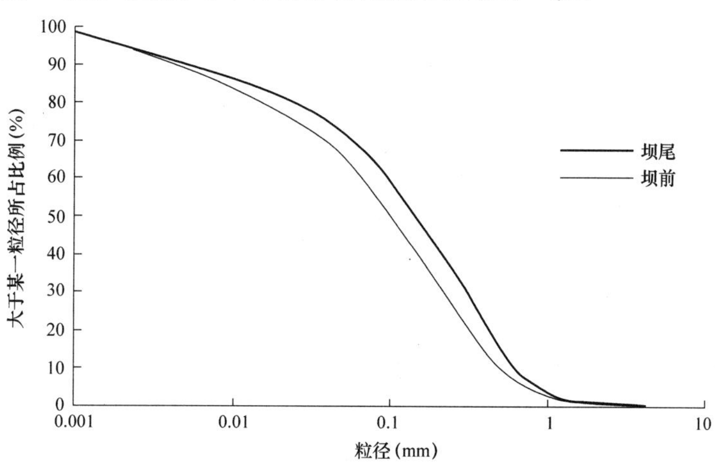

图 5-8　黄甫川泥沙粒径级配曲线

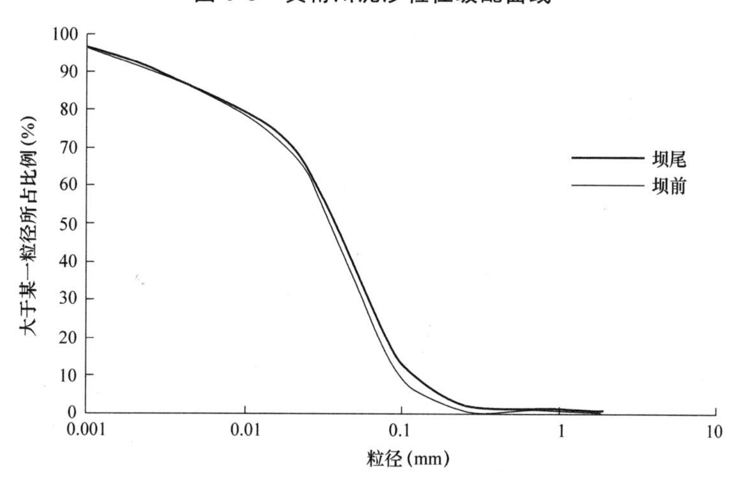

图 5-9　无定河泥沙粒径级配曲线

(三)小结

通过以上分析，可得出如下结论：

(1)淤地坝对泥沙具有分选作用。根据对坝前、坝尾泥沙粒径分析，坝前泥沙粒径小于坝尾，而且，泥沙粒径越粗，坝前、坝尾差别越大，分选越明显。

(2)淤地坝具有淤粗排细的功能。在淤地坝对泥沙的分选作用下，到达坝前的泥沙粒径小于坝尾，对于排洪运行的淤地坝，排出的泥沙粒径也就相对较细，从而起到了淤粗排细的作用。

(3)在粗泥沙产沙区淤地坝能够起到更好的淤粗排细作用。

因此，加快淤地坝建设，特别是在粗泥沙集中来源区建设淤地坝，将会有效减少入黄粗泥沙。

二、水土保持措施对输沙粒径变化的作用分析

(一)淤地坝对减少入黄粗泥沙起主要作用

黄河泥沙主要来源于中游，其中河龙区间又是粗泥沙主要来源区。在河龙区间的诸多支流中，以黄甫川、窟野河、无定河 3 条支流对黄河泥沙的贡献最大。3 条支流水文站控制流域面积合计为 4.15 万 km^2，占河龙区间总面积的 37%，多年平均(1956～1996 年)输沙量占到河龙区间多年平均(1950～1996 年)输沙量的 40%，多年平均粗泥沙输沙量占到 45%。其中又以窟野河和黄甫川为甚，两条支流面积合计 1.18 万 km^2，仅占河龙区间面积的 11%，其多年平均粗泥沙输沙量却占到河龙区间的 27%。长期以来，对于该区域的水土流失治理备受人们关注，特别是 20 世纪 70 年代以来，大规模的综合治理取得了很好的减沙效益。根据典型支流淤地坝拦沙量计算成果(见表 5-2)：在黄甫川、窟野河、

表 5-2　典型支流淤地坝拦沙量计算成果

河流	时段	年输沙量(万 t)	粗泥沙比例(%)	年粗泥沙量(万 t)	淤地坝减沙量(万 t)	淤地坝减粗泥沙量(万 t)	淤地坝减沙量占水保减沙量(%)	淤地坝减沙量占年输沙量(%)
黄甫川	1954～1969	6 180	49.9	3 080	47	23	40.7	0.8
	1970～1979	6 245	51.2	3 200	189	97	43.3	3.0
	1980～1989	4 280	48.6	2 080	580	282	57.2	13.6
	1990～1996	3 030	43.7	1 320	970	424	64.2	32.0
窟野河	1956～1969	12 860	41.2	5 300	104	43	55.8	0.8
	1970～1979	13 990	42.8	5 990	299	128	52.9	2.1
	1980～1989	6 710	50	3 355	301	151	42.1	4.5
	1990～1996	8 330	45.1	3 760	602	272	42.9	7.2
无定河	1956～1969	21 500	33.2	7 140	1 130	375	76.7	5.3
	1970～1979	11 600	36.4	4 220	4 810	1 750	84.1	41.5
	1980～1989	5 270	31.4	1 655	2 750	864	62.5	52.2
	1990～1996	9 730	25.8	2 510	1 280	330	32.9	13.2
三川河	1969 年以前	3 840	18.5	710	117	22	68.8	3.0
	1970～1979	1 830	19.8	362	641	127	85.1	35.0
	1980～1989	964	17.4	168	896	156	74.9	92.9
	1990～1996	1 080	12	130	827	99	67.2	76.6

无定河和三川河等支流中，20 世纪 70 年代和 80 年代淤地坝拦沙量分别占水保措施拦减泥沙总量的 42%～85%，90 年代部分支流淤地坝拦沙量有所减少，但仍占水保措施拦减泥沙总量的 33%～67%。同时，根据前述分析，淤地坝具有一定的淤粗排细的作用，可见，淤地坝拦沙在水保措施减少入黄粗泥沙中起主要作用。

（二）治理前后输沙粒径对比分析

通过对河龙区间主要支流输沙粒径资料分析，可以发现治理前后输沙粒径发生了比较明显的变化（见图 5-10）：在主要支流中，除窟野河外，其他支流治理后泥沙中值粒径和平均粒径均比治理前小，可见，水土保持措施有使输沙粒径变细的作用。但应该看到，河龙区间总出口龙门站的输沙粒径在治理前、后变化不大，说明在目前的治理条件下，还不能使黄河干流泥沙粒径产生根本性变化。

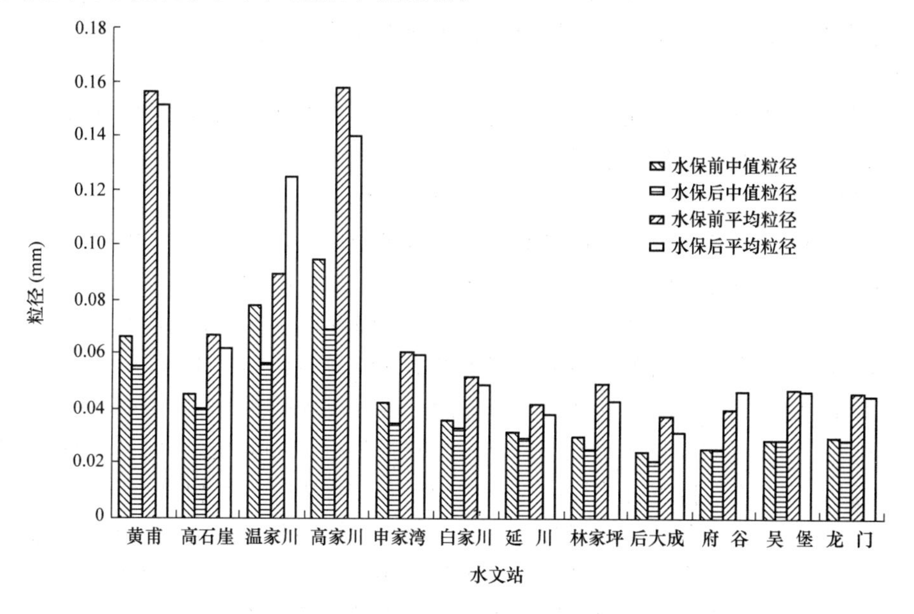

图 5-10　河龙区间实施水保治理前后泥沙粒径变化情况

第六章 结论与建议

⑴淤地坝对泥沙具有分选作用，对于排洪运行的淤地坝，可以起到淤粗排细的作用。

⑵在粗泥沙产沙区淤地坝能够起到更好的淤粗排细作用，应加快淤地坝建设，特别是在粗泥沙集中来源区建设淤地坝，将更有效地减少入黄粗泥沙。

研究表明，泥沙粒径越粗，坝前、坝尾差别越大，分选越明显。从黄甫川和无定河流域内坝前、坝尾泥沙粒径对比分析也可以看出，产沙粒径较粗的黄甫川流域内坝前泥沙粒径细化比无定河流域明显，说明在粗泥沙产沙区淤地坝能够起到更好的淤粗排细作用。因此，在粗泥沙集中来源区建设淤地坝，不仅可以减少入黄泥沙的绝对量，而且可以在一定程度上使输沙粒径细化，从而将有效减少入黄粗泥沙，以利于有效减少下游河道淤积。

⑶在目前治理条件下，黄河中游大部分地区水土保持措施对暴雨洪水的控制能力有限，特别对于大暴雨洪水难以起到控制作用。

根据黄甫川、窟野河、清涧河等典型支流水土保持措施对洪水的影响分析，降雨量大约小于 50 mm 时，水土保持措施具有一定的减洪作用；降雨量大于 50 mm 时，水土保持措施对洪水的影响不明显。经分析，水土保持措施的作用不仅与流域的治理程度有关，而且与措施配置有关。三川河流域由于工程措施比例较大，当降雨量约大于 50 mm 时，仍能起到削峰减洪作用。从黄甫川和三川河的对比结果可作初步推论，若坝库的控制面积低于 10%，尽管其他措施治理度较高，但对大暴雨洪水的控制作用仍不明显。

⑷多沙粗沙区的水土保持措施应以淤地坝建设为重点，同时合理配置坡面治理措施。

在黄河中游水土保持生态建设中，要正确处理工程措施、生物措施和耕作措施的关系。以淤地坝为主的工程措施、以林(草)为主的生物措施和以改进生产方式为主的耕作措施，都是治理水土流失的重要措施，三者相辅相成，互为补充。单独搞淤地坝工程，没有退耕还林等生物措施，坡面侵蚀难以控制，淤地坝的“生存”将面临严峻挑战，坡面治理措施大见成效后，可使一些大中型淤地坝长期保持有效库容，延长使用寿命；同样，离开工程单纯搞退耕还林，不仅林草生长所需的水分得不到保证，而且老百姓的吃饭问题也难以有效解决，“越穷越垦、越垦越穷”的恶性循环就难以改变。因此，要把林草措施作为淤地坝建设的配套工程，以淤地坝建设巩固退耕还林成果，工程措施、生物措施和耕作措施并举，最终达到综合治理的目的。

第三专题　2004 年三门峡库区冲淤变化

2004 年潼关站入库水沙量偏枯，最大洪峰流量仅 2 300 m^3/s。水库非汛期最高蓄水位继续控制在 318 m 以下，汛期平水期水位控制在 305 m 以下，汛初和 8 月份进行了两次敞泄运用。本专题在分析 2004 年入库水沙和水库运用特点的基础上，对三门峡水库的冲淤变化特点和潼关高程演变进行了分析；针对万家寨水库运用以来削减了桃汛洪峰，不利于桃汛期潼关高程下降的情况，对万家寨水库桃汛运用方式提出优化建议。

第一章 入库水沙条件

一、水沙量

2004 运用年(2003 年 11 月 1 日～2004 年 10 月 30 日,下同)潼关站来水量 209 亿 m^3,来沙量 3.17 亿 t(见表 1-1)。与 1974～2003 年多年平均相比,水量减少 100 亿 m^3,减幅为 32%;沙量减少 5.24 亿 t,减幅为 62%。与近期 1993～2003 年相比,水量减少 12 亿 m^3,减幅为 5%;沙量减少 3.51 亿 t,减幅为 53%。无论与多年均值相比还是与近期相比,2004 年水沙量均有减少,并且沙量的减幅大于水量的减幅,所以 2004 年是枯水少沙年。

表 1-1 潼关站时段平均水沙量

时段		非汛期		汛期		全年	
		水量(亿 m^3)	沙量(亿 t)	水量(亿 m^3)	沙量(亿 t)	水量(亿 m^3)	沙量(亿 t)
1974～1979		162	1.71	225	11.15	387	12.86
1980～1985		168	1.51	247	6.55	415	8.06
1986～1992		157	2.06	133	5.54	290	7.60
1993～2003		120	1.59	100	5.09	221	6.68
1974～2003		147	1.71	162	6.70	309	8.41
2004		134	0.84	75	2.33	209	3.17
2004 年较时段平均偏丰(+)偏枯(-)百分数(%)	1993～2003	12	-47	-25	-54	-5	-53
	1974～2003	-9	-51	-54	-65	-32	-62

年水量的减少主要是汛期来水量的减少,汛期来水量为 75 亿 m^3,较 1974～2003 年和 1993～2003 年均值分别减少了 87 亿 m^3 和 25 亿 m^3,减幅分别为 54%和 25%,占年水量减少值的 87%和 208%;非汛期来水量 134 亿 m^3,较 1974～2003 年减少了 13 亿 m^3,减幅为 9%,较 1993～2003 年增加了 14 亿 m^3,增幅为 12%。

汛期和非汛期沙量同步减小,但年沙量的减少主要在汛期。汛期来沙量 2.33 亿 t,较 1974～2003 年和 1993～2003 年均值分别减少了 4.37 亿 t 和 2.76 亿 t,减幅分别为 65%和 54%,占年沙量减少值的 83%和 79%;非汛期来沙量 0.84 亿 t,较 1974～2003 年和 1993～2003 年分别减少了 0.87 亿 t 和 0.75 亿 t,减幅分别为 51%和 47%,占年沙量减少值的 17%和 21%。

非汛期来水量较大的月份有 11 月和 3 月,两月共计来水量 52 亿 m^3(见表 1-2),占非汛期来水量的 38.8%;来沙量也以 11 月和 3 月居多,共计 0.42 亿 t,占非汛期来沙量的 50%。汛期来水量主要集中在 8 月和 9 月,两月共计来水 45 亿 m^3,占汛期来水量的 60%;来沙量主要集中在 8 月,为 1.65 亿 t,占汛期来沙量的 70.8%。潼关站全年流量、含沙量过程见图 1-1。

表 1-2　2004 运用年潼关站各月水沙量

时段	非汛期								汛期			
月份	11	12	1	2	3	4	5	6	7	8	9	10
水量(亿 m³)	27	19	11	18	25	14	9	11	13	22	23	17
沙量(亿 t)	0.24	0.15	0.06	0.11	0.18	0.04	0.02	0.04	0.33	1.65	0.24	0.11

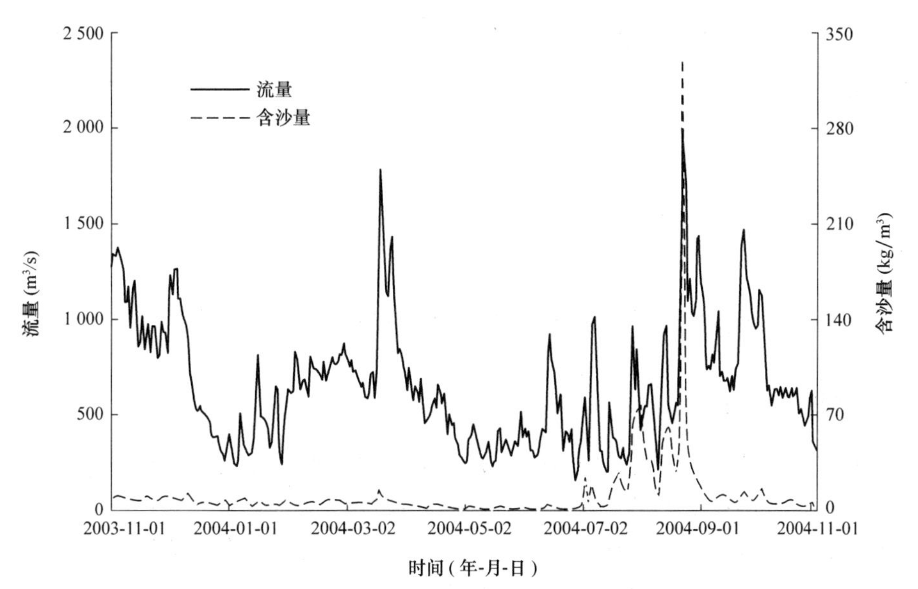

图 1-1　2004 年潼关站流量、含沙量过程

二、桃汛水沙特点

2004 年桃汛期间(3 月 18～27 日)潼关站水量 12 亿 m³，沙量 0.11 亿 t，平均流量为 1 340 m³/s，平均含沙量为 9 kg/m³，洪峰流量为 1 900 m³/s(见表 1-3)。与以往各时段相比水量相近，但沙量减小较多，减小了 0.04 亿～0.15 亿 t，减幅在 27%～58%之间。2004 年潼关站桃汛水沙过程及史家滩水位变化见图 1-2。

表 1-3　潼关站桃汛特征值

时段	天数(d)	水量(亿 m³)	沙量(亿 t)	洪峰流量(m³/s)	平均流量(m³/s)	平均含沙量(kg/m³)
1974～1979	11	12	0.16	1 470～3 100	1 317	14
1980～1985	11	13	0.15	1 960～2 840	1 344	11
1986～1992	10	12	0.17	1 460～2 890	1 466	14
1993～2003	13	14	0.26	1 120～3 160	1 314	19
2004	10	12	0.11	1 900	1 340	9

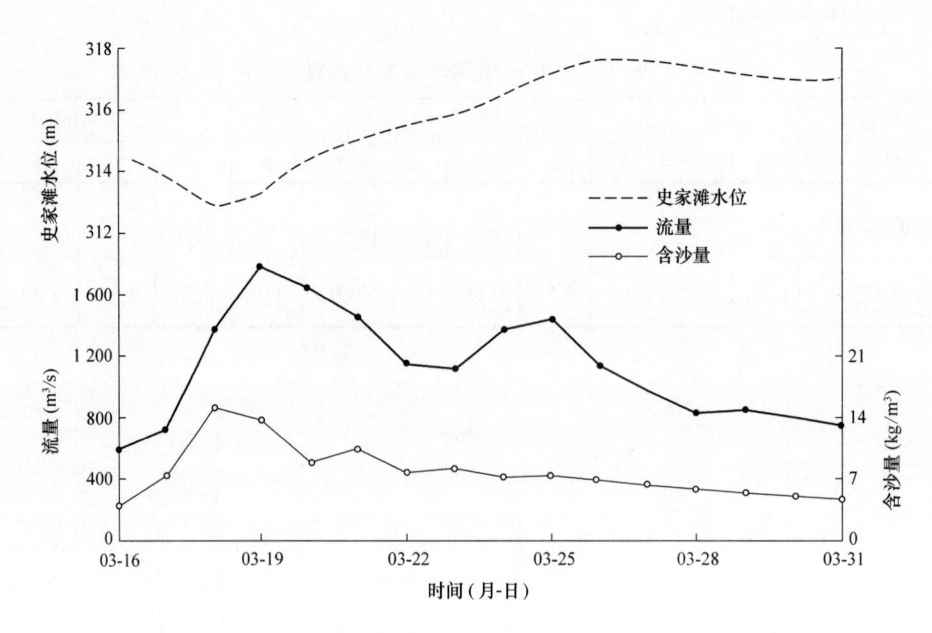

图 1-2 2004 年潼关站桃汛水沙过程及史家滩水位变化

三、汛期洪水特点

汛期水量偏枯的原因主要是上游干支流来水少，特别是洪水场次少、洪峰流量小，如图 1-3 所示。如龙门站最大日平均流量不超过 1 500 m^3/s，多为 1 000 m^3/s 的小洪水。渭河华县站日均流量大于 500 m^3/s 的天数只有 5 d。潼关站洪峰流量大于 2 000 m^3/s 的洪水仅有一场(8 月 21～26 日)，称为“04 · 8”洪水。该场洪水以渭河高含沙洪水为主，汇合龙门小洪水而成。华县站最大日平均流量为 819 m^3/s(8 月 22 日)，最大日均含沙量

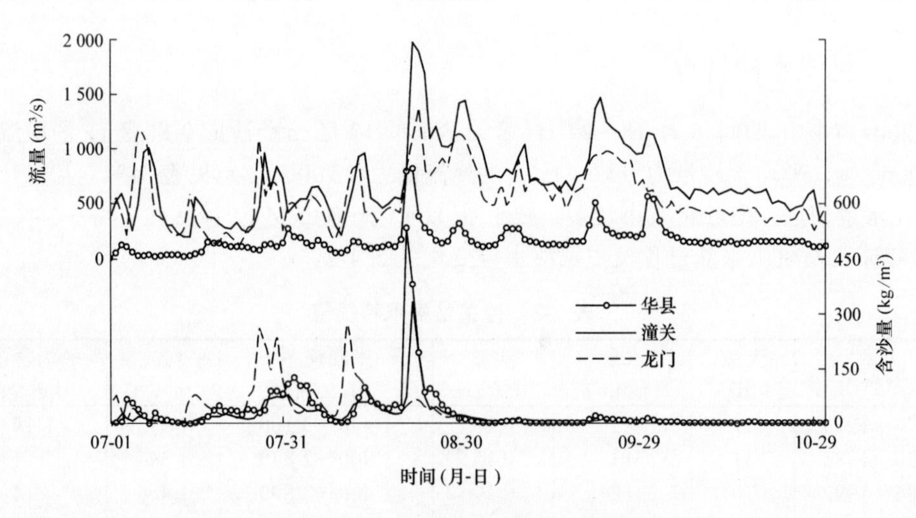

图 1-3 2004 年汛期水沙过程

为 536 kg / m³(8 月 21 日)，龙门最大日均流量为 1 380 m³ / s(8 月 23 日)，最大日均含沙量为 65 kg / m³(8 月 23 日)，组成潼关站洪水。潼关最大日均流量为 1 960 m³ / s(8 月 22 日)，最大日均含沙量为 332 kg / m³(8 月 22 日)，见表 1-4，洪峰流量 2 300 m³ / s，最大含沙量 366 kg / m³。洪水期间华县来水量 2.3 亿 m³，来沙量 0.76 亿 t，分别占潼关水沙量的 31%和 57%；龙门来水量 4.9 亿 m³，来沙量 0.25 亿 t，分别占潼关水沙量的 65%和 19%。

表 1-4 "04·8"洪水特征值

站名	最大流量		平均流量 (m³ / s)	最大含沙量		平均含沙量(kg / m³)	水量 (亿 m³)	沙量 (亿 t)
	流量 (m³ / s)	日期 (月-日)		含沙量 (kg / m³)	日期 (月-日)			
龙门	1 380	08-23	945	65	08-23	52	4.9	0.25
华县	819	08-22	451	536	08-21	324	2.3	0.76
潼关	1 960	08-22	1 447	332	08-22	179	7.5	1.34

注：最大流量、最大含沙量为日均值，潼关洪峰流量 2 300 m³ / s，最大含沙量 366 kg / m³。

表 1-5 统计了 1974 年以来各时段汛期不同流量级出现天数及水量。从表 1-5 中可以看出 1980 年以来各时段汛期水量是逐渐减小的，由 1980～1985 年的 247 亿 m³ 减小到 1993～2003 年的 100 亿 m³。大流量级水量的减少是汛期水量减少的主要原因。从表 1-5 中看出 1 000 m³ / s 以上各流量级出现天数和水量都呈减小趋势，而 1 000 m³ / s 以下流量级出现天数和水量则显著增加。其中大于 2 000 m³ / s 流量级的出现天数和水量减小得最为明显，1980～1985 年该流量级出现天数和水量分别为 65 d、181.7 亿 m³，占汛期水量的百分比为 74%；1993～2003 年该流量级出现天数和水量分别减小到 10 d、23.6 亿 m³，占汛期水量的百分比减小到 24%。1 000 m³ / s 以下流量级的出现天数和水量由 1980～1985 年的 14 d、8.8 亿 m³，增加到 1993～2003 年的 80 d、36.6 亿 m³，占汛期水量的百分比由 4%增加到 37%。

表 1-5 潼关站汛期不同流量级水量

时段	流量级(m³ / s)								汛期水量 (亿 m³)
	<1 000		1 000～1 500		1 500～2 000		>2 000		
	天数 (d)	水量 (亿 m³)	天数 (d)	水量 (亿 m³)	天数 (d)	水量 (亿 m³)	天数 (d)	水量 (亿 m³)	
1974～1979	25	15.0	22	23.5	21	31.5	56	155.1	225
1980～1985	14	8.8	24	25.3	21	31.7	65	181.7	247
1986～1992	60	31.1	28	29.3	15	21.7	20	51.2	133
1993～2003	80	36.6	22	23.6	11	16.4	10	23.6	100
2004	100	50.0	20	20.2	3	4.8	0	0	75

2004 年汛期水量进一步减小到 75 亿 m³。大于 2 000 m³ / s 流量级的出现天数为零；1 000～2 000 m³ / s 流量级的天数、水量进一步减小，其中 1 500～2 000 m³ / s 流量级的出现天数只有 3 d。1 000 m³ / s 以下流量级的出现天数、水量分别增加到 100 d 和 50 亿 m³，占汛期水量的 67%。

第二章 水库运用情况

2004 年非汛期三门峡水库仍按坝前最高水位不超过 318 m 控制运用，汛期按“洪水排沙，平水发电”的原则运用。

一、非汛期运用

2004 年非汛期三门峡水库实际出现最高水位为 317.97 m(4 月 19 日)，平均水位为 317.01 m。从图 2-1 可以看出 2004 年非汛期坝前水位变幅很小，主要在 317 m 上下波动，桃汛起调水位下降到 312.83 m(3 月 18 日)，为非汛期最低值。其中 11 月～次年 1 月水位普遍高于 1993～2002 年同期平均水位，也高于 2003 年同期水位。2～5 月水位则较 1993～2002 年降低很多，与 2003 年相当。6 月份为配合黄河调水调沙试验，三门峡水库仍为蓄水运用，未降低水位。

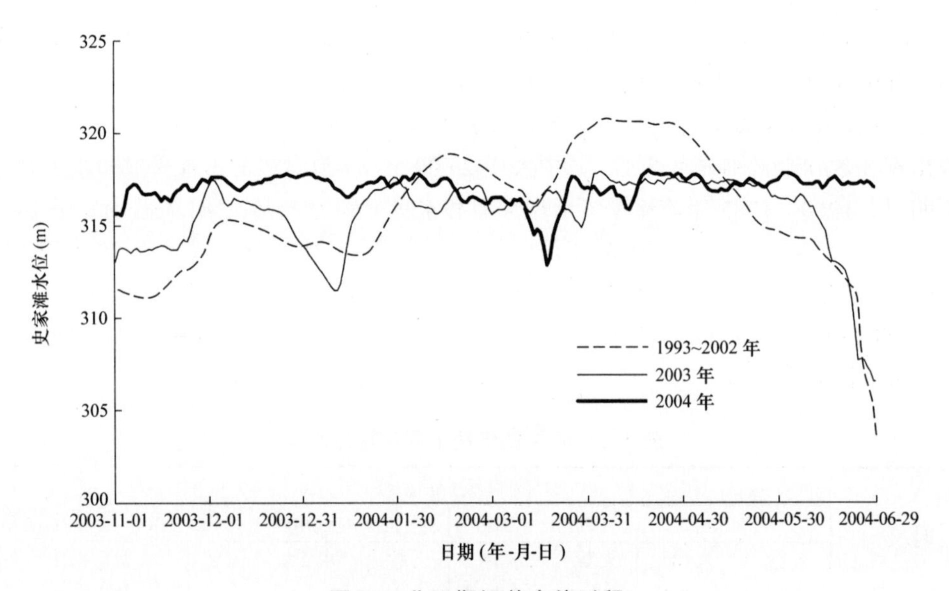

图 2-1 非汛期坝前水位过程

表 2-1 统计了三门峡水库蓄清排浑运用以来非汛期坝前水位分级天数。1974 以来各时段相比较，非汛期 320 m 以上高水位运用天数逐渐减少，1974～1979 年为 102 d，占非汛期天数的 42%，到 1993～2002 年减为 40 d，占非汛期天数的 17%。315～320 m 天数逐渐增加，1974～1979 年为 55 d，占非汛期天数的 23%，到 1993～2002 年增加到 105 d，占非汛期天数的 43%。其中 315～318 m 的天数为 63 d，占非汛期天数的 26%。310～315 m 水位运用天数变化不大。310 m 以下低水位运用天数也有所减少，由 1974～1979 年的 36 d 减到 1993～2002 年的 21 d。可见，2003 年以前水库运用总的变化趋势是 320 m 以上高水位和 310 m 以下低水位运用天数均减小，315～320 m 的中间水位运用天数增加较多。

表 2-1　三门峡水库蓄清排浑运用以来非汛期坝前水位分级天数　　（单位：d）

时段	<310 m	310～315 m	315～318 m	318～320 m	320～324 m	>324 m	平均水位(m)	最高水位(m)
1974～1979	36	49	29	26	75	27	316.94	325.95
1980～1985	29	72	25	30	82	4	316.55	324.9
1986～1992	27	76	42	33	63	1	315.97	324.06
1993～2002	21	75	63	42	40	0	315.72	323.71
2003	8	55	179	0	0	0	315.59	317.98
2004	0	7	236	0	0	0	317.01	317.97

2003 年实施“318 m”原型试验后，非汛期坝前水位控制在 318 m 以下。315～318 m 天数增加很多，2003 年为 179 d，占非汛期的 75%，2004 年为 236 d，占非汛期天数的 98%；310～315 m 天数急剧减少，2003 年为 55 d，2004 年仅有 7 d；310 m 以下天数进一步减小，2003 年减少为 8 d，2004 年为零。2004 年非汛期平均水位为 317.01 m，高于以往任何时段。可见实施“318 m”运用后，一方面 318 m 以上高水位运用天数没有了；另一方面，315 m 以下中、低运用水位天数急剧减少，非汛期运用水位主要集中在 315～318 m 之间。

根据以往的研究成果[1]，非汛期回水影响坫垮站(黄淤 36 断面)的临界库水位在 320 m 左右，回水影响大禹渡站(黄淤 30 断面)的临界库水位在 315 m 左右。2004 年非汛期最高蓄水位 317.97 m，如果将回水末端位置随水位的上升成视做线性变化，由坫垮、大禹渡受回水影响的临界库水位值可以内插出回水末端在距大坝约 93 km 处，位于黄淤 33—黄淤 34 之间。

二、汛期运用

2004 年汛期仍按照“洪水排沙，平水发电”的原则运用。期间有两次低水位运用过程，一次是在黄河调水调沙试验第二阶段(7 月 2～13 日)，一次是在“04·8”洪水期间，见图 2-2。

为保证三门峡水库在调水调沙试验第二阶段(目标为调整小浪底库尾段淤积三角洲形态，通过人工塑造异重流将其排出库外，实现小浪底水库减淤)的出库流量，汛前 6 月份三门峡水库并未如往年一样逐步降低水位，而是持续在 317～318 m 之间。直至 7 月 5 日水库开始大流量泄水，坝前水位逐步降低，7 月 7 日降至 304.72 m，7 月 9 日降至最低值 286.6 m，亦为汛期最低值，与 6 月份相比，水位降幅达 30.91 m。此后随着调水调沙试验接近尾声，库水位又逐渐抬高，7 月 12 日升至 303.09 m，7 月 7～12 日平均水位 297.92 m。汛期入库流量大于 1 500 m^3／s 的洪水过程只有一次。洪水期间的敞泄排沙运用也仅出现在这次洪水期间，运用期最低水位 290.75 m，水位降幅为 13.15 m，坝前平均水位 296.30 m。汛期平水期水位基本控制在 305 m 以下，10 月下旬水位逐步抬高，向非汛期运用过渡。

[1] 三门峡水利枢纽汛期发电试验研究报告，黄委会三门峡水利枢纽汛期发电试验研究组，2000 年 12 月。

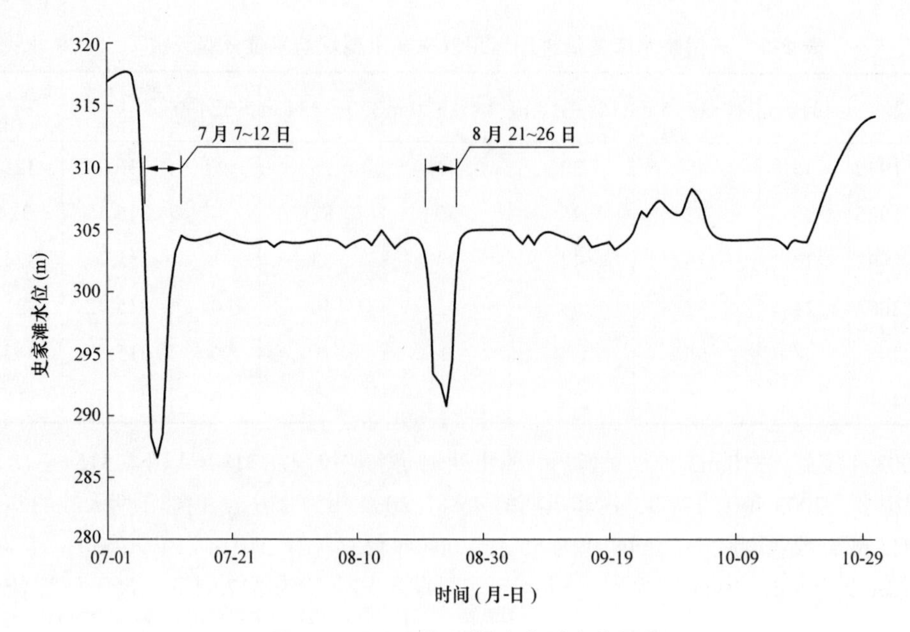

图 2-2 2004 年汛期史家滩水位过程

2004 年汛期平均运用水位 304.78 m，比 1993～2002 年的 304.44 m 高了 0.34 m，比 2003 年的 304.06 m 高了 0.72 m，见表 2-2。运用水位在 300～305 m 之间的天数，2004 年有 87 d，比 1993～2002 年多了 17 d，也比 2003 年多了 27 d；小于 300 m 的天数，2004 年有 8 d，比 1993～2002 年少了 4 d，比 2003 年少了 18 d。

表 2-2 汛期坝前水位分级天数 （单位：d）

时段	<300 m	300～305 m	305～310 m	平均水位(m)
1974～1979	3	66	40	305.18
1980～1985	9	68	30	303.83
1986～1992	18	79	23	302.63
1993～2002	12	70	32	304.44
2003	26	60	21	304.06
2004	8	87	15	304.78

第三章　水库冲淤特点

一、冲淤分布

2004年潼关以下库区非汛期淤积泥沙0.850亿 m^3，汛期冲刷0.409亿 m^3，全年共淤积泥沙0.441亿 m^3，年内冲淤不平衡，见表3-1。年内泥沙主要淤积在黄淤1—黄淤22河段，该河段共淤积0.241亿 m^3，占总淤积量的55%。淤积沿程分布见图3-1。

表3-1　2004年不同河段冲淤量　（单位：亿 m^3）

河段	大坝—黄淤12	黄淤12—黄淤22	黄淤22—黄淤30	黄淤30—黄淤36	黄淤36—黄淤41	大坝—黄淤41
非汛期	0.022	0.294	0.452	0.113	–0.03	0.850
汛期	0.044	–0.053	–0.397	–0.068	0.065	–0.409
桃汛	0.015	0.209	–0.039	–0.062	0.009	0.133
全年	0.066	0.241	0.055	0.045	0.035	0.441

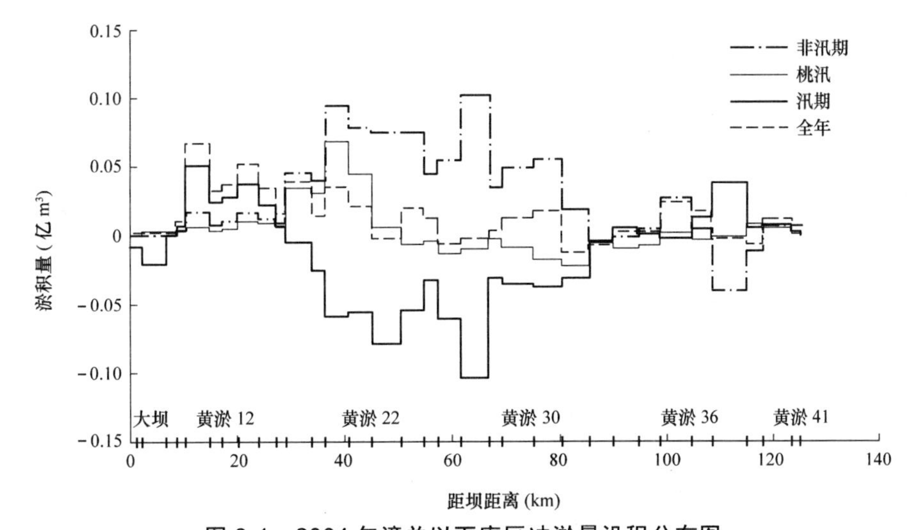

图3-1　2004年潼关以下库区冲淤量沿程分布图

非汛期淤积重心在黄淤22—黄淤30河段，该河段淤积泥沙0.452亿 m^3，占非汛期淤积量的53%。黄淤12—黄淤22和黄淤30—黄淤36两个河段淤积量也较大，大坝—黄淤12和黄淤36—黄淤41个别河段表现为冲刷(见图3-2)。桃汛期三门峡水库起调水位降低到312.83 m，黄淤22以上河段普遍冲刷，冲起泥沙加上桃汛期来沙淤积在黄淤22以下河段，并且主要是黄淤12—黄淤22之间河段淤积。根据桃汛期前后(3月13日和4月5日)实测大断面算得桃汛期间共淤积泥沙0.133亿 m^3，占非汛期淤积量的15.6%。从图3-2可以看出非汛期黄淤31及其以下各断面均为淤积，黄淤32断面为冲刷，并且黄淤32以上各断面冲淤相间，由此可以判断非汛期受水库影响的淤积末端在黄淤31与黄淤32断面之间。

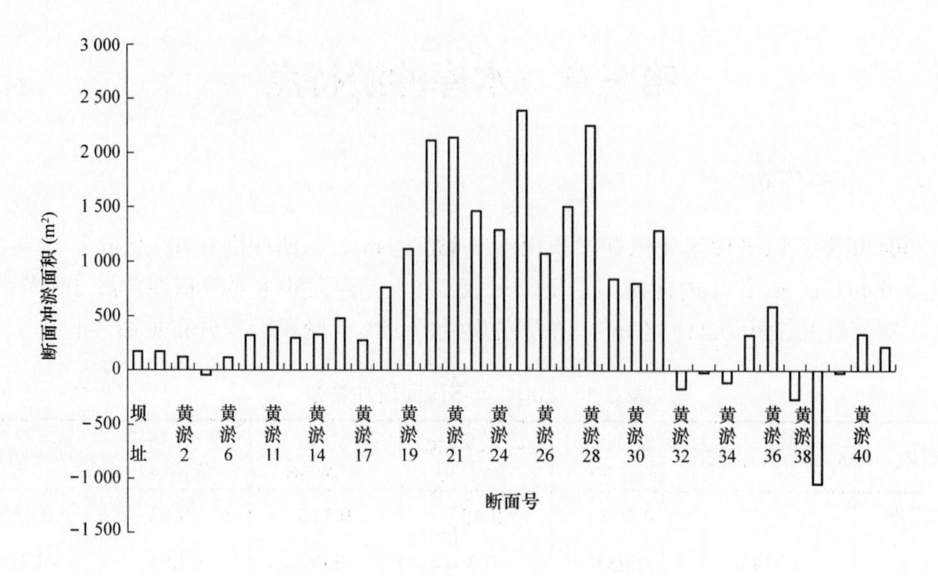

图 3-2　2004 年非汛期断面冲淤面积图

非汛期淤积量较大的河段在汛期都发生冲刷，但都未实现年内冲淤平衡，汛期冲刷量小于非汛期淤积量。冲刷重心也在黄淤 22—黄淤 30 河段，与非汛期淤积重心对应，冲刷泥沙 0.397 亿 m^3，占汛期总冲刷量的 97%。

二、纵向淤积形态变化

2004 年非汛期坝前运用水位平稳，库区淤积体呈典型的三角洲形态(见图 3-3)。三角洲顶点位置明显，在黄淤 20 断面附近，淤积末端在黄淤 31 和黄淤 32 断面之间。三角洲顶坡段为黄淤 20—黄淤 32 河段，顶点高程约 311 m，顶坡段比降约 1.8‱。前坡段为黄

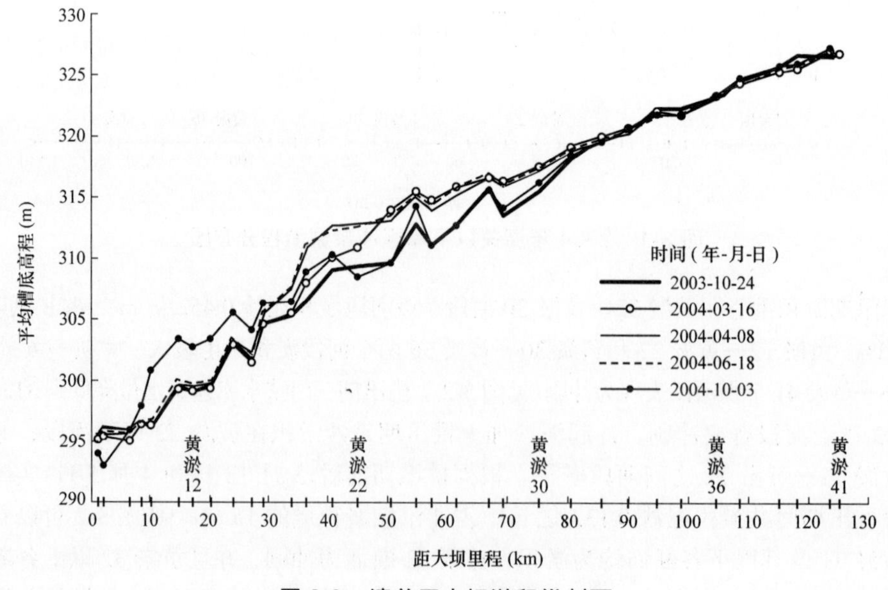

图 3-3　潼关至大坝淤积纵剖面

淤 17—黄淤 20 河段。三角洲淤积体在第一次大断面测量(3 月 13 日)以前已具雏形，顶点在黄淤 25 断面上下。桃汛期间随着黄淤 12—黄淤 22 河段的淤积，三角洲前坡向前推移，三角洲顶点移至黄淤 20 断面。桃汛过后至 6 月份，来沙量很小，虽然三门峡水库运用水位较高，但淤积体基本没有大的变化。

三角洲淤积体在汛期受到冲刷，但由于三门峡水库水位平水期 305 m 运用，泥沙在黄淤 22 断面以下堆积，形成一个小的三角洲淤积体。

三、淤积物级配变化

表 3-2 统计了潼关以下库区河床淤积物不同粒径组的百分含量。从表 3-2 中可以看到，以黄淤 36 断面为界，其上下河段泥沙组成变化规律不同。黄淤 36 断面以上 $d>0.062$ mm 的泥沙百分含量是沿程增加的，而 0.031 mm$<d<$0.062 mm 和 $d<0.031$ mm 的泥沙百分含量是沿程减小的，$d>0.062$ mm 的泥沙百分含量从 45.1%增加到 87%，0.031 mm$<d<$0.062 mm 的泥沙百分含量从 45.5%减小到 12.2%，$d<0.031$ mm 的泥沙百分含量从 9.4%减小到 0.8%，说明黄淤 36 断面以上河段主要淤积的是粗泥沙。

黄淤 36 断面以下 $d>0.062$ mm 的泥沙百分含量则开始沿程减小，而 0.031 mm$<d<$0.062 mm 和 $d<0.031$ mm 的泥沙百分含量则沿程增加。黄淤 26 断面处 $d>0.062$ mm 的泥沙百分含量减小到 1.1%，说明在 $d>0.062$ mm 的粗沙大部分淤积在黄淤 26 断面以上河段。黄淤 29 断面处 0.031 mm$<d<$0.062 mm 的泥沙百分含量增加到最大值 54.8%，此后又逐渐减小，至黄淤 19 断面减小到 9.1%，黄淤 19 断面以下变化不大，都在 10%左右，说明 0.031 mm$<d<$0.062 mm 的中粗泥沙主要淤积在黄淤 19 断面以上河段。$d<0.031$ mm 的泥沙百分含量在黄淤 19 断面增加至 90.8%，此后维持在 90%左右，说明 $d<0.031$ mm 的细泥沙也主要淤积在黄淤 19 断面以上河段。黄淤 19 断面以下是非汛期淤积三角洲前坡段，该段泥沙分选已经不明显。

表 3-2 各粒径组淤积物组成

断面号	不同粒径组淤积物含量(%)		
	$d<0.031$mm	0.031 mm$<d<$0.062 mm	$d>0.062$ mm
黄淤 41(三)	9.4	45.5	45.1
黄淤 38	5.2	46.6	48.2
黄淤 36	0.8	12.2	87.0
黄淤 33	1.8	25.1	73.1
黄淤 31	6.8	49.4	43.9
黄淤 29	12.8	54.8	32.5
黄淤 26	46.2	52.7	1.1
黄淤 22	70.9	28.8	0.3
黄淤 19	90.8	9.1	0.1
黄淤 15	89.6	10.3	0.1
黄淤 12	92.2	7.6	0.2
黄淤 8	90.3	9.2	0.5
黄淤 2	91.7	8.1	0.2

四、318 m 原型试验非汛期淤积分布特点

三门峡水库运用的变化直接导致淤积分布的变化。表 3-3 统计了蓄清排浑运用以来不同时段非汛期河段平均淤积量。1974～1979 年和 1980～1985 年两个时段非汛期高水位运用天数较多(见本专题第二章表 2-1)，淤积重心靠上，在黄淤 30—黄淤 36 之间，占全河段淤积量的近 40%。黄淤 30 以下各河段淤积量递减。随着高水位运用天数的减少，1986 年以后淤积重心下移至黄淤 22—黄淤 30 河段，该河段淤积比重由 20%～30%增加到 40%～50%。黄淤 30—黄淤 36 河段淤积比重减少到 20% ~ 30%之间，同时黄淤 12—黄淤 22 河段淤积比重明显增加。

表 3-3　不同时段非汛期平均淤积量及百分数

时段	项目	坝址—黄淤 12	黄淤 12—黄淤 22	黄淤 22—黄淤 30	黄淤 30—黄淤 36	黄淤 36—黄淤 41	坝址—黄淤 41
1974 ~ 1979	淤积量(亿 m^3)	0.115	0.273	0.331	0.557	0.171	1.447
1980 ~ 1985		0.096	0.224	0.349	0.464	0.064	1.198
1986 ~ 1992		0.006	0.276	0.445	0.323	0.067	1.117
1993 ~ 2002		0.048	0.328	0.592	0.303	0.011	1.281
2003		0.034	0.287	0.432	0.075	–0.002	0.826
2004		0.022	0.294	0.452	0.113	–0.030	0.850
1974 ~ 1979	占潼关至大坝的百分数(%)	8	19	23	38	12	100
1980 ~ 1985		8	19	29	39	5	100
1986 ~ 1992		1	25	40	29	6	100
1993 ~ 2002		4	26	46	24	0.8	100
2003		4	35	52	9	–0.2	100
2004		3	35	53	13	–4	100

318 m 试验的 2003 年和 2004 年淤积重心仍在黄淤 22—黄淤 30 河段之间，但比重进一步加大，分别为 52%和 53%。黄淤 30 以上河段淤积比重相应减小，其中黄淤 30—黄淤 36 河段淤积比重减少到 9%和 13%，2003 年、2004 年两年黄淤 36—黄淤 41 河段均发生冲刷。黄淤 12—黄淤 22 河段淤积比重增加到 35%。

由图 3-2 的分析可以知道，2004 年非汛期淤积末端在黄淤 31 断面和黄淤 32 断面之间。图 3-4 是 2003 年非汛期断面冲淤面积，可以看出黄淤 32 断面以下均为淤积，黄淤 33 断面为冲刷，且黄淤 33 以上各断面冲淤相间，冲淤幅度很小，由此可以判断 2003 年淤积末端在黄淤 32 断面和黄淤 33 断面之间。图 3-5 是三门峡水库 318 m 运用两年与 318 m 运用之前非汛期淤积量沿程分布对比，该图直观地反映了 318 m 运用两年淤积末端的下移。

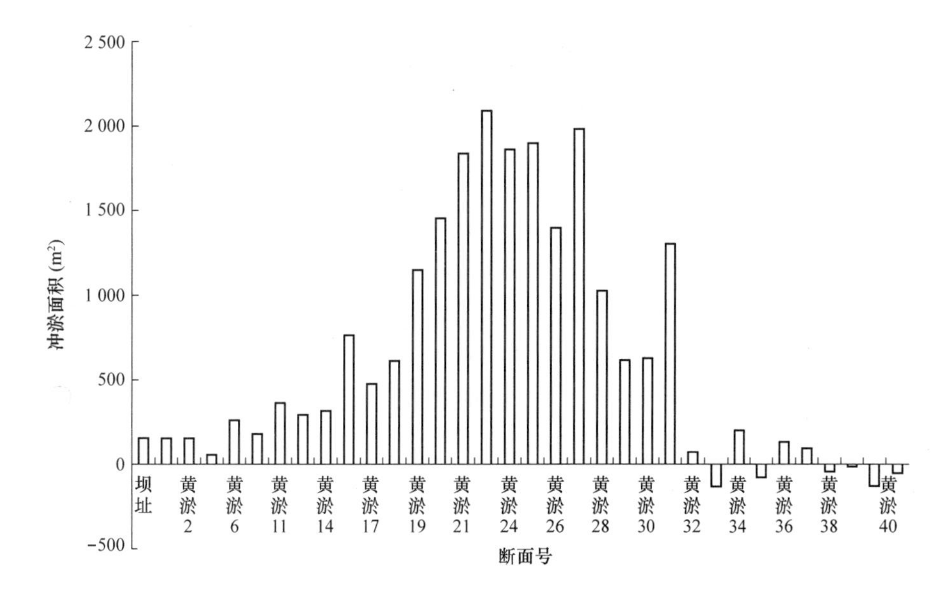

图 3-4　2003 年非汛期断面冲淤面积

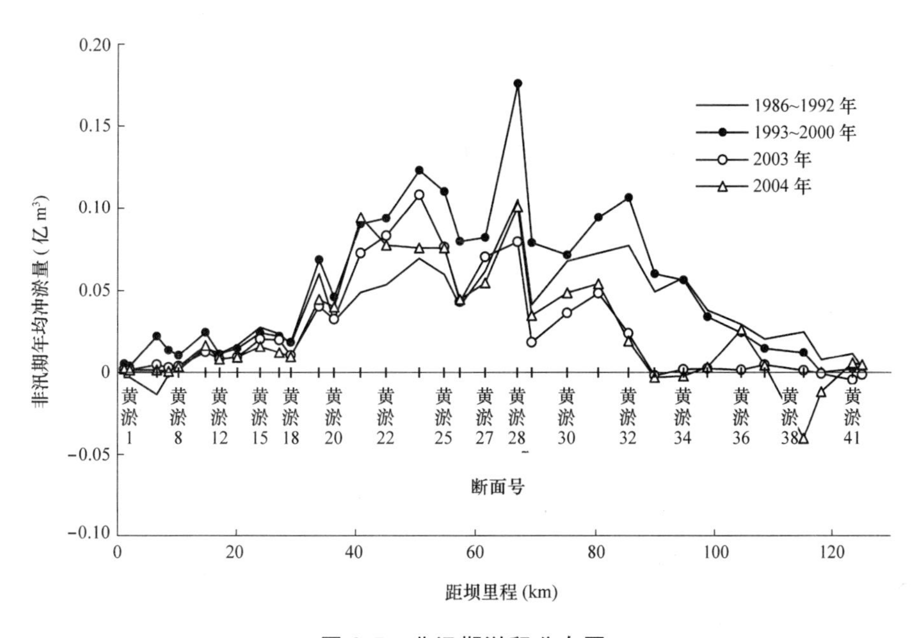

图 3-5　非汛期淤积分布图

第四章　汛期排沙特点

自 1974 年“蓄清排浑”运用以来，非汛期三门峡水库几乎拦截了全部来沙，水库排沙主要发生在汛期。汛期平水期坝前水位控制在 305 m，有一定程度的壅水，排沙比一般小于 1。在发生较大洪水入库、水库低水位或敞泄运用期间，排沙比会大于 1，此时一方面洪水入库会引起不同程度的沿程冲刷，同时也会产生自坝前向上的溯源冲刷，不仅入库泥沙被排出库，而且水库前期淤积物也会被冲走，水库库容得以恢复。洪水流量越大，历时越长，冲刷量越大。有时为了调整坝前淤积形态，水库在平水期也会进行敞泄运用，形成小范围的溯源冲刷，这种情况下总的冲刷量不大，但排沙比会很大。

2004 年汛期潼关站入库沙量 2.33 亿 t，三门峡站出库沙量 2.64 亿 t，按输沙率法计算潼关以下库区冲刷 0.31 亿 t，见表 4-1。冲刷发生在 7、8 月，分别冲刷 0.18 亿 t 和 0.35 亿 t，排沙比分别为 1.55 和 1.21；9、10 月淤积，排沙比分别为 0.42 和 0.27。7、8 月的冲刷主要发生在调水调沙试验和“04・8”洪水期间。

表 4-1　2004 年汛期排沙统计

<table>
<tr><th colspan="2" rowspan="2">时段</th><th rowspan="2">史家滩平均水位(m)</th><th colspan="2">潼关</th><th colspan="2">三门峡</th><th rowspan="2">冲淤量(亿 t)</th><th rowspan="2">排沙比</th></tr>
<tr><th>水量(亿 m³)</th><th>沙量(亿 t)</th><th>水量(亿 m³)</th><th>沙量(亿 t)</th></tr>
<tr><td colspan="2">7 月</td><td>304.83</td><td>12.7</td><td>0.33</td><td>13.6</td><td>0.51</td><td>−0.18</td><td>1.55</td></tr>
<tr><td colspan="2">8 月</td><td>302.66</td><td>22.1</td><td>1.65</td><td>19.0</td><td>2.00</td><td>−0.35</td><td>1.21</td></tr>
<tr><td colspan="2">9 月</td><td>304.80</td><td>23.6</td><td>0.24</td><td>20.5</td><td>0.10</td><td>0.14</td><td>0.42</td></tr>
<tr><td colspan="2">10 月</td><td>306.84</td><td>16.7</td><td>0.11</td><td>12.8</td><td>0.03</td><td>0.08</td><td>0.27</td></tr>
<tr><td colspan="2">7～10 月</td><td>304.78</td><td>75.1</td><td>2.33</td><td>65.9</td><td>2.64</td><td>−0.31</td><td>1.13</td></tr>
<tr><td rowspan="2">调水调沙</td><td>7 月 5～6 日</td><td>316.26</td><td>0.65</td><td>0.01</td><td>2.41</td><td>0</td><td>0.01</td><td rowspan="2">12.67</td></tr>
<tr><td>7 月 7～12 日</td><td>295.07</td><td>3.34</td><td>0.03</td><td>4.40</td><td>0.38</td><td>−0.35</td></tr>
<tr><td>“04・8”洪水</td><td>8 月 21～26 日</td><td>296.30</td><td>7.46</td><td>1.11</td><td>6.31</td><td>1.63</td><td>−0.52</td><td>1.47</td></tr>
</table>

一、调水调沙期间排沙特点

调水调沙试验第二阶段(7 月 2 日 12 时至 7 月 13 日 8 时)万家寨水库、三门峡水库和小浪底水库联合调度，目标为调整小浪底水库库尾段淤积三角洲形态，通过人工塑造异重流将其排出库外，实现小浪底水库的减淤。三门峡水库进出库水沙过程见图 4-1。

万家寨水库 7 月 2 日 12 时开始按 1 200 m³／s 下泄，三门峡水库 7 月 5 日 15 时开始降低运用水位、大流量下泄清水，此前一直按 317.5～317.8 m 水位控制运用。15 时 24 分三门峡出库流量达到 2 540 m³／s，此后至 7 月 7 日出库流量基本维持在 1 800～2 500 m³／s。小浪底库区淤积三角洲受到强烈冲刷，产生异重流。7 月 7 日 8 时，万家寨下泄水流在三门峡水库水位降至 310.3 m 时与之对接，潼关站最大入库流量 1 190 m³／s，

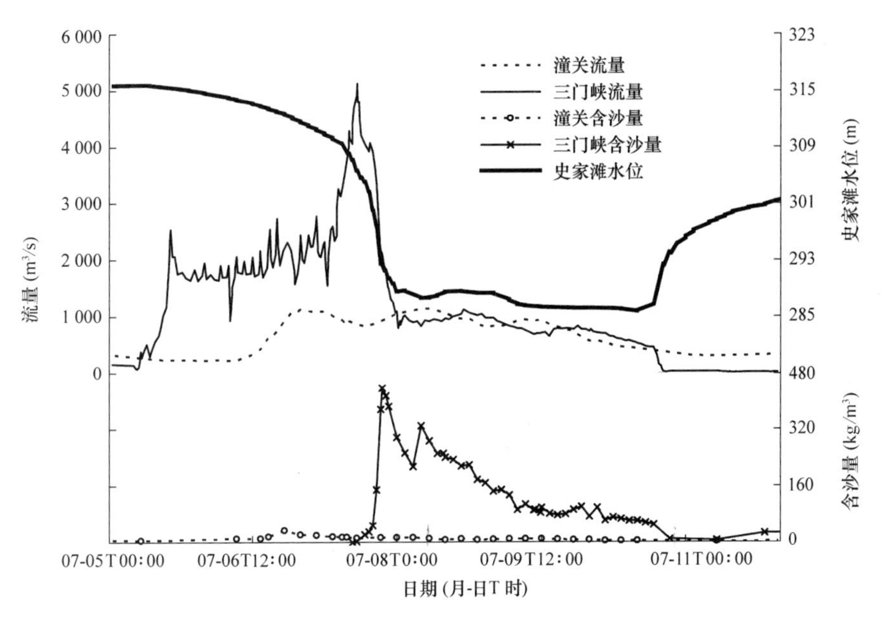

图 4-1　2004 年调水调沙期间三门峡水库进出库水沙过程

三门峡水库开始加大下泄流量，7 日 14 时 06 分出库流量达 5 130 m^3/s，坝前水位降至 305.63 m，三门峡水库开始排沙，20 时出现最大出库含沙量 437 kg/m^3。小浪底异重流持续向坝前推进，7 月 8 日 13 时 50 分小浪底水库异重流开始排沙。随着潼关站入库流量的减小，三门峡水库 7 月 10 日下泄流量开始减小，库水位回升，12 日水位达到 303.09 m。整个过程三门峡水库的运用可分为两个阶段，第一阶段从 7 月 5～6 日，为清水下泄阶段，坝前平均水位 316.26 m，第二阶段从 7 月 7～12 日，为敞泄排沙阶段，坝前平均水位 295.07 m。

7 月 5～6 日潼关站水量为 0.65 亿 m^3，沙量为 0.01 亿 t，三门峡出库水量为 2.41 亿 m^3，见表 4-1。由于库水位较高，水库未排沙，来沙淤积在库内。7 月 7～12 日潼关水量为 3.34 亿 m^3，沙量为 0.03 亿 t，三门峡出库水量为 4.4 亿 m^3，沙量为 0.38 亿 t，库区冲刷 0.35 亿 t，排沙比为 12.67。可以看出，7 月 7～12 日冲刷量大于 7 月份全月的冲刷量，说明 7 月的冲刷量主要发生在这个时段。

二、“04·8”洪水排沙特点

“04·8”洪水期间史家滩平均水位 296.30 m，最低水位 290.75 m，进出库水量分别为 7.46 亿 m^3 和 6.31 亿 m^3；进出库沙量分别为 1.11 亿 t 和 1.63 亿 t；冲刷量 0.52 亿 t，排沙比为 1.47，见表 4-1。从图 4-2 可以看出，8 月 22 日起出库含沙量开始大于进库含沙量，8 月 23 日出库含沙量达最大 406 kg/m^3，此后出库含沙量逐渐递减，至 8 月 26 日出库含沙量低于进库含沙量。

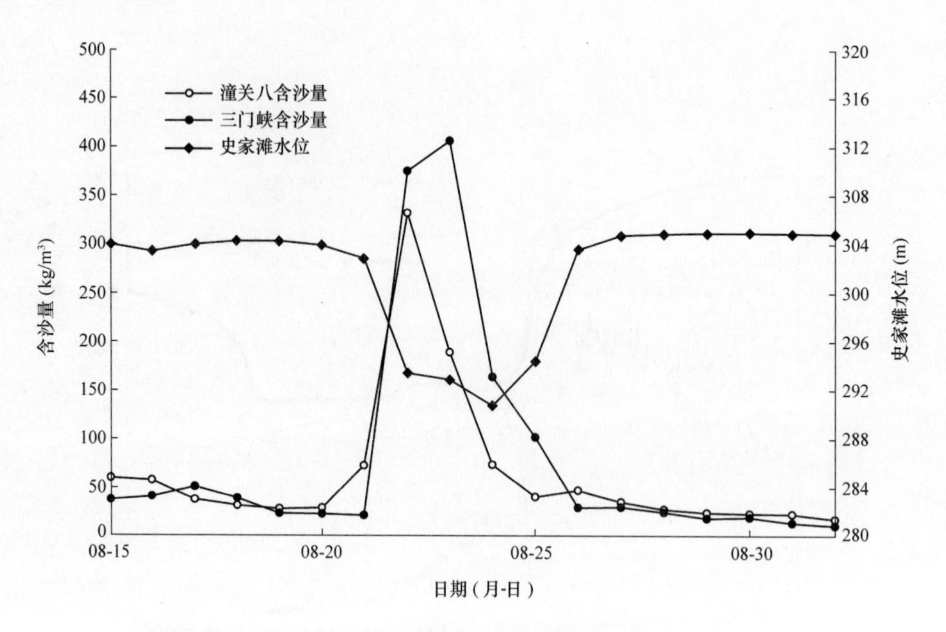

图 4-2　“04·8”洪水期间三门峡水库进出库含沙量过程

第五章　同流量水位变化

汛期除鸡子岭外各站 1 000 m³/s 水位都是下降的(见图 5-1)。潼关—盘西各站下降值较小，在 0.2～0.3 m 之间，礼教以下各站下降值逐渐增大，其中礼教下降 0.35 m，大禹渡下降 1.76 m，北村下降 3.67 m(见表 5-1)。从 1 000 m³/s 水位发展变化过程来看，潼关—盘西各站升降交替，下降主要发生在有较大入库流量的两次敞泄排沙期，属沿程冲刷引起的水位下降；礼教、大禹渡、北村汛期持续冲刷下降，且敞泄排沙期和平水期均下降，属溯源冲刷。从溯源冲刷发展来看，7 月 7 日溯源冲刷发展到北村，7 月 28 日前发展到大禹渡与礼教之间，8 月 21 日前发展到礼教，此后终止，不再向上发展。7 月份敞泄排沙期下降最显著，这主要与前期淤积形态有关。8 月份敞泄排沙期水位下降值明显小于第一次，但与平水期相当。北村在后期有所回升，主要与坝前淤积三角洲的淤积上延有关。

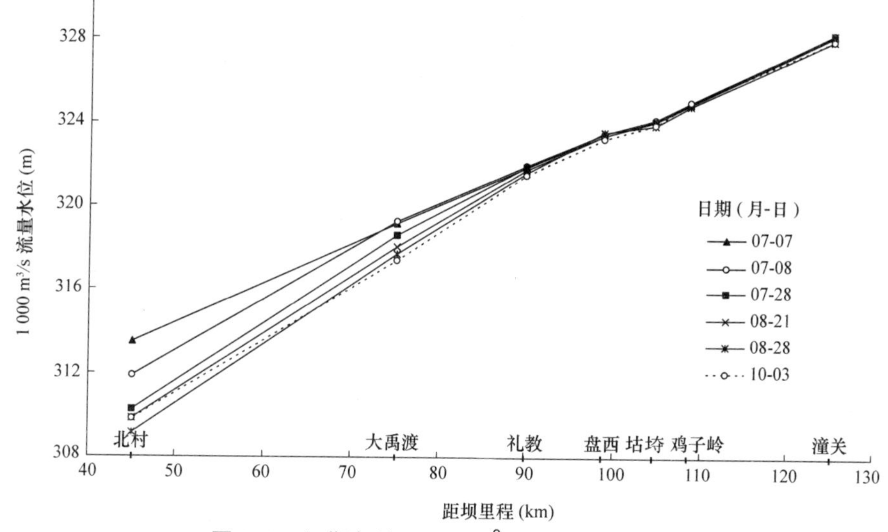

图 5-1　汛期各站 1 000 m³/s 流量水位变化

表 5-1　汛期各站 1 000 m³/s 流量水位变化值

日期(月-日)	水库运用	水位变化值(m)						
		潼关六	鸡子岭	坫垮	盘西	礼教	大禹渡	北村
07-07～07-08	敞泄排沙	0.04	0.06	0.04	0.01	0.09	0.11	−1.62
07-08～07-28	敞泄排沙，305 m	−0.09	−0.10	−0.09	−0.11	−0.05	−0.67	−1.62
07-28～08-21	305 m	0.08	0.02	0.01	0	−0.14	−0.55	−0.42
08-21～08-28	敞泄排沙	−0.30	−0.10	−0.19	0.16	−0.15	−0.35	−0.69
08-28～10-03	305 m	0	0.20	0.03	−0.31	−0.10	−0.30	0.68
累计		−0.27	0.08	−0.20	−0.25	−0.35	−1.76	−3.67

第六章　潼关高程变化

潼关高程的变化规律是非汛期淤积抬高、汛期冲刷下降。2003 年汛后潼关高程为 327.94 m，2004 年汛前为 328.24 m，汛后为 327.98 m，非汛期上升 0.30 m，汛期下降 0.26 m，全年上升 0.04 m，其变化过程见图 6-1。非汛期潼关高程持续抬升，但在桃汛期潼关高程有一次下降过程，由桃汛前的 328.17 m 降至桃汛后的 328.04 m，下降 0.13 m。汛期潼关高程下降主要发生在“04・8”洪水期间，潼关高程由 328.24 m 降至 327.94 m，下降 0.30 m。

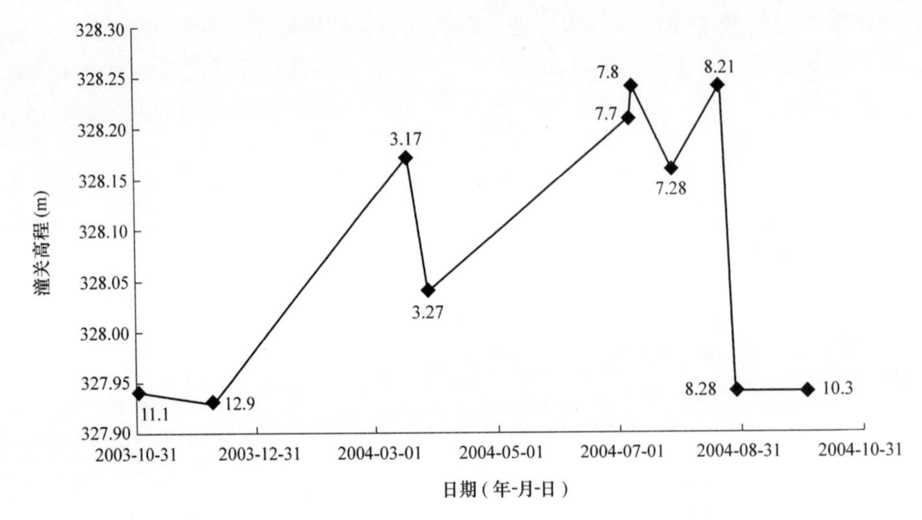

图 6-1　2004 年潼关高程变化

一、非汛期

非汛期影响潼关高程的主要因素有水库运用、水沙条件和前期河床条件。库水位的高低直接影响淤积的分布，库水位越高回水越远，淤积重心越靠上，淤积末端甚至直接抵达潼关。在水沙条件因素中，由于非汛期潼关流量小，变幅不大，潼关高程的抬升更多地受来沙量的影响。潼关以上小北干流河床比降大，并且从禹门口至潼关沿程变缓，而龙门来水含沙量很低。低含沙水流引起小北干流沿程冲刷，到潼关河段后由于比降的进一步减小，水流输沙能力降低，泥沙落淤，引起潼关高程上升。非汛期潼关高程的上升幅度还与前一个汛期的冲刷下降幅度有关，前一个汛期下降幅度大，则非汛期上升幅度也大。

非汛期淤积末端在黄淤 32 断面附近。潼关河段不受水库蓄水影响，处于天然河道状态。非汛期潼关站水量为 134 亿 m^3，与多年平均接近，沙量为 0.84 亿 t，较多年平均偏少近 50%。点绘非汛期潼关高程抬升值与来沙量的关系如图 6-2 所示，图中未计入桃汛期间的来沙量及潼关高程变化值。可以看出二者之间存在一定的趋势关系，来沙量大的年份潼关高程往往抬升较大。2004 年非汛期来沙量较小，故点据靠下。1991 年的点据偏离较大，其原因主要是当年 6 月渭河发生一场高含沙洪水，仅这场洪水潼关站沙量 2.11 亿 t，高含沙洪水输沙能力强，洪水前后潼关高程只上升了 0.06 m，因此虽然该年非汛期来沙量较其他年份大很多，但潼关高程抬升并不显著。

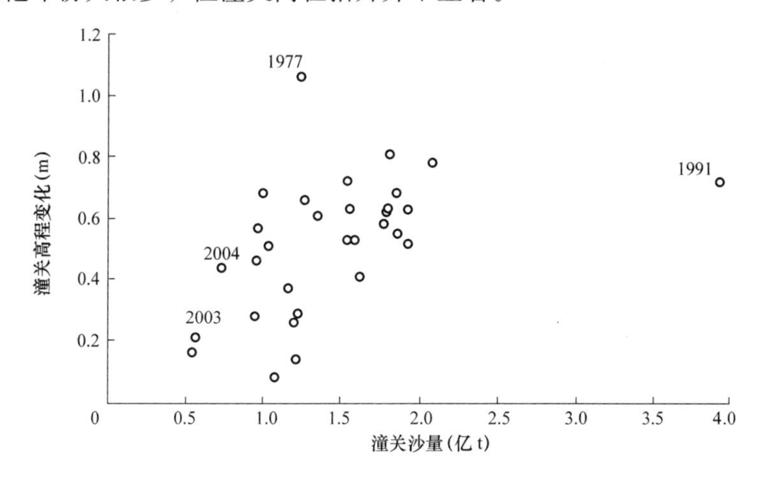

图 6-2　非汛期潼关高程变化值(不含桃汛期)与来沙量的关系

2003 年汛期潼关高程下降 0.88 m，是 1993 年以来的最大值(见图 6-3)。2004 年非汛期潼关高程上升 0.30 m，为 328.24 m，是 1996 年以来汛前潼关高程最低值。

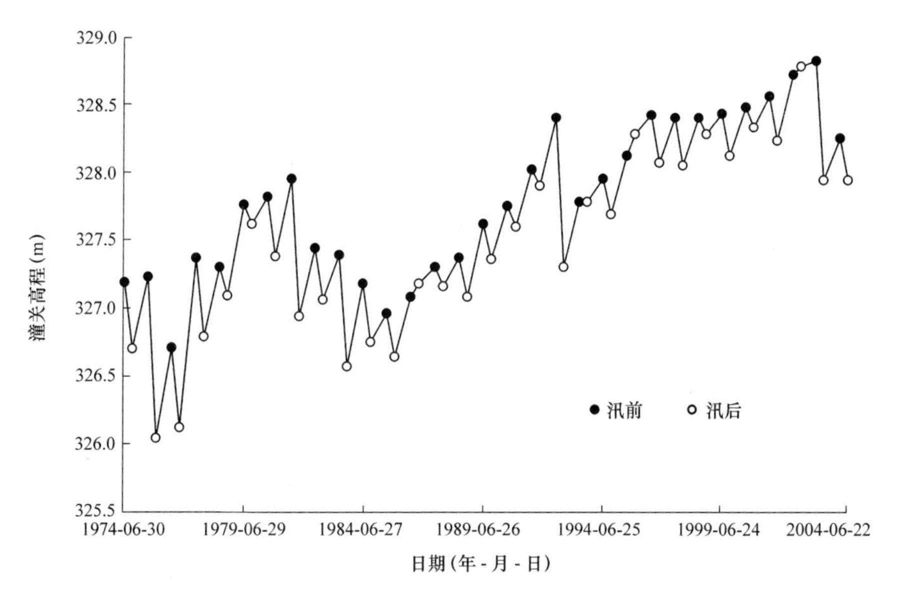

图 6-3　蓄清排浑运用以来潼关高程变化

如前所述，2004 年桃汛水量与以往相差不大，沙量减少较多，洪峰流量 1 900 m^3/s，起调水位 312.83 m，潼关高程下降 0.13 m，与多年平均值 0.11 m 接近。以往研究表明[❶]，

❶ 2003 年三门峡库区冲淤演变及潼关高程变化，黄河水利科学研究院，黄科技第 zx-2004-14-20 号，2004 年 4 月。

桃汛洪峰流量在 1 500 m³ / s 以下时潼关高程难以下降，当洪峰流量大于 2 000 m³ / s 时，起调水位越低，潼关高程下降值越大(见图 6-4)。图 6-4 中加入了 2004 年桃汛的点据。但当库水位降到一定程度时，对潼关高程的作用已不明显。从图 6-4 中可以看出，起调水位在 312～316 m 的点据都在一个关系带上，其中包括 2004 年的点据，说明桃汛起调水位在 316 m 以下时，一般不会影响洪水对潼关高程的作用，也说明 2004 年桃汛期潼关高程的下降既受水沙条件作用，也与水库运用水位较低有关。

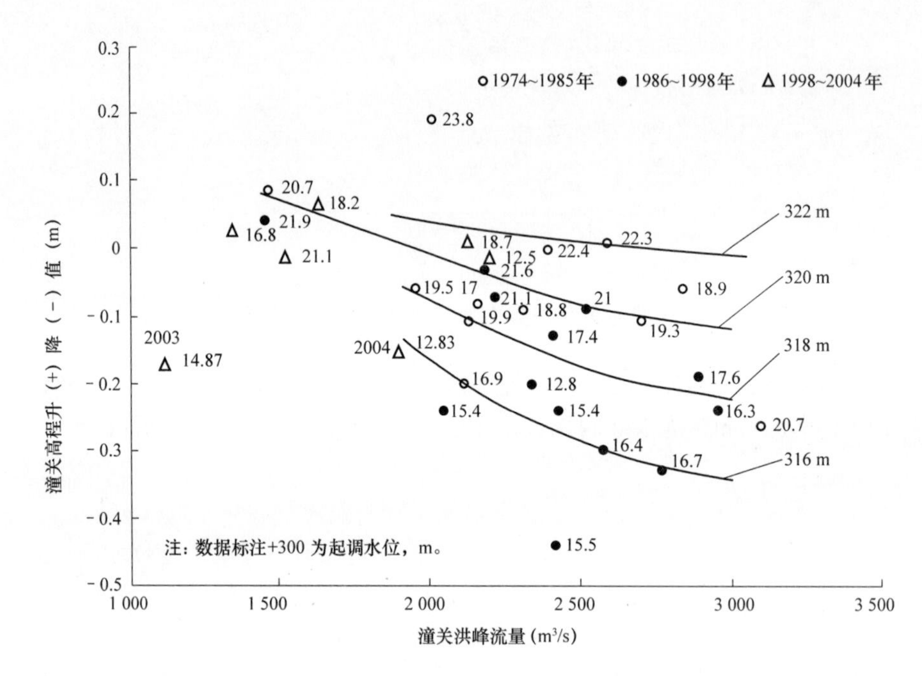

图 6-4　桃汛期潼关高程变化与洪峰流量和起调水位的关系

二、汛期

汛期潼关高程的冲刷与来水来沙条件密切相关。点绘 1974 年以来汛期潼关高程升降值与水流能量的关系，如图 6-5 所示。可以看出，在相同水流能量($\gamma' WJ$)下，水流能量越大、潼关高程下降越大，而水流能量的大小取决于来水来沙量的大小，并且来沙系数大，潼关高程下降值多。汛期来水的多少取决于洪水场次的多少、洪水水量的大小，洪水场次越多、洪量越大，潼关高程往往下降越多。

对 1974 年以来洪水期潼关高程的变化分析表明，当洪水期渭河伴随出现高含沙洪水，平均流量在 500 m³ / s 以上，使潼关站平均含沙量大于 150～200 kg / m³ 时，潼关高程一般要发生剧烈的冲刷下降(见图 6-6)。从图 6-6 中可以看出，潼关高程有较大冲刷的年份都是渭河出现高含沙大洪水的年份。从图 6-6 中还可以看出，剧烈冲刷的情况呈两种趋势带，当潼关站平均流量在 3 000 m³ / s 左右而且华县站流量在 1 000 m³ / s 左右时，潼关高程冲刷下降值明显偏大。当洪水期潼关含沙量小于 100 kg / m³ 时，潼关高程的升降

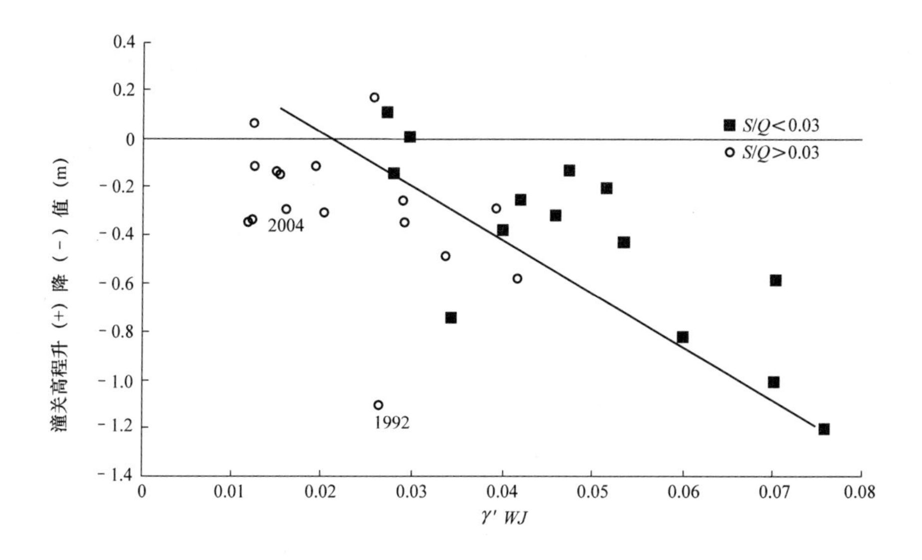

图 6-5　1974 年以来汛期潼关高程升降值与水流能量的关系图

变幅较小，当渭河来水偏大时，以冲刷居多。2004 年汛期来水偏枯，主要是洪水场次只有一次，洪水流量小。“04・8”洪水以渭河来高含沙洪水为主，潼关高程的下降主要发生在这次洪水过程中。潼关站平均流量 1 440 m^3 / s，华县站平均流量 451 m^3 / s，潼关高程由 328.24 m 降至 327.94 m，下降 0.30 m。可以看到，由于流量偏小，潼关高程下降值不大，“04・8”洪水的点据位于图 6-6 中上面一条趋势带上。

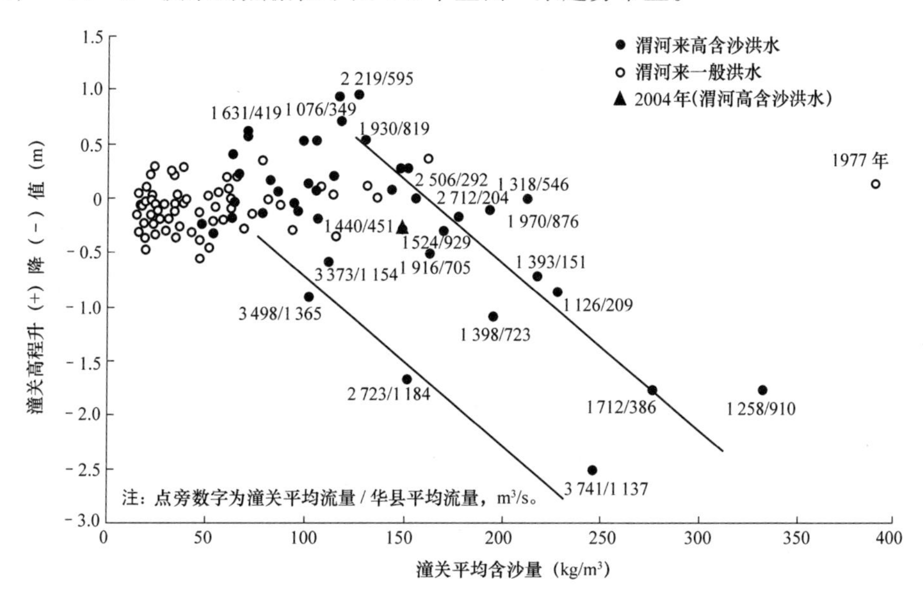

图 6-6　洪水期潼关高程变化值与平均含沙量关系图

第七章 降低潼关高程对桃汛期万家寨水库运用的要求

一、桃汛期潼关高程冲刷下降的条件

三门峡水库蓄清排浑运用以来，非汛期蓄水运用，潼关高程淤积抬升。而桃汛洪水对潼关高程的冲刷降低具有一定作用，是非汛期潼关河床冲刷的唯一机会，可将非汛期淤积的泥沙搬移到下段，有利于汛期排沙。

根据资料统计，潼关站桃汛洪峰一般多数在 2 000～2 800 m^3 / s 之间，平均为 2 360 m^3 / s，平均 11 d 洪量约 13 亿 m^3，水库起调水位一般在 315～322 m 之间，潼关高程平均下降 0.12 m。但是 1998 年 10 月万家寨水库投入运用后，在桃汛期进行蓄、泄运用改变了桃汛进入潼关的洪水过程，削减了洪峰流量，洪水量减少。桃汛期万家寨水库年均蓄水量 3 亿～4 亿 m^3，削峰比 30%～40%。万家寨水库运用以来，在供水、发电和防凌方面发挥了显著作用，但是对降低潼关高程产生了不利影响，1999～2002 年桃汛期潼关站平均洪峰流量 1 827 m^3 / s，潼关高程平均抬升 0.02 m。图 7-1 为 1974 年以来桃汛期洪峰流量、三门峡水库起调水位及潼关高程变化过程。

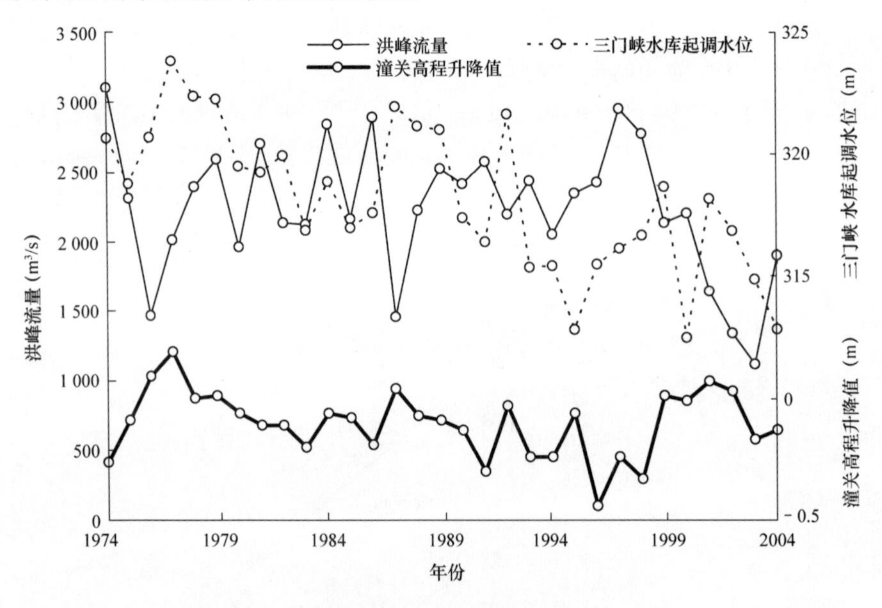

图 7-1 1974 年以来桃汛期特征值变化过程

图 6-4 也反映了桃汛期潼关高程变化规律。结合 2004 年桃汛的情况可以认为，桃汛峰值流量减小为 1 500 m^3 / s 左右，潼关高程难以冲刷下降；当流量大于 1 900 m^3 / s 时，起调水位越低，潼关高程的下降值越大；当库水位降低到一定程度之后，对潼关高程的影响不会再增加，图 6-4 中起调水位 312 m 的点子落在 316 m 点群附近。

因此，桃汛期潼关高程冲刷的条件是洪峰流量大于 1 900 m^3 / s，并且三门峡水库起调水位在 312～316 m 时冲刷效果较好。2004 年桃汛期起调水位 312.83 m，桃汛从 3 月

18 日到 3 月 27 日，根据 3 月 13 日和 4 月 5 日的三门峡库区断面测验资料，黄淤 25 以上河段发生冲刷，黄淤 25 以下河段发生淤积，黄淤 22—黄淤 19 之间河段淤积最多，桃汛期上段冲刷，淤积体向下推移到北村以下，有利于汛期的冲刷(见图 7-2)。

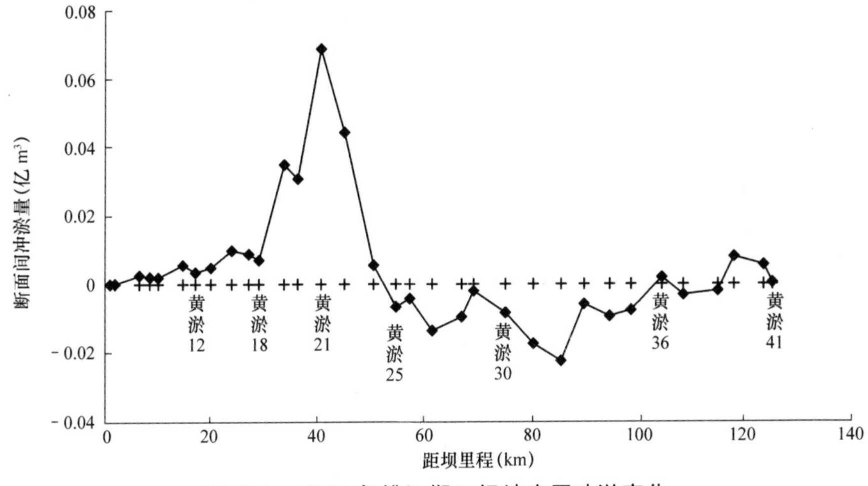

图 7-2　2004 年桃汛期三门峡库区冲淤变化

二、对万家寨水库运用的建议

由前面分析可知，潼关高程冲刷下降对桃汛洪水的要求为：洪峰流量大于 1 900 m^3/s，洪量维持在 13 亿 m^3(多年平均 11 d 洪量)左右。下面对万家寨水库桃汛期的运用情况进行分析。图 7-3 为典型年(2001 年和 2004 年)万家寨进出库流量和蓄泄水过程。可以看出，万家寨水库运用过程为：在凌汛期降低水位运用，弃一部分水，在桃汛洪峰起涨时开始蓄水，洪峰流量削减 600～900 m^3/s，增蓄水量 3 亿～4 亿 m^3。由此可知，万家寨水库的以上运用过程对桃汛洪水有较大的削峰作用，削峰比在 30%～40%。

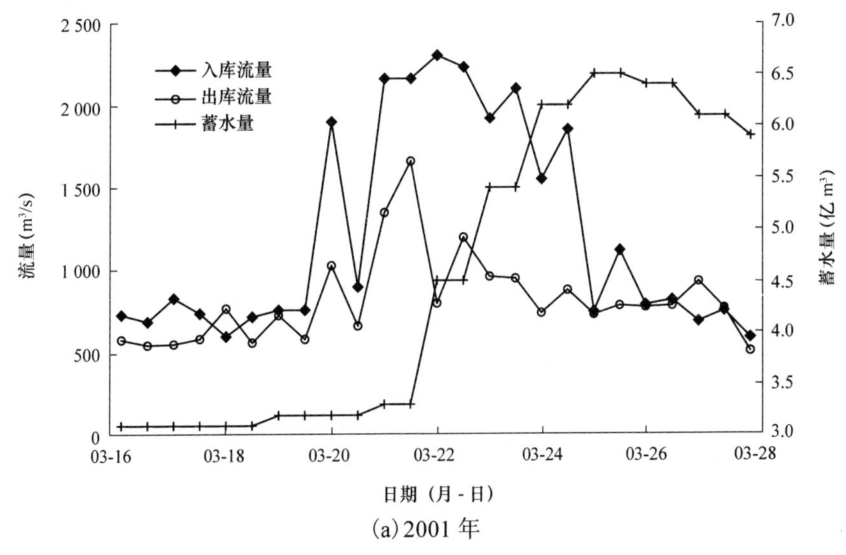

(a) 2001 年

图 7-3　典型年万家寨水库蓄泄水过程

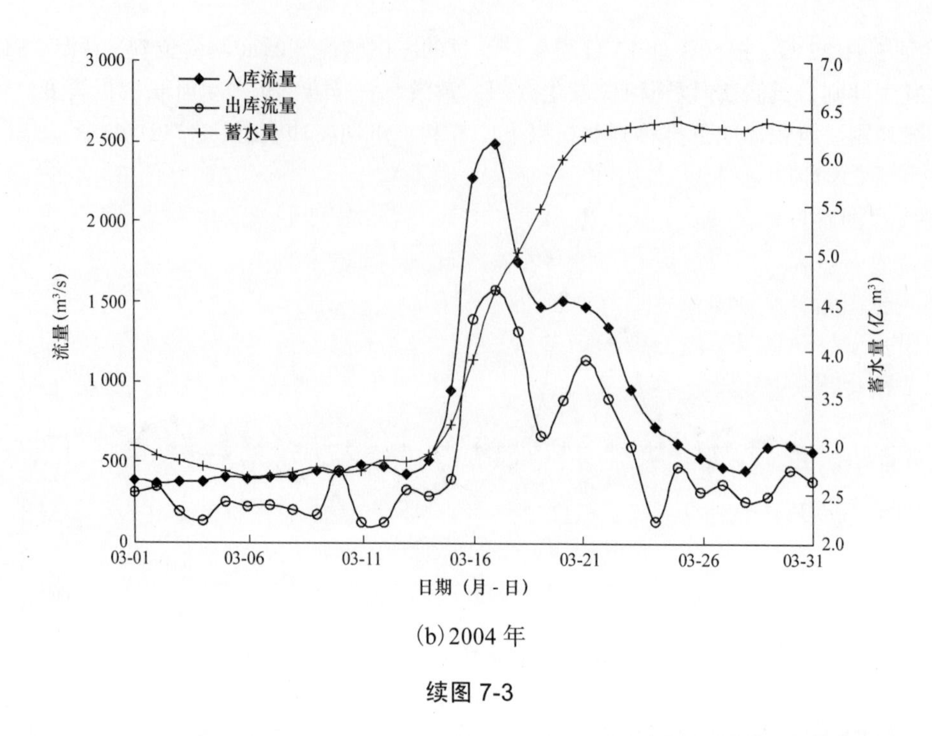

(b)2004 年

续图 7-3

要达到不影响桃汛洪峰流量的目的，需要调整万家寨水库运用方式，将蓄水时间由洪峰阶段调整到峰后落水阶段，使其运用不影响桃汛期的洪峰过程。为了分析在落水阶段水量能否满足水库补充蓄水的要求，对 1986 年以来 16 年头道拐(代表万家寨入库站)桃汛洪水过程进行了统计。若从峰后第 2 天起算 10 天的水量，扣除调峰发电水量(平均流量按 250 m^3/s 考虑)，富裕水量供水库蓄水，从表 7-1 统计结果看，10 天的富裕水量可以满足水库补水要求。但是，各年的洪水峰型和水量不同，表 7-2 为统计时段流量级出现情况，由表可知，流量均在 500 m^3/s 以上，除发电用水外，可以为水库提供补水；表 7-3 为不同富裕水量的出现年数，富裕水量在 3 亿 m^3 以上出现频率为 88%，可以基本满足水库蓄水要求。

表 7-1 头道拐桃汛洪峰落水期水量统计

项目	10 天水量	发电需水量	富裕水量
年均量(亿 m^3)	6.28	2.16	4.12

表 7-2 头道拐桃汛洪峰落水期流量级统计

流量级(m^3/s)	1 000～1 500	800～1 000	500～800
年均天数(d)	0.8	1.6	7.6

表 7-3 扣除发电后富裕水量情况

富裕水量(亿 m^3)	＞3.5	3～3.5	2.5～3.0
年数	12	2	2

因此，建议洪峰后第 2 天开始蓄水，对冰期槽蓄量小的年份可适当提前蓄水。同时，由于万家寨水库的泥沙淤积严重，可利用桃汛洪水冲刷，恢复库容。

以 2004 年为例对蓄水时间进行调整，峰后第 2 天开始控制出库流量，第一天 800 m^3 / s、其余 4 d 500 m^3 / s，结果 5 天蓄水量已满足补水要求。图 7-4 为调整后的蓄泄水过程。对桃汛流量较小的年份，下泄流量可以减小。

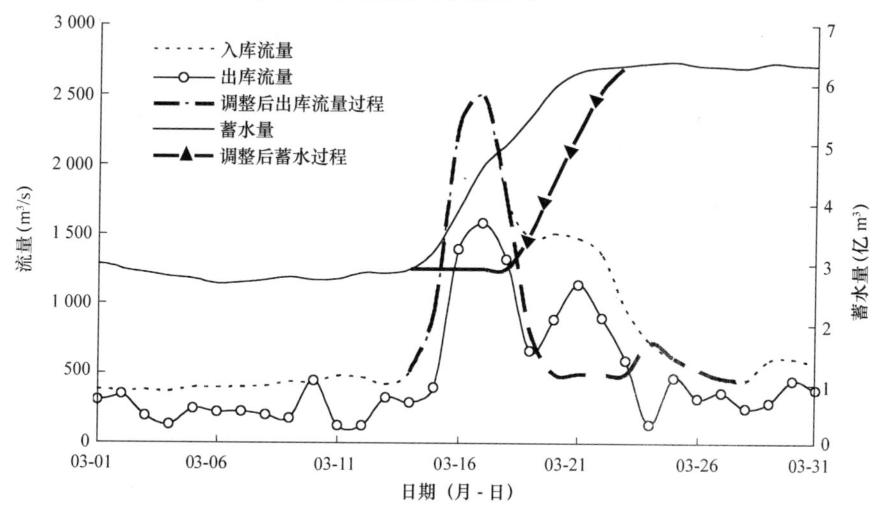

图 7-4　万家寨水库调整蓄水分析图

调整蓄水时间后的效果估算：考虑削峰流量在 600～900 m^3 / s，潼关洪峰可从平均 1 800 m^3 / s 增加到 2 400～2 700 m^3 / s，按水库起调水位 312～316 m 运用，桃汛期潼关高程可降低 0.2～0.3 m。

第八章　主要认识

⑴2004运用年潼关站入库径流量209亿m^3，沙量3.17亿t，与历史相比为枯水枯沙年。非汛期径流量134亿m^3，沙量0.84亿t，径流量变幅不大，沙量减幅较大。汛期径流量75亿m^3，沙量2.33亿t，水沙量较历史都偏枯。汛期无大的洪水过程，最大洪峰流量2 300 m^3/s，最大含沙量366 kg/m^3。

⑵非汛期三门峡水库坝前最高水位按不超过318 m控制运用，实际最高水位317.97 m，平均水位317.01 m，较以往偏高。汛期按洪水排沙、平水期不超过305 m运用，汛期平均水位比1980年以来各时段平均值都高。期间有两次敞泄排沙过程。

⑶非汛期潼关以下库区淤积0.850亿m^3，汛期冲刷0.409亿m^3，全年淤积0.441亿m^3，年内未达到冲淤平衡。非汛期淤积重心在黄淤22—黄淤30断面之间，淤积量为0.452亿m^3，占非汛期淤积量的53%。淤积末端在黄淤31断面和黄淤32断面之间。潼关河段处于天然河道状态，不受水库蓄水影响。汛期冲刷集中在两次敞泄排沙期，分别冲刷泥沙0.34亿m^3和0.52亿m^3，占汛期冲刷量的110%和168%。

⑷2003年汛后潼关高程为327.94 m，2004年非汛期潼关高程上升至328.24 m，上升0.30 m，其间桃汛洪水冲刷下降0.13 m。汛期潼关高程下降至327.98 m，下降0.26 m，主要由洪水沿程冲刷引起。运用年始末潼关高程上升0.04 m。

⑸万家寨水库在桃汛期蓄水对潼关入库洪峰削减较大，不利于桃汛期潼关高程的降低。经分析认为，若万家寨水库在峰后第2天开始蓄水，既可以不影响潼关入库洪峰，又可以满足万家寨水库蓄水发电的要求。因此，建议万家寨水库在桃汛洪峰后第2天开始蓄水，以利于潼关高程的冲刷，也利于万家寨水库自身的冲刷，恢复库容。

第四专题　2004 年小浪底水库运用及库区水沙运动特性分析

2004 年是小浪底水库投入运用的第五年，至 2004 年汛前，库区淤积量为 14.11 亿 m^3。小浪底水利枢纽拦沙初期运用调度规程界定，水库拦沙初期为“水库泥沙淤积量达到 21 亿 m^3 至 22 亿 m^3 以前”。因此，2004 年汛期水库仍以蓄水拦沙运用为主。

2004 年 6 月 19 日～7 月 13 日进行了黄河第三次调水调沙试验。第三次调水调沙试验是在汛前中游不发生洪水的情况下，利用万家寨、三门峡、小浪底水库三库联合调度，冲刷三门峡水库及小浪底水库淤积三角洲，进而在小浪底水库回水区形成异重流并将泥沙排出库外，这是一次大规模科学实践和初次尝试。

2004 年 8 月，渭河发生一次小洪水过程，小浪底水库进库最大流量为 2 960 m^3/s，最大含沙量为 542 kg/m^3，出库最大流量为 2 690 m^3/s，最大含沙量为 346 kg/m^3，出库含沙量大于 100 kg/m^3 的历时达 44 h，这是小浪底水库运用以来首次大规模排沙。

本专题初步分析了 2004 年(指水库运用年，即 2003 年 11 月～2004 年 10 月，下同)小浪底水库运用情况及库区水沙运动特性、泥沙淤积分布特点，并结合 2001～2004 年实测资料对小浪底水库异重流的运动规律进行了分析，在此基础上，提出初步认识与建议。

第一章　水沙条件

一、入库水沙概况

小浪底水库干流入库水沙控制站为三门峡水文站，支流有 3 个水文站，分别是亳清河皋落站、西阳河桥头站和畛水河石寺站。2004 年小浪底库区支流入汇水沙量较少，从现有观测资料看，只有畛水河石寺站 7 月 8 日出现瞬时流量大于 100 m^3/s，因此小浪底水库支流入汇水沙量可略而不计，以干流三门峡站水沙量作为小浪底入库值。小浪底水库入库水量、沙量分别为 178.4 亿 m^3、2.64 亿 t，从表 1-1 及图 1-1 三门峡水文站枯水少沙时段 1987～2004 年实测水沙量统计来看，相当于该时段多年平均水沙量的 77.2%和 38.5%，属严重枯水少沙年。

表 1-1　三门峡水文站近年水沙统计结果

年份	水量(亿 m^3)			沙量(亿 t)		
	汛期	非汛期	全年	汛期	非汛期	全年
1987	80.81	124.55	205.36	2.71	0.17	2.88
1988	187.67	129.45	317.12	15.45	0.08	15.53
1989	201.55	173.85	375.40	7.62	0.50	8.12
1990	135.75	211.53	347.28	6.76	0.57	7.33
1991	58.08	184.77	242.85	2.49	2.41	4.90
1992	127.81	116.82	244.63	10.59	0.47	11.06
1993	137.66	157.17	294.83	5.63	0.45	6.08
1994	131.60	145.44	277.04	12.13	0.16	12.29
1995	113.15	134.21	247.36	8.22	0	8.22
1996	116.86	120.67	237.53	11.01	0.14	11.15
1997	50.54	95.54	146.08	4.25	0.03	4.28
1998	79.57	94.47	174.04	5.46	0.26	5.72
1999	87.27	104.58	191.85	4.91	0.07	4.98
2000	67.23	99.37	166.60	3.34	0.23	3.57
2001	53.82	81.14	134.96	0	2.83	2.83
2002	50.87	108.39	159.26	3.40	0.97	4.37
2003	146.91	70.70	217.61	7.55	0.01	7.56
2004	65.89	112.5	178.39	2.64	0	2.64
平均	105.17	125.84	231.01	6.34	0.52	6.86

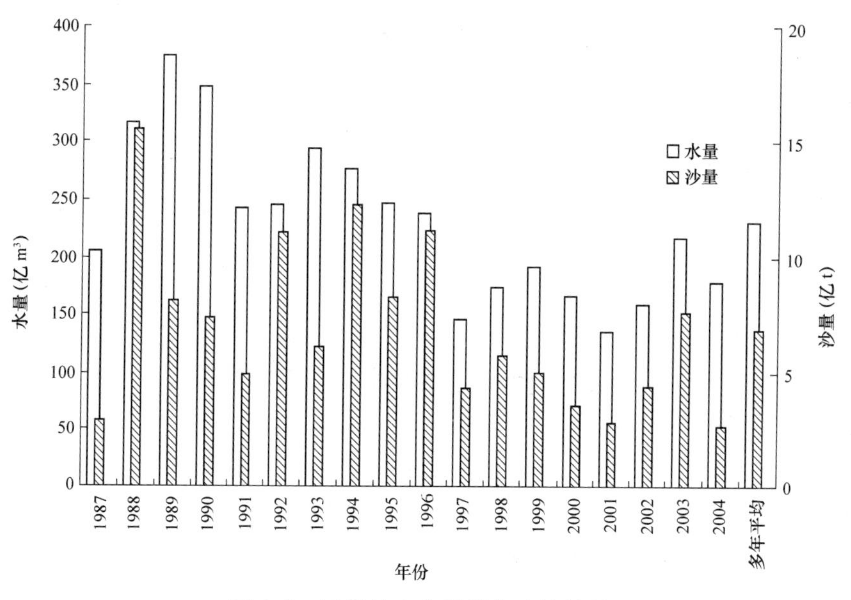

图 1-1　三门峡水文站近年水沙统计

图 1-2 为三门峡水文站 2004 年水沙量年内分配图，可以看出，相对沙量而言，全年水量分布比较均匀，而沙量主要集中在 7 月和 8 月，这主要与流域来沙量及三门峡水库运用有关。

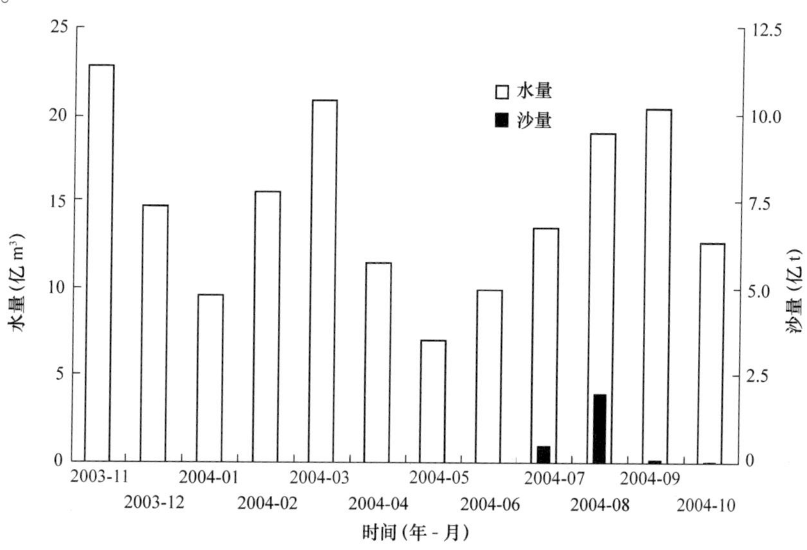

图 1-2　三门峡水文站 2004 年水沙量年内分配图

2004 年小浪底水库入库最大洪峰流量为 5 130 m^3/s(7 月 7 日 14 时 6 分)，入库最大含沙量为 542 kg/m^3(8 月 22 日 6 时)。最大入库日均流量为 2 860 m^3/s(7 月 7 日)，最大日均含沙量为 406.31 kg/m^3(8 月 23 日)。日平均流量大于 2 000 m^3/s 流量级出现天数为 2 d，日均入库流量大于 1 000 m^3/s 流量级出现天数为 29 d。图 1-3 为日平均入库流量及含沙量过程。入库日平均各级流量及含沙量持续时间及出现天数见表 1-2 及表 1-3。

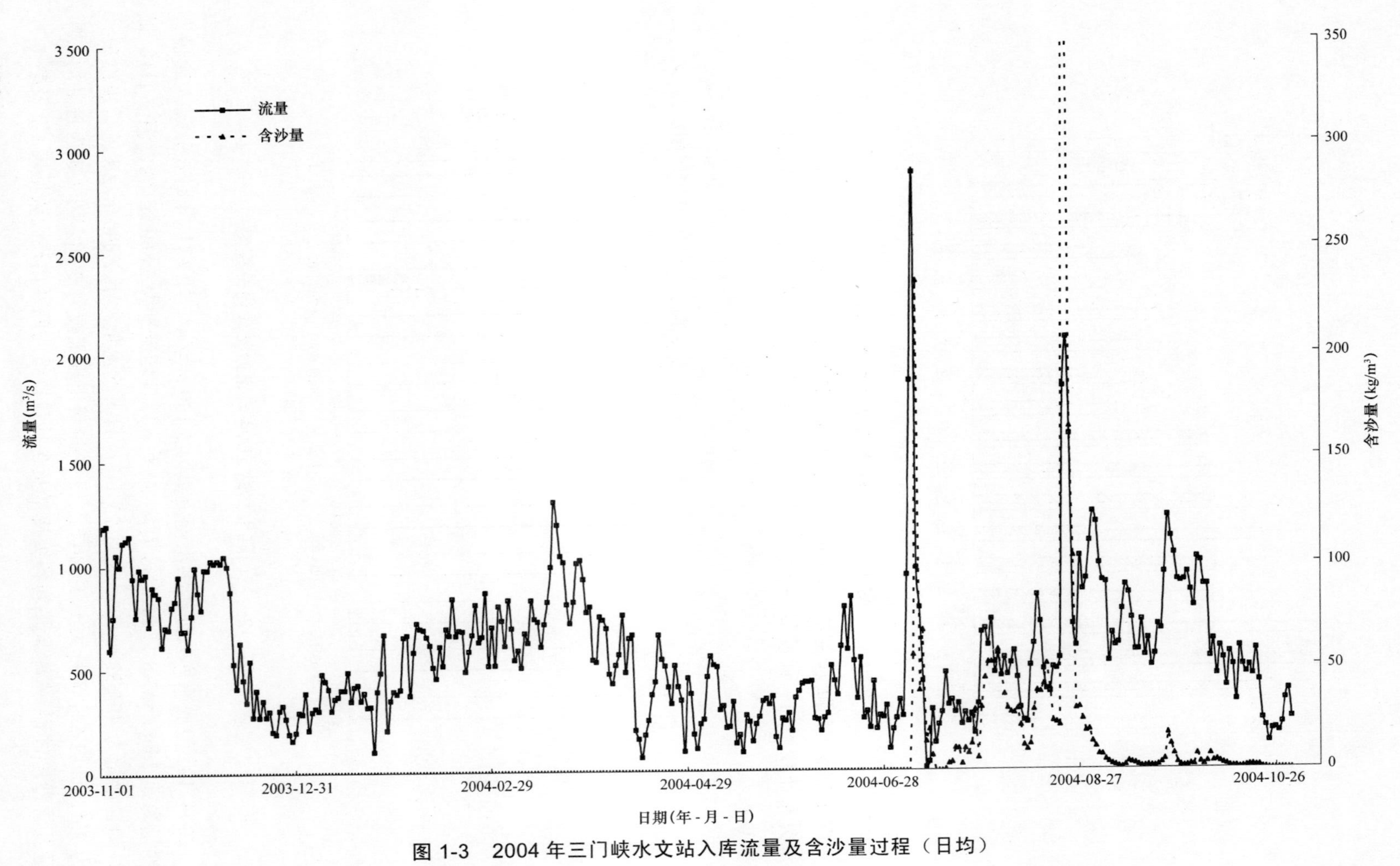

图 1-3 2004 年三门峡水文站入库流量及含沙量过程（日均）

表 1-2　三门峡水文站各级流量持续情况及出现天数

流量级 (m^3/s)	$Q>2\,000$		$2\,000>Q>1\,000$		$1\,000>Q>800$		$800>Q>500$		$Q<500$	
	持续	出现	持续	出现	持续	出现	持续	出现	持续	出现
天数(d)	1	2	5	27	5	47	7	114	40	176

注：表中持续天数为全年该级流量连续最长时间。

表 1-3　三门峡水文站各级含沙量持续情况及出现天数

含沙量级 (kg/m^3)	$S>300$		$300>S>200$		$200>S>100$		$100>S>50$		$50>S>0$		0	
	持续	出现	持续	出现	持续	出现	持续	出现	持续	出现	持续	出现
天数(d)	2	2	1	1	2	2	4	7	59	95	249	259

注：表中持续天数为全年该级含沙量连续最长时间。

6 月 19 日～7 月 13 日，进行了黄河第三次调水调沙试验，其中 7 月 5 日始，调水调沙试验进入第二阶段，三门峡水库加大泄量，形成了 2004 年进入小浪底水库的第一场洪水，进库最大流量为 5 130 m^3/s(7 月 7 日 14 时 6 分)，最大含沙量为 368 kg/m^3(7 月 7 日 22 时)。2004 年 8 月，中游发生一场小洪水过程，8 月 22 日起第二场较大洪水入库(以下简称“04·8”洪水)，进库最大流量为 2 960 m^3/s(8 月 22 日 3 时)，最大含沙量为 542 kg/m^3(8 月 22 日 6 时)。汛期入库洪水特征值见表 1-4。

表 1-4　三门峡水文站洪水期水沙特征值统计

时段 (月-日)	水量 (亿 m^3)	沙量 (亿 t)	流量(m^3/s)			含沙量(kg/m^3)		
			洪峰	最大日均	时段平均	沙峰	最大日均	时段平均
07-05～07-09	3.39	0.357 5	5 130	2 860	1 479	368	233.47	55.95
08-21～08-31	10.27	1.711 3	2 960	2 060	1 188	542	406.31	166.63

二、出库水沙概况

小浪底水库出库站为小浪底水文站，2004 年出库最大流量为 2 940 m^3/s(7 月 9 日 6 时)，最大含沙量为 352 kg/m^3(8 月 24 日 0 时)，洪水期间出库含沙量在 100 kg/m^3 以上的历时达 44 h。全年水量为 251.59 亿 m^3，沙量为 1.486 1 亿 t，各时段排沙情况见表 1-5。出库水沙过程及年内分配分别见图 1-4 及图 1-5。出库日平均各级流量及含沙量持续情况及出现天数见表 1-6 及表 1-7。

表 1-5　小浪底水库主要时段的排沙情况(输沙率法)

时段 (月-日)	水量(亿 m^3)		沙量(亿 t)		排沙比(%)
	三门峡	小浪底	三门峡	小浪底	
07-07～07-13	1.89	9.19	0.385	0.054 8	14.2
08-02～08-21	8.35	11.25	0.267	0.004	1.5
08-22～08-31	10.27	13.83	1.711 3	1.423 2	83.2
09-01～09-07	4.94	1.38	0.031 4	0.004	12.7

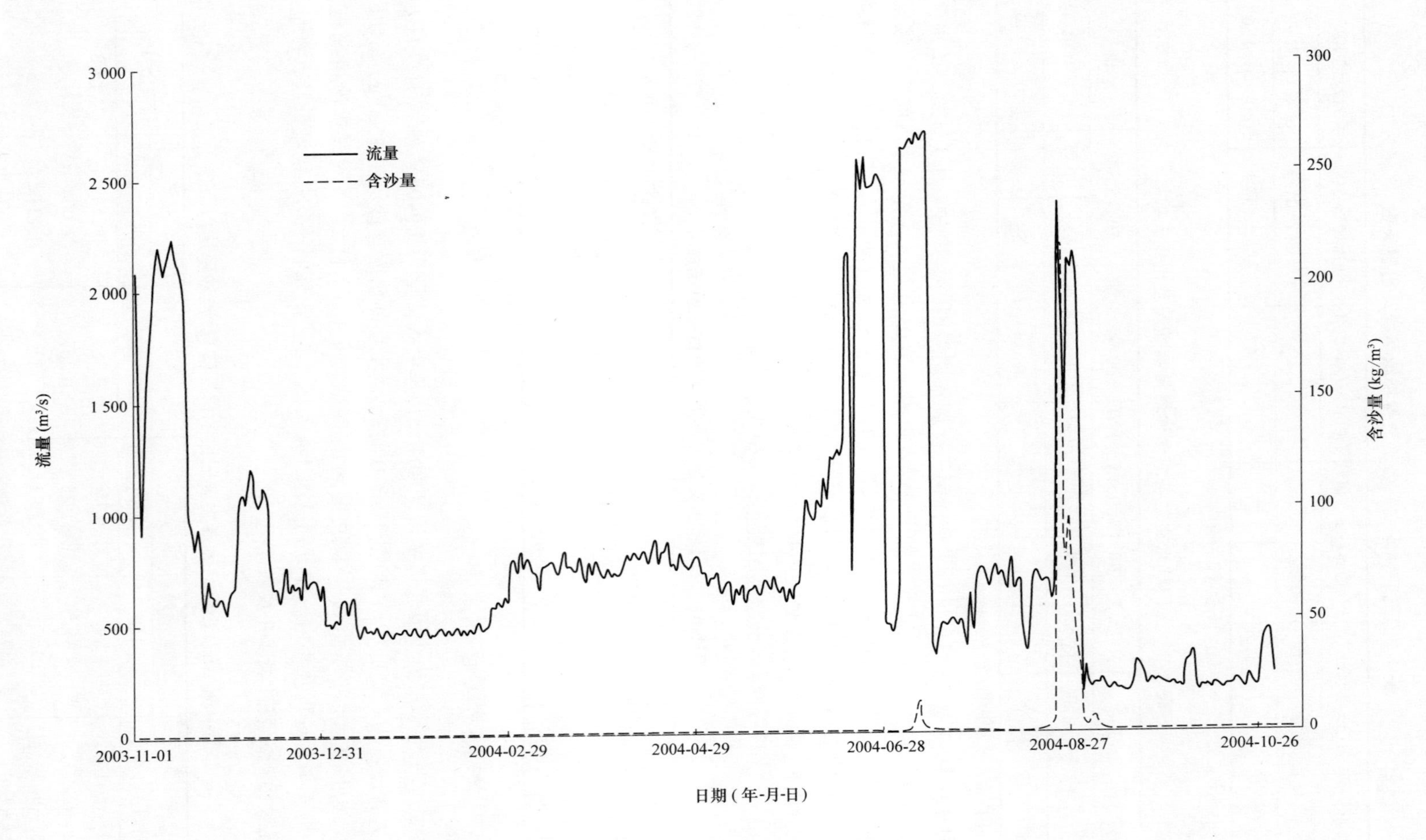

图 1-4　2004 年小浪底水文站出库水沙过程（日均）

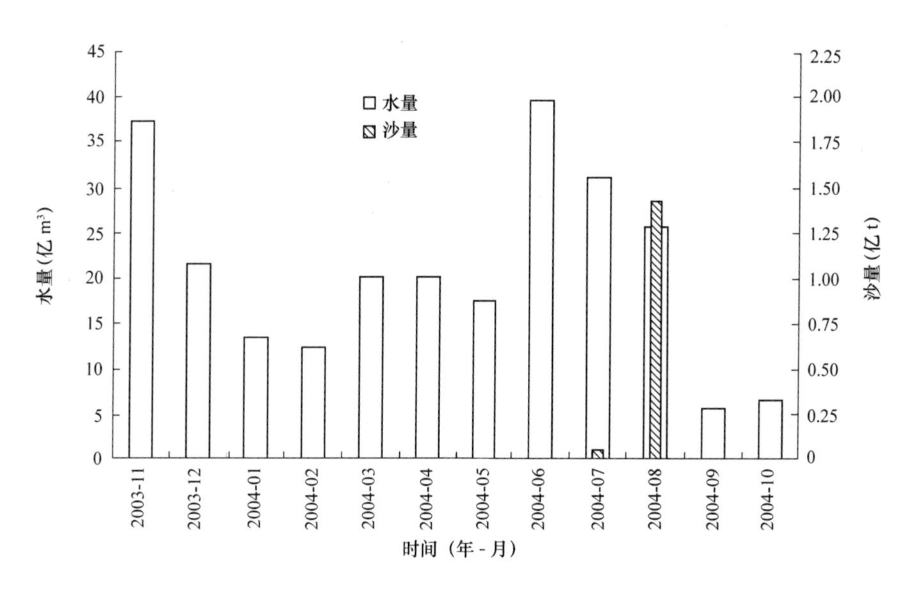

图 1-5　2004 年小浪底出库水量及沙量年内分配(小浪底站)

表 1-6　小浪底水文站各级流量持续情况及出现天数

流量级 (m^3/s)	Q>2 000		2 000>Q>1 000		1 000>Q>800		800>Q>500		Q<500	
	持续	出现	持续	出现	持续	出现	持续	出现	持续	出现
天数(d)	10	36	10	32	4	20	38	155	62	123

注：表中持续天数为全年该级流量连续最长时间。

表 1-7　小浪底水文站各级含沙量持续情况及出现天数

含沙量级 (kg/m^3)	S>300		300>S>200		200>S>100		100>S>50		50>S>0		0	
	持续	出现	持续	出现	持续	出现	持续	出现	持续	出现	持续	出现
天数(d)	0	0	2	2	0	0	4	4	10	31	250	329

注：表中持续天数为全年该级含沙量连续最长时间。

第二章　水库调度

2004 年小浪底水库是按照满足黄河下游防洪、减淤、防凌、防断流以及供水(包括城市用水、工农业用水、生态用水等)、春灌蓄水、调水调沙为主要目标进行调度的，库水位及蓄水量变化过程见图 2-1。2004 年汛前库水位较高，结合汛期水库库水位要下降到汛限水位，进行了黄河第三次调水调沙试验，期间小浪底水库进行了人工塑造异重流的试验。

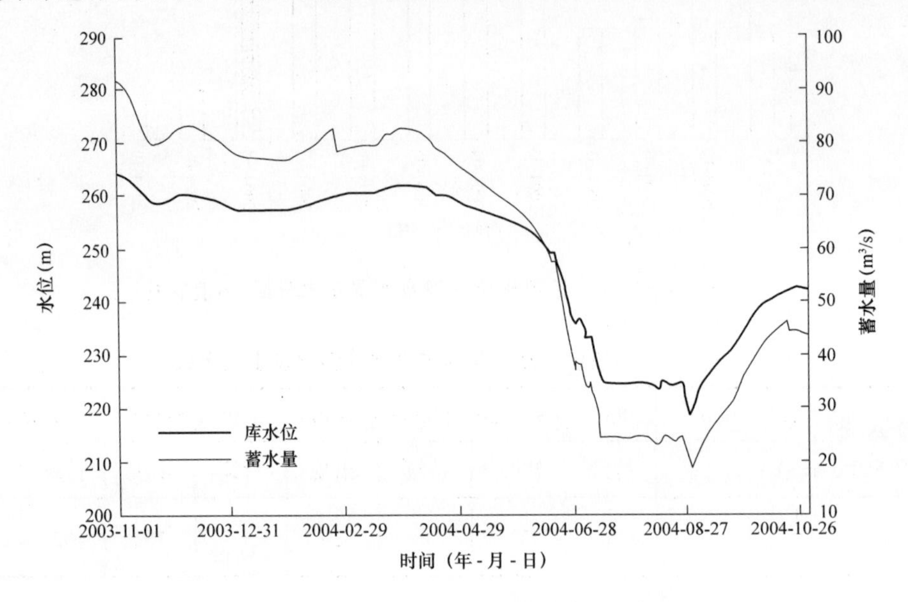

图 2-1　小浪底水库 2004 年库水位变化过程

一、调水调沙试验期水库调度

6 月 19 日 9 时至 6 月 29 日 0 时，小浪底水库下泄清水，按控制花园口流量 2 600 m^3/s 运用。库水位由 249.1 m 下降到 236.6 m，历时 10 d。小浪底水库自 29 日 0 时起关闭泄流孔洞，出库流量由日均 2 500 m^3/s 降至 500 m^3/s；小浪底水库出流自 7 月 3 日 21 时按控制花园口 2 800 m^3/s 运用，出库流量由 2 550 m^3/s 逐渐增至 2 750 m^3/s，从 7 月 8 日 14 时开始排沙，7 月 13 日 8 时库水位下降至汛限水位 225 m，至此水库调水调沙试验结束。图 2-2 为调水调沙期间库水位及蓄水量变化过程，图 2-3 为调水调沙期间小浪底水库泄流过程。

在调水调沙试验全过程中，小浪底水库泄水建筑物启闭 288 次。明流洞、排沙洞闸门启闭情况见表 2-1。

二、进出库流量、含沙量过程对比

经过小浪底水库调节后，出库流量过程及含沙量过程发生了较大的改变。图 2-4、图 2-5 分别为进出库流量过程对比及含沙量过程对比。

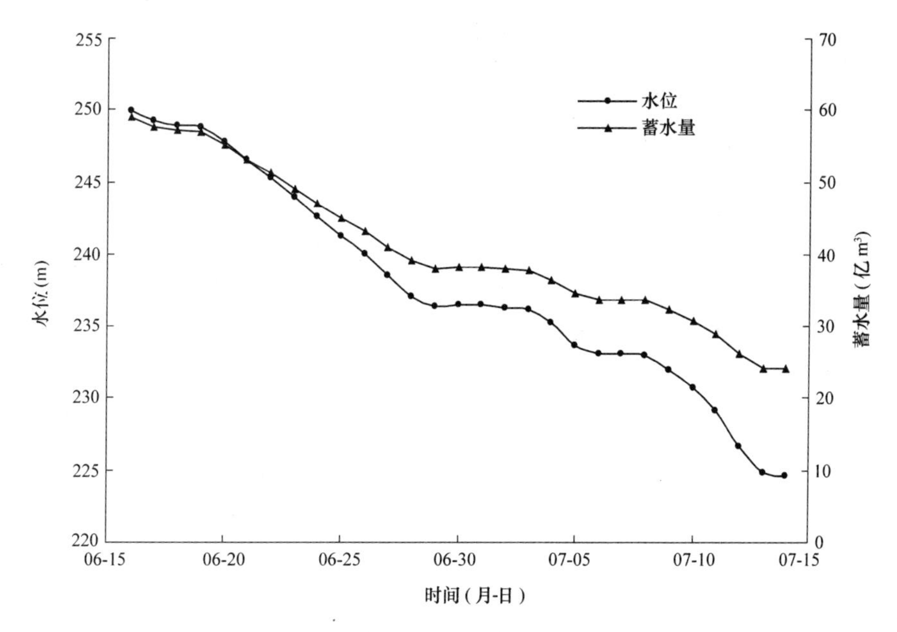

图 2-2　调水调沙试验期间库水位及蓄水量变化过程

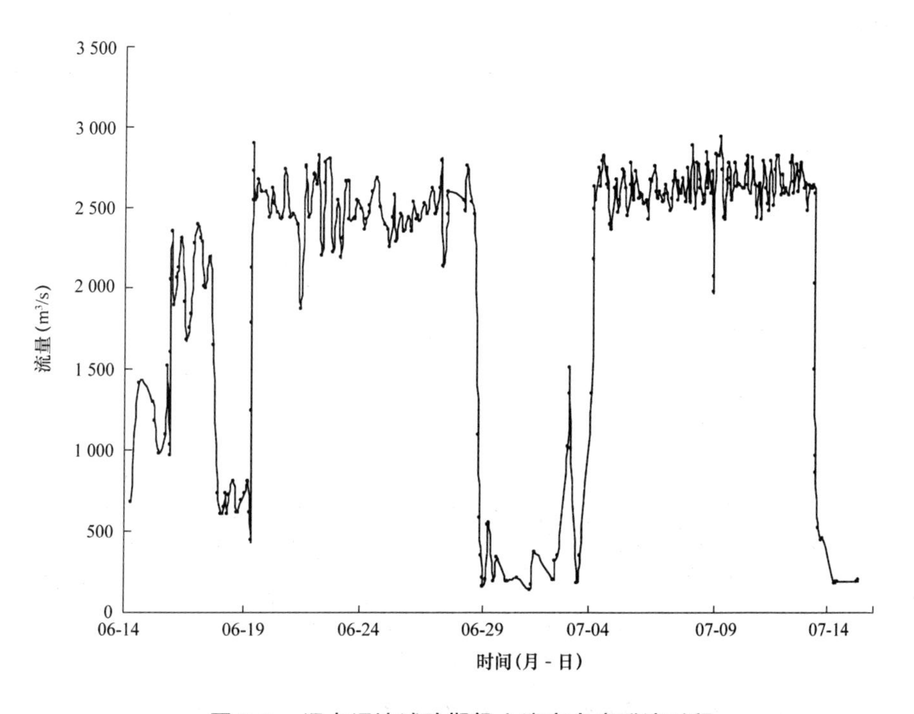

图 2-3　调水调沙试验期间小浪底水库泄流过程

表 2-1　调水调沙试验期间明流洞、排沙洞闸门启闭情况

日期（月-日）	排沙洞			明流洞		
	1号	2号	3号	1号	2号	3号
06-19	√	√	√	√	√	√
06-20	√	√	√	○	○	√
06-21	√	√	√	○	○	√
06-22	√	√	√	○	○	○
06-23	√	○	√	○	○	○
06-24	√	○	√	○	○	○
06-25	√	○	√	○	○	○
06-26	√	√	○	○	○	○
06-27	√	√	○	○	○	○
06-28	√	√	√	√	√	√
06-29	√	√	○	○	○	○
06-30	○	√	○	○	○	○
07-03	√	√	√	○	○	○
07-04	√	√	○	○	○	○
07-05	√	√	○	○	○	○
07-06	√	√	○	○	○	○
07-07	√	√	○	○	○	○
07-08	√	√	√	○	√	○
07-09	○	√	√	○	○	○
07-10	○	√	○	○	○	○
07-11	○	√	○	○	○	○
07-12	√	○	○	○	○	○
07-13	√	○	○	○	○	○

注：表中√表示开启，○表示关闭。

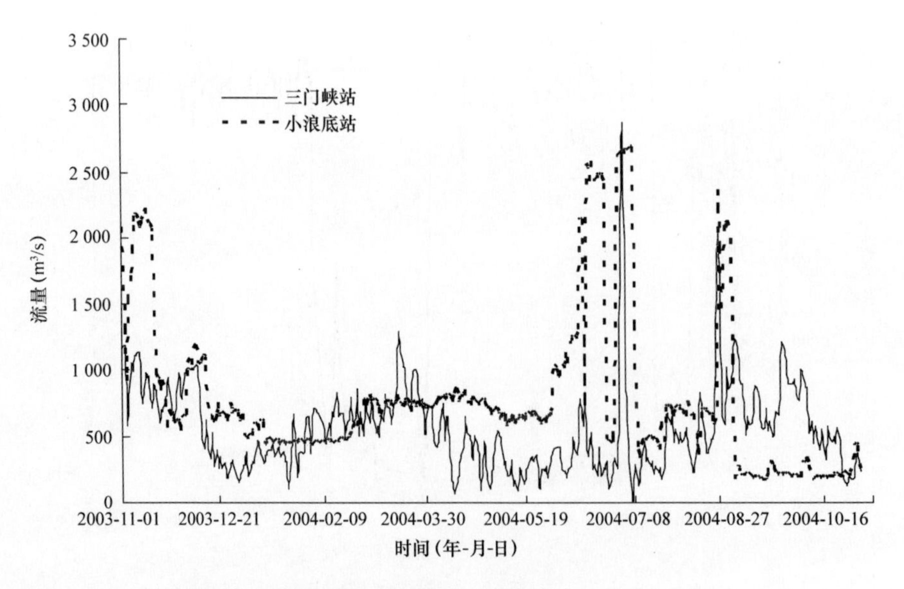

图 2-4　2004 年小浪底进出库流量过程对比（日均）

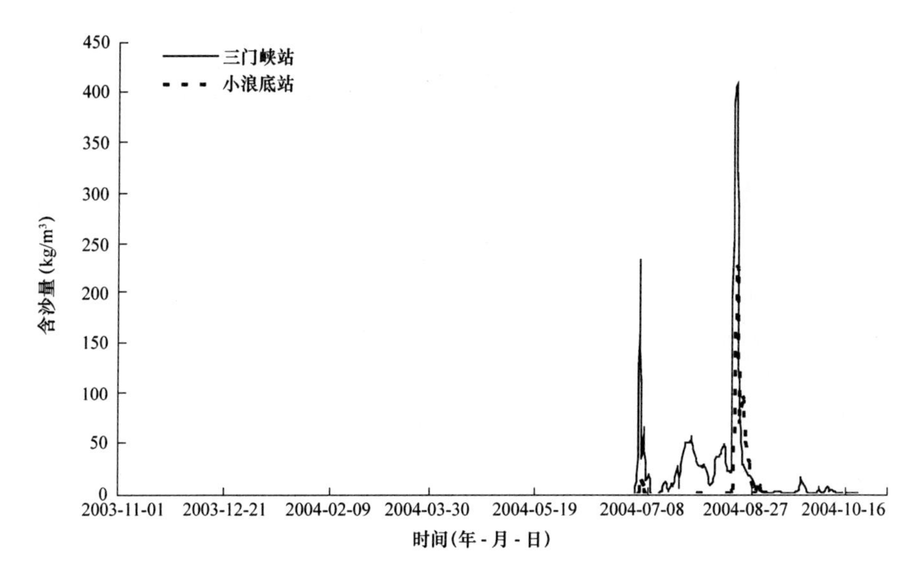

图 2-5　2004 年小浪底进出库含沙量过程对比(日均)

第三章　库区淤积形态及库容变化

一、库区冲淤特性

根据库区断面测验资料统计，2004 年小浪底水库全库区淤积量为 1.174 亿 m^3，利用输沙率法计算库区淤积量为 1.150 9 亿 t，如果淤积物干容重取 1.2 t / m^3，两者相差 0.257 9 亿 t。两种计算结果误差与计算方法、测量手段及泥沙的固结等因素有关。泥沙的淤积分布断面法有以下特点：

(1)从 2004 年全年看，泥沙主要淤积在支流，淤积量为 0.877 4 亿 m^3,占全库区淤积总量的 74.7%；干流淤积量为 0.296 8 亿 m^3，占全库区淤积总量的 25.3%。淤积主要集中在汛期，5～10 月全库区淤积量为 0.972 5 亿 m^3，占全年库区淤积总量的 82.8%。其中干流在 5～7 月淤积 0.752 1 亿 m^3，7～10 月发生冲刷，冲刷量为 0.679 7 亿 m^3，全年干流淤积量仅为 0.296 8 亿 m^3。支流汛期淤积 0.900 2 亿 m^3，占全年干支流淤积总量的 76.7%。支流淤积主要分布在东阳河、西阳河、芮村河、畛水河、石井河、涧河等较大的支流，其他支流的淤积量均较小。汛期干支流的淤积量分布情况见图 3-1。表 3-1 及图 3-2 为各时段库区淤积量，表 3-2 为 2004 年汛期干流分段冲淤量。

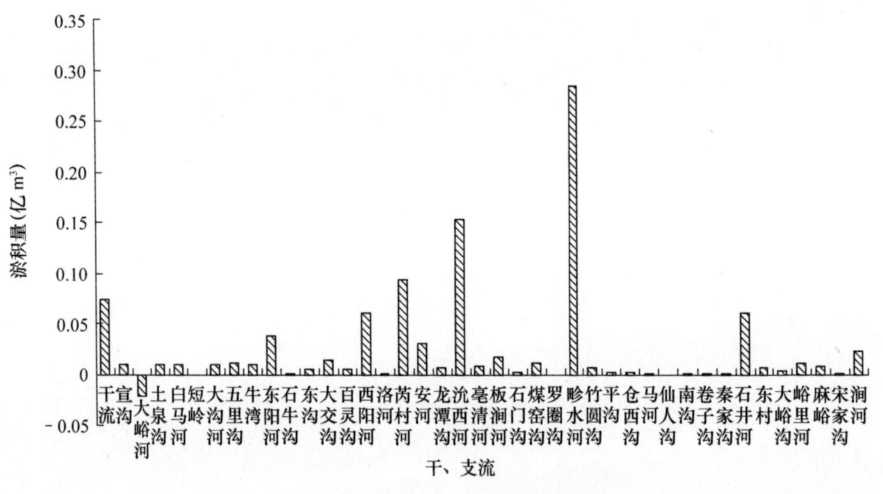

图 3-1　汛期干、支流淤积量分布情况

表 3-1　各时段库区淤积量(断面法)

项目	各时段淤积量(亿 m^3)			
	2003-10～2004-05	2004-05～2004-07	2004-07～2004-10	2003-10～2004-10
干流	0.224 4	0.752 1	− 0.679 7	0.296 8
支流	− 0.022 7	0.399 0	0.501 2	0.877 4
合计	0.201 7	1.151 1	− 0.178 5	1.174 2
占全年的百分比(%)	17.17	98.03	− 15.20	100

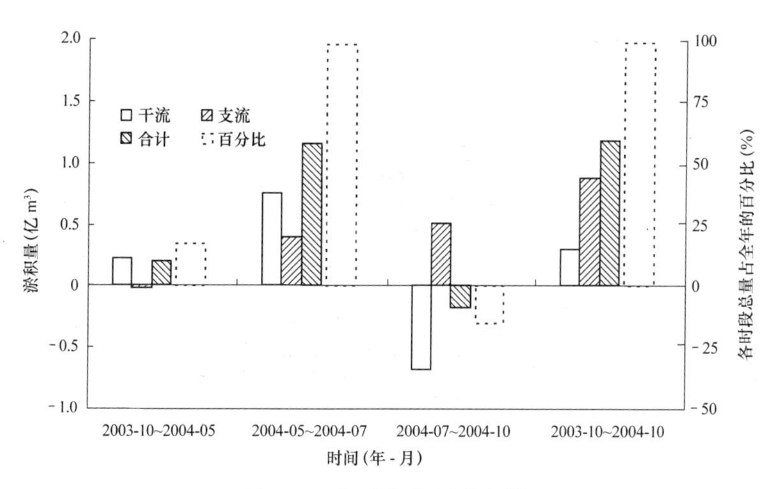

图 3-2　各时段库区淤积量

表 3-2　2004 年汛期干流分段冲淤量

时段(年-月)	冲淤位置	冲淤量(亿 m^3)
2004-05～2004-07	HH53 断面以上	0.068 6
	HH53—HH40 断面	-1.375 7
	HH40 断面以下	2.059 1
2004-07～2004-10	HH29 断面以上	-1.052 1
	HH29—HH9 断面	0.652 0
	HH9 断面以下	-0.279 5

(2)225 m 高程以下河段主要发生淤积，淤积量为 2.907 亿 m^3；225 m 高程以上河段主要发生冲刷，冲刷量为 1.733 亿 m^3。不同高程的冲淤量分布见图 3-3。

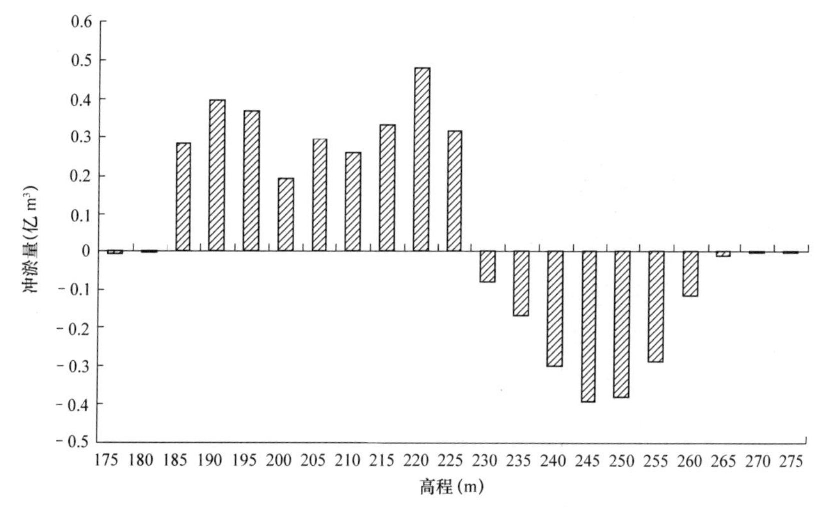

图 3-3　小浪底库区 2004 年不同高程冲淤量分布

(3)库区泥沙淤积主要在 HH7—HH36 断面之间，HH36 断面以上发生冲刷。图 3-4 为断面间干流冲淤量分布，不同断面间冲淤量(含支流)分布见图 3-5。

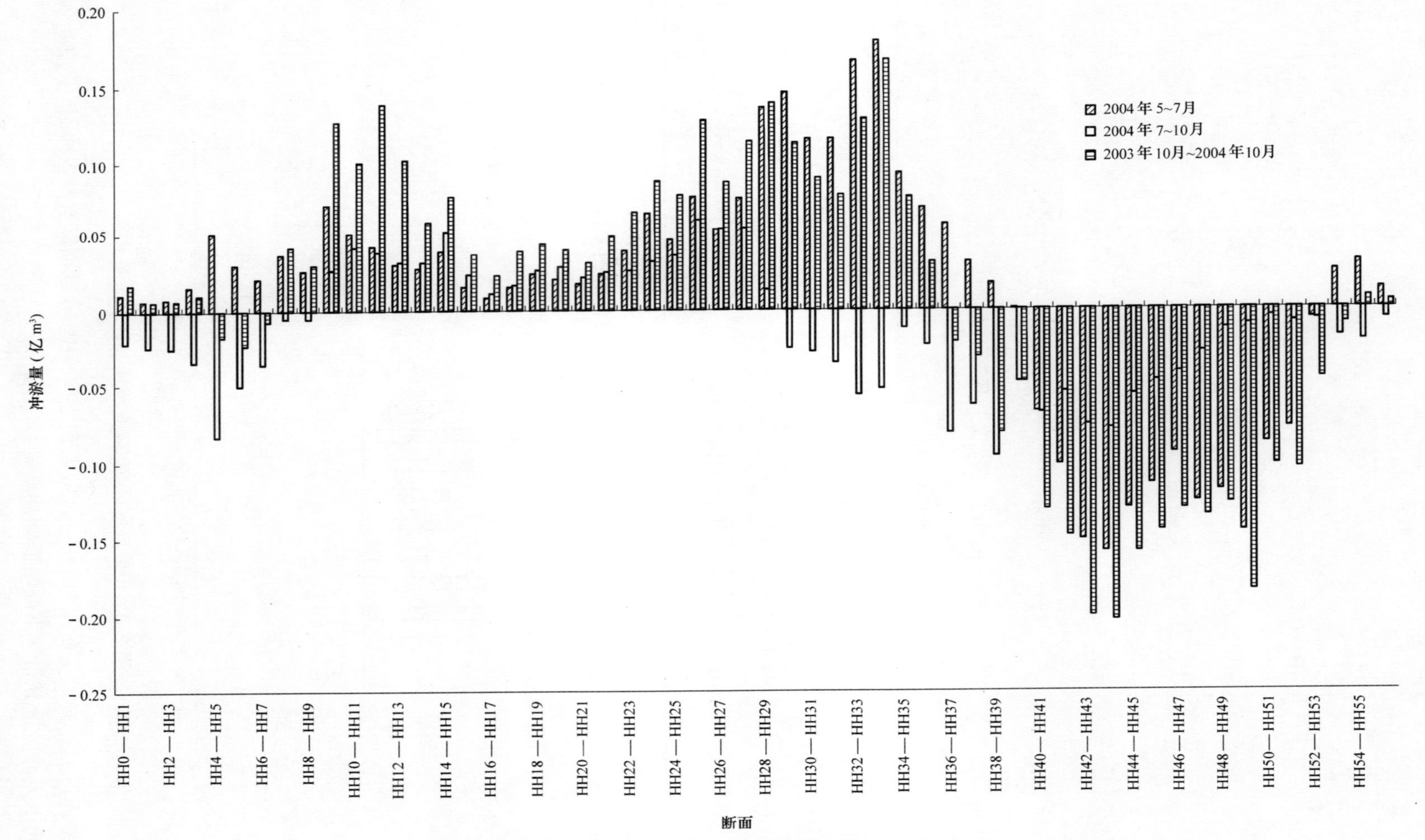

图 3-4 小浪底库区 2004 年断面间干流冲淤量分布

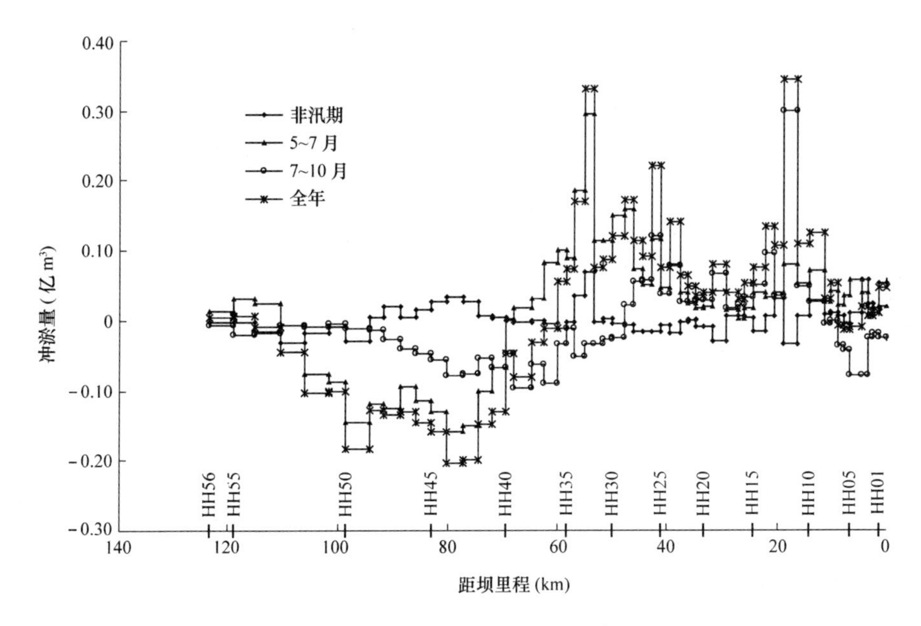

图 3-5　库区断面间冲淤量分布(含支流)

二、库区淤积形态

(一)干流淤积形态

1.纵向淤积形态

三门峡水库非汛期下泄清水，小浪底水库进库沙量为零，干流纵向淤积形态变化不大，见图 3-6。

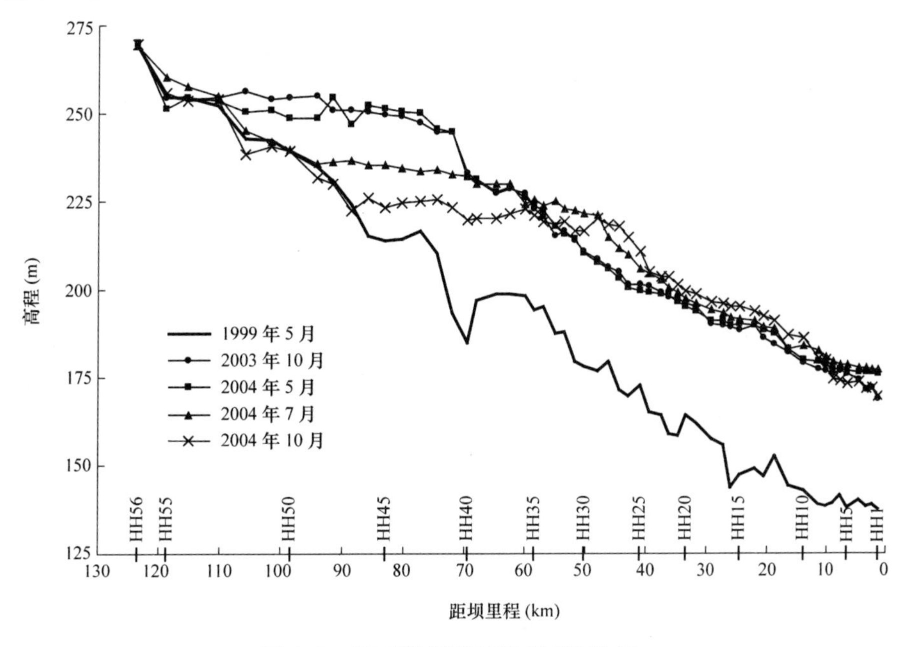

图 3-6　干流纵剖面套绘图(深泓点)

黄河第三次调水调沙试验(6 月 19 日 9 时～7 月 13 日 8 时)期间，库水位从 249.06 m 降至 225 m(见本专题图 2-2)，库区三角洲顶坡段发生了明显冲刷。同调水调沙试验以前 5 月份纵剖面相比，三角洲的顶点从 HH41 断面(距坝 72.6 km)下移到 HH29 断面(距坝 48 km)，下移距离 24.6 km，高程下降 23 m 以上。在距坝 94～110 km 的河段内，河底高程恢复到了 1999 年水平。

2004 年 8～10 月期间，特别是“04・8”洪水(8 月 22～31 日)，库水位从 224.16 m 降至 219.61 m(见本专题图 2-1)，小浪底水库三角洲顶坡段再次发生冲刷，三角洲顶点下移到 HH27 断面附近(距坝 44.53 km)，顶点高程为 217.71 m，在距坝 88.54(HH47 断面) ～110 km 的库段内，河底高程略低于 1999 年河底高程，10 月份三角洲顶坡段(HH27—HH47 断面)平缓，比降约为 1.4‱。

2.横断面淤积形态

2003 年 10 月～2004 年 5 月，小浪底库区 HH46 断面以上局部冲刷、HH5 断面以下淤积，其他断面变化不大；2004 年 5～7 月，主要是第三次调水调沙试验期间，受三门峡水库下泄水沙过程的影响，HH40—HH52 断面之间发生强烈冲刷，HH40 断面至坝前产生异重流淤积；2004 年 7～10 月，主要是受“04・8”洪水的影响，HH29 断面以上又一次发生强烈冲刷，HH29—HH9 断面之间产生异重流淤积，HH9 断面以下库底高程下降。图 3-7 为部分具有代表性的断面 2003 年 10 月～2004 年 10 月期间 4 次横断面套绘图，可以看出，不同的库段，冲淤形态及过程有较大的差异。

(二)支流淤积形态

从图 3-1 汛期干、支流淤积量分布图看，汛期只有大峪河发生冲刷，东阳河、西阳河、芮村河、畛水河、石井河、涧河等支流淤积量较大。图 3-8 为汛期含支流与不含支流冲淤量对比图。表 3-3 为典型支流冲淤量。

图 3-6、图 3-9 分别为干流及典型支流纵剖面。可以看出，5～7 月干流 HH53—HH40 断面之间三角洲顶坡段洲面发生强烈冲刷，在 HH40 断面以下发生淤积。支流淤积面高程随干流的升降而变化。八里胡同以上库段淤积量较大，其间的支流板涧河、沇西河、芮村河、西阳河等随着干流河床较大幅度的抬升而发生了大量的淤积；八里胡同及其以下库段淤积量较小，位于该区间的支流如东阳河、石井河、畛水河、大峪河等只在沟口附近产生淤积。

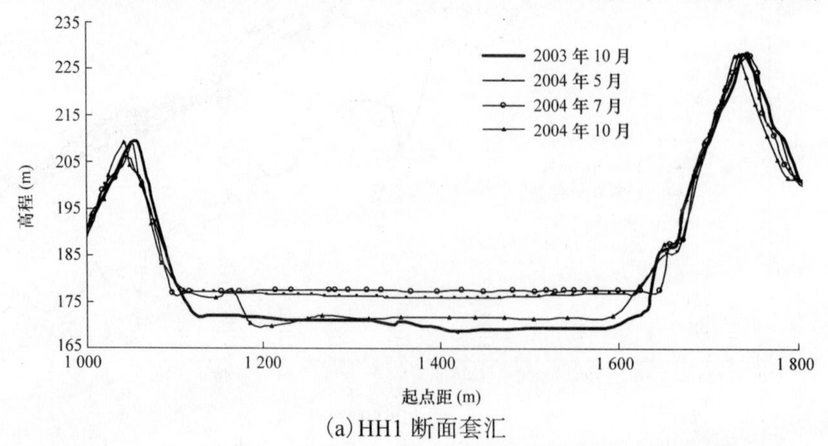

(a) HH1 断面套汇

图 3-7　2003 年 10 月～2004 年 10 月期间典型断面 4 次横断面套绘图

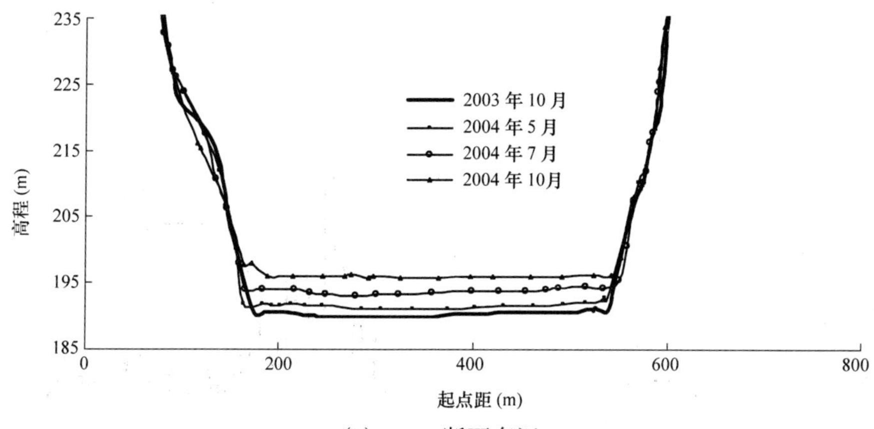

(b) HH17 断面套汇

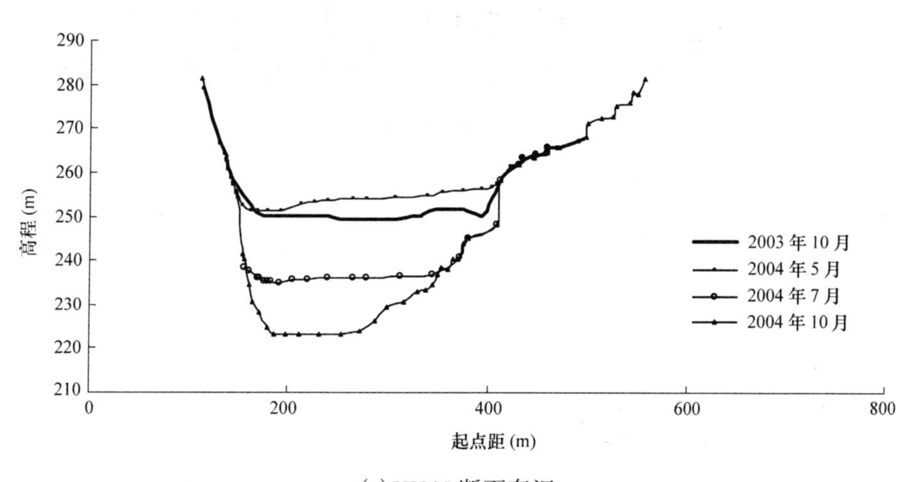

(c) HH45 断面套汇

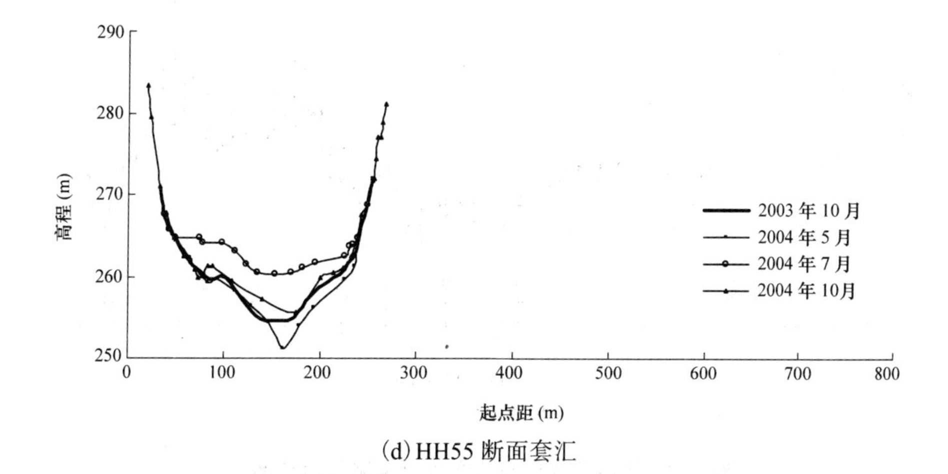

(d) HH55 断面套汇

续图 3-7

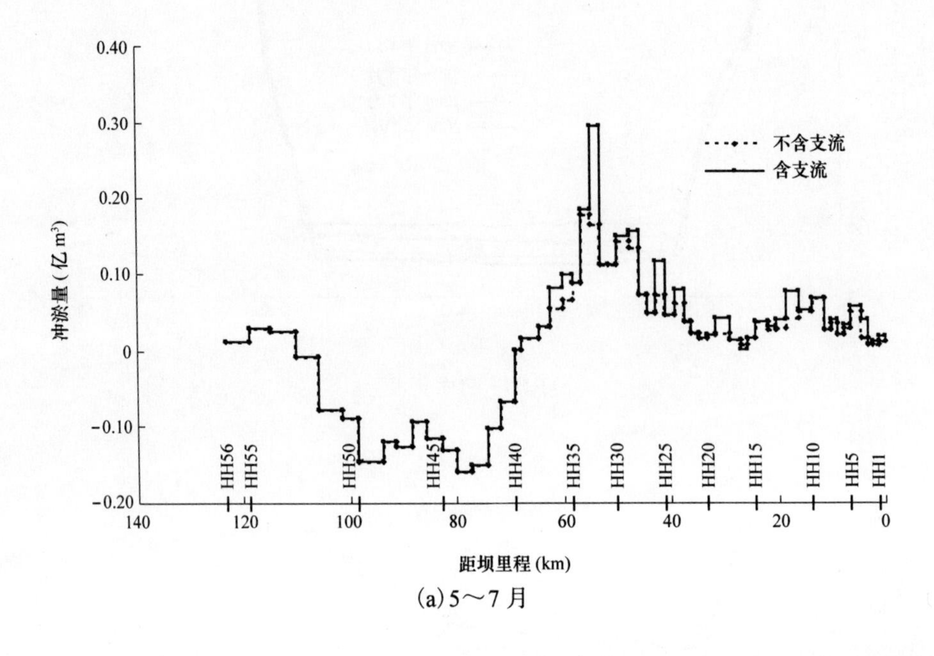

(a)5～7 月

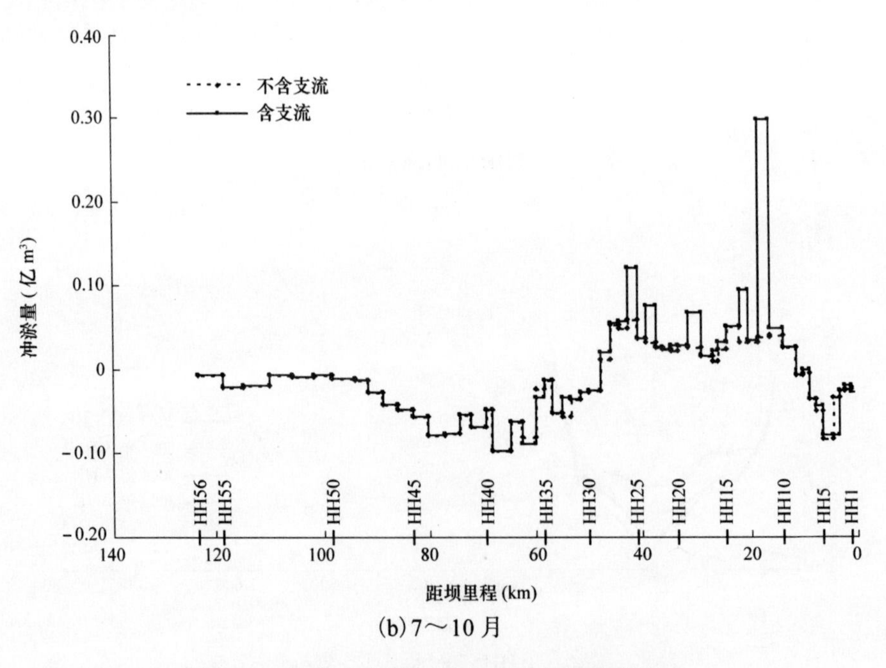

(b)7～10 月

图 3-8　汛期含支流与不含支流冲淤量对比图

表 3-3　典型支流冲淤量

支流		位置	不同时段冲淤量(亿 m^3)			
			2003 年 10 月～2004 年 5 月	2004 年 5 月～2004 年 7 月	2004 年 7 月～2004 年 10 月	全年
左岸	大峪河	HH03—HH04	0.030 3	0.023 5	-0.045 3	0.008 4
	东阳河	HH18—HH19	-0.019 9	0.014 9	0.023 0	0.018 0
	西阳河	HH23—HH24	-0.004 7	0.016 3	0.044 0	0.055 5
	芮村河	HH25—HH26	-0.008 5	0.042 1	0.051 1	0.084 7
	沇西河	HH32—HH34	0.051 0	0.130 2	0.022 1	0.203 3
右岸	板涧河	HH36—HH37	-0.007 6	0.025 8	-0.008 3	0.010 0
	畛水河	HH11—HH12	-0.077 7	0.028 8	0.255 6	0.206 6
	石井河	HH13—HH14	0.018 1	0.000 3	0.060 8	0.079 3

调水调沙试验之后，“04·8”洪水使小浪底水库三角洲洲面及其以下库段床面进一步发生冲淤调整，在小浪底库区回水末端以下发生异重流。HH29 断面以上干流发生冲刷，该区间的支流沟口段也相应发生了少量冲刷，如板涧河；HH29—HH9 断面之间的干流库段在异重流运行过程中产生淤积，其间的支流如西阳河、芮村河、东阳河等由于异重流倒灌亦产生大量淤积，沟内河底高程同沟口干流河底高程基本持平；HH9 断面以下河段由于干流淤积面降低，其间的支流如大峪河淤积面亦随之下降。

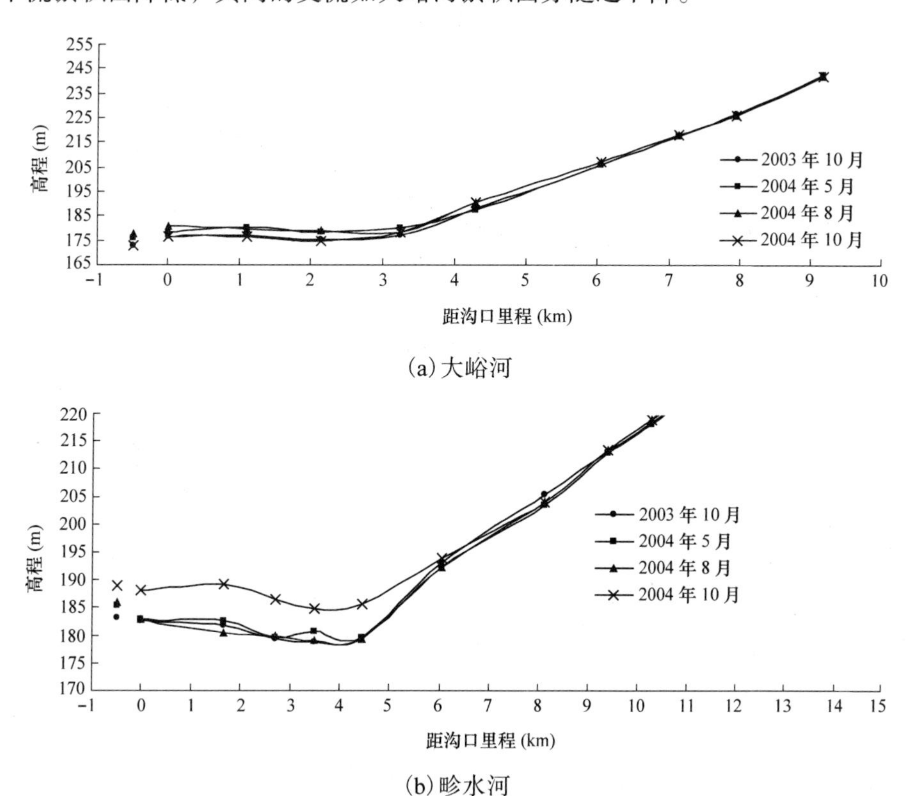

(a) 大峪河

(b) 畛水河

图 3-9　典型支流纵剖面

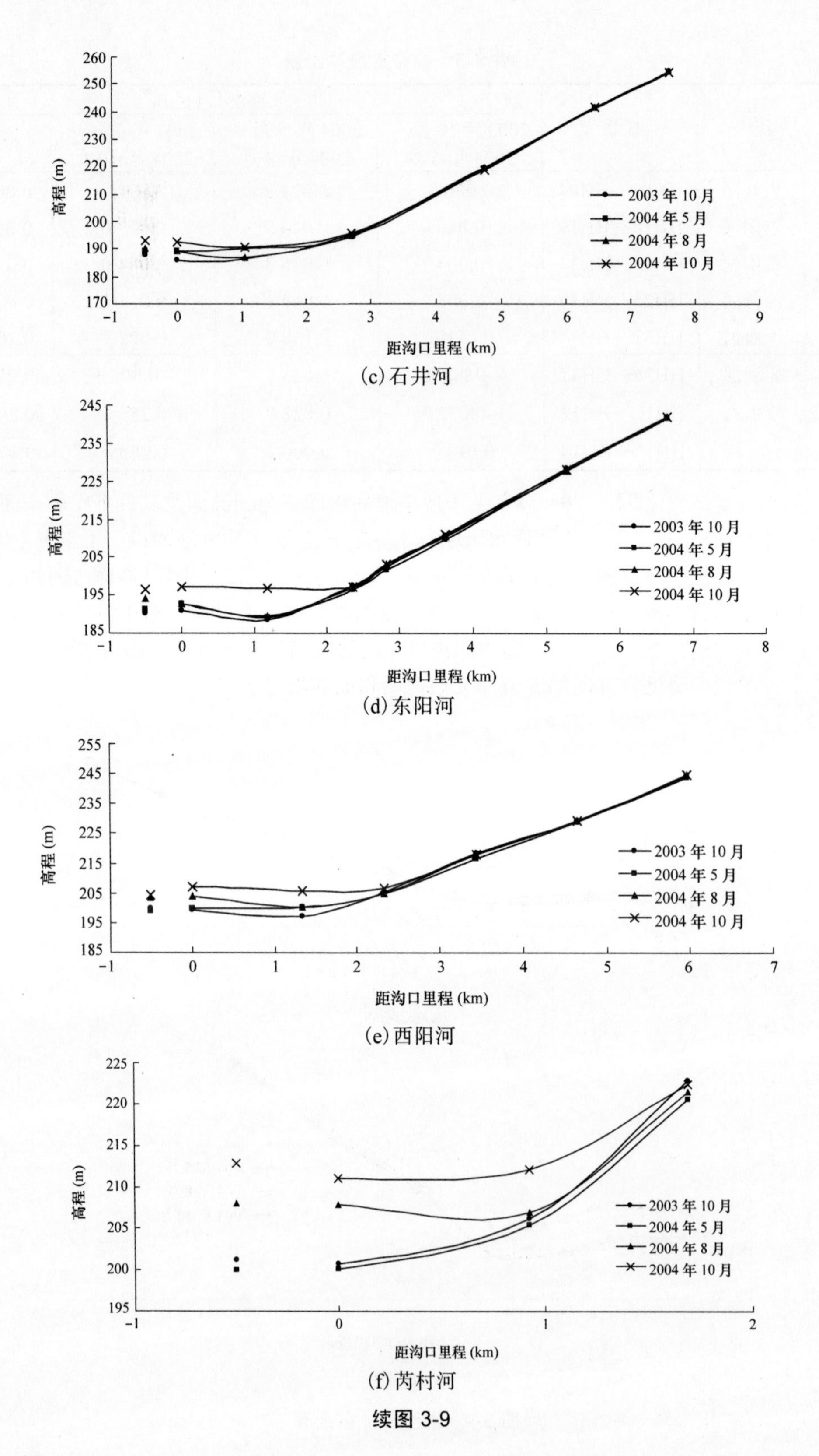

(c) 石井河

(d) 东阳河

(e) 西阳河

(f) 芮村河

续图 3-9

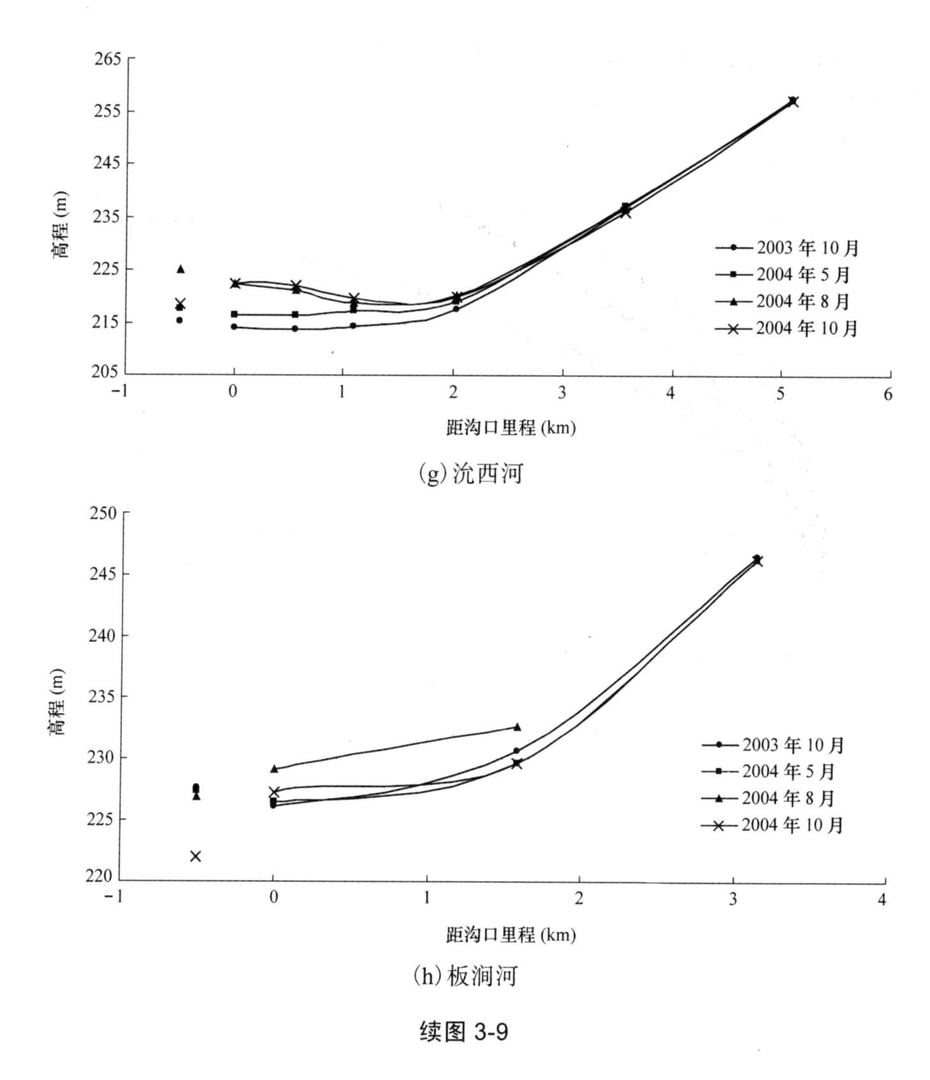

(g) 沇西河

(h) 板涧河

续图 3-9

小浪底库区干支流淤积及其调整机理与1999年进行的小浪底水库拦沙初期模型试验结果一致[1]，该模型试验结果表明：支流的淤积主要是干流浑水倒灌的结果。若支流位于干流异重流潜入点下游，则干流异重流会沿河底倒灌支流；当干流三角洲顶点迅速推近并跃过支流沟口，沟口淤积面高程骤然大幅度抬升而形成拦门沙坎，其拦沙坎顶部与干流淤积面衔接，向内形成倒坡；当干流河床冲刷大幅度下降时，支流淤积面随之下降，拦门沙坎不复存在，支流沟口段纵剖面可变倒坡为顺坡。

三、库容变化

2004 年是典型的枯水少沙年，小浪底全库区淤积量仅为 1.174 亿 m^3，水库的库容变化不大，见图 3-10。从图 3-10 中可以看出，由于库区的冲淤变化主要发生在支流，总库容的变化与支流较接近，干流冲淤变化较小。截至 2004 年 10 月中旬，小浪底水库 275 m

[1] 张俊华，王国栋，陈书奎，等，小浪底水库模型试验研究，1999 年。

高程干流库容 61.53 亿 m^3，支流库容 50.71 亿 m^3，总库容 112.24 亿 m^3。1997 年 10 月～2003 年 10 月全库区淤积量为 15.28 亿 m^3。

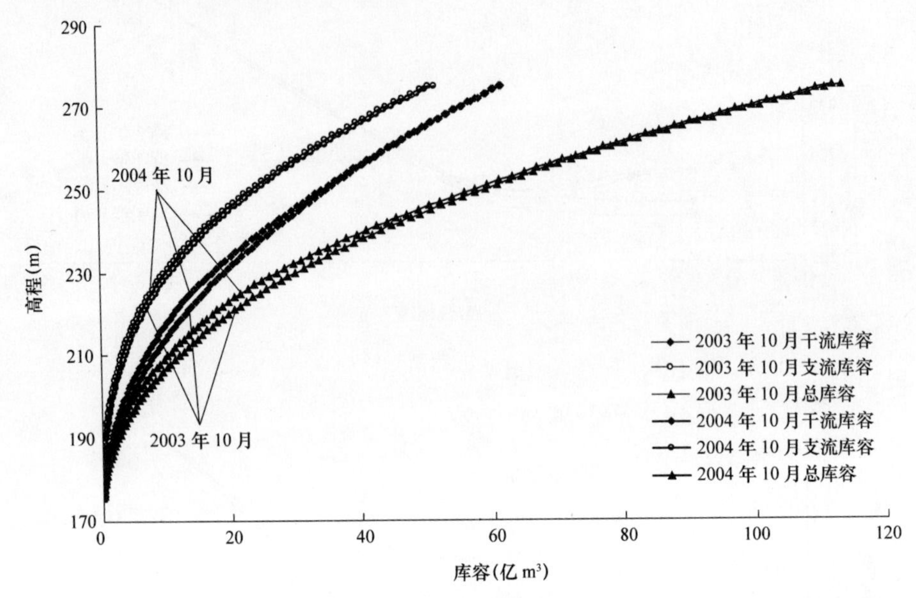

图 3-10　小浪底水库 2004 年库容变化

第四章　第三次调水调沙人工异重流分析

小浪底水库调水调沙试验[1]从 2004 年 6 月 19 日 9 时开始，至 7 月 13 日 8 时结束，历时 24 d。期间，小浪底水库于 6 月 29 日 0 时～7 月 3 日 21 时小流量下泄 5 d，此次试验实际历时 19 d。2004 年 7 月 5 日小浪底库水位降至 237 m 左右，15 时三门峡水库 3 个底孔和 4 台发电机组闸门同时开启，标志着黄河第三次调水调沙试验人工塑造异重流第一阶段(7 月 5 日 15 时～7 月 6 日 19 时)，即利用三门峡水库蓄水及小浪底库区尾部三角洲的沙源塑造异重流排沙的阶段正式开始。小浪底水库库尾段河谷狭窄、原始河床比降大，三门峡水库下泄水流在该库段 HH40—HH55 断面(距坝 69～119 km)之间的库区淤积三角洲洲面相继发生沿程冲刷与溯源冲刷，从而使水流含沙量沿程增加。7 月 5 日 18 时洪峰演进至 HH35 断面(距坝约 58.51 km)附近，浑水开始下潜形成异重流，并且沿库底向坝前运行，至 7 月 6 日 19 时运行至距坝约 6.54 km 处的 HH5 断面附近消失。

7 月 7 日上午 9 时左右万家寨水库泄流进入三门峡水库，与此同时，三门峡水库加大下泄流量，14 时水流开始变浑，三门峡站含沙量 2.19 kg / m^3，流量 4 910 m^3 / s，人工塑造异重流第二阶段(7 月 7 日 9 时～7 月 13 日 8 时)，即主要利用万家寨水库蓄水及三门峡水库沙源塑造异重流阶段开始。7 月 7～8 日异重流潜入点随库水位的抬升及流量减小，从 HH30—HH31 断面之间上移至 HH33—HH34 断面之间。第二阶段的塑造异重流于 8 日 13 时 50 分排出库外。调水调沙试验期间水库纵剖面及水位变化过程见图 4-1。

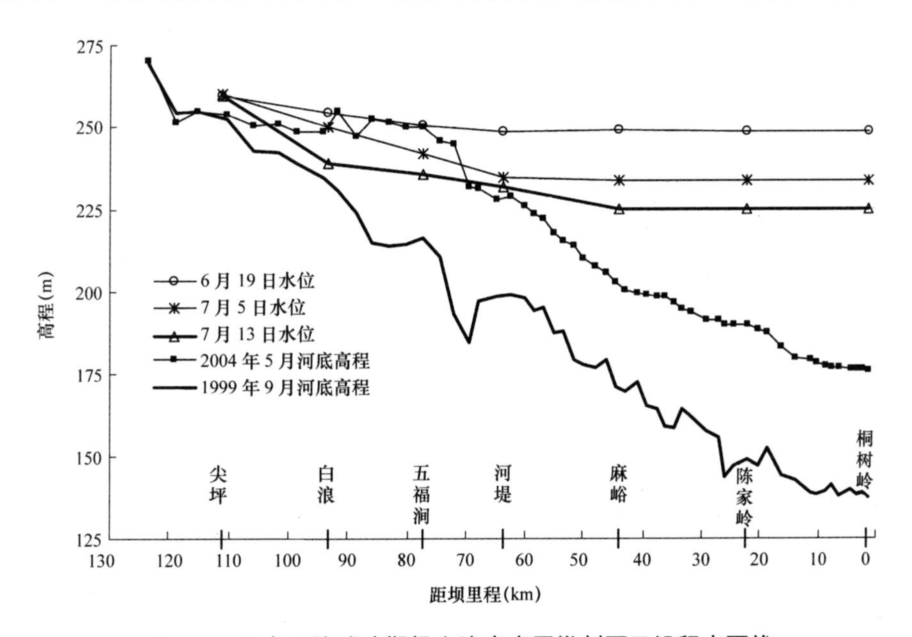

图 4-1　调水调沙试验期间小浪底库区纵剖面及沿程水面线

[1] 李书霞，张俊华，马怀宝，等，黄河第三次调水调沙小浪底水库异重流分析，2004 年。

一、异重流传播过程

异重流传播速度取决于入库水沙条件及库区边界条件，较大的入库流量及含沙量可使异重流有较大的能量，边界条件复杂多变将使异重流能量产生较大的损失。

(一)第一阶段

7月5日15时始三门峡水库加大下泄流量至2 000 m^3/s左右，经小浪底水库三角洲洲面冲刷，水流含沙量沿程恢复，18时含沙水流在距坝58.51 km处潜入形成异重流。为保证异重流前锋传播过程的测验精度，采用了在固定测验断面伺机测验的方法。图4-2为异重流前锋主流线流速、含沙量沿程传播过程图。可以看出，HH34断面(距坝约57 km)7月5日18时10分观测到异重流，7月6日18时56分以后HH5断面(距坝约6.54 km)底部出现浑水层，且浑水层厚度逐渐增加。异重流自潜入至HH5断面运行距离约50.46 km，运行时间约24小时46分，异重流前锋的平均传播速度约为0.56 m/s。由于此次形成异重流的沙源主要来源于库区三角洲洲面的冲刷，泥沙粒径较粗，大部分泥沙在潜入点附近落淤，使异重流含沙量较低，加之异重流输移过程中向支流倒灌，异重流能量损失较大，沿程衰减较快，在运行至HH13断面(距坝约20.39 km，畛水河上游约3 km)后运行速度下降，平均运行速度仅为0.33 m/s。且淤积三角洲洲面床沙进一步粗化，冲刷恢复的含沙量迅速降低，至7月6日15时河堤站含沙量仅为35 kg/m^3，不能为异重流的持续运行提供后续条件，异重流在运行至HH5断面后逐渐消失。异重流在各河段的传播速度见表4-1。

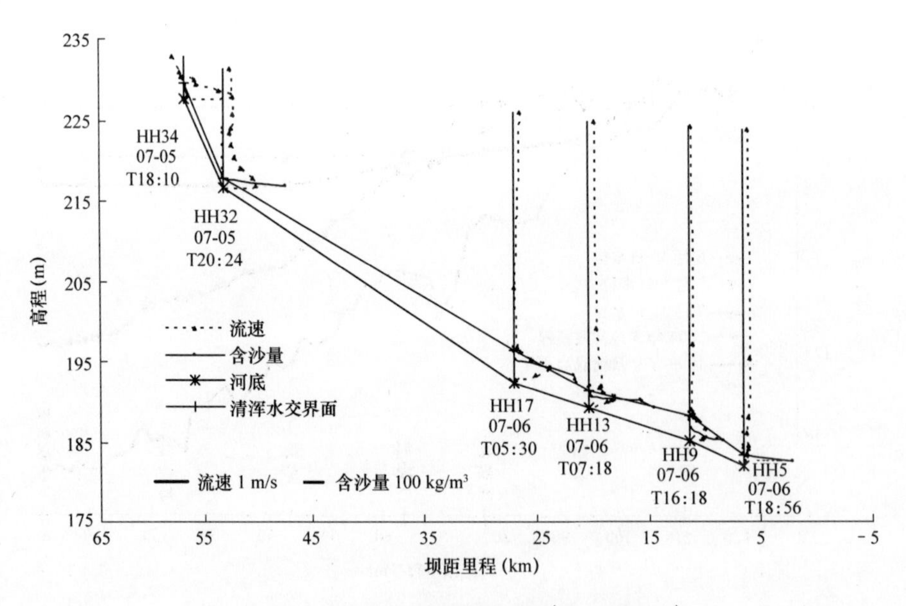

注：图中各断面下面数字表示测验时间(月-日 T时:分)。

图4-2 异重流前锋传播过程(第一阶段)

表 4-1　人工异重流塑造第一阶段传播速度

断面	测验时间(月-日 T 时:分)	平均流速(m / s)
HH34	07-05T18:10	0.89
HH32	07-05T20:24	0.78
HH17	07-06T05:30	0.50
HH13	07-06T07:18	0.48
HH9	07-06T16:18	0.33
HH5	07-06T18:56	0.04

(二)第二阶段

在人工塑造异重流的第二阶段仅进行了异重流峰顶跟踪测验。选取各测验断面的主流线得到异重流峰速沿程传播过程(见图 4-3)，特征值统计见表 4-2。7 月 8 日 5 时 24 分 HH25 断面(距坝约 41.1 km)出现异重流峰顶，最大点流速 2.49 m / s，桐树岭站 8 日 19 时 54 分观测到本次异重流峰顶，运行距离约 39.59 km，运行时间约 14.5 h，峰顶平均传播速度约为 0.76 m / s。

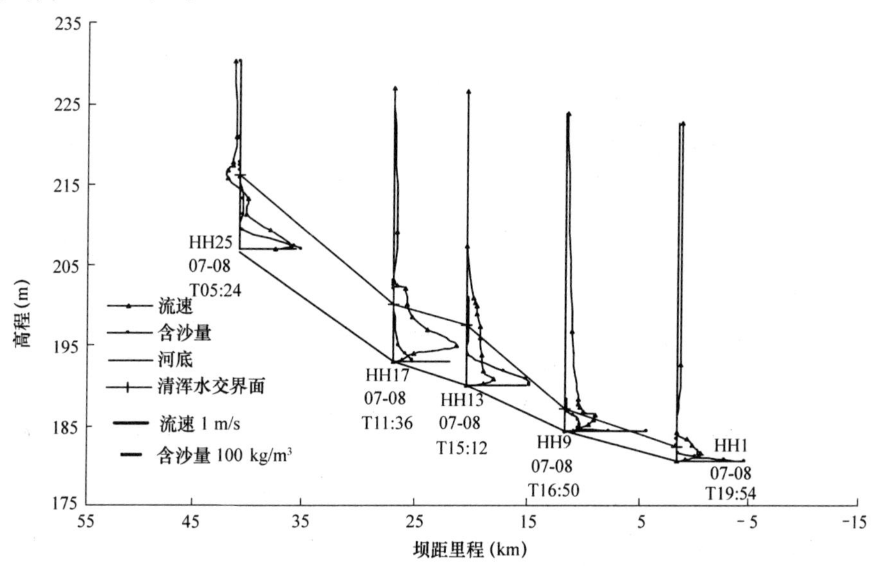

注：图中各断面下面数字表示测验时间(月-日 T 时:分)。

图 4-3　异重流峰顶沿程传播过程

表 4-2　异重流峰顶沿程传播过程特征值统计

断面	距坝里程(km)	测验时间(月-日 T 时:分)	最大流速(m / s)	垂线平均粒径(mm)	异重流厚度(m)	水深(m)
HH25	41.1	07-08T05:24	1.57	0.019	7.7	26.7
HH17	27.19	07-08T11:36	1.94	0.014	8.0	40.0
HH13	20.39	07-08T15:12	0.80	0.016	8.8	43.7
HH9	11.42	07-08T16:50	0.89	0.017	2.9	52.7
HH1	1.32	07-08T19:54	0.74	0.010	1.9	52.0

二、流速及含沙量分布

(一)横向分布

人工塑造异重流期间分别在 HH29、HH13、HH9 断面及 HH1 断面布置 3～5 条垂线进行观测。另外在 HH34、HH33、HH32、HH25、HH17 断面及 HH5 断面进行了异重流主流线的观测。图 4-4 为 HH29 断面异重流流速、含沙量横向分布情况。表 4-3 反映了各断面水沙因子垂线平均值横向变化情况。

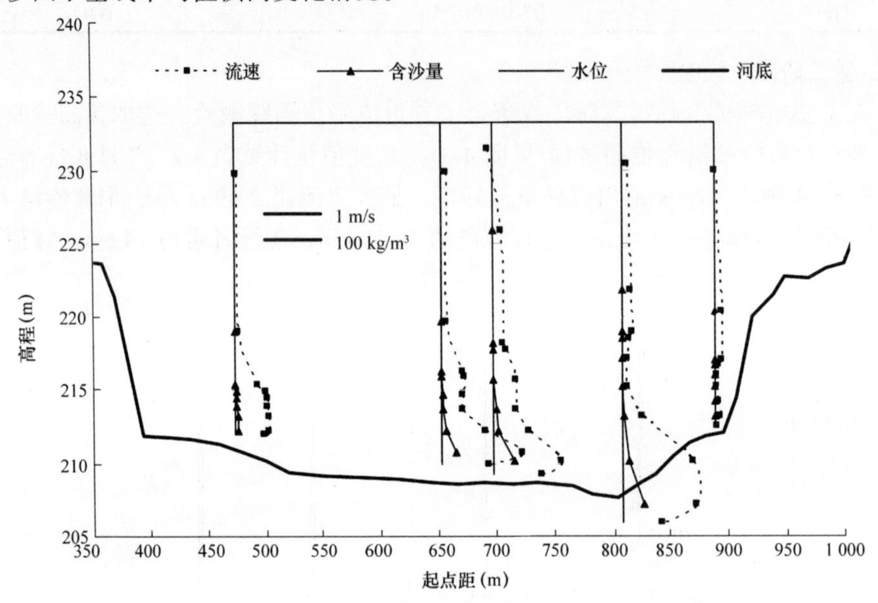

图 4-4　HH29 断面(7 月 6 日)异重流流速、含沙量横向分布

表 4-3　各断面水沙因子垂线平均值横向变化

项目		7月6日		7月8日		7月9日	
		主流线	非主流区	主流线	非主流区	主流线	非主流区
HH29	流速(m/s)	0.97	0.046～0.76	1.22	0.31～0.87	0.71	0.48～0.72
	含沙量(kg/m³)	74.9	23.3～122	105	49.1～164	18.6	16.1～22.9
	d_{50}(mm)	0.01	0.01～0.013	0.013	0.009～0.013	0.009	0.008～0.009
HH13	流速(m/s)	0.48	0.16～0.26	0.44		0.43	0.31～0.41
	含沙量(kg/m³)	181	9.44～68.7	145		67.8	38.6～53.1
	d_{50}(mm)	0.009	0.007～0.009	0.008		0.007	0.006～0.008
HH9	流速(m/s)	0.33		0.64		0.44	0.25～0.41
	含沙量(kg/m³)	55.5		76.3		66.8	35.9～72.9
	d_{50}(mm)	0.009		0.01		0.007	0.006～0.007
HH1	流速(m/s)			0.57	0.33～0.45	0.5	0.24～0.45
	含沙量(kg/m³)			67	64～122	98.2	100～126
	d_{50}(mm)			0.006	0.006～0.007	0.006	0.006～0.007

(二)垂向分布

表 4-4 列出了异重流期间各断面主流线水沙因子，大部分河段最大流速位于交界面以下的异重流层，且靠近河底。图 4-5 为不同断面流速、含沙量沿垂线分布。由图 4-5(a)可以看出 7 月 8 日异重流峰顶阶段 HH29 断面，由于异重流流速大，水流紊动和泥沙的扩散作用使清浑水掺混剧烈，交界面附近含沙量梯度变化较小，交界面不明显，这种情况常发生在异重流潜入点的下游附近库段。通常情况下，由于横轴环流存在，该库段呈现表层水流逆流而上，带动水面漂浮物缓缓向潜入点聚集，呈现出在清水层上部流速为负值。

表 4-4　异重流期间各断面主流线水沙因子

时间	断面	水深(m)	异重流厚度(m)	最大流速处		清浑水交界面	
				V_{max}(m/s)	相对水深	V(m/s)	相对水深
第一阶段 异重流前锋 (7 月 5 日～7 月 6 日)	HH34	5.7	1.49	1.46	0.96	0.35	0.69
	HH32	16.7	2.16	0.98	0.98	0.88	0.93
	HH17	41	4.39	1.05	0.95	0.17	0.90
	HH13	44	2.35	0.78	0.97	0.36	0.95
	HH9	52.6	3.28	0.48	0.88	0.13	0.85
	HH5	51	1.29	0.20	0.74	0.08	0.97
7 月 8 日 第二阶段 异重流峰顶	HH29	22.1	9.9	2.49	0.99	–0.05	0.55
	HH25	26.7	7.7	1.57	0.97	–0.34	0.64
	HH17	40	8	1.94	0.95	0.44	0.82
	HH13	43.7	8.8	0.80	0.96	0.38	0.81
	HH9	52.7	2.89	0.89	0.88	0.47	0.86
	HH1	52	1.9	0.74	0.98	0.54	0.97
7 月 9 日	HH33	8.2	2.2	0.04	0.73	–0.02	0.67
	HH29	17.4	5.8	1.12	0.91	0.41	0.71
	HH17	38.4	5.8	0.73	0.94	0.46	0.89
	HH13	43.2	5.4	0.64	0.97	0.30	0.88
	HH9	52.6	3.49	0.68	0.87	0.30	0.85
	HH5	51	3.85	0.73	0.94	0.12	0.91
	HH1	51	2.9	0.54	0.96	0.33	0.94
7 月 10 日	HH33	6	4.02	1.09	0.93	0.24	0.37
	HH29	16	3.59	0.74	0.88	0.66	0.85
	HH17	37.5	2.46	0.18	0.99	0.12	0.94
	HH13	41.5	1.29	0.29	0.98	0.09	0.96
	HH9	50.3	2.69	0.22	0.91	0.10	0.89
	HH5	50	1.89	0.26	0.95	0.14	0.94
	HH1	50	1.48	0.30	0.98	0.262	0.97

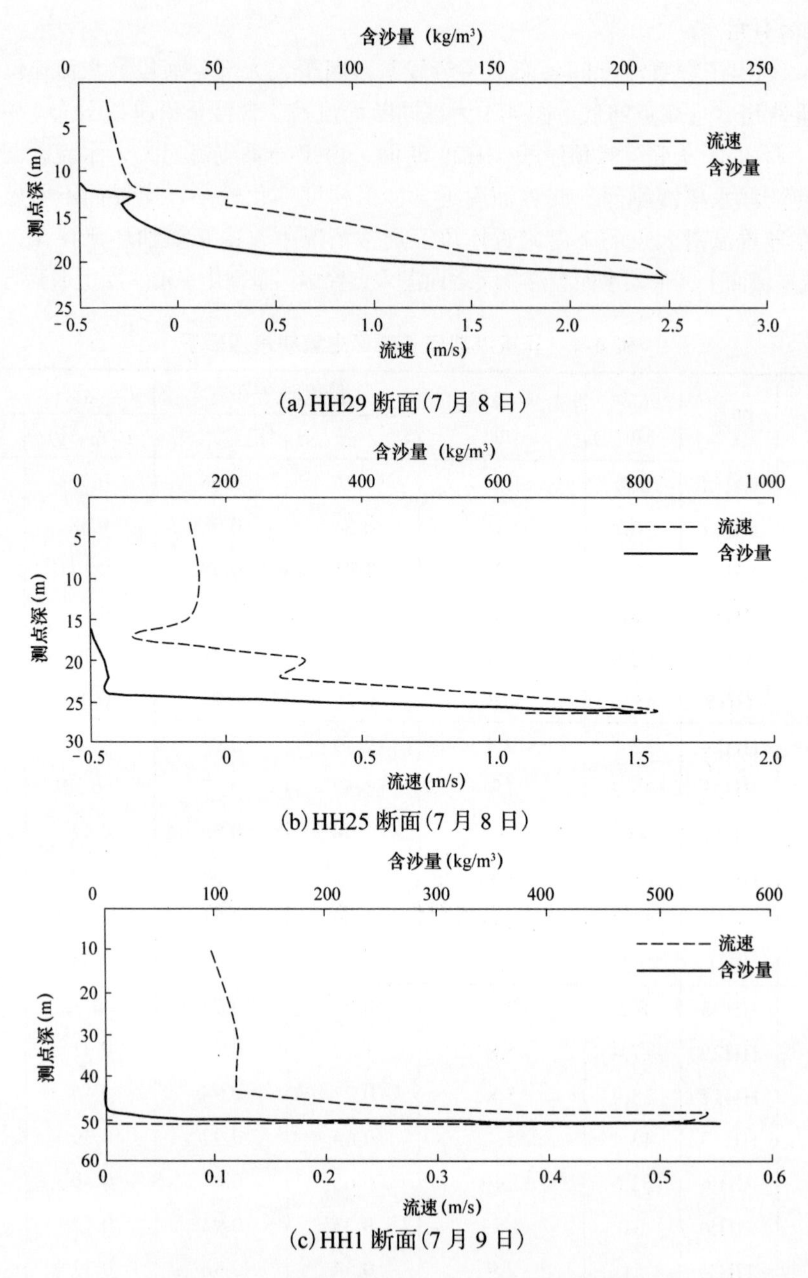

（a）HH29 断面（7 月 8 日）

（b）HH25 断面（7 月 8 日）

（c）HH1 断面（7 月 9 日）

图 4-5　不同断面流速、含沙量沿垂线分布

在坝前库段，垂线最大流速所处的位置还与开启泄水洞的高程有关。异重流排沙期间主要由排沙洞泄水，HH1 断面最大流速位置始终靠近河底，相对水深为 0.96～0.98，见图 4-5（c）。

（三）异重流的沿程变化

异重流在运行过程中会发生能量损失，包括沿程损失及局部损失。沿程损失主要由床面及清浑水交界面的阻力所组成。而局部损失在小浪底库区较为显著，包括支流倒灌、局部地形的扩大或收缩、弯道等因素。此外，异重流总是处于超饱和输沙状态，在异重流产生初期，异重流流速较大，仍可以挟带部分粗颗粒泥沙，在运行过程中流速逐渐变小，泥沙沿程发生淤积，交界面的掺混及清水的析出等均可使异重流的流量逐渐减小，其动能相应减小。图 4-2、图 4-3 及图 4-6～图 4-8 分别给出不同时间异重流的沿程表现。相对来讲，异重流潜入断面含沙量较高，使异重流在潜入时具备较大能量，沿程流速相对较大。图 4-6 给出了 7 月 9 日异重流的沿程表现。7 月 8 日以后处于落水期，入库流量减小使异重流在潜入段及沿程流速相对较小。随着异重流的纵向演进和库区地形的显著影响，流速变化总的趋势仍是沿程递减。图 4-7 给出了异重流主流线平均流速沿程变化过程，同样也反映沿程递减这一规律。此外，与以往天然洪水产生的异重流不同，由于冲刷形成的水沙过程，水流含沙量泥沙粒径较粗，水流含沙量在潜入段及沿程淤积较快，异重流在运行至八里胡同库段(HH17 断面)流速没有表现出明显的增大。图 4-8 显示了主流线纵剖面沿程变化。

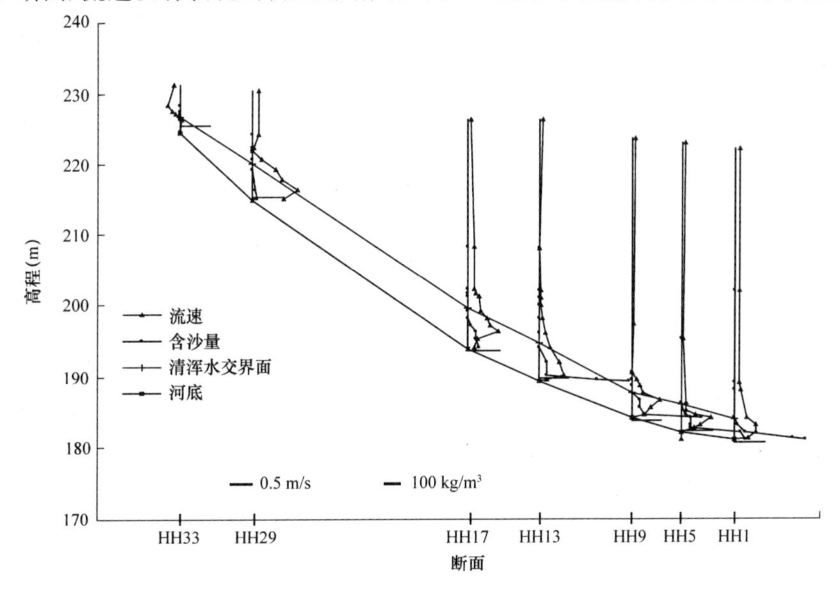

图 4-6　异重流主流线处水沙因子沿程变化(7 月 9 日)

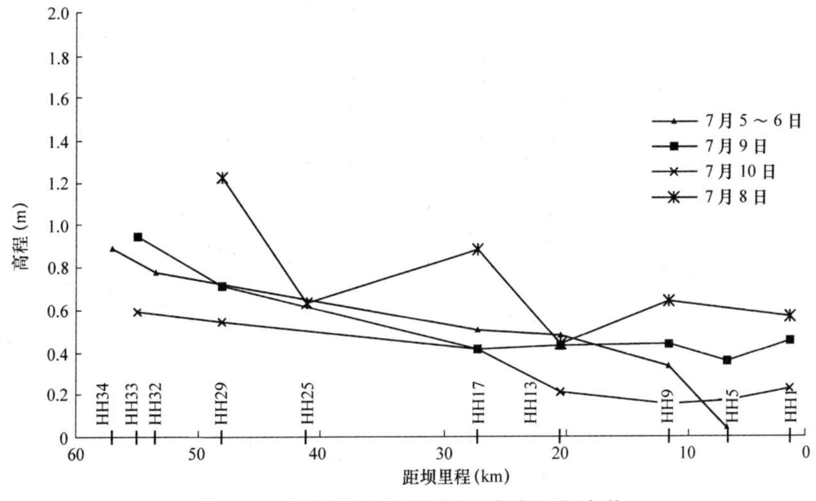

图 4-7　异重流主流线平均流速沿程变化

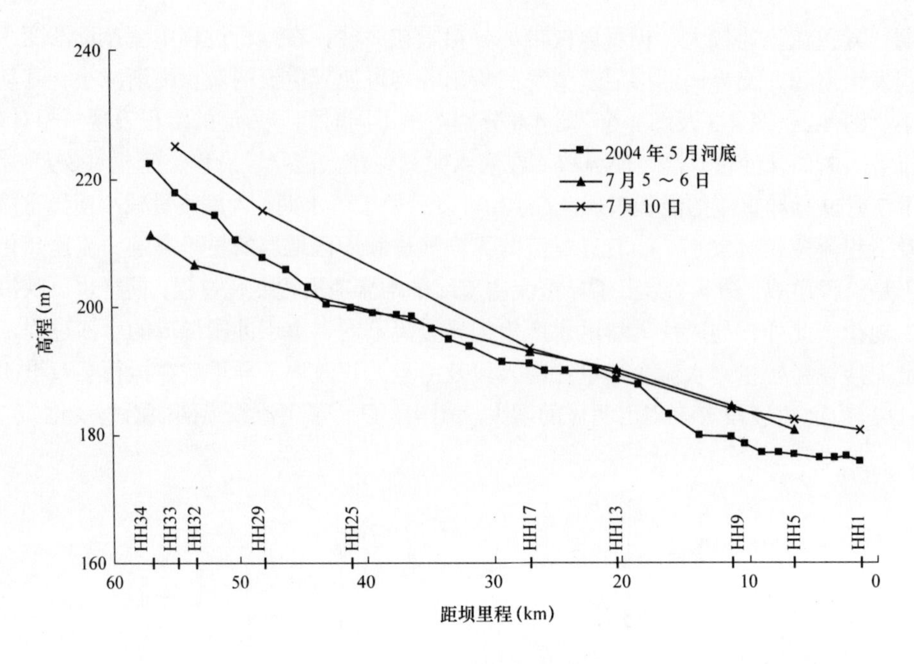

图 4-8　异重流主流线纵剖面沿程变化

(四) 随时间变化

图 4-9、图 4-10 分别绘制了 HH29、HH5 断面主流线处实测的异重流流速、含沙量、粒径等沿垂线分布情况。异重流期间，各断面基本呈现异重流发生、增强、维持、消失等阶段，从图 4-9 和图 4-10 中可以看出异重流厚度、位置、流速、含沙量等因子基本表现出与各阶段相适应的特性。

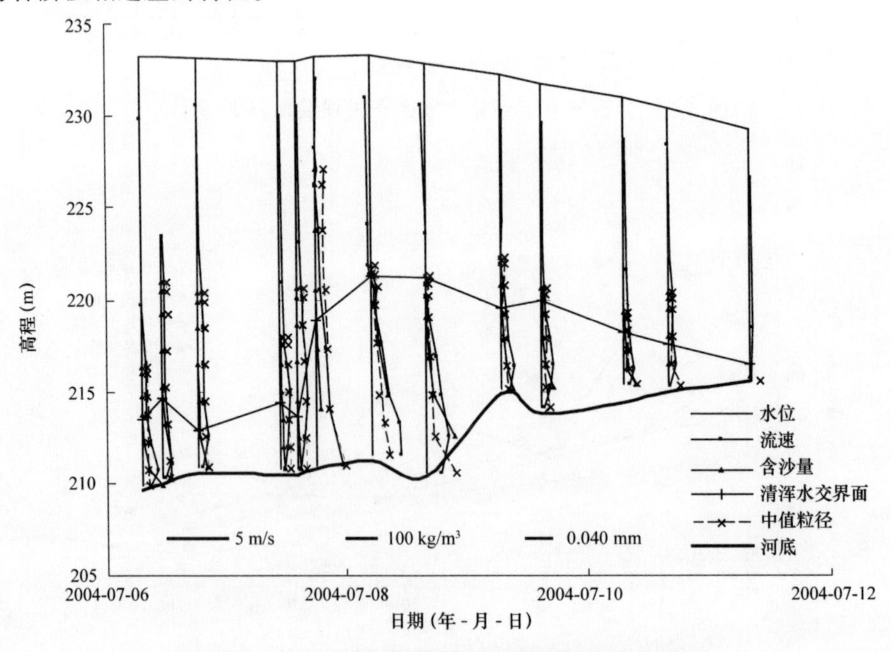

图 4-9　HH29 断面异重流特征值垂线分布变化图

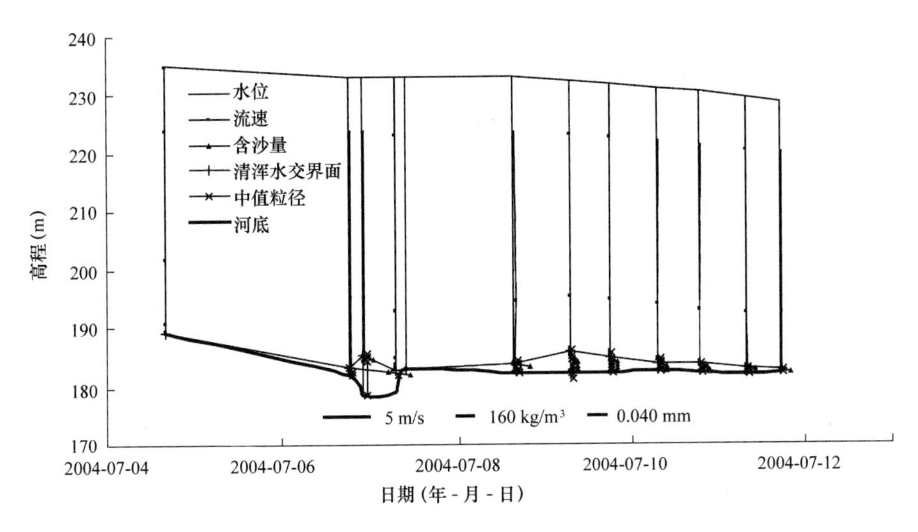

图 4-10　HH5 断面异重流特征值垂线分布变化图

1. HH29 断面变化过程

第一阶段：7 月 6 日 6 时 54 分观测到异重流，由于三角洲洲面初期冲刷强度最大，恢复含沙量最高，此时也是第一阶段异重流峰顶，至 7 日 14 时 18 分为异重流的维持阶段，流速及含沙量基本呈现衰减趋势，但由于异重流潜入点距该点距离较短(异重流潜入点位于 HH29 断面上游 8～10 km 处)，各因子变化幅度不大，平均流速维持在 0.76～0.55 m / s，异重流厚度 3.51～5 m。

第二阶段：三门峡水库加大泄量后，7 月 7 日 18 时 12 分洪峰传播至 HH29 断面，至 7 月 8 日 16 时 06 分为增强阶段，最大流速稳定在 1.92～2.49 m / s，异重流厚度 9.4 m 以上，最大流速接近河底，维持阶段 22 h 左右，流速、含沙量比较稳定；之后异重流能量逐渐减小，河底高程逐渐升高；10 日以后异重流逐渐消失(见图 4-9)。

对比第一、二两阶段各水力要素可以看出，第二阶段各值均大于前者，流速及含沙量较大，亦使水流所挟带的泥沙粒径较大(见表 4-5)。

表 4-5　HH29 断面主流线各阶段变化过程要素统计

异重流特征值	第一阶段	第二阶段
异重流厚度(m)	1～7.35	1.33～11.21
交界面高程(m)	213.07～215.85	216.54～221.80
平均流速(m / s)	0.05～0.97	0.31～1.22
平均含沙量(kg / m^3)	4.76～122	6.75～199
平均粒径(mm)	0.010～0.014	0.007～0.021

2. HH5 断面变化过程

该断面距坝约 6.54 km，第一阶段异重流运行至此时强度已经非常弱，仅维持了不足 10 h，最大流速 0.081～0.22 m / s，厚度仅 1 m 左右，在清水层与浑水层流速基本相当，几乎不能维持向前运动。第二阶段异重流的强度明显增强，最大点流速 0.73 m / s，最大厚度 3.85 m，7 月 10 日 7 时 20 分后随着入库流量的持续减小异重流动能减弱，最大流速 0.19～0.26 m / s，见图 4-10 及表 4-6。

表 4-6　HH5 断面主流线各阶段变化过程要素统计

异重流特征值	第一阶段	第二阶段
异重流厚度(m)	0.95～1.29	0.71～3.85
交界面高程(m)	183.35～185.46	182.9～186.05
平均流速(m / s)	0.04～0.16	0.15～0.36
平均含沙量(kg / m³)	45.2～136	57.3～170
平均粒径(mm)	0.006～0.008	0.005～0.010

三、清浑水交界面的变化

异重流运行过程中，因清浑水相互掺混而使清浑水交界面存在一定厚度，为便于表示，以含沙量 5 kg / m³ 处层面作为清浑水交界面。

图 4-9、图 4-10 分别给出了 HH29、HH5 断面的河底、清浑水交界面、水位等随时间的变化过程线；图 4-11 为不同时段清浑水交界面纵向变化情况；图 4-12 为不同时段异重流厚度纵向变化图。综合分析表明，清浑水交界面高程主要取决于异重流的紊动强度，在异重流产生之后运行一段距离，其清浑水掺混剧烈，则清浑水交界面较高，反之亦然，当异重流运动趋于稳定时，交接面非常清晰。与以往不同的是，此次没有对异重流排沙进行控制，异重流运行至坝前全部排泄出库，清浑水交界面几乎与河底平行。异重流的厚度受运行距离和库区地形的影响显著，八里胡同(HH17)狭窄地形使其厚度有所增大，出狭窄库段后又有较大幅度削减，总体呈现沿程减小趋势。

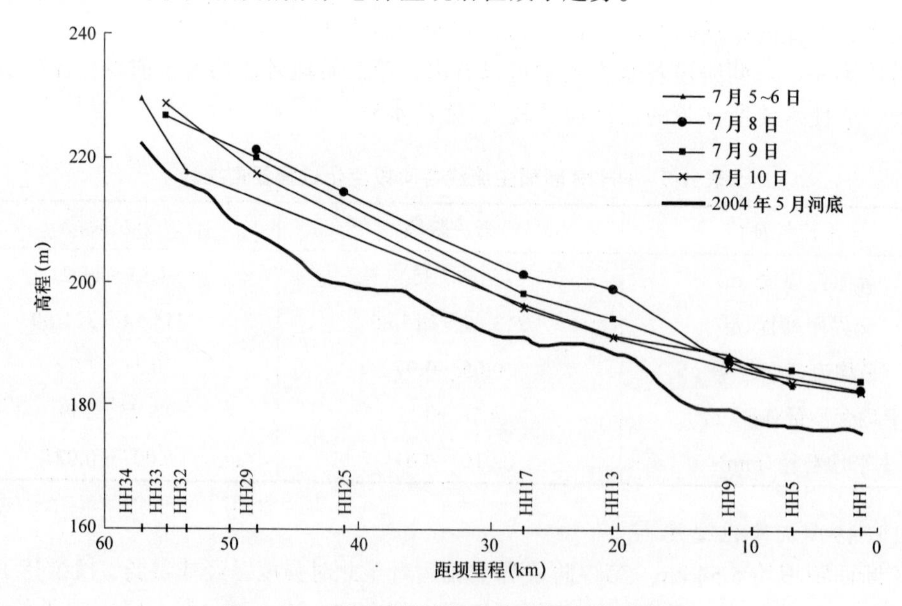

图 4-11　不同时段清浑水交界面纵向变化图

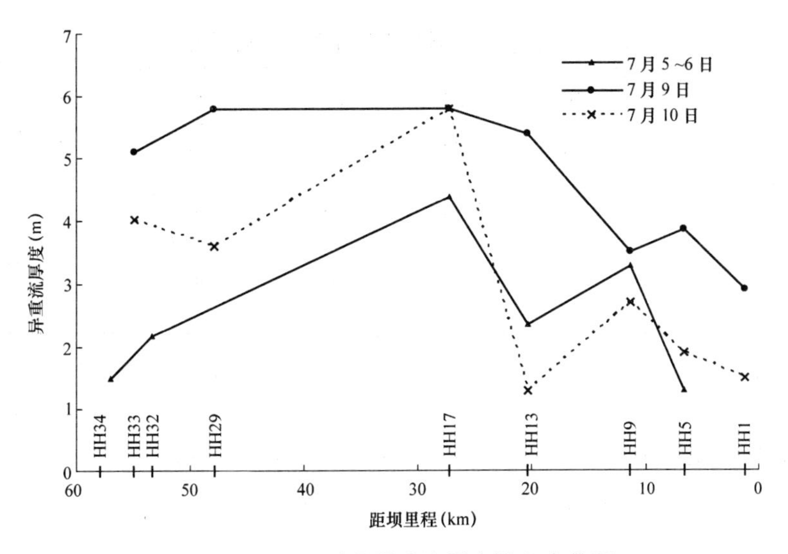

图 4-12　不同时段异重流厚度纵向变化图

四、悬沙粒径变化及水库分组排沙比

7 月 5～7 日人工异重流第一阶段三门峡水库下泄清水，形成异重流的沙源主要来自库区三角洲洲面的冲刷，泥沙粒径较粗，经分选落淤后 HH34 断面异重流层泥沙中值粒径 d_{50} 为 0.022～0.024 mm，d<0.016 mm 的含沙量占全沙的百分数为 31.4%～39.3%。7 月 7～13 日第二阶段初期入库泥沙主要是三门峡水库坝前漏斗中淤积的泥沙，粒径非常细，d<0.016 mm 的含沙量为 64.4%～87.1%，d>0.062 mm 的泥沙为 1.1%～2.5%，但持续时间较短。图 4-13 给出了不同时段悬沙粒径的沿程变化，测验结果表明，在距坝约 20 km 以上库段悬沙逐步细化，分选明显，20 km 以下库段悬沙中值粒径沿程变化不大。图 4-9、图 4-10 分别给出了 HH29、HH5 断面的泥沙粒径随时间的变化过程线，从异重流增强阶段开始垂线中值粒径表现出随时间由粗变细的特征。各断面悬移质中值粒径垂线变化幅度见表 4-7。

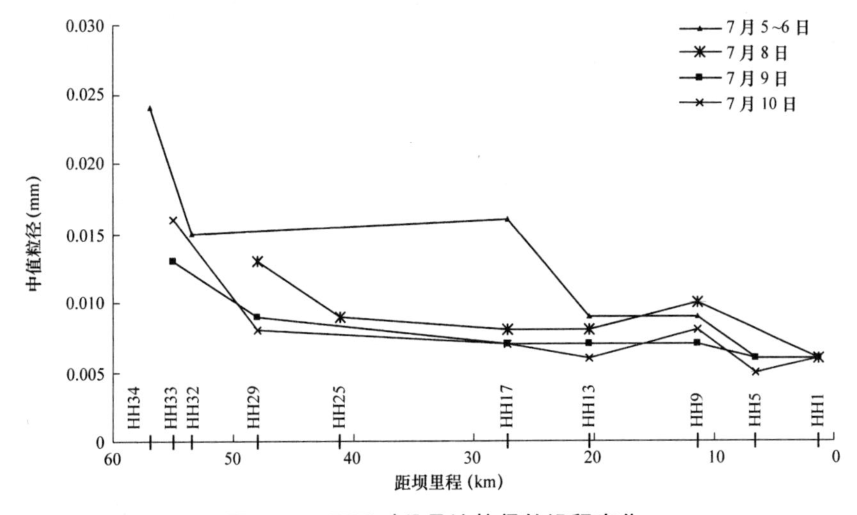

图 4-13　不同时段悬沙粒径的沿程变化

表 4-7　各断面主流线悬移质中值粒径垂线变化幅度　　(单位:mm)

时间	HH34	HH29	HH17	HH13	HH9	HH5	桐树岭
7 月 5～6 日异重流前锋	0.014～0.043		0.008～0.039	0.007～0.012	0.006～0.013	0.005～0.007	
7 月 9 日		0.008～0.014	0.006～0.011	0.006～0.019	0.005～0.011	0.006～0.007	0.005～0.007
7 月 10 日			0.005～0.006	0.005～0.006	0.005～0.013	0.005～0.006	0.004～0.008

7 月 8 日 13 时 50 分异重流开始排出库外，至 7 月 11 日 20 时停止排沙，排沙历时约 78 h。7 月 7～14 日人工塑造异重流期间入出库沙量、不同粒径组排沙比、淤积物组成见表 4-8。细泥沙(d<0.025 mm)、中泥沙(0.025 mm<d<0.05 mm)、粗泥沙(d>0.05 mm)、全沙排沙比分别为 36.48%、3.29%、1.48%、14.24%。

表 4-8　小浪底水库异重流期间不同粒径组排沙情况

项目	细泥沙	中泥沙	粗泥沙	全沙
入库沙量(亿 t)	0.133 5	0.131 9	0.119 5	0.385 0
入库泥沙组成(%)	34.68	34.27	31.05	100
出库沙量(亿 t)	0.048 7	0.004 3	0.001 8	0.054 8
出库泥沙组成(%)	88.84	7.92	3.23	100
淤积量(亿 t)	0.084 8	0.127 6	0.117 8	0.330 2
淤积物组成(%)	25.68	38.65	35.67	100
排沙比(%)	36.48	3.29	1.48	14.24

由此可以看出，出库泥沙主要由细泥沙组成，细泥沙的含量接近 90%，粗泥沙的含量为 3.23%。与一般异重流输沙规律一致，人工塑造异重流挟带泥沙同样主要为细泥沙。因此，应合理调度使用水库拦沙库容，多拦对下游不利的粗沙而少拦细沙，更好地发挥水库的拦沙减淤效益。

第五章　2004 年异重流分析

2004 年调水调沙试验第二阶段及 8 月下旬，小浪底库区均发生了异重流排沙情况。在调水调沙试验期间，对异重流输移过程进行了较为系统的观测，而在 8 月下旬发生的异重流仅对进出库流量及含沙量进行了观测。

一、异重流运行至坝前水沙条件验证

调水调沙试验期间第一阶段三门峡水库下泄清水，流量为 2 000 m^3/s 左右，在小浪底水库淤积三角洲库段产生冲刷，使水流含沙量沿程增加，在水库回水末端附近潜入形成异重流。该阶段仅在河堤站有少量的含沙量资料与级配观测资料。调水调沙试验第二阶段及“04・8”洪水期间，虽然由于小浪底库区淤积三角洲的冲刷，使异重流潜入处水流含沙量与入库有所不同，但受观测资料的限制而采用三门峡水文站含沙量资料。将上述资料点绘为关系图 5-1❶。从点群分布状况来看可大致划分 3 个区域：

A 区为满足异重流持续运动条件的区域，其临界条件(即左下侧外包线)在满足洪水历时且入库细泥沙的沙重百分数约 50%的条件下，还应具备足够大的流量及含沙量，即满足下列条件之一：①入库流量大于 2 000 m^3/s 且含沙量大于 40 kg/m^3；②入库流量大于 500 m^3/s 且含沙量大于 220 kg/m^3；③流量为 500～2 000 m^3/s 时，其相应的含沙量应满足 $S \geqslant 280 - 0.12Q$。

B 区涵盖了异重流可持续到坝前与不能到坝前两种情况。其中异重流可运动到坝前的资料往往具备以下三种条件之一：一是处于洪水落峰期，此时异重流行进过程中需要克服的阻力要小于异重流前锋。因异重流前锋在运动时，必须排开前方的清水，异重流头部前进的力量要比维持继之而来的潜流的力量大；二是虽然入库含沙量较低，但在水库进口与水库回水末端之间的库段产生冲刷，使异重流潜入点断面含沙量增大；三是入库细泥沙的沙重百分数均在 75%以上。

C 区基本为入库流量小于 500 m^3/s 或含沙量小于 40 kg/m^3 的资料，异重流往往不能运行到坝前。

三门峡站 2004 年 7 月 5 日平均流量 933 m^3/s，7 月 6 日 15 时平均流量 1 860 m^3/s，由河堤站观测资料看，水流含沙量衰减很快。由图 5-1 可知，人工异重流基本位于 A 区与 B 区的临界线附近，但由于泥沙粒径太粗，悬移质泥沙粒径小于 0.025 mm 的沙重百分数不足 8%，异重流未能持续运行至坝前；7 月 7 日 15 时至 7 月 8 日 15 时三门峡站流量 1 600 m^3/s，含沙量约 197.7 kg/m^3，细泥沙的含量约为 46%，位于 A 区，异重流顺利到达坝前；“04・8”洪水期间，8 月 22、23 日及 24 日三门峡日均流量分别为 1 830 m^3/s、2 060 m^3/s 和 1 600 m^3/s，对应含沙量分别为 375.41 kg/m^3、406.31 kg/m^3 和 163.75 kg/m^3，位于 A 区，异重流也能顺利到达坝前。

❶ 李书霞，马怀宝，2003 年小浪底水库运用及库区水沙运动特性，黄科技 ZX-2004-15-21(N08)，2004。

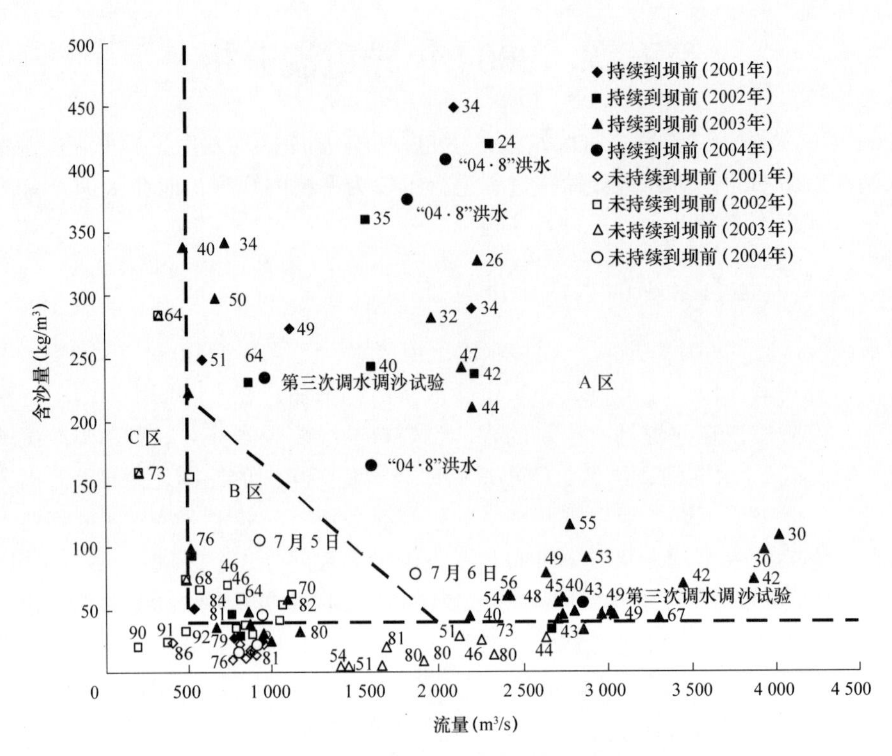

注：点旁标注数据为 $d<0.025$ mm 泥沙的沙重百分数(%)。

图 5-1　异重流持续运动水沙条件分析

二、“04 · 8”洪水排沙分析

小浪底水库自运用以来，洪水期库区泥沙主要以异重流形式输移。2000 年异重流运行到了坝前，但坝前淤积面高程低于 150 m，浑水面离水库最低泄流高程 175 m 相差太远，虽然开启了排沙洞，大部分泥沙也不能排泄出库。2001～2003 年洪水期，小浪底水库又多次发生异重流，由于水库调度目标不同，当异重流运行至坝前后，大部分被拦在水库中，形成浑水水库。如果及时打开排沙洞，浑水水库中悬浮的泥沙一般情况下均可以排出库外。故可通过估算浑水水库中悬沙量的变化过程，进而估算出异重流的排沙潜力[❶]。“04 · 8”洪水之前小浪底水库排沙及排沙潜力分析结果见表 5-1。

“04 · 8”洪水(8 月 22～31 日)期间，小浪底库区淤积三角洲产生较强烈的冲刷，在小浪底水库回水末端以下产生异重流。而在此之前，小浪底坝区存在浑水水库。“04 · 8”洪水期间，没有对上述过程进行水文观测，因此仅利用沙量平衡及异重流排沙计算方法对“04 · 8”洪水进行粗略的估算分析。

❶ 李书霞，张俊华，梁国亭，曲少军，2004 年小浪底水库异重流专题设计报告，黄科技 ZX-2004-18-24(N11)。

表 5-1　异重流排沙潜力估算

项目	时段(年-月-日)				
	2001-08-19～09-05	2002-06-23～07-04	2002-07-05～07-09	2003-08-01～09-05	2004-07-07～07-10
入库水量(亿 m^3)	13.61	10.98	6.46	36.78	4.35
入库沙量(亿 t)	2	1.06	1.71	3.77	0.382 1
平均入库流量(m^3 / s)	875	1 058	1 496	931	1 259
平均入库含沙量(kg / m^3)	147	96.5	264.7	102.5	87.84
库水位(m)	202.4～217.1	233.4～236.2	232.8～235	221.2～244.5	231.09～233.46
d<0.016 mm 泥沙含量(%)	32.70	41.10	20.70	33.80	21.125
d<0.025 mm 泥沙含量(%)	42.70	54.10	34	46.40	32.09
出库沙量(亿 t)	0.127	0.006	0.189	0.042	0.054 8
浑水水库沙量(亿 t)	0.414	0.342	0.236	0.994	0
异重流排沙潜力(亿 t)	0.541	0.348	0.425	1.036	0.054 8
异重流实际排沙比(%)	6.35	0.57	11.05	1.11	14.34
异重流可能排沙比(%)	27.05	32.83	24.85	27.48	14.34

三、沙量平衡法

“04 · 8”洪水入库沙量 1.71 亿 t，异重流潜入点大约在 HH29 断面附近。与 2004 年 10 月与 7 月库容对比，HH29 断面以上发生了较大的冲刷(见本专题图 3-6)，冲刷约 1.26 亿 t(淤积物干容重按 1.2 t / m^3)。假定 7～10 月期间冲刷量的 80%，即 1 亿 t 泥沙集中在“04 · 8”洪水期，故在异重流潜入点处 8 月 22～31 日总输沙量约 2.71 亿 t。

“04 · 8”洪水小浪底水库排沙之前，坝前浑水面高程约为 191 m，浑水体积约 2.19 亿 m^3，假定浑水层平均含沙量为 200 kg / m^3，则浑水悬浮沙量约 0.44 亿 t。

“04 · 8”洪水小浪底出库沙量 1.42 亿 t，由沙量平衡法计算，异重流排沙比约 36%。

四、排沙计算

利用韩其为输沙含沙量及级配沿程变化公式计算小浪底水库异重流排沙过程，即

$$S_j = S_i \sum_{l=1}^{n} P_{4,l,i}\, e^{(-\frac{\alpha \omega_l l}{q})} \tag{5-1}$$

式中：$P_{4,l,i}$ 为潜入断面级配百分数；α为饱和系数，由小浪底水库实测资料率定；l 为粒径组号；ω_l 为第 l 组粒径沉速；q 为单宽流量。

“04 · 8”洪水级配资料参考 2002 年 6 月 20 日～7 月 15 日洪水资料。由式(5-1)计算“04 · 8”洪水排沙比约为 37.7%。

综合上述分析认为，“04 · 8”洪水由于含沙量高，且主要来自渭河，相对而言泥沙偏细，小浪底库区三角洲冲刷进一步增加了水流含沙量，加之异重流潜入点下移使异重流运行距离短，与小浪底水库以往异重流排沙相比，排沙效率较高。

五、第三次调水调沙试验第二阶段传播时间分析

黄河调水调沙试验第二阶段，通过万家寨、三门峡水库的联合调度，实现了异重流排沙出库。由于该阶段异重流同步观测资料不十分完整，在充分利用现有观测资料的同时，结合类比分析推算水沙输移过程及时间。

据2004年黄委水文局观测资料，7月7日异重流潜入点位于HH31—HH30断面之间，距水库大坝约50 km处，8日上午潜入点上移至HH33—HH34断面之间，7月8日5时24分在HH29断面开始观测异重流；HH17断面 7月8日5时36分观测到异重流清浑水交界面正处于上升阶段，认为此时正是调水调沙试验第二阶段异重流峰顶到达的时间；小浪底水库7月8日13时50分开始排沙。由此可以得出，异重流从HH17断面到达坝前约需8.4 h，异重流运行距离27.19 km，运行速度0.9 m / s。

由于HH17断面以上无同步观测资料，故选用流量较相近的2002年调水调沙试验期间异重流观测资料，异重流峰顶7月7日12时30分到达HH29断面，7日15时36分到达HH21断面，7日18时36分到达HH17断面，可以判断异重流峰顶从HH29断面到达HH17断面约需6.1 h，异重流运行距离20.81 km，运行速度0.95 m / s，若以该速度推算至HH33断面，则异重流峰顶从HH33断面运行至HH17断面约需8.15 h。

据第三次调水调沙试验观测资料，人工塑造异重流第一阶段三门峡水库7月5日14时30分起涨，流量为1 220 m^3 / s，7月5日18时42分在HH34断面观测到异重流，洪水在库区明流段运行距离为66.41 km，运行速度约为4.4 m / s。按该速度推算洪水运行至HH33断面，运行距离为68.39 km，运行时间约为4.32 h。

以上分析认为调水调沙试验第二阶段入库水沙运行到坝前约需 20.87 h。异重流出库时间为7月8日14时，上推20.87 h为7月7日17时07分，相应三门峡流量为3 920 m^3 / s，正是三门峡水库下泄流量峰顶刚过而含沙量逐步增大的时间(见表 5-2)。此时三门峡7月7日日均流量、含沙量分别为2 860 m^3 / s、55.24 kg / m^3，7月8日日均流量、含沙量分别为968 m^3 / s、233.47 kg / m^3。

表5-2　2004年7月7日三门峡水库下泄瞬时流量、含沙量

时间(时:分)	流量(m^3 / s)	含沙量(kg / m^3)
12:00	3 990	0
12:36	4 230	
14:00	4 910	11
14:06	5 130	
14:18	4 860	
16:00	4 040	31.9
17:00	3 920	
18:00	3 920	66.3
19:00	3 360	
20:00	2 160	366

所以，初步估算2004年调水调沙试验期间第二阶段形成异重流的沙源主要是三门峡水库敞泄运用冲刷坝前漏斗而形成的。

第六章 结论与认识

(1)2004 年小浪底水库库区支流入汇总水沙量较少，主要为干流来水来沙量。本年度三门峡站水量 178.4 亿 m^3，其中汛期来水 65.89 亿 m^3；沙量全部来自汛期共 2.64 亿 t。2004 年水沙量相当于三门峡水文站枯水少沙系列 1987～2004 年多年水沙量的 77.2%和 38.5%，属严重枯水少沙年。汛期共有 2 场日均流量大于 2 000 m^3/s 的洪水入库，分别为 7 月上旬的人工塑造洪水过程及 8 月下旬的流域降水，最大洪峰流量为 5 130 m^3/s(7 月 7 日 14 时 6 分)，入库最大含沙量为 542 kg/m^3(8 月 22 日 6 时)。最大入库日均流量 2 860 m^3/s(7 月 7 日)，最大日均含沙量为 406.31 kg/m^3(8 月 23 日)。

(2)2004 年小浪底库区淤积量 1.174 亿 m^3。其中，支流淤积量为 0.877 4 亿 m^3,占全库区淤积总量的 74.7%；185～225 m 高程之间，淤积量为 2.918 亿 m^3；高程 225 m 以上冲刷量为 1.733 亿 m^3。

(3)支流的淤积主要为调水调沙试验及“04 · 8”洪水期间异重流倒灌的结果。调水调沙试验期间异重流能量小，倒灌距离短，淤积量较少；“04 · 8”洪水形成的异重流能量较大，倒灌距离长，淤积相对较多。支流口门处淤积面高程随着干流的淤积同步抬高，干流冲刷时，支流口门段淤积面高程随之下降。

(4)经分析 2004 年调水调沙试验第二阶段，三门峡出库水沙到达小浪底坝前的运行时间约 20.87 h；2004 年调水调沙试验期间形成异重流的沙源主要是三门峡水库敞泄运用冲刷坝前漏斗而形成的。

(5)“04 · 8”洪水异重流排沙分析认为，沙量平衡法计算，异重流排沙比约 36%；由韩其为不平衡输沙含沙量公式计算异重流排沙比约为 37.7%。

上述结论均是基于 2001～2004 年小浪底水库异重流实测资料分析得出的。由于小浪底水库投入运用的时间较短，资料有限，对于小浪底库区异重流运动规律的认识有待进一步深入。

第五专题 2004 年黄河下游河床演变特性及低含沙水流冲刷时期河道调整规律研究

2004 年是小浪底水库蓄水运用的第五年，年内黄河下游来水 286.45 亿 m^3，来沙 1.489 亿 t，分别为多年平均值(1950～2000 年)的 73%和 10.6%，为枯水枯沙年。年度内实施了小浪底水库第三次调水调沙试验，试验期间利用进入下游河道水流富余的挟沙能力，在黄河下游“二级悬河”及主槽淤积最为严重的河段实施河床泥沙扰动，扩大主槽过洪能力。8 月受渭河和北洛河洪水的影响，小浪底水库出现一次异重流排沙的过程，在下游河道形成一场高含沙洪水(“04・8”洪水)。在这一水沙条件作用下，下游河道发生了新的调整，出现了一些新特点。

本专题在追踪研究 2004 年下游河道新的调整特点的基础上，结合以往的工作基础，系统分析了下游低含沙冲刷时期泥沙输移及河道调整规律，主要包括不同粒径组泥沙随流量的变化规律、各河段在不同流量作用下的冲淤规律，以及细泥沙含量对河道冲刷效率的影响三部分；同时，综合分析了 1964 年以来黄河下游各粒径组泥沙的来量和淤积情况，对比研究了 20 世纪 90 年代各粒径组泥沙冲淤调整特点及其发生的原因。

在上述研究成果的基础上，对小浪底水库运用和治黄生产提出了一些初步认识和建议，为今后黄河的治理开发提供参考。

第一章 下游水沙概况

一、来水来沙及特点

2003 年 11 月～2004 年 10 月黄河下游来水(小浪底、黑石关、武陟 3 站之和，下同)286.45 亿 m^3，为多年平均值(1919～2000 年，下同)的 73%。由于小浪底水库的调节和 2003 年的秋汛洪水的影响，2004 年非汛期进入下游河道水量相对较多，非汛期水量 203.72 亿 m^3，比多年平均值偏多 16%，汛期水量 82.73 亿 m^3，仅为多年平均值的 38%(见表 1-1 和图 1-1)。2004 运用年小浪底水库全年进库水量(三门峡站水量)为 178.39 亿 m^3，出库水量为 251.59 亿 m^3，水库全年补水 73.20 亿 m^3，其中汛期补水 3.30 亿 m^3，非汛期补水 69.90 亿 m^3。在多年平均情况下汛期水量大于非汛期水量，但由于 2004 年汛期水量的锐减和非汛期小浪底水库的补水，2004 年的非汛期水量比汛期水量大得多，全年的水量分配发生显著改变。另外，非汛期平均流量为 970 m^3/s，汛期平均流量只有 778 m^3/s，非汛期的平均流量大于汛期的平均流量，由此进一步说明黄河下游的水流过程经过人工干预已经发生了根本性的改变。

从表 1-1 中可以看出，2004 年黄河下游各水文站非汛期水量比多年平均值偏大 10%～22%(支流伊洛河的黑石关站和沁河的武陟站分别偏大 38%和 116%)，汛期水量比多年平均值偏小 27%～65%，全年水量比多年平均值偏小 22%～30%。

2004 年是小浪底水库蓄水拦沙运用的第五年，下游河道全年的来沙量几乎全部集中在汛期，非汛期只有伊洛河和沁河来沙不到 3 万 t；汛期来沙 1.489 亿 t，其中小浪底排沙 1.486 亿 t，进入下游河道的泥沙为年平均的 10.6%，下游各站的来沙量见表 1-2。全年的水沙过程见图 1-2。

表 1-1 2004 年黄河下游主要站水量统计 (单位：亿 m^3)

站名	11 月～次年 6 月	距平(%)	7 月	8 月	9 月	10 月	7～10 月	距平(%)	11 月～次年 10 月	距平(%)
三门峡	112.50	−30	13.57	19.02	20.49	12.81	65.89	−67	178.39	−51
小浪底	182.40	13	31.19	25.65	5.72	6.64	69.19	−65	251.59	−30
黑石关	15.76	38	2.05	3.22	2.06	1.65	8.99	−44	24.74	−10
武陟	5.56	116	0.96	2.08	0.89	0.61	4.55	−27	10.11	14
进入下游	203.72	16	34.21	30.95	8.67	8.90	82.73	−62	286.45	−27
花园口	203.36	15	34.67	33.26	9.73	9.48	87.12	−62	290.48	−29
夹河滩	197.11	22	34.23	33.84	9.17	8.90	86.14	−61	283.25	−26
高村	193.72	20	34.15	33.50	9.29	9.11	86.05	−61	279.77	−28
孙口	186.31	22	35.65	33.55	10.27	9.22	88.70	−58	275.01	−25
艾山	179.71	18	38.30	45.23	18.57	7.02	109.12	−50	288.83	−22
泺口	157.36	10	38.78	44.50	18.32	7.44	109.04	−50	266.40	−27
利津	140.67	16	39.20	43.26	17.89	7.31	107.66	−48	248.33	−26

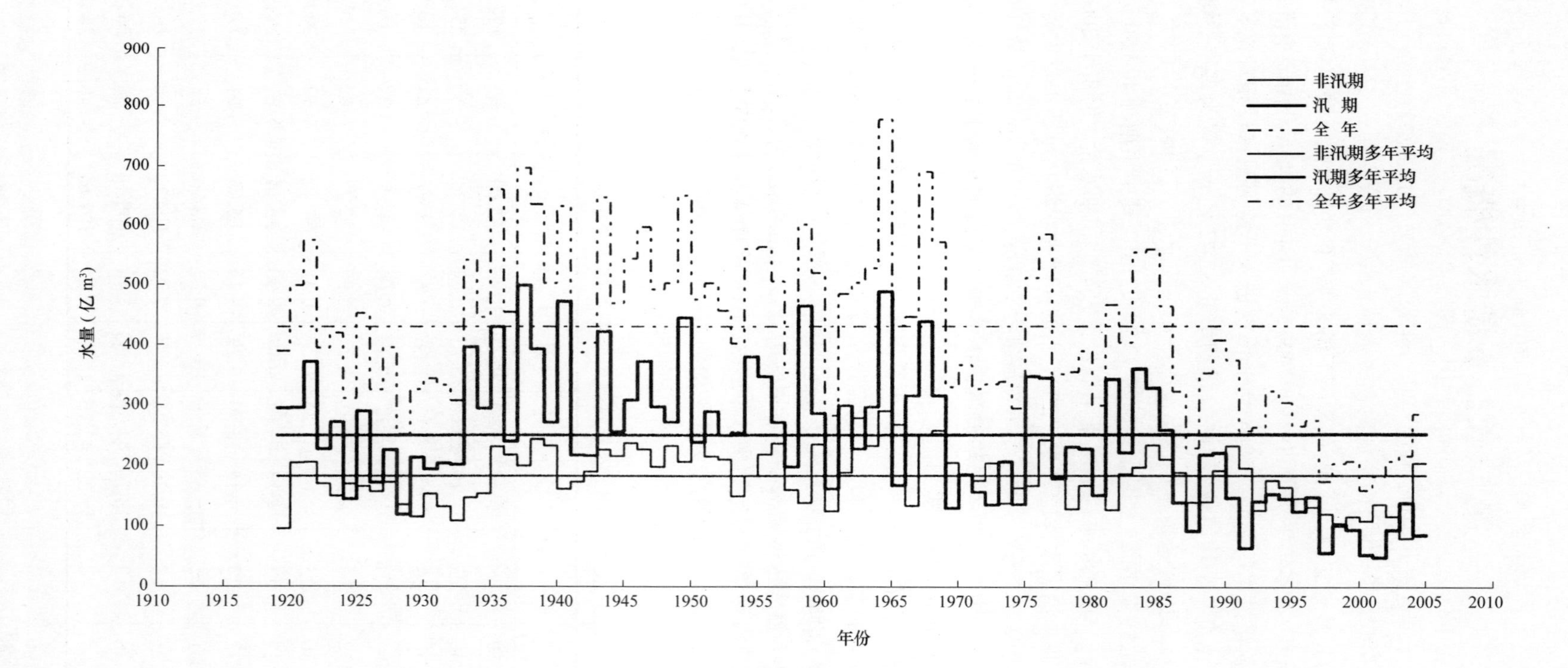

图 1-1　历年非汛期、汛期和全年的水量过程

表 1-2　2004 年黄河下游主要站沙量统计　(单位：亿 t)

站名	11 月～次年 6 月	距平(%)	7 月	8 月	9 月	10 月	7～10 月	距平(%)	11 月～次年 10 月	距平(%)
三门峡	0	－100	0.508	1.999	0.098	0.031	2.637	－74	2.637	－78
小浪底	0	－100	0.055	1.427	0.004	0	1.486	－88	1.486	－89
黑石关	0	－100	0.001	0.001	0	0	0.002	－99	0.001	－99
武陟	0	－100	0	0.001	0	0	0.001	－97	0.002	－97
进入下游	0	－100	0.056	1.429	0.004	0	1.489	－89	1.489	－89
花园口	0.517	－68	0.149	1.538	0.023	0.008	1.718	－80	2.235	－76
夹河滩	0.977	－44	0.193	1.384	0.046	0.011	1.633	－80	2.610	－71
高村	1.149	－37	0.198	1.355	0.066	0.017	1.636	－78	2.786	－66
孙口	1.274	－29	0.273	1.363	0.117	0.017	1.770	－75	3.043	－60
艾山	1.520	－19	0.321	1.474	0.166	0.011	1.972	－72	3.491	－53
泺口	1.260	－19	0.358	1.353	0.242	0.011	1.963	－72	3.223	－55
利津	1.400	75	0.436	1.241	0.385	0.011	2.072	－71	3.472	－52

2004 年进入黄河下游的水量主要集中在非汛期，沙量集中在汛期，水沙不同步的现象进一步加剧是 2004 年的水沙特点之一。

根据 2004 年黄河下游各控制站的日均水沙过程，统计出各流量级下的水沙情况(见图 1-3 和表 1-3)，可见各站日平均流量主要在 1 000 m^3／s 以下，历时为 265～298 d，全年流量在 500～1 000 m^3／s 的历时最长，为 124～215 d。流量大于 3 000 m^3／s 的历时花园口有 1 d，艾山有 2 d，其他站都没有出现日均流量大于 3 000 m^3／s 的过程(下游各控制站不同流量级持续天数见图 1-3)。2004 年全年来水量的 40%以上集中在 500～1 000 m^3／s 流量级，只有 30%左右的水量是通过 2 000 m^3／s 以上流量出现的，如小浪底站的 500～1 000 m^3／s 流量级水量为 106.27 亿 m^3／s，占全年的 42.2%，2 000 m^3／s 以上流量级水量为 74.59 亿 m^3／s，仅占全年的 29.6%。可见，1 000 m^3／s 以下的小流量历时长、3 000 m^3／s 以上流量几乎没有出现是 2004 年的水沙特点之二。

表 1-4 为 2004 年汛期黄河下游各级流量天数和水沙量统计。

2004 年非汛期由于小浪底下泄清水，花园口日平均含沙量全部小于 10 kg／m^3，夹河滩出现含沙量大于 10 kg／m^3 的只有 3 d，利津站出现大于 10 kg／m^3 的天数最多，为 37 d，利津来的 1.400 亿 t 泥沙，全部来自下游河道自身的补给。

2004 年汛期小浪底站日均含沙量大于 10 kg／m^3 的有 9 d，相应水量为 15.35 亿 m^3，占汛期水量的 22.2%；沙量为 1.454 亿 t，占汛期沙量的 97.9%。花园口站日均含沙量大于 10 kg／m^3 的有 10 d，相应水量 18.01 亿 m^3，占汛期水量的 20.7%；沙量 1.540 亿 t，占汛期沙量的 89.6%。其他各控制站汛期不同量级含沙量所占的天数和相应水沙量见表 1-5。可见，下游河道来沙的高度集中(主要在 9 d 内)是 2004 年水沙的第三个特点。

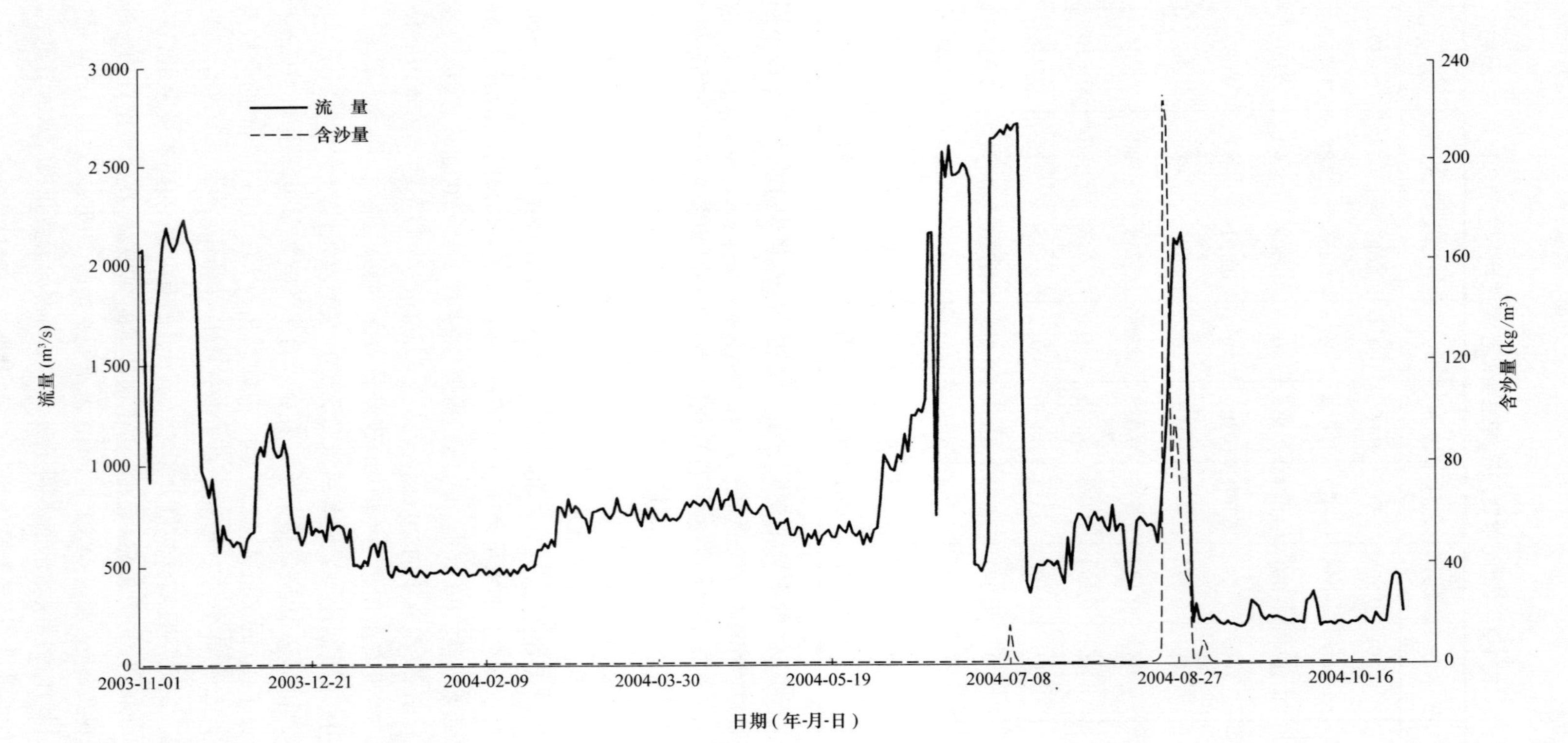

图 1-2　2004 年小浪底水文站日水沙过程线

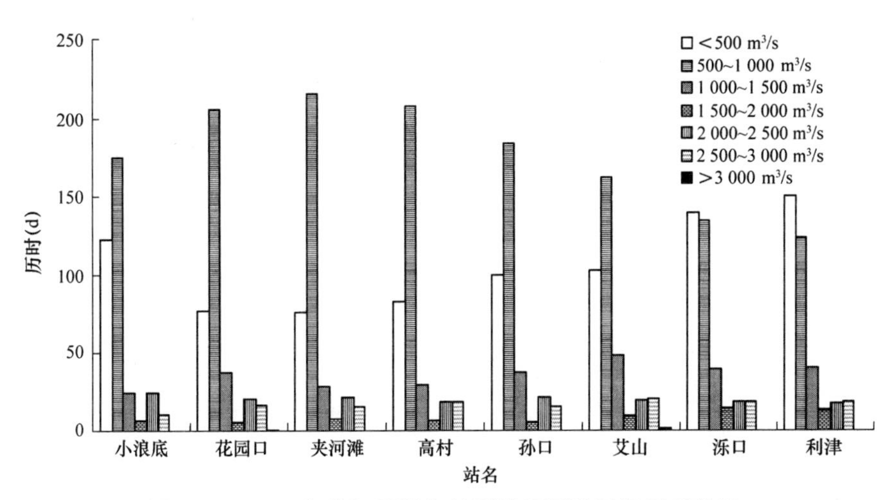

图 1-3　2004 年黄河下游各控制站不同流量级历时统计

表 1-3　2004 年黄河下游各流量级天数和水沙量统计

（单位：天数 d；水量 亿 m^3；沙量 亿 t）

量级(m^3/s)		0～500	500～1 000	1 000～1 500	1 500～2 000	2 000～2 500	2 500～3 000	3 000～3 500
小浪底	天数	123	175	25	7	25	11	0
	水量	36.92	106.27	24.73	9.08	49.58	25.01	0
	沙量	0.004	0.007	0.122	0.362	0.936	0.055	0
花园口	天数	77	206	38	6	21	17	1
	水量	25.53	132.83	37.91	7.90	43.81	39.67	2.83
	沙量	0.038	0.239	0.129	0.340	0.758	0.185	0.546
夹河滩	天数	76	215	29	8	22	16	0
	水量	23.81	136.63	29.27	12.37	43.80	37.36	0
	沙量	0.060	0.488	0.157	0.331	0.782	0.791	0
高村	天数	83	208	30	7	19	19	0
	水量	25.93	130.18	31.83	11.37	37.66	42.79	0
	沙量	0.076	0.539	0.207	0.402	0.847	0.714	0
孙口	天数	100	184	38	6	22	16	0
	水量	32.90	110.55	39.75	9.13	43.49	39.18	0
	沙量	0.107	0.441	0.319	0.355	1.050	0.771	0
艾山	天数	103	162	48	10	20	21	2
	水量	33.13	95.94	51.69	13.92	39.76	49.17	5.22
	沙量	0.103	0.469	0.341	0.091	0.919	1.043	0.525
泺口	天数	139	134	40	15	19	19	0
	水量	41.23	81.01	41.78	21.33	34.53	46.53	0
	沙量	0.130	0.414	0.295	0.209	0.735	1.439	0
利津	天数	150	124	41	14	18	19	0
	水量	32.63	71.18	43.23	22.39	34.77	44.14	0
	沙量	0.074	0.372	0.379	0.255	0.691	1.701	0

表 1-4　2004 年汛期黄河下游各流量级天数和水沙量统计

（单位：天数 d；水量 亿 m^3；沙量 亿 t）

量级(m^3 / s)		0～500	500～1 000	1 000～1 500	1 500～2 000	2 000～2 500	2 500～3 000	3 000～3 500
小浪底	天数	55	55	8	3	1	1	0
	水量	15.35	34.05	7.67	4.57	1.78	2.47	0
	沙量	0.199	0.645	0.114	0.820	0.723	0.137	0
花园口	天数	78	27	3	1	5	9	0
	水量	18.69	15.71	3.37	1.67	9.17	20.59	0
	沙量	0.004	0.007	0.122	0.362	0.936	0.055	0
夹河滩	天数	60	38	9	1	5	9	1
	水量	18.69	24.20	8.65	1.60	9.92	21.23	2.83
	沙量	0.029	0.044	0.052	0.314	0.611	0.122	0.546
高村	天数	60	42	3	3	5	10	0
	水量	17.57	27.57	2.74	4.54	10.11	23.61	0
	沙量	0.042	0.084	0.009	0.264	0.526	0.708	0
孙口	天数	59	40	8	1	6	9	0
	水量	17.11	27.11	7.95	1.68	11.66	20.53	0
	沙量	0.050	0.113	0.041	0.305	0.604	0.523	0
艾山	天数	57	36	13	2	5	10	0
	水量	16.93	22.86	13.34	3.26	9.07	23.23	0
	沙量	0.066	0.079	0.109	0.286	0.645	0.584	0
泺口	天数	32	44	22	8	5	10	2
	水量	7.40	27.25	24.24	11.19	10.01	23.81	5.22
	沙量	0.012	0.104	0.102	0.061	0.468	0.701	0.525
利津	天数	33	43	22	8	4	13	0
	水量	8.28	26.78	24.49	11.14	7.70	30.65	0
	沙量	0.012	0.145	0.145	0.065	0.371	1.226	0

表 1-5　2004 年汛期不同含沙量级的水沙量和天数统计

站名	$S<10$ kg / m^3			$S>10$ kg / m^3		
	天数(d)	水量(亿 m^3)	沙量(亿 t)	天数(d)	水量(亿 m^3)	沙量(亿 t)
小浪底	114	53.84	0.032	9	15.35	1.454
花园口	113	69.11	0.178	10	18.01	1.540
夹河滩	110	64.07	0.210	13	22.07	1.423
高村	110	67.77	0.283	13	18.27	1.354
孙口	104	62.17	0.269	19	26.53	1.501
艾山	102	68.21	0.242	21	40.91	1.730
泺口	99	65.20	0.264	24	43.83	1.700
利津	99	63.23	0.318	24	44.43	1.754

二、引水引沙

根据 2004 年黄河下游实测引水引沙资料计算，2004 年全下游实测引水量为 54.35 亿 m^3，引沙量为 0.280 亿 t，平均引水含沙量 5.1 kg / m^3，与多年平均引水含沙量 17.45 kg / m^3 相比明显偏小。与 2003 年的引水相比，引水量减少 16.2%，引沙量减少 11.9%，平均引水含沙量增大 5.2%。

从引水、引沙量的年内分布看，主要集中于非汛期。非汛期全下游引水 46.58 亿 m^3，引沙 0.215 4 亿 t，分别占年引水、引沙量的 86%和 77%；汛期引水 7.77 亿 m^3，引沙 0.064 3 亿 t，分别占年引水、引沙量的 14%和 23%。

从引水、引沙量的沿程分布来看，自上而下引水量和引沙量基本上是逐步增加的，夹河滩以上引水较少，泺口—利津的引水最多，各河段的详细引水量和引沙量见表 1-6。

表 1-6 2004 运用年黄河下游引水引沙统计

河段	引水量(亿 m^3)			引沙量(亿 t)			引水含沙量(kg / m^3)		
	非汛期	汛期	全年	非汛期	汛期	全年	非汛期	汛期	全年
花园口以上	2.41	0.99	3.40	0.002 4	0.012 1	0.014 5	1.0	12.1	4.3
花园口—夹河滩	2.71	0.68	3.39	0.009 2	0.011 1	0.020 2	3.4	16.4	6.0
夹河滩—高村	4.56	0.67	5.23	0.019 7	0.009 9	0.029 7	4.3	14.8	5.7
高村—孙口	5.88	0.52	6.40	0.024 5	0.004 4	0.028 9	4.2	8.4	4.5
孙口—艾山	8.64	2.10	10.74	0.059 2	0.004 6	0.063 8	6.9	2.2	5.9
艾山—泺口	9.68	1.11	10.79	0.037 9	0.005 3	0.043 2	3.9	4.8	4.0
泺口—利津	12.70	1.70	14.40	0.062 5	0.016 9	0.079 4	4.9	9.9	5.5
全下游	46.58	7.77	54.35	0.215 4	0.064 3	0.279 7	4.6	8.3	5.1

注：全下游指的是利津以上河段。

2004 年下游水量不平衡问题不是很突出。由表 1-7 可见，2004 年下游来水量(三门峡、黑石关、小浪底 3 站水量之和)为 286.45 亿 m^3，利津水量为 248.33 亿 m^3，若不计区间加水和区间损耗，全年水量差为 38.12 亿 m^3，其中非汛期水量差为 63.05 亿 m^3，汛期水量增加 24.93 亿 m^3。根据区间实测引水资料统计，2003 年利津以上河段全年引水 54.35 亿 m^3，其中非汛期引水 46.58 亿 m^3，汛期引水 7.77 亿 m^3。从水量平衡的角度看，全年区间水量增多了 16.23 亿 m^3(见表 1-7)，其中非汛期减少 16.47 亿 m^3，汛期增多 32.70 亿 m^3。这主要是由于汛期下游降雨较多，金堤河、大汶河等加水未计算引起的，据初步统计汛期大汶河累计向黄河加水 22.2 亿 m^3。

表 1-7　2004 年黄河下游利津以上河段水量平衡计算　（单位：亿 m³）

时段	小黑武水量①	利津水量②	水量差③ (③=①-②)	区间引水量④	平衡水量⑤ (⑤ = ③-④)
非汛期	203.72	140.67	63.05	46.58	16.47
汛期	82.73	107.66	– 24.93	7.77	– 32.70
全年	286.45	248.33	38.12	54.35	– 16.23

第二章　2004年洪水及其特点

2004年黄河下游共发生3场洪水，其中前两场为调水调沙试验6月和7月的两个阶段，第三场洪水为8月下旬发生的“04·8”高含沙洪水，洪水均未漫滩。

一、第三次调水调沙试验分析

(一)水沙概况

2004年6月19日9时至7月13日8时，进行了黄河第三次调水调沙试验，历时24 d，扣除6月29日0时至7月3日21时小流量下泄的5 d，实际历时约19 d。整个调水调沙试验过程可分为第一阶段、第二阶段和中间段。

2004年调水调沙试验期间，下游各站水沙量统计见表2-1。第一阶段，小浪底水库清水下泄，小浪底水文站水量23.01亿 m^3，沙量为0；伊洛河和沁河同期来水0.24亿 m^3，小黑武水量23.25亿 m^3，沙量为0。第二阶段，小浪底水库异重流排沙，小浪底水文站水量21.72亿 m^3，沙量为0.044亿 t，平均含沙量2.03 kg/m^3，伊洛河和沁河同期来水0.54亿 m^3，小黑武水量22.27亿 m^3，沙量为0.044亿 t，平均含沙量1.98 kg/m^3。中间段，小浪底水文站水量2.06亿 m^3，沙量为0；伊洛河和沁河同期来水0.31亿 m^3，小黑武水量共2.38亿 m^3。

表2-1　2004年黄河调水调沙试验下游各站水沙量统计

站名		黑石关	武陟	小浪底	小黑武	花园口	夹河滩	高村	孙口	艾山	泺口	利津
第一阶段	历时(h)	232.5	234	231.9	—	242	244	248	258	258	292	296
	水量(亿 m^3)	0.15	0.09	23.01	23.25	22.48	22.04	21.66	22.51	22.93	22.67	22.99
	沙量(亿 t)	0	0	0	0	0.087	0.137	0.176	0.229	0.278	0.278	0.366
	含沙量(kg/m^3)	0	0	0	0	3.88	6.22	8.14	10.16	12.15	12.26	15.92
第二阶段	历时(h)	229.1	228	228.6	—	236	240	242.6	252.0	251.8	271.5	288
	水量(亿 m^3)	0.39	0.15	21.72	22.27	22.62	22.37	22.50	23.10	22.73	22.72	23.40
	沙量(亿 t)	0	0.000 003	0.044	0.044	0.119	0.163	0.170	0.239	0.263	0.266	0.324
	含沙量(kg/m^3)	0	0.02	2.01	1.97	5.27	7.28	7.54	10.36	11.57	11.71	13.85
中间段	历时(h)	114	114	115.2	—	110	108	105	96	96.1	64.5	64
	水量(亿 m^3)	0.23	0.08	2.06	2.38	2.47	2.54	2.66	2.36	2.48	1.57	1.62
	沙量(亿 t)	0.000 1	0.000 02	0	0	0.004	0.008	0.008	0.006	0.008	0.005	0.008
	含沙量(kg/m^3)	0.43	0.20	0	0.05	1.76	3.22	2.88	2.59	3.20	3.18	4.94
全过程	历时(h)	575.6	576	575.7	—	588	592	595.6	606	605.9	638	648
	水量(亿 m^3)	0.781	0.317	46.8	47.89	47.57	46.94	46.83	47.97	48.14	46.96	48.01
	沙量(亿 t)	0.000 1	0.000 019	0.044	0.044	0.211	0.308	0.354	0.474	0.548	0.549	0.697
	含沙量(kg/m^3)	0.13	0.06	0.94	0.92	4.43	6.56	7.55	9.89	11.41	11.69	14.52

(二)流量和含沙量过程

2004 年的调水调沙试验，进入下游的流量过程明显分为两个洪峰过程(见图 2-1 和图 2-2)。

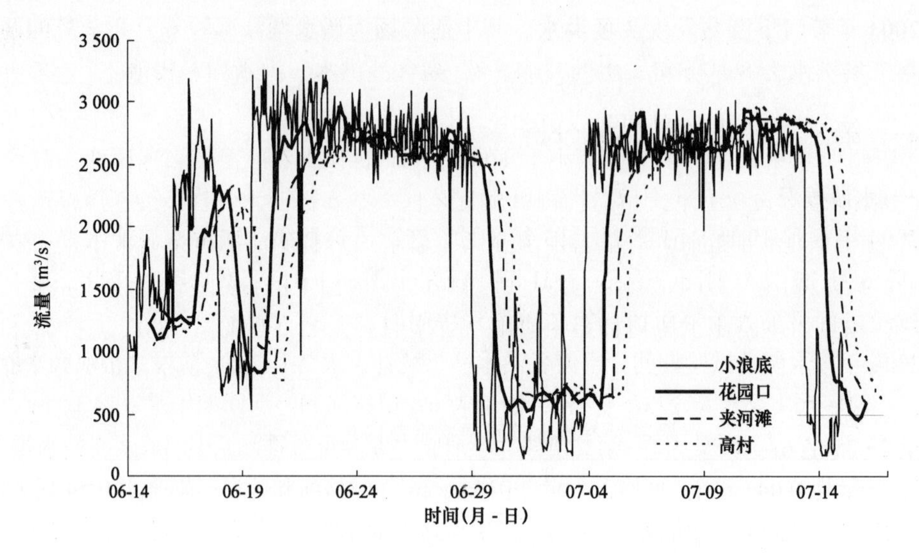

图 2-1　2004 年调水调沙试验期间小浪底—高村河段流量过程线

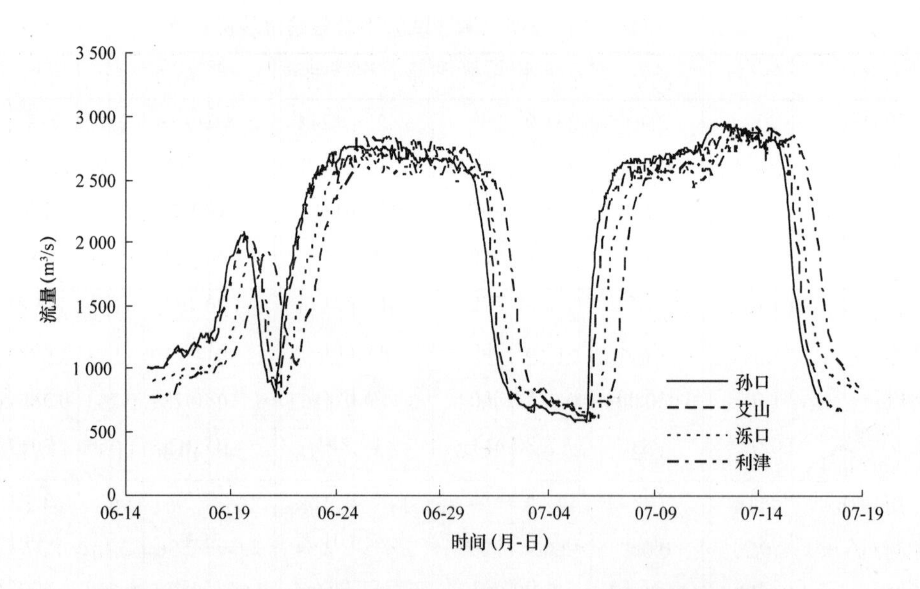

图 2-2　2004 年调水调沙试验期间孙口—利津河段流量过程线

调水调沙试验期间进入下游的洪水过程为人工塑造，洪水过程涨水和退水均较快，两个洪水过程流量基本都在 2 500 m^3 / s 以上。从流量过程变化情况看，小浪底水文站过程线受水库出流调节的影响，流量起伏变化频繁；经过河道调节，花园口以下各站流量过程相对比较平稳。由于本次调水调沙试验期间下游各河段均未漫滩，洪水过程在下游的传播过程中，峰型沿程变化较小，坦化程度较低，下游各站流量过程线很相似，基本为两个矩形波。

表 2-2 为本次调水调沙试验两个洪水过程最大洪峰流量传播时间统计。第一阶段，小浪底水文站最大流量 3 300 m^3／s，出现时间为 2004 年 6 月 21 日 16.5 时，花园口站 6 月 23 日 6 时最大流量 2 970 m^3／s，小浪底—花园口河段洪水传播时间 37.5 h，利津 6 月 25 日 20.6 时最大流量 2 730 m^3／s，小浪底—利津传播时间 100.1 h；第二阶段，小浪底水文站最大流量 3 020 m^3／s，出现时间为 2004 年 7 月 10 日 9:05，花园口站 7 月 10 日 18:00 最大流量 2 950 m^3／s，小浪底—花园口河段洪水传播时间 8.9 h，利津 7 月 13 日 20:06 最大流量 2 950 m^3／s，小浪底—利津传播时间 83 h，较第一阶段传播时间缩短 17.1 h，从整个下游河道来看，两个阶段最大流量传播时间相差不大。

表 2-2　2004 年调水调沙试验期间下游河道最大流量传播时间统计

站名	第一阶段			第二阶段		
	最大流量 (m^3／s)	相应时间 (月-日 T 时:分)	传播时间 (h)	最大流量 (m^3／s)	相应时间 (月-日 T 时:分)	传播时间 (h)
小浪底	3 300	06-21T16:30	—	3 020	07-10T09:05	—
花园口	2 970	06-23T06:00	37.5	2 950	07-10T18:00	8.9
夹河滩	2 830	06-23T16:00	10.0	2 900	07-11T04:00	10.0
高村	2 800	06-24T00:30	8.5	2 970	07-11T07:42	3.7
孙口	2 760	06-24T12:00	11.5	2 960	07-12T09:36	25.9
艾山	2 830	06-25T02:00	14.0	2 950	07-12T16:00	6.4
泺口	2 730 (2 760)	06-25T09:20 (06-27T17:12)	7.3	2 950	07-12T22:12	6.2
利津	2 730	06-25T20:36	11.3	2 950	07-13T20:06	21.9

与流量过程基本相应，下游各站含沙量过程也明显分为两个阶段，存在两个沙峰，各个站含沙量特征值见表 2-3。经过河道冲刷，下游各站含沙量沿程恢复。第一阶段，小浪底水库清水下泄，花园口最大含沙量 7.22 kg／m^3、平均含沙量 3.88 kg／m^3，高村最大含沙量 12.60 kg／m^3、平均含沙量 8.14 kg／m^3，利津最大含沙量 24.00 kg／m^3、平均含沙量 15.92 kg／m^3，利津以上河段平均含沙量恢复 15.74 kg／m^3。第二阶段，小浪底水库有异重流排沙，小浪底水文站最大含沙量 12.8 kg／m^3、平均含沙量 2.01 kg／m^3，花园口最大含沙量 13.10 kg／m^3、平均含沙量 5.27 kg／m^3，高村最大含沙量 12.60 kg／m^3、平均含沙量 7.54 kg／m^3，利津最大含沙量 23.10 kg／m^3、平均含沙量 13.85 kg／m^3，利津以上河段平均含沙量恢复 11.84 kg／m^3，稍小于第一阶段平均含沙量恢复值。第一阶段，花园口以上及艾山—利津河段含沙量恢复相对较多；第二阶段，花园口以上、高村—孙口及艾山—利津河段含沙量恢复相对较多。整个调水调沙试验期间，下游利津站平均含沙量达到 14.52 kg／m^3，比下游来水含沙量(小黑武)增加 13.6 kg／m^3。

表 2-3　2004 年调水调沙试验期间下游各站含沙量特征值　（单位：kg / m³）

站名	第一阶段		第二阶段		中间段	全过程
	最大含沙量	平均含沙量	最大含沙量	平均含沙量	平均含沙量	平均含沙量
黑石关	0	0	0	0	0.43	0.13
武陟	0	0	0.08	0.02	0.20	0.06
小浪底	0	0	12.80	2.01	0	0.94
小黑武	—	0	—	1.97	0.05	0.92
花园口	7.22	3.88	13.10	5.27	1.76	4.43
夹河滩	9.46	6.22	14.20	7.28	3.22	6.56
高村	12.60	8.14	12.60	7.54	2.88	7.55
孙口	15.80	10.16	17.80	10.36	2.59	9.88
艾山	16.70	12.15	17.50	11.57	3.20	11.41
泺口	15.20	12.26	16.80	11.71	3.18	11.69
利津	24.00	15.74	23.10	13.85	4.94	14.52

（三）引水引沙情况

根据下游各河段实测逐日引水引沙资料统计，2004 年调水调沙试验期间全下游实测引水量 2.30 亿 m³，引水主要集中在花园口以上、花园口—夹河滩和高村—孙口河段，分别占总引水量的 21.2%、41.4%和 21.1%。实测引沙量 117.69 万 t(见表 2-4)。

表 2-4　2004 年调水调沙试验期间下游各河段引水引沙统计

河段	引水量(万 m³)	引沙量(万 t)
小浪底—花园口	4 878.0	26.00
花园口—夹河滩	9 549.0	34.49
夹河滩—高村	2 005.0	8.10
高村—孙口	4 872.5	27.26
孙口—艾山	0	0
艾山—泺口	332.9	4.38
泺口—利津	1 412.2	17.47
合计	23 049.6	117.69

二、“04 · 8”洪水分析

2004 年 8 月下旬受降雨影响，黄河中游渭河和北洛河发生高含沙洪水：渭河华县站最大流量 1 050 m³ / s，最大含沙量 695 kg / m³；北洛河洑头站最大流量 377 m³ / s，最大含沙量 770 kg / m³。由于入库最大含沙量高达 542 kg / m³、最大流量为 2 960 m³ / s 水沙过程满足形成水库异重流的条件，入库洪水在小浪底水库形成异重流，结合前期浑水水库作用，小浪底水库下泄了一场最大含沙量为 352 kg / m³ 的极细沙高含沙水流过程，该过程在黄河下游河道形成一次高含沙洪水，简称“04·8”洪水。图 2-3 为小浪底水库出库水沙过程线。其中在第一天，为减小花园口洪峰流量、预防下游大范围漫滩，小浪底水库下泄流量控制在 1 000 m³ / s 以下约 12 h，使得为期 9 d 的洪水过程变为第一阶段历时约 3 d、第二阶段历时约 6 d 的两个较为明显的洪峰过程。“04·8”洪水是小浪底水库投入运用以来含沙量最高的洪水，也是输沙量最大的一次洪水。

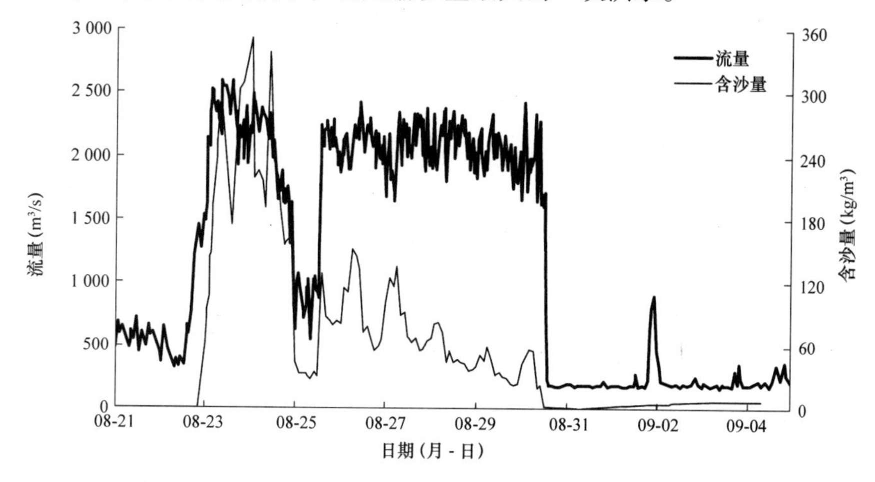

图 2-3 “04·8”洪水小浪底水库出库水沙过程线

(一)来水来沙概况

2004 年 8 月 22 日～8 月 30 日小浪底水库下泄水量 13.66 亿 m³、沙量 1.423 亿 t，第一阶段水沙量分别为 4.29 亿 m³ 和 0.816 亿 t，第二阶段水沙量分别为 9.37 亿 m³ 和 0.607 亿 t。同期，伊洛河(黑石关站)来水 0.82 亿 m³，沁河(武陟站)来水 0.45 亿 m³，进入下游(小浪底、黑石关、武陟)的水量为 14.93 亿 m³、沙量 1.423 亿 t。其他各站的水沙量见表 2-5(按日均水沙资料计算)。该时期大汶河加水 4.08 亿 m³。

表 2-5 “04·8”洪水下游各站水沙量统计

站名	水量(亿 m³)	平均流量(m³ / s)	沙量(亿 t)	平均含沙量(kg / m³)
小浪底	13.66	1 757	1.423	104.2
黑石关	0.82	105	0	0.1
武陟	0.45	58	0	0.2
小黑武	14.93	1 920	1.423	95.3
花园口	16.45	2 116	1.509	91.7
夹河滩	16.67	2 144	1.337	80.2
高村	15.65	2 013	1.308	83.6
孙口	15.53	1 997	1.338	86.2
艾山	19.29	2 481	1.464	75.9
泺口	18.71	2 406	1.365	73.0
利津	18.74	2 410	1.357	72.4

"04 · 8"洪水进入下游河道(小浪底、黑石关、武陟)的平均流量为 1 920 m^3 / s，平均含沙量为 95.3 kg / m^3，平均来沙系数为 0.050。

(二)水沙演进情况

"04 · 8"洪水在下游河道的演进过程中出现了一些特殊现象：

(1)洪峰流量从小浪底站的 2 590 m^3 / s 演进到花园口站的 4 150 m^3 / s，增加了 1 560 m^3 / s。扣除该过程中伊洛河和沁河增加的 200 m^3 / s 流量，洪峰流量从小浪底演进到花园口增大了 1 360 m^3 / s(见图 2-4 和图 2-5)。

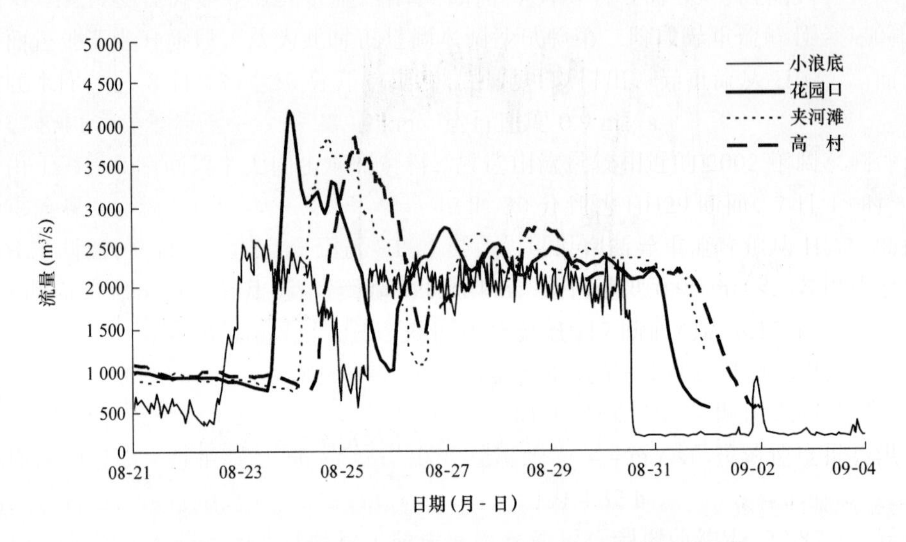

图 2-4 "04 · 8"洪水小浪底—高村河段流量过程线

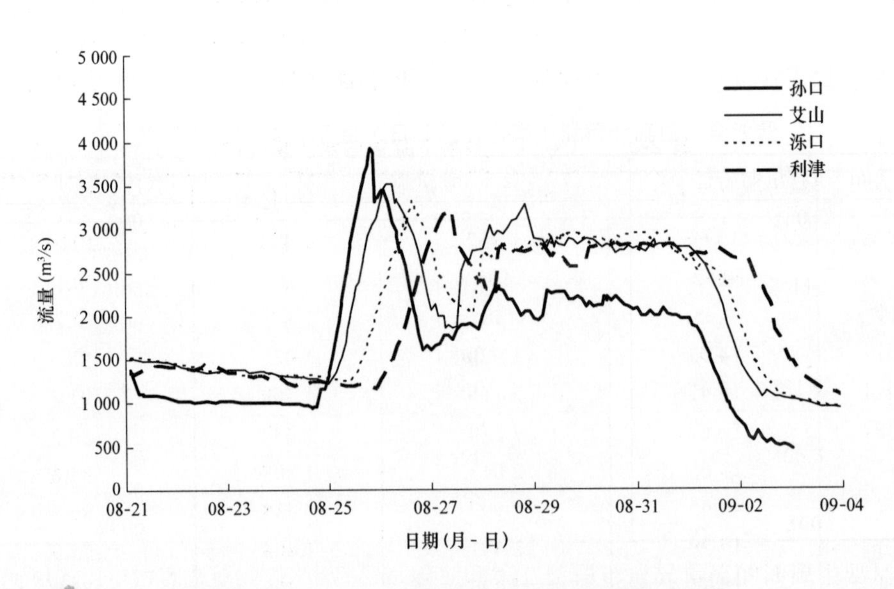

图 2-5 "04 · 8"洪水孙口—利津河段流量过程线

(2) “04・8”洪水的第一阶段，在孙口以上洪水演进有明显向尖瘦型发展的趋势，主要表现在洪水历时沿程缩短(或基本不变)而洪峰流量沿程不衰减，详见表 2-6(按洪水要素计算)。

表 2-6 “04・8”洪水第一阶段洪水特征值统计

站名	起涨时间 (月-日 T时:分)	结束时间 (月-日 T时:分)	历时 (h)	水量 (亿 m^3)	平均流量 (m^3/s)	最大流量 (m^3/s)
小浪底	08-22T14:00	08-24T23:24	57.4	4.04	1 957	2 590
花园口	08-23T16:00	08-25T20:00	52	5.02	2 682	4 150
夹河滩	08-24T04:00	08-26T08:00	52	5.23	2 794	3 830
高村	08-24T12:00	08-26T12:00	48	4.80	2 779	3 840
孙口	08-24T20:00	08-26T18:00	46	4.43	2 677	3 930
艾山	08-25T03:42	08-27T06:00	50.3	4.79	2 645	3 520
泺口	08-25T14:10	08-27T16:00	49.8	4.41	2 458	3 330
利津	08-26T00:00	08-28T04:00	52	4.48	2 394	3 210

洪水在下游河道传播过程中由于槽蓄作用等因素的影响，一般会发生坦化现象，洪水历时自上而下变长。从表 2-6 中可以看出花园口站的洪水历时比小浪底缩短 5.4 h，夹河滩站的洪水历时和花园口站相同，高村站的洪水历时比花园口站缩短 4 h，孙口站洪水历时比高村站缩短 2 h。洪峰流量从夹河滩演进到孙口过程中基本不坦化，甚至略有增大，孙口以下河段逐步减小。

另外，洪水在全下游的传播过程中沙峰不断滞后于洪峰。小浪底水文站沙峰滞后于洪峰 15.4 h，花园口站沙峰滞后于洪峰 17 h，到利津时沙峰滞后于洪峰达 46 h，见图 2-6 和图 2-7。

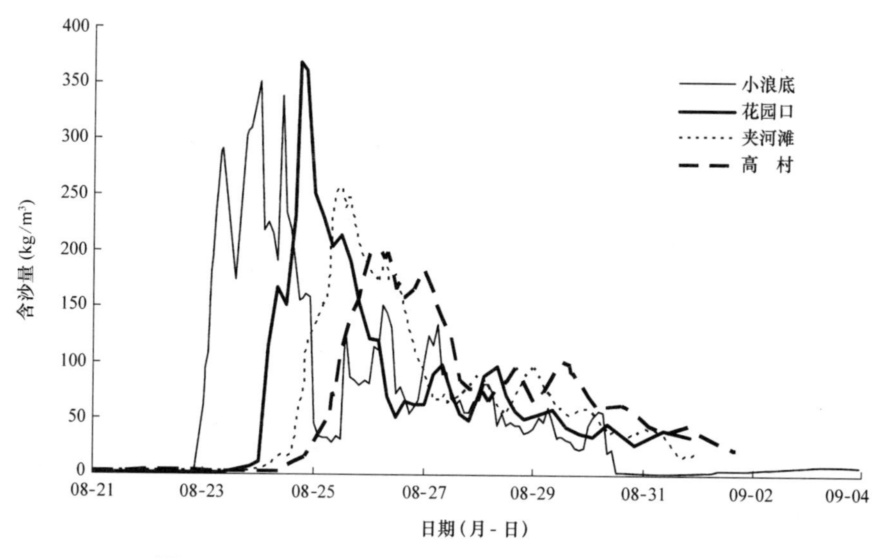

图 2-6 “04・8”洪水下游各水文站的含沙量过程线

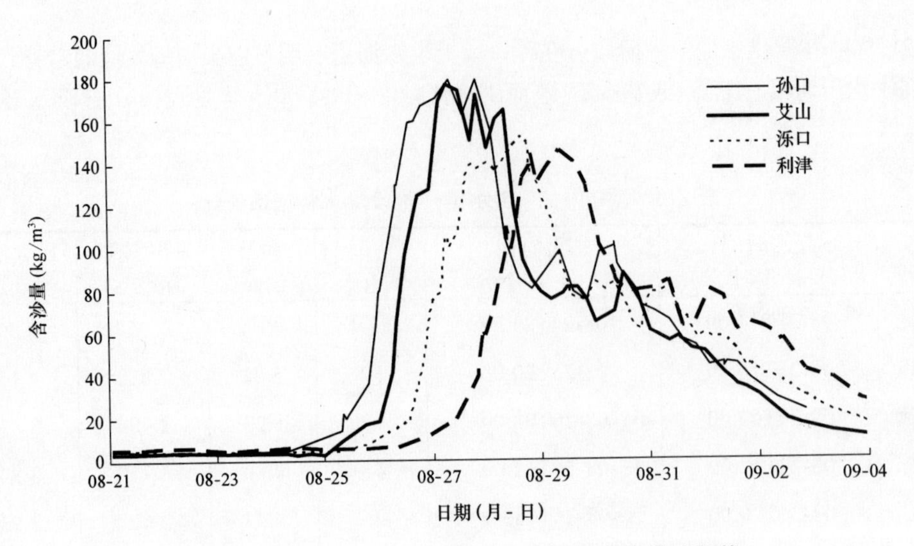

图 2-7 “04·8”洪水下游各水文站的含沙量过程线

第三章　2004 年下游河道冲淤演变分析

黄河下游河道冲淤量大小及分布，直接影响到相应河段的水位表现。由于黄河问题复杂，其冲淤量大小通常用几种方法计算，目前常用的计算方法有断面法和沙量平衡法。

一、2004 年黄河下游河道冲淤变化特点

(一)断面法

根据 2003 年 11 月、2004 年 4 月和 2004 年 10 月三次实测大断面资料，采用断面法计算，2004 年全下游(白鹤—汊 3 河段)共冲刷 1.171 1 亿 m^3(见表 3-1)，其中非汛期和汛期分别冲刷 0.329 3 亿 m^3 和 0.841 8 亿 m^3。

表 3-1　2004 年黄河下游河道断面法冲淤量成果

河段	不同时段(年-月)冲淤量(亿 m^3)		
	2003-11～2004-04	2004-04～2004-10	2003-11～2004-10
小浪底—花园口	－0.014 3	－0.163 9	－0.178 2
花园口—夹河滩	－0.333 1	－0.064 2	－0.397 3
夹河滩—高村	－0.132 0	－0.152 3	－0.284 3
高村—孙口	0.028 9	－0.068 0	－0.039 1
孙口—艾山	－0.014 6	－0.039 8	－0.054 5
艾山—泺口	0.019 1	－0.128 5	－0.109 4
泺口—利津	0.073 5	－0.198 6	－0.125 1
利津—汊 3	0.043 3	－0.026 5	0.016 8
全下游	－0.329 3	－0.841 8	－1.171 1

从沿程分布看，非汛期冲刷主要集中在花园口—高村河段，冲刷了 0.465 1 亿 m^3，泺口—利津河段发生微淤，淤积 0.073 5 亿 m^3，其他各河段基本处于冲淤平衡。汛期全下游都发生了冲刷，高村以上河段和艾山—利津河段冲刷量相对较多，高村—艾山河段和利津以下河段冲刷量较小。2004 年 70%的冲刷量集中在高村以上河段，高村—艾山河段以及艾山—利津河段的冲刷量占全下游的比例分别为 8%和 20%，呈现出“两头大、中间小”的冲淤特点(见图 3-1)。

由于 2003 年黄河下游发生历时较长的秋汛洪水，2003 年汛后大断面是在 2003 年 11 月下旬秋汛结束以后进行测量的，所以 2004 年内断面法计算的非汛期冲淤量实际上是从 2003 年 11 月下旬至 2004 年 4 月中下旬之间的河道冲淤量。

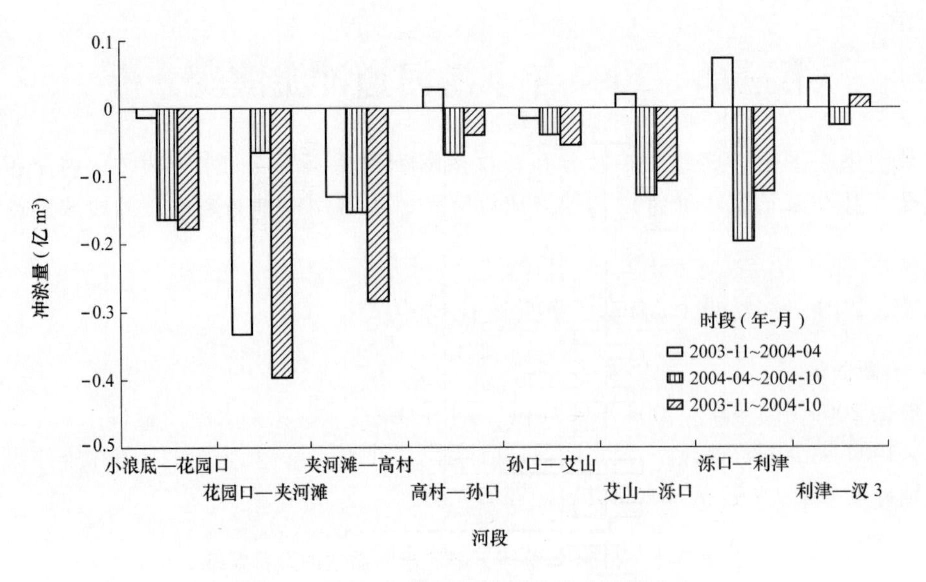

图 3-1　2004 年黄河下游断面法冲淤量分布

(二)沙量平衡法冲淤量

表 3-2 是利用日均水沙资料采用沙量平衡法计算 2004 年黄河下游各河段的冲淤量成果。从表 3-2 中可以看出，2004 年全年下游河道共冲刷 2.263 亿 t，其中非汛期冲刷 1.615 亿 t，占全年的 71.4%；汛期冲刷 0.648 亿 t，占全年的 28.6%。在该计算过程中，考虑了引水引沙量，全下游引沙量为 0.279 7 亿 t，其中非汛期 0.215 4 亿 t，占全年的 77%；汛期 0.064 3 亿 t，占全年的 23%。

表 3-2　2004 年黄河下游河道沙量平衡法冲淤量成果　　（单位：亿 t）

河段	非汛期	汛期	全年
小浪底—花园口	－0.519	－0.241	－0.760
花园口—夹河滩	－0.469	0.074	－0.395
夹河滩—高村	－0.192	－0.013	－0.205
高村—孙口	－0.149	－0.138	－0.287
孙口—艾山	－0.305	－0.207	－0.512
艾山—泺口	0.222	0.003	0.225
泺口—利津	－0.202	－0.126	－0.329
小浪底—高村	－1.180	－0.181	－1.361
高村—利津	－0.434	－0.467	－0.902
小浪底—利津	－1.615	－0.648	－2.263

全下游只有艾山—泺口河段发生淤积，其中非汛期淤积 0.222 亿 t，汛期淤积 0.003 亿 t，该河段淤积主要集中在非汛期。2003 年秋汛洪水一直持续到 2003 年 11 月末，在

2003年11月的洪水中艾山—泺口河段淤积了0.108 0亿t,非汛期其他各月都有微量淤积。

花园口以上河段冲刷量最大，全年冲刷0.760亿t，其中非汛期冲刷0.519亿t，汛期冲刷0.241亿t。各河段的冲淤分布见图3-2。

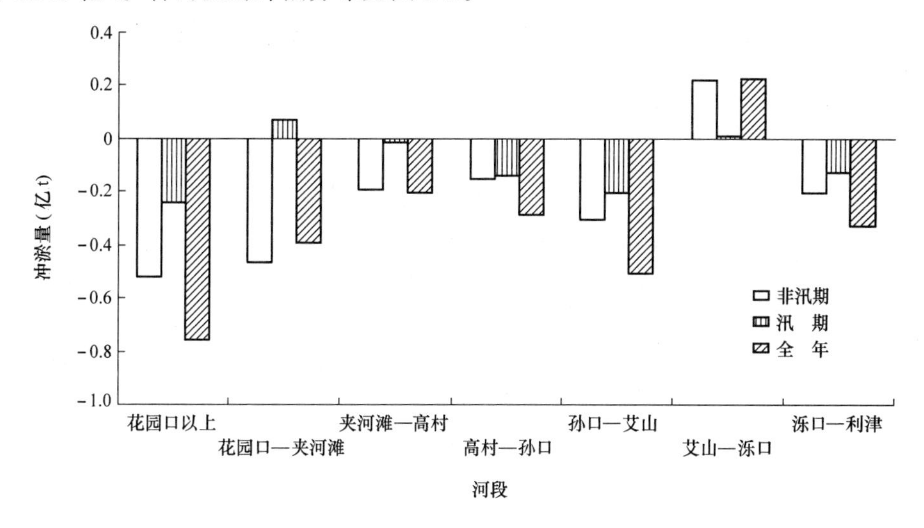

图3-2 2004年黄河下游河道沙量平衡法冲淤量分布

二、调水调沙试验冲淤演变分析

根据实测水沙资料，考虑各河段实测引沙量，第一阶段小浪底—利津河段冲刷0.373亿t，第二阶段小浪底—利津河段冲刷0.283亿t，中间段小浪底—利津河段冲刷0.009亿t。整个调水调沙试验期间下游河道小浪底—利津河段冲刷0.665亿t，单位水量冲刷效率0.013 9 t/m^3。

从整个调水调沙试验过程看，黄河下游各河段均为冲刷，其中小浪底—花园口、高村—孙口、泺口—利津河段冲刷相对较多，冲刷量分别为0.169亿、0.123亿t和0.15亿t，分别占总冲刷量的25.4%、18.5%和22.6%(见表3-3)。

表3-3 调水调沙试验期间下游河道冲淤量(沙量平衡法) (单位：亿t)

河段	第一阶段	第二阶段	中间段	全过程
小浪底—花园口	-0.089	-0.076	-0.005	-0.169
花园口—夹河滩	-0.052	-0.045	-0.004	-0.101
夹河滩—高村	-0.040	-0.007	0.000 2	-0.046
高村—孙口	-0.054	-0.070	0.001	-0.123
孙口—艾山	-0.049	-0.024	-0.001	-0.074
艾山—泺口	0	-0.003	0.002	-0.001
泺口—利津	-0.089	-0.058	-0.003	-0.150
小浪底—高村	-0.181	-0.128	-0.008	-0.317
高村—利津	-0.193	-0.155	-0.001	-0.349
小浪底—利津	-0.373	-0.283	-0.009	-0.665

调水调沙试验期间，下游小浪底—利津单位河长冲刷量为 8.8 万 t/km，各河段冲淤强度见图 3-3。从图 3-3 中看出，花园口以上、高村—孙口及孙口—艾山河段冲刷强度相对较大，分别为 13.1 万、10.4 万 t/km 和 11.6 万 t/km。高村以上河段冲刷强度沿程减小，呈沿程冲刷特性，高村—孙口及孙口—艾山两河段因实施人工扰动，冲刷强度增大。

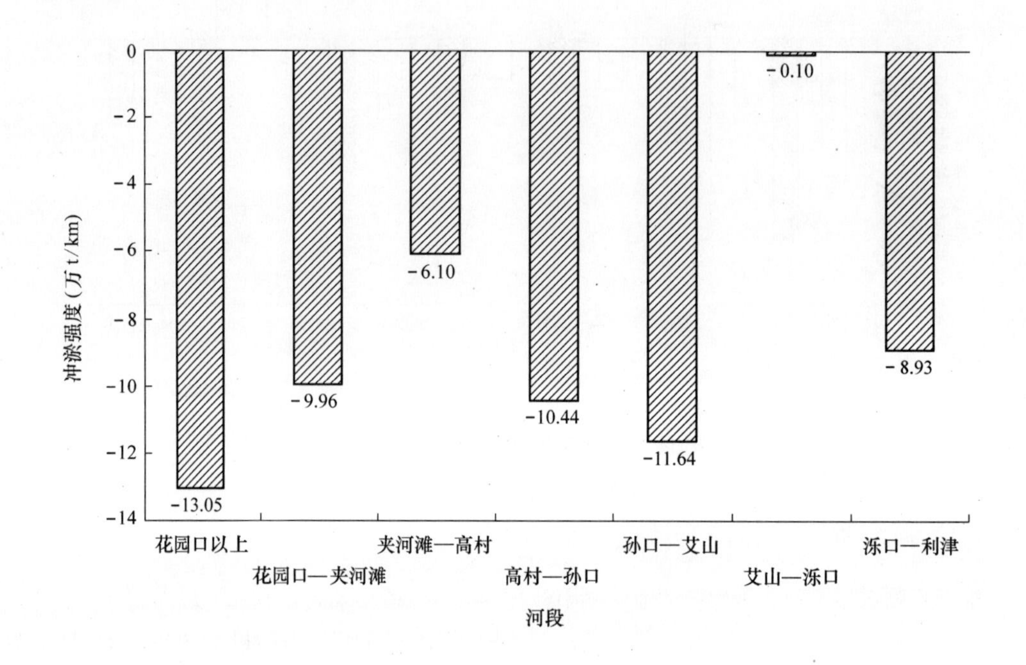

图 3-3 黄河下游各河段冲淤强度

根据沙量平衡法计算，调水调沙试验期间下游各河段分组沙冲淤量见表 3-4。

整个调水调沙试验过程期间，小浪底—利津河段，$d<0.025$ mm、0.025～0.05 mm、$d>0.05$ mm 泥沙的冲刷量分别为 0.275 亿、0.185 亿 t 和 0.205 亿 t，分别占总冲刷量的 41.3%、27.8%、30.9%。第一阶段，小浪底—利津河段，$d<0.025$ mm、0.025～0.05 mm、$d>0.05$ mm 泥沙的冲刷量分别为 0.161 亿、0.105 亿 t 和 0.107 亿 t，分别占该阶段总冲刷量的 43.1%、28.2%、28.7%；第二阶段，小浪底—利津河段，$d<0.025$ mm、0.025～0.05 mm、$d>0.05$ mm 泥沙的冲刷量分别为 0.110 亿、0.078 亿 t 和 0.095 亿 t，分别占该阶段总冲刷量的 39%、27.6%、33.4%。

根据表 3-3 和表 3-4 可以看出，第二阶段比第一阶段少冲刷了 0.09 亿 t，从沿程分布来看，冲刷减少主要在夹河滩—高村、孙口—艾山和泺口—利津 3 个河段，分别少冲刷了 0.033 亿、0.025 亿 t 和 0.031 亿 t。从分组泥沙冲刷来看，细泥沙的冲刷量减少最大，为 0.051 亿 t，中泥沙减少了 0.027 亿 t，粗泥沙减少了 0.012 亿 t。另外，只有高村—孙口河段比第一阶段多冲刷了 0.016 亿 t，细、中、粗泥沙分别多冲刷了 0.005 亿、0.002 亿 t 和 0.009 亿 t。

表 3-4　2004 年调水调沙试验期间下游各河道分组沙冲淤量　（单位：亿 t）

河段	阶段	<0.025 mm	0.025～0.05 mm	>0.05 mm	全沙
小浪底—花园口	第一阶段	－0.027	－0.022	－0.038	－0.089
	第二阶段	－0.022	－0.016	－0.038	－0.076
	全过程	－0.051	－0.039	－0.078	－0.169
花园口—夹河滩	第一阶段	－0.024	－0.004	－0.024	－0.052
	第二阶段	－0.021	0.000 1	－0.024	－0.045
	全过程	－0.047	－0.004	－0.048	－0.100
夹河滩—高村	第一阶段	－0.018	－0.010	－0.011	－0.040
	第二阶段	－0.012	－0.004	0.009	－0.007
	全过程	－0.030	－0.015	－0.002	－0.047
高村—孙口	第一阶段	－0.013	－0.030	－0.011	－0.054
	第二阶段	－0.018	－0.032	－0.020	－0.070
	全过程	－0.032	－0.062	－0.029	－0.123
孙口—艾山	第一阶段	－0.008	－0.012	－0.030	－0.050
	第二阶段	0.014	－0.009	－0.029	－0.024
	全过程	0.006	－0.021	－0.060	－0.075
艾山—泺口	第一阶段	－0.008	0.001	0.008	0
	第二阶段	－0.015	－0.002	0.013	－0.003
	全过程	－0.022	0	0.022	－0.001
泺口—利津	第一阶段	－0.063	－0.028	0.001	－0.089
	第二阶段	－0.036	－0.016	－0.006	－0.058
	全过程	－0.100	－0.044	－0.006	－0.150
小浪底—利津	第一阶段	－0.161	－0.105	－0.107	－0.373
	第二阶段	－0.110	－0.078	－0.095	－0.283
	全过程	－0.275	－0.185	－0.205	－0.665

三、“04·8”冲淤演变分析

利用日均水沙资料，不考虑洪水期下游河道的引水引沙，采用沙量平衡法计算，“04·8”洪水在下游河道发生了微淤，全下游(小浪底—利津河段)淤积了 0.066 亿 t。

从沿程分布来看(见图 3-4)，小浪底—花园口河段冲刷了 0.086 亿 t，花园口— 夹河滩河段淤积最大，为 0.172 亿 t，夹河滩—高村河段淤积 0.03 亿 t，高村—孙口河段冲刷 0.031 亿 t，孙口—艾山河段冲刷较大，为 0.126 亿 t，孙口—泺口河段淤积 0.099 亿 t，泺口—利津河段发生微淤，淤积 0.008 亿 t。

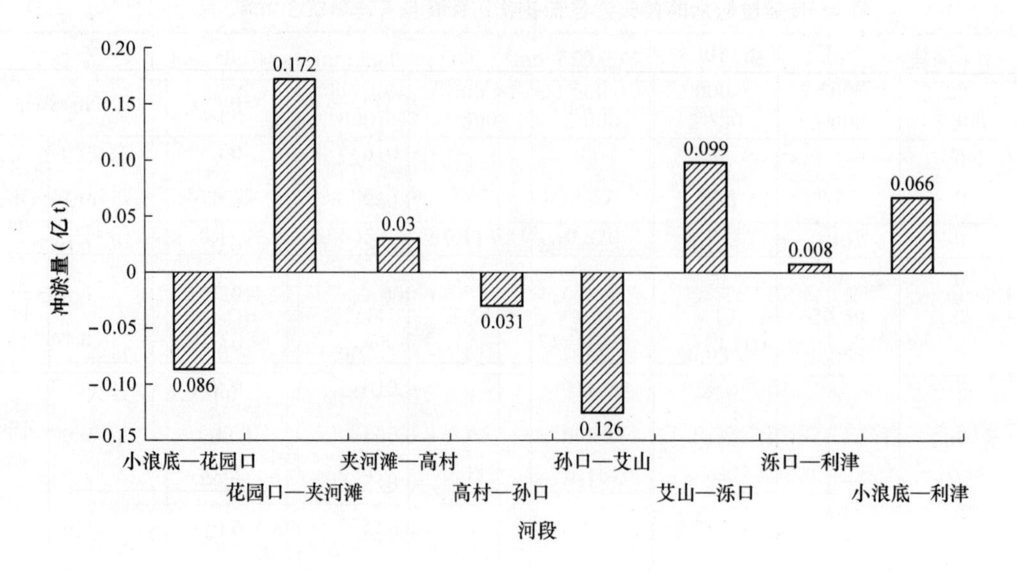

图 3-4 “04·8”洪水下游河道冲淤分布

整个洪水过程中，小浪底—花园口河段发生明显冲刷，主要是由于洪峰沙峰演进到花园口时，不但没有发生坦化，还都有所增加，最大含沙量增大了 16 kg／m³。孙口—艾山河段冲刷最多，为 0.126 亿 t，主要因为洪水期间大汶河流量较大，平均加水 550 m³／s 左右，特别是 28 日 16 时～29 日 20 时大汶河的流量在 1 000 m³／s 以上，最大达到 1 750 m³／s。

花园口—夹河滩河段和艾山—泺口河段发生了明显淤积。花园口的沙峰演进到夹河滩有明显坦化，沙峰含沙量由花园口的 368 kg／m³ 减小到夹河滩的 258 kg／m³，沙峰的明显坦化是花园口—夹河滩河段发生显著淤积的主要原因。艾山—泺口河段的淤积亦是如此。

从下游河道的实测引水引沙资料来看，2004 年 7 月和 8 月的引水量分别为 1.311 亿 m³ 和 0.891 亿 m³，8 月份的引水量小于 7 月份；7 月和 8 月的引沙量分别为 0.010 4 亿 t 和 0.031 3 亿 t，8 月份的引沙量是 7 月份的 3 倍。从 2004 年 7～8 月的水沙过程来看，7 月份调水调沙试验期间小浪底水库通过异重流排出一些泥沙，但含沙量较小，所以 8 月份增加的引沙主要是“04·8”高含沙洪水期间引水造成的。可见，若考虑引水引沙，“04·8”洪水在下游河道的淤积量更小，约为 0.046 亿 t。

四、水位表现

各水文站连续的水位观测是河道冲淤的真实反映。由于 2004 年小浪底水库持续下泄清水，只有 9 d 下泄的含水量大于 10 kg／m³，下游各站水位都有所下降，下降幅度出现“两头大，中间小”的特点，其中花园口下降最大，为 0.52 m；孙口下降最小，仅为 0.04 m，水位变化与冲刷量沿程分布基本一致(见表 3-5)。

表 3-5　2 000 m^3／s 流量水位统计　　(单位：m)

站名	2004 年			1999 年汛期③	水位差③-②
	2003 年汛后①	2004 年汛后②	水位差②-①		
花园口	92.54	92.02	－0.52	93.27	－1.25
夹河滩	76.25	75.95	－0.3	76.77	－0.82
高村	62.55	62.25	－0.3	63.04	－0.79
孙口	48.13	48.09	－0.04	48.1	－0.01
艾山	40.79	40.39	－0.4	40.64	－0.25
泺口	30.07	29.78	－0.29	30.22	－0.44
利津	12.92	12.63	－0.29	13.25	－0.62

“04·8”洪水与 2003 年 11 月的秋汛洪水的最后一场洪水相比，下游各站的 2 000 m^3／s 流量的水位都发生了明显降低，下降幅度在 0.21～0.43 m。可见，2004 年黄河下游河道发生了显著冲刷。

图 3-5～图 3-11 是 2004 年内各场洪水涨水阶段的水位—流量关系。从图 3-5～图 3-11 可以看出，2004 年 6 月调水调沙试验期洪水和 2003 年 11 月秋汛洪水相比，2 000 m^3／s 流量的水位略有下降，下降幅度在 0.10～0.28 m。夹河滩站和利津站下降较大，都下降了 0.28 m。“04·8”洪水与调水调沙试验第一阶段相比，下游各站的 2 000 m^3／s 流量的水位均有所下降，下降幅度在 0.05～0.31 m；孙口站下降幅度最大，下降 0.31 m。调水调沙试验第二阶段与第一阶段相比降低了 0.14 m，“04·8”洪水的第一阶段与调水调沙试验第二阶段相比降低了 0.17 m。“04·8”洪水的第二阶段与第一阶段相比，花园口站的 2 000 m^3／s 流量的水位有明显下降，下降幅度为 0.30 m，夹河滩、高村和艾山站变化不明显，孙口站水位有显著抬升，抬升幅度为 0.47 m。

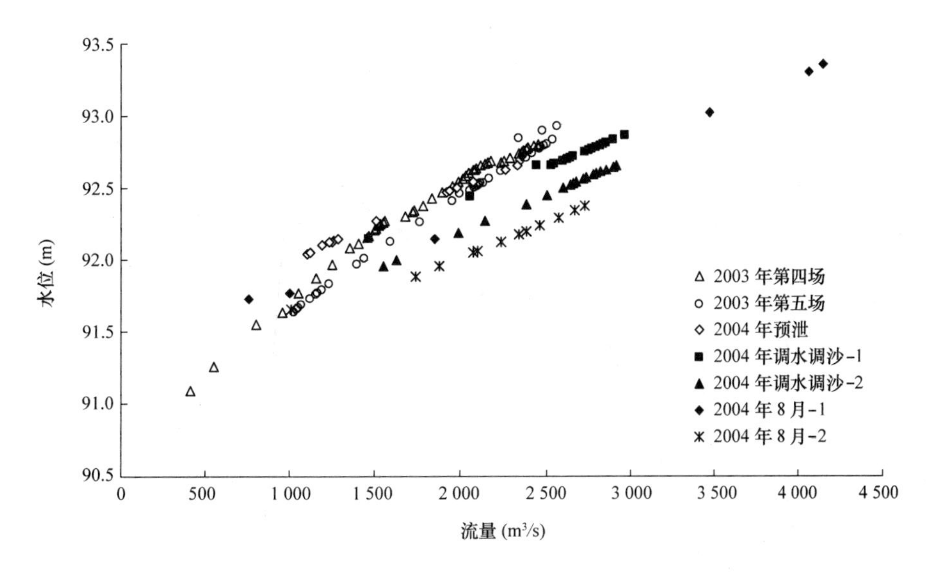

图 3-5　花园口站水位—流量关系

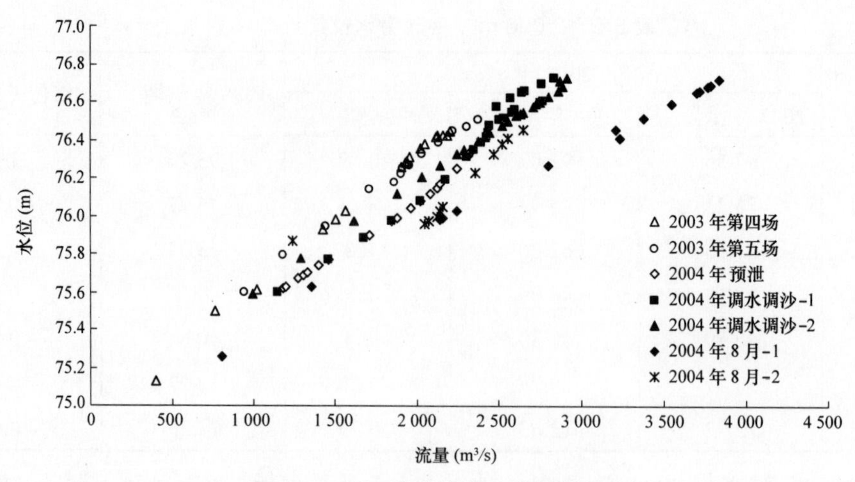

图 3-6　夹河滩站水位—流量关系

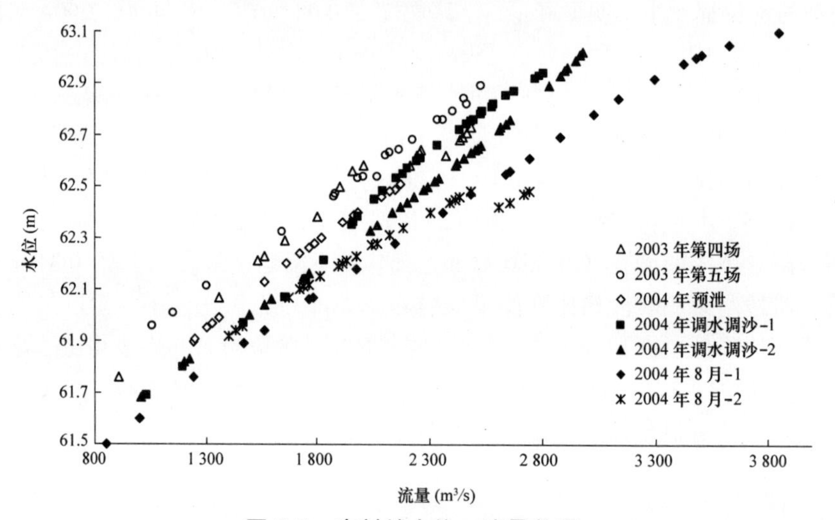

图 3-7　高村站水位—流量关系

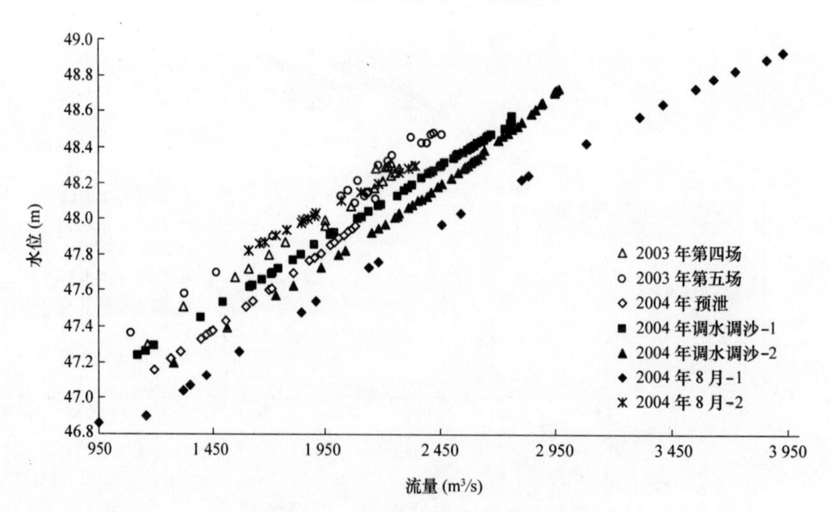

图 3-8　孙口站水位—流量关系

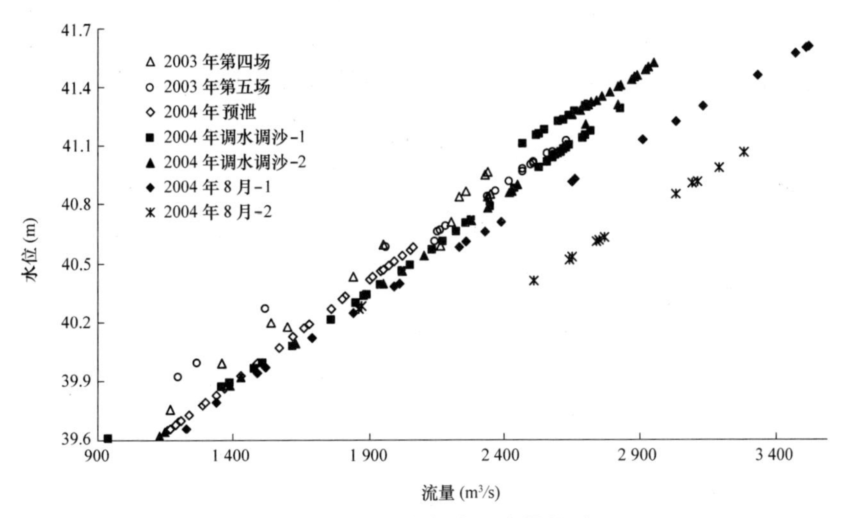

图 3-9 艾山站水位—流量关系

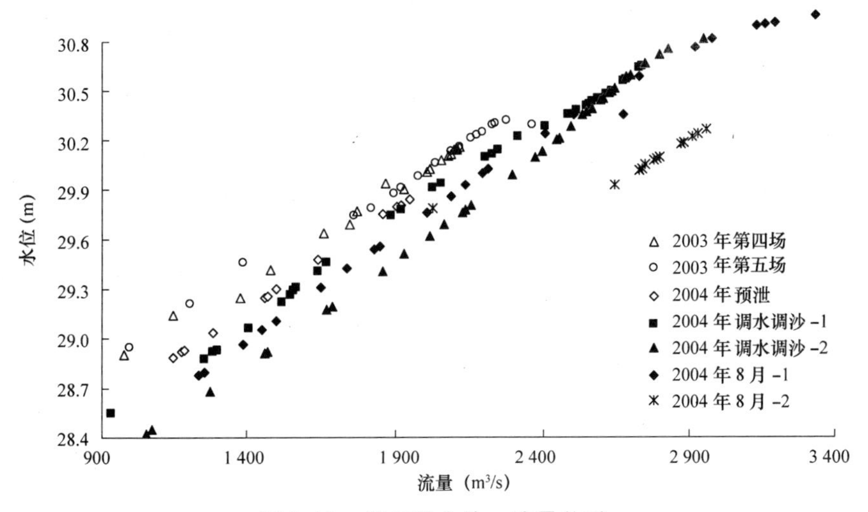

图 3-10 泺口站水位—流量关系

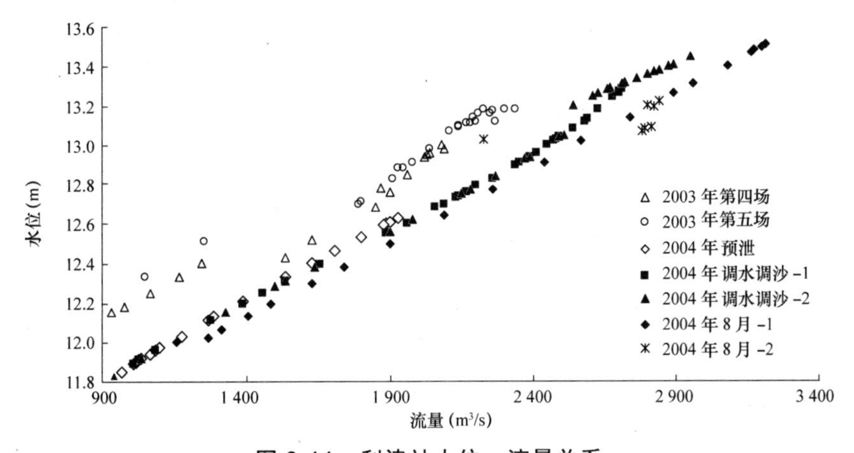

图 3-11 利津站水位—流量关系

第四章　黄河下游不同历史时期分组泥沙输沙及冲淤特点

一、冲淤概况

黄河下游河道冲淤主要取决于水沙条件和河床边界条件，水沙条件除水沙量和水沙过程以外，还与泥沙组成(级配)具有十分密切的关系。相同水流条件下，不同粒径泥沙的输移特性和引起的河道冲淤也具有明显的差异。黄河下游多年平均(1965～1999 年)来水 414.17 亿 m^3，来沙 11.18 亿 t，淤积 2.25 亿 t，淤积比 20%。来沙组成中细颗粒泥沙(粒径小于 0.025 mm，下同)占 50%，但其淤积物组成中只占 20%，相应淤积比(即该粒径组淤积量占该粒径组来沙量比例，下同)仅 8%(见表 4-1)；中颗粒泥沙(粒径 0.025～0.05 mm，下同)在来沙组成中占 27%，在淤积物组成中占 25%，相应淤积比 19%；粗颗粒泥沙(粒径大于 0.05 mm，下同)在来沙组成中占 23%，但在淤积物组成中占 55%，相应淤积比 47%；尤其是特颗粒粗泥沙(粒径大于 0.1 mm，下同)在来沙组成中仅占 3%，但其在淤积组成中占 16%，相应淤积比高达 86%。

表 4-1　1965～1999 年下游泥沙冲淤概况

时期	项目	全沙	各粒径组比例(%)			
			细泥沙 ($d<0.025$)	中泥沙 ($0.025<d<0.05$)	粗泥沙 ($0.05<d$)	特粗泥沙 ($0.1<d$)
1965～1999 年	来沙量	11.18	50	27	23	3
	淤积量	2.25	20	25	55	16
	淤积比(%)	20	8	19	47	86
1965～1973 年	来沙量	16.5	48	25	27	4
	淤积量	4.1	9	23	68	15
	淤积比(%)	25	4	23	63	89
1974～1990 年	来沙量	10.18	53	27	20	3
	淤积量	1.1	26	25	49	27
	淤积比(%)	11	5	10	25	84
1991～1999 年	来沙量	7.77	50	27	20	3
	淤积量	2.57	33	28	31	9
	淤积比(%)	33	22	34	51	85

注：粒径单位为 mm，来沙量和淤积量单位为亿 t。

二、不同时期冲淤概况

黄河下游不同时期由于来水来沙条件不同，淤积量和淤积比也不同(见表 4-2)。

1965～1973 年三门峡水库滞洪排沙运用，洪峰大幅度削减，进入下游水沙条件不利，即“小水带大沙”，改变了天然情况下洪水淤滩刷槽的冲淤特性，河槽淤积多，滩地淤积少，下游河道淤积严重，在年平均来沙 16.5 亿 t 的条件下，年平均淤积 4.1 亿 t，淤积比达 25%。淤积物组成中以粗泥沙为主，占总淤积量 68%，细泥沙仅占 9%；相应淤积比粗泥沙和特粗泥沙分别为 63%和 89%(见表 4-1)。

表 4-2 不同时期来水来沙和淤积情况

项目	1965～1973 年		1974～1990 年		1991～1999 年		1965～1999 年	
	全年	汛期	全年	汛期	全年	汛期	全年	汛期
来水量(亿m^3)	461.01	252.1	475.94	299.93	250.67	111.47	414.17	239.17
来沙量(亿 t)	16.5	12.98	10.17	9.83	7.77	7.32	11.18	9.99
淤积量(亿 t)	4.1	2.3	1.1	2.03	2.57	3.2	2.25	2.4
淤积比(%)	25	18	11	21	33	44	20	24

1974～1990 年三门峡水库蓄清排浑控制运用，又遇到 1981～1985 年的丰水少沙系列年，年平均来沙 10.17 亿 t，较 1965～1973 年汛期来沙还少(见表 4-2)，淤积也明显减缓，年平均淤积 1.1 亿 t，年淤积比仅 11%。淤积物组成中各粒径组比较均匀，粗泥沙淤积比明显减小，仅 25%。

1991～1999 年枯水枯沙，下游频繁断流，年水量仅相当过去的汛期水量，而且汛期水量减少比较多，仅占年水量的 44%；下游河道淤积严重，年平均淤积 2.57 亿 t，年淤积比达 33%；特别是汛期淤积比高达 44%。淤积物组成中细泥沙明显增加，占 33%，特粗泥沙明显减少，仅占 9%。特粗泥沙淤积比变化不大，细泥沙和中泥沙淤积比明显增加，分别达 22%和 34%。

三、不同时期来沙组成、淤积情况对比分析

黄河下游不同时期来沙量虽然变化比较大，但来沙组成变化不大。从图 4-1 可以看出，各时期来沙组成中，细泥沙均在 50%左右，中泥沙在 25%左右，粗泥沙在 27%左右，其中特粗泥沙均在 3%左右。

不同时期水沙条件和边界条件不同，使得下游河道淤积物组成变化比较大(见图 4-2)。由图 4-2 可以看出，各时期淤积物组成中，中泥沙和特粗泥沙比例变化比较小，而细泥沙和粗泥沙比例变化比较大。淤积物组成中粗泥沙比例最大的时期是 1965～1973 年，为 53%；细泥沙和中泥沙比例最大的时期是 1991～1999 年，分别为 33%和 28%。

由于水沙条件和边界条件的变化，不同粒径泥沙淤积比除特粗泥沙外，差别都比较大(见图 4-3)。可以看出，细泥沙和中泥沙淤积比最小的是 1974～1990 年，分别为 5%和 10%。粗泥沙中 0.05～0.1 mm 的粗泥沙淤积比变化最大，在 15%～55%之间，粗泥沙中的特粗泥沙淤积比各时期变化不大，均在 80%～90%之间。细泥沙和中泥沙淤积比最大的均是 1991～1999 年，分别为 22%和 34%。

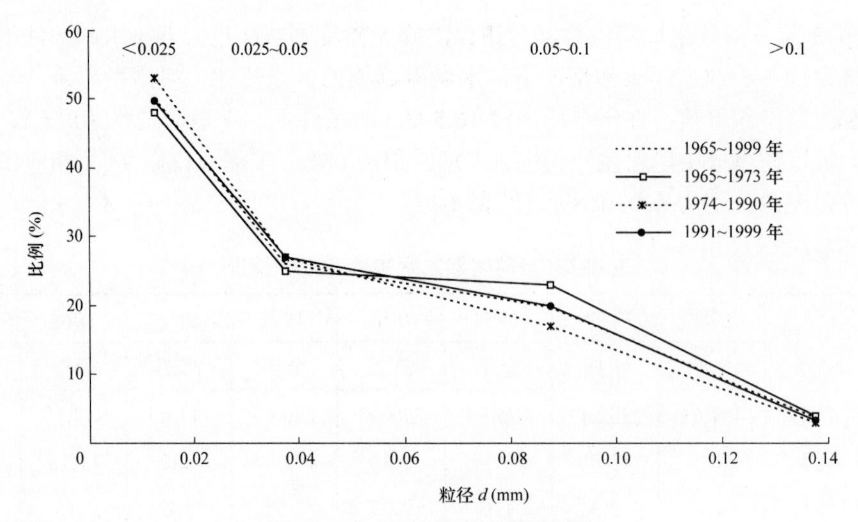

图 4-1　不同时期来沙组成情况

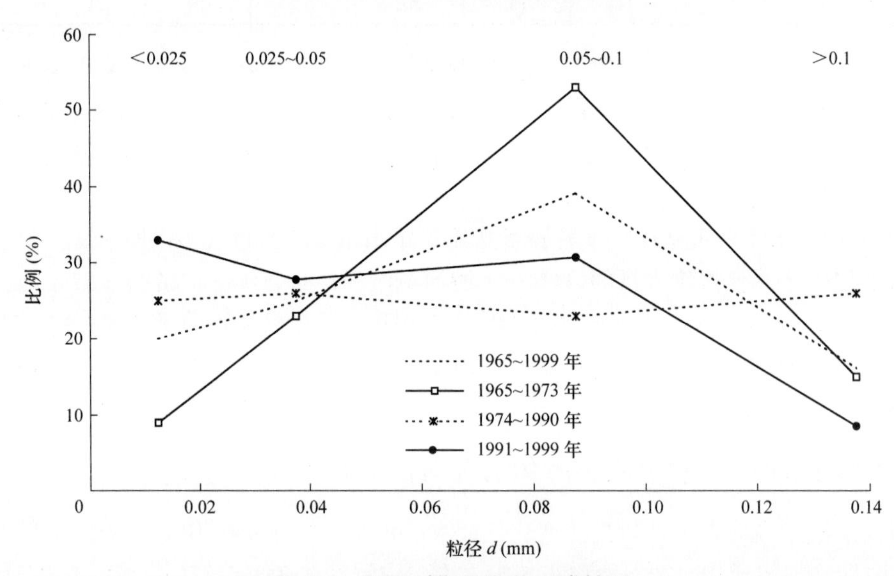

图 4-2　不同时期淤积物组成情况

对比不同时期水量和细泥沙及特粗泥沙淤积情况(见表 4-3)，可以看出，随着水量的变化，细泥沙淤积比变化较大，特粗泥沙淤积比变化不大，汛期表现更加显著。

四、90 年代细泥沙和中泥沙淤积增加的原因分析

由 20 世纪 90 年代下游来水量与各粒径组泥沙淤积比关系(见图 4-4)可以看出，下游河道各粒径组泥沙的淤积比基本上伴随着来水量变化而变化，水量大时淤积比减小，水量小时淤积比较大。但不同粒径组的变化幅度相差较大，细泥沙淤积比的调整最为敏感，随水量变化的幅度最大；中泥沙变化幅度小于细泥沙；粗泥沙变幅更小；而特粗泥沙的淤积比基本上不随水量而变化。由于下游冲淤调整主要发生在汛期，因此全年各粒径组泥沙淤积规律与汛期的规律基本相同。下游水量沿程减少较多，对各粒径组泥沙的冲淤也有影响，因此建立

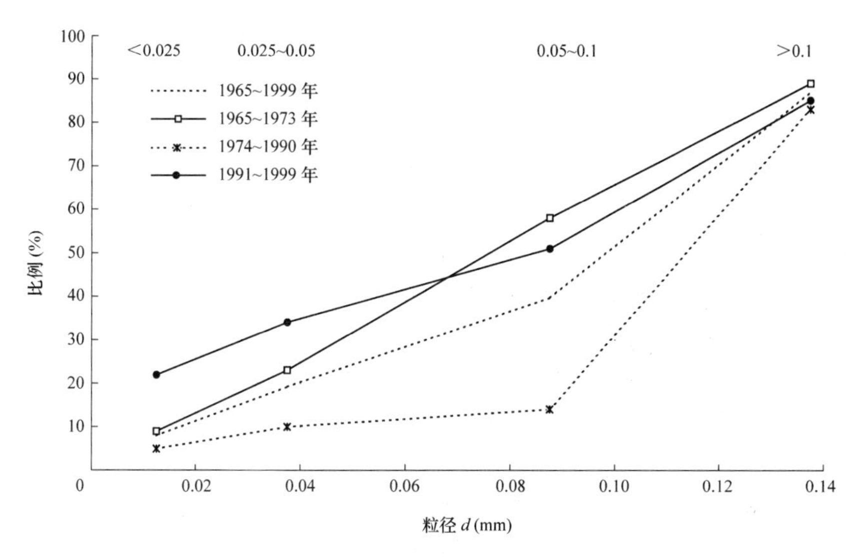

图 4-3　不同时期淤积比变化情况

表 4-3　不同时期水量与细泥沙和特粗泥沙淤积比关系

时期	全年				汛期			
	下游水量（亿m³）	利津水量（亿m³）	细泥沙淤积比（%）	特粗泥沙淤积比（%）	下游水量（亿m³）	利津水量（亿m³）	细泥沙淤积比（%）	特粗泥沙淤积比（%）
1965～1973 年	461.01	337.33	4	89	252.10	158.26	8	88
1974～1990 年	475.94	298.82	5	84	299.93	192.78	14	89
1991～1999 年	250.67	129.59	22	85	111.47	81.32	31	90
1965～1999 年	414.17	265.21	8	86	239.17	155.24	15	89

各粒径组泥沙淤积比与利津水量的关系（见图 4-5），为表示清楚，点绘极细泥沙（粒径小于 0.01 mm）、细泥沙和特粗泥沙 3 组，从图 4-5 可以看出与下游来水量的规律基本一致。

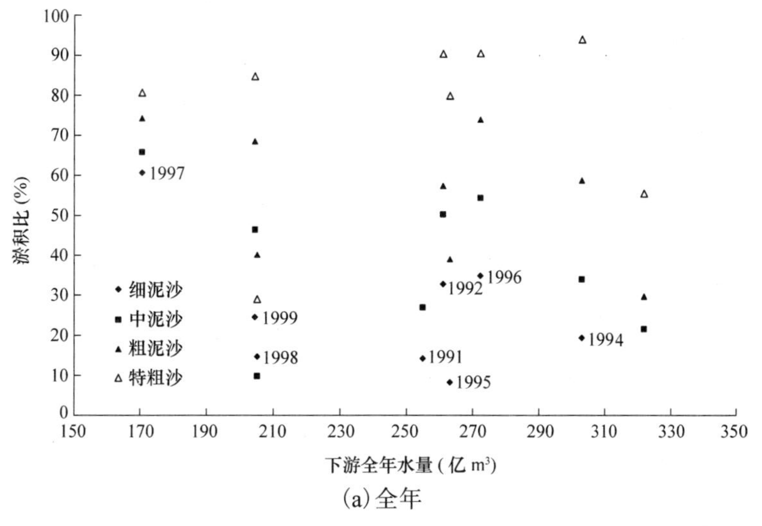

(a) 全年

图 4-4　下游水量与淤积比关系

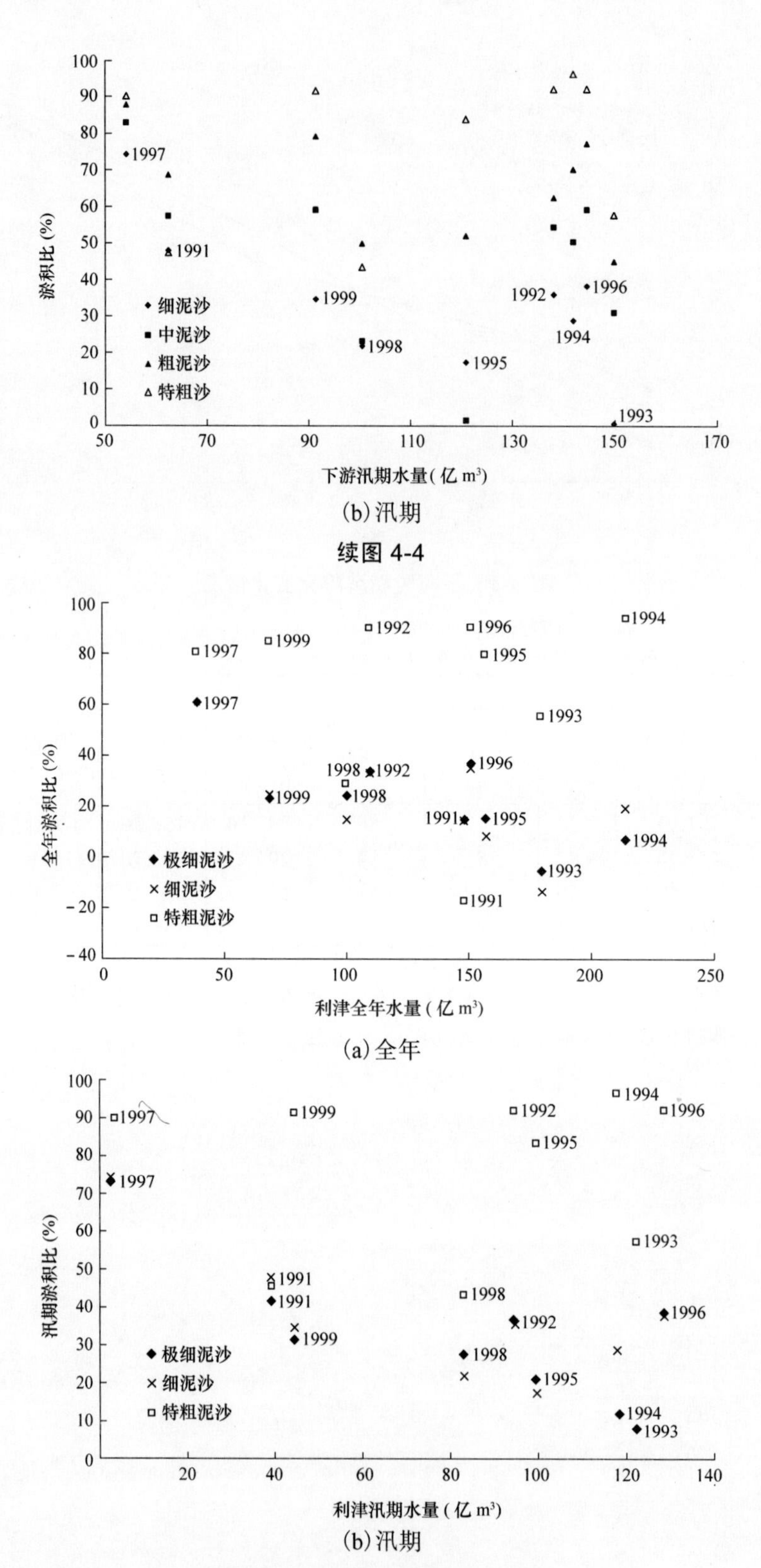

(b)汛期

续图 4-4

(a)全年

(b)汛期

图 4-5 利津水量与淤积比关系

因此，1991～1999 年细泥沙和中泥沙淤积比增大的原因主要有以下三方面，一是汛期水量偏小，河道输沙能力降低，各粒径组泥沙淤积比都较大；二是断流期间，来沙无论粗细全部淤积在断流河段以上的河道内，造成细泥沙和中泥沙淤积比增大，如 1997 年断流长达 226 d，各级粒径泥沙淤积比均超过 60%(见表 4-4)；三是洪水漫滩将细泥沙淤积在滩地，如 1992 年和 1996 年由于洪水漫滩，细泥沙和中泥沙年淤积比分别超过 30%和 50%。由图 4-4 可以看出，年水量接近情况下，未发生洪水漫滩的 1991 年和 1995 年细泥沙淤积比均在 20%以下，明显小于 1992 年和 1996 年。

表 4-4　典型年份淤积比情况

时间	来水量(亿m³)	来沙量(亿 t)	利津水量(亿m³)	全沙淤积(亿 t)	不同粒径淤积比(%)				
					全沙	细泥沙	中泥沙	粗泥沙	特粗泥沙
1992 年	261.02	11.24	109.83	4.75	42	33	50	57	90
1996 年	272.23	11.46	150.81	5.98	52	35	54	74	91
1997 年	170.56	4.4	38.85	2.90	66	61	66	74	81
1992 年汛期	138.02	10.76	94.66	4.94	46	37	54	62	92
1996 年汛期	144.48	11.31	128.43	6.34	56	38	59	77	92
1997 年汛期	54.01	4.37	2.43	3.51	80	74	83	88	90

第五章　低含沙水流冲刷时期洪峰期细颗粒泥沙含量对河道冲刷效率的影响

黄河下游冲淤变化不仅与水沙条件有关，还与来沙的组成密切相关。黄河下游水库运用初期下泄泥沙以细颗粒泥沙为主，为研究不同细颗粒泥沙含量时的冲淤规律，点绘清水冲刷时期单位水量冲淤量与来沙系数的关系，其中点子以细颗粒泥沙比例区分开(见图 5-1)。

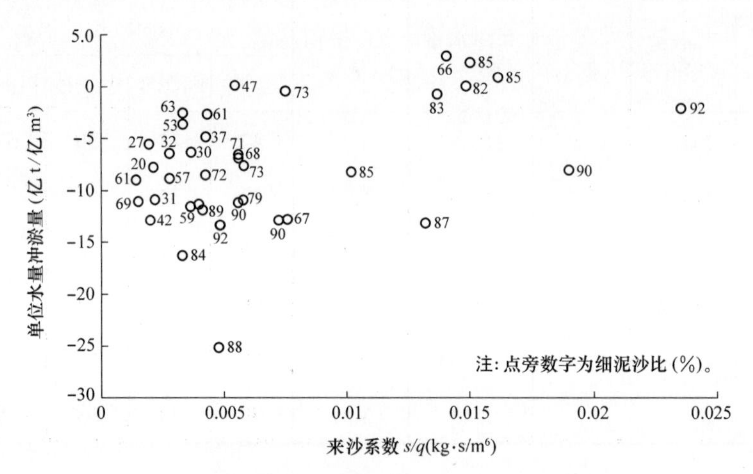

图 5-1　黄河下游单位水量冲淤量与来沙系数的关系

由图 5-1 可看出，黄河下游单位水量冲刷量随来沙系数的增大而减小，单位水量淤积量随来沙系数增大而增大。同时，细泥沙含量对单位水量冲淤量的影响趋势与此相对应。因此，在相同的水沙组合条件下(相同来沙系数)，不同细颗粒泥沙含量的冲淤(单位水量冲淤量)显著不同，图中大致可分出细泥沙含量在 50%以下、70%左右、85%以上三部分点群。基本规律是细颗粒泥沙含量越高，单位水量冲淤量越大，即冲刷效率越高。

下游冲淤相对平衡时(单位水量冲淤量为 0)，细沙含量越大花园口的来沙系数越高，那么，黄河下游冲淤平衡的允许含沙量也越高。从图 5-1 中可查出单位水量冲淤量为 0 时不同细颗粒比例对应的来沙系数，由此建立基本满足下游冲淤平衡的含沙量与流量、细颗粒泥沙比例的关系为

$$S=0.025QP^{1.76} \tag{5-1}$$

其中：S 为含沙量，kg / m^3；Q 为流量，m^3 / s；P 为细颗粒泥沙比例(%)。

根据式(5-1)，可绘制清水冲刷期下游流量与不淤含沙量的关系，可作为指导小浪底水库拦沙初期调水调沙的工作图(见图 5-2)。以洪水平均流量 3 500 m^3 / s 为例，在细颗粒泥沙比例为 90%时，下游冲刷平衡的平均含沙量约为 75 kg / m^3。“04・8”洪水花园口平均流量为 3 280 m^3 / s，平均含沙量为 92 kg / m^3，洪水期间黄河下游基本冲淤平衡，点子位于工作曲线上方(见图 5-2)，说明建立的关系是比较合理、安全的。

由此可见，在同一洪水期平均流量条件下，随着细泥沙含量的增高，下游冲淤平衡的含沙量在不断提高。如洪水期平均流量 3 000 m^3 / s 时，细泥沙含量由 60%增加到 80%，下游冲淤平衡的含沙量可由 31 kg / m^3 提高到 51 kg / m^3，提高了 20 kg / m^3。同时，不同洪水期平均流量时下游冲淤平衡的含沙量随细泥沙含量增高而增高的幅度也不同，流量大时增幅大，即提高的含沙量高。洪水期平均流量 3 500 m^3 / s 时，同样细泥沙含量由 60%增加到 80%，下游冲淤平衡的含沙量可由 36 kg / m^3 提高到 59 kg / m^3，提高了 23 kg / m^3。与上述洪水期平均流量 3 000 m^3 / s 相比，多增加 3 kg / m^3。

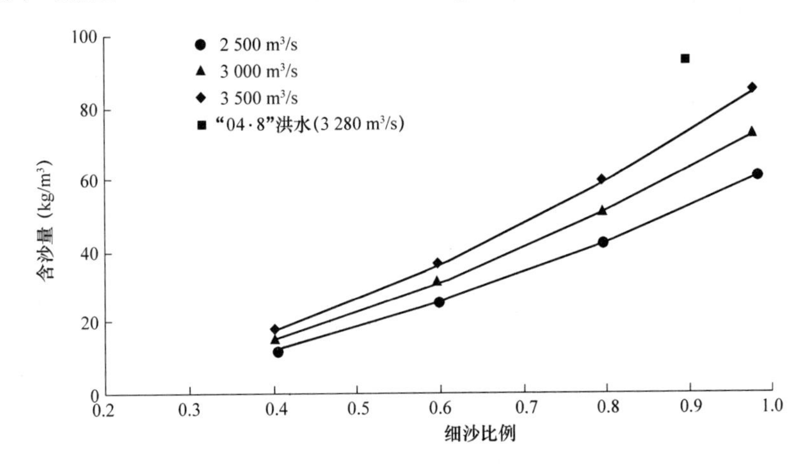

图 5-2 黄河下游不同流量时不淤含沙量

第六章　低含沙水流冲刷时期洪水期不同粒径泥沙冲淤特性

选取1961～1964年间的28场洪水、2002～2004年间的14场洪水，一共42场洪水进行分析。在42场洪水中，三黑小最小水量4.05亿m^3，最小沙量0，最小平均流量为308 m^3/s，最小平均含沙量0；最大水量70.1亿m^3，最大沙量2.0亿t；最大平均流量为5 707 m^3/s，最大平均含沙量96.6 kg/m^3；历时最小4 d，最长43 d(见表6-1)。

表6-1　水库拦沙运用期洪水特征值统计

项目	历时(d)	水量(亿m^3)	沙量(亿t)	平均流量(m^3/s)	平均含沙量(kg/m^3)	来沙系数	$d<0.025$ mm占比例(%)
最小	4	4.1	0	308	0	0	0
最大	43	70.1	2.0	5 707	96.6	0.036 2	97

图6-1为水库拦沙运用期全下游的单位水量冲淤量与三黑小的平均流量的关系。可以看出，洪水平均流量在3 500 m^3/s以下时，平均流量越大洪水的冲刷效率越高。场次洪水平均流量大于3 500 m^3/s后，随着流量增大洪水的冲刷效率不再显著增大，基本维持在20 kg/m^3。在冲刷条件下，单位水量的冲淤量表征了单位水量所能挟带的泥沙量，它的值基本接近该水流条件的挟沙能力S_*。根据张瑞瑾挟沙力公式：

$$S_* = k[v^3/(gh\omega)]^\alpha \qquad (5\text{-}2)$$

式(5-2)中$(gh\omega)$因子的变化一般不大，流速v的变化比较迅速。下游河道中的流速随着流量增大而增大，1 000 m^3/s时流速约1.5 m/s，2 000 m^3/s时流速约2.0 m/s，3 000 m^3/s时流速约2.5 m/s，4 000 m^3/s时流速约3.0 m/s，当流量大于4 000 m^3/s后(不漫滩)流速不再明显增大。水深逐渐增大，因而随着流量的增大冲刷效率先显著增大，达到一定流量后增大不再明显。

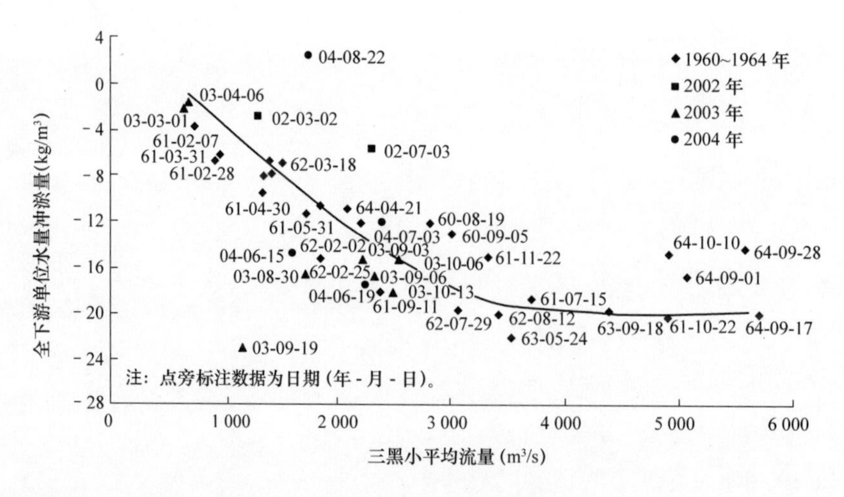

图6-1　水库拦沙运用期全下游的单位水量冲淤量与三黑小平均流量的关系

在所选的 42 场洪水中有两场洪水发生了淤积，1960 年 8 月份洪水平均含沙量为 96.6 kg / m^3；“04・8”洪水的平均含沙量为 93.6 kg / m^3，黄河下游发生微淤；其余洪水都产生不同程度冲刷。

2002 年的两场洪水的冲刷效率均偏小，其中一场为 3 月初春灌期间的小洪水，引水量较大，全下游平均引水流量为 463 m^3 / s，冲刷效率明显降低；另一场为 2002 年调水调沙试验期的洪水，由于下游部分河段发生了漫滩，一部分泥沙在滩地发生淤积，致使全下游的冲刷效率降低。2003 年和 2004 年的几场洪水基本符合该关系，只有“04・8”洪水发生微淤。

另外，把与图 6-1 相对应的水库拦沙运用期分组泥沙的单位水量冲淤量与平均流量建立关系并点绘出来，见图 6-2。

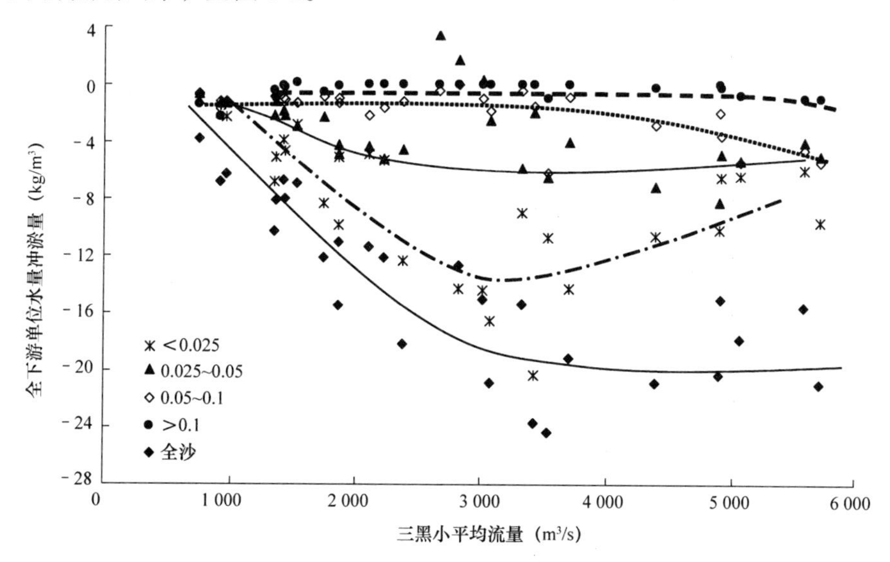

图 6-2　水库拦沙运用期分组泥沙的单位水量冲淤量与平均流量关系

水库蓄水拦沙运用时期洪水的含沙量一般较小，下游河道的细、中、粗泥沙和特粗泥沙都会发生冲刷，冲刷效率以细颗粒泥沙最大，其次中颗粒泥沙，再次为粗颗粒泥沙，特粗颗粒泥沙最弱。图 6-2 中依据各系列点的走势画出其关系线，可以看出，全沙、细颗粒泥沙和中颗粒泥沙的冲刷效率都是随着流量增大先迅速增大，达到一定的程度就保持平衡或略有减弱的下凹型曲线，粗颗粒泥沙和特粗颗粒泥沙的冲刷效率是随着流量的增大先变化不明显，当流量达到一定的量级后才显著增加的上凸型曲线。粗颗粒泥沙和特粗颗粒泥沙的起动流速大，只有当流量达到一定量级时才能够发生冲刷；中颗粒泥沙和细颗粒泥沙相对比较容易被水流冲起，流量在 3 000 m^3 / s 以下时，以细颗粒泥沙冲刷为主，辅以中颗粒泥沙冲刷；流量大于 3 000 m^3 / s 后，细颗粒泥沙和中颗粒泥沙的冲刷效率不再继续增大；流量大于 4 000 m^3 / s 后，较粗颗粒泥沙的效率显著增加；当流量大于 5 000 m^3 / s 后，特粗颗粒泥沙也开始发生冲刷。

从图 6-1 和图 6-2 可以看出，当流量大于 4 000 m^3 / s 后，全沙的冲刷效率不再显著增大，甚至有几场洪水的冲刷效率略有减小。这主要是由于这几场洪水的细颗粒泥沙冲刷效率明显减小。冲刷效率偏小的3场洪水都发生在1964年，属于拦沙后期。

黄河下游泥沙粒径小于0.025 mm的细颗粒泥沙属于冲泻质，它的冲刷程度取决于河道的补给量，随着清水下泄时间的推移，细颗粒泥沙的补给量不断减少，细颗粒泥沙冲刷效率减小。粒径在0.025～0.05 mm的中颗粒泥沙属于床沙质，参与河床的造床作用，这部分泥沙的冲刷量主要取决于水流的挟沙能力；当流量从1 000 m^3/s增加到2 500 m^3/s时，中颗粒泥沙的冲刷效率明显增加，流量大于2 500 m^3/s以后中颗粒泥沙的冲刷维持在6 kg/m^3左右，说明在冲刷前提下该粒径组的泥沙的挟沙能力大约为6 kg/m^3。粒径在0.05～0.1 mm的粗颗粒泥沙也属于床沙质，由于该粒径组的泥沙粒径大，起动流速也大，只有当水流达到一定量级才会发生冲刷，初步分析认为在流量达到5 000 m^3/s时开始发生冲刷。由于拦沙后期细颗粒泥沙补给量的减少大于粗泥沙和特粗颗粒泥沙的冲刷量，故图6-1中流量较大的1964年的几场洪水的冲刷效率偏小。

第七章　低含沙水流冲刷时期下游河道沿程调整规律

一、低含沙水流冲刷时期下游河道调整与水沙条件的关系

黄河下游河道的冲淤调整与来水来沙关系密切，在基本为清水的低含沙时期则主要取决于水流条件，不同的流量条件下各河段的调整区别较大。在 3 500～4 000 m^3/s 以下时随流量的增加单位水量冲刷量增加，在 3 500～4 000 m^3/s 时单位水量冲刷量最大，其后随着流量的增加变化不大。这是全下游的情况，分河段来看每一河段是不同的。图 7-1 点绘的是各河段的变化情况，由图 7-1 可见，花园口以上河段在洪水期各流量级下基本上都发生冲刷，说明这一河段基本上有水就能发生冲刷；而花园口以下各河段基本上都有一个随着流量增加由冲刷转为淤积的过程。同时，花园口以下各河段都存在单位水量冲刷量最大的流量，在达到该流量级后随着流量的增加单位水量冲刷量增加不明显。

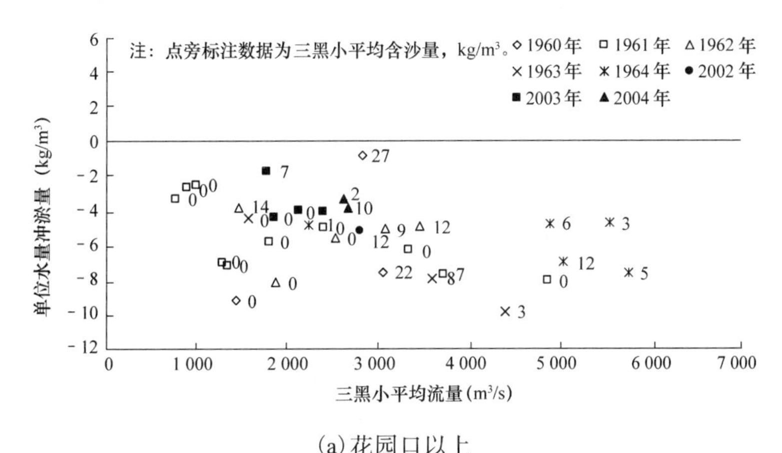

(a)花园口以上

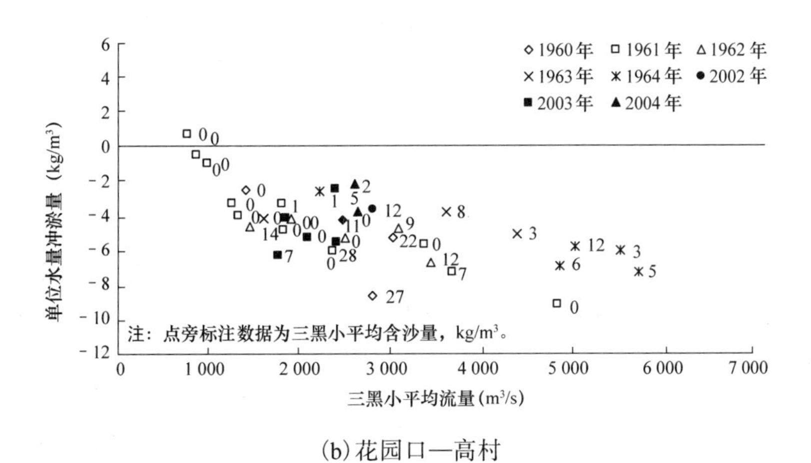

(b)花园口—高村

图 7-1　各河段单位水量冲淤量与平均流量的关系

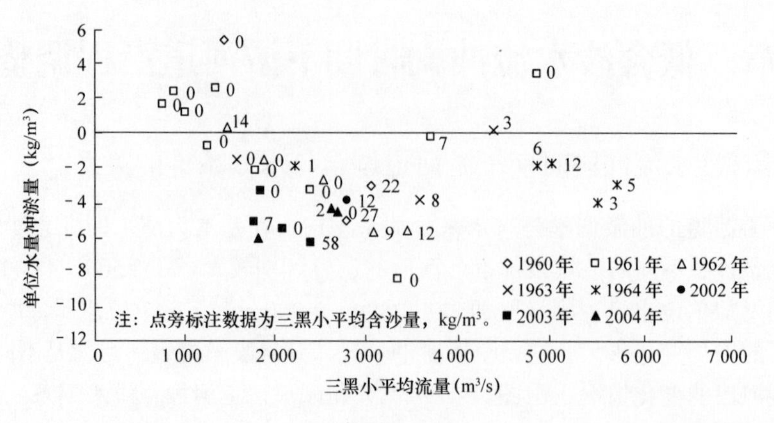

(c)高村—艾山

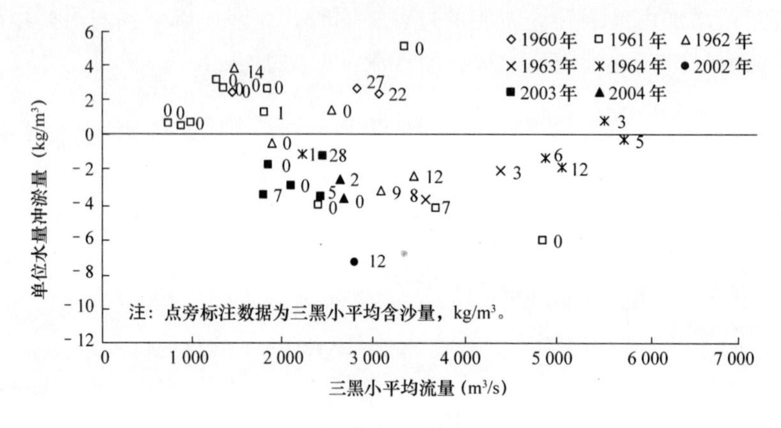

(d)艾山—利津

续图 7-1

由于上述关系缺乏小流量的资料，因此利用日平均资料建立了单位水量冲淤量与流量的关系，作为补充(见图 7-2)。从图 7-2 可见，1960～1964 年、2000～2004 年两个时期各河段单位水量冲淤量的变化基本上与图 7-1 反映的相同，但图 7-2 中存在一些特殊情况，如 1960～1964 年花园口以上河段在 600～800 m^3／s 时淤积量偏大等。分析表明，出现这些特殊现象的原因主要包括以下几方面：

(1)图 7-2(a)中 1960～1964 年花园口以上河段在 600～800 m^3／s 时淤积量偏大，主要是由于 1963 年和 1964 年水库开始滞洪排沙引起花园口以上河段发生回淤。

(2)图 7-2(b)中 2000～2004 年花园口以上河段在 1 800～2 000 m^3／s 流量级时发生了淤积。该流量级出现的天数有 6 d，其中 5 d 该河段发生了冲刷，5 d 冲刷量为 0.024 4 亿 t，另外一天由于处于“04・8”洪水过程中，含沙量很高，小浪底出库含沙量为 217.1 kg／m^3，演进到花园口含沙量为 196.8 kg／m^3，因而含沙量高引起该河段淤积，淤积量为 0.047 1 亿 t，因此总计该河段出现淤积。

(3)图 7-2(b)中 2000～2004 年艾山—利津河段在 1 400～1 600 m^3／s、1 600～1 800 m^3／s 和 1 800～2 000 m^3／s 三个流量级淤积偏大。前两个流量级主要是由于统计的该流

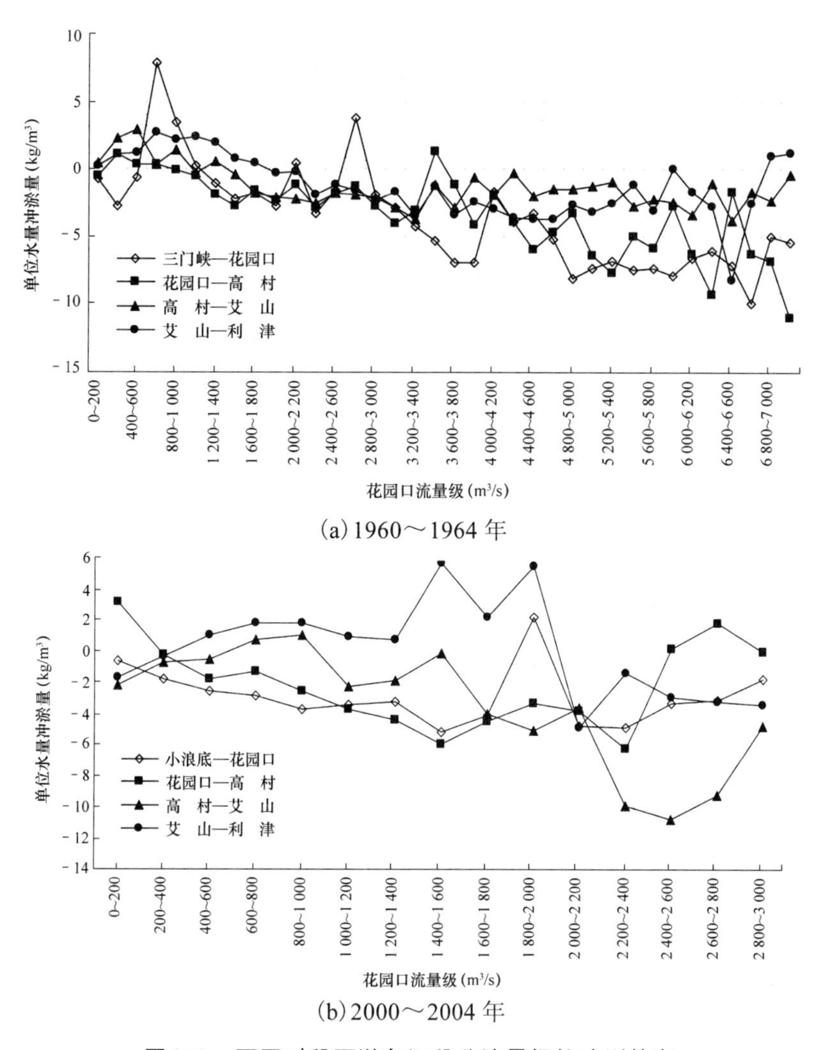

图 7-2　不同时段下游各河段分流量级的冲刷效率

量级有几天是处于春灌期，艾山—利津的水量衰减显著，引起淤积严重。从表 7-1 可以看出，1999 年 10 月～2004 年 10 月花园口 1 400～1 600 m^3 / s 共出现 13 d，其中 9 d 在春灌期，引水较大，花园口水量 11.78 亿 m^3，艾山水量 5.65 亿 m^3，到利津只剩 0.62 亿 m^3，这 9 d 期间艾山—利津的水量减幅为 89%，河段淤积 0.072 4 亿 t；非春灌期的有 4 d，花园口水量 5.14 亿 m^3，艾山水量 5.70 亿 m^3，利津水量 5.18 亿 m^3，水量减幅仅为 9.1%，河段冲刷 0.007 1 亿 t。因此，该流量级的淤积主要是由于春灌期引水较大引起河段淤积造成的。同理，1 600～1 800 m^3 / s 流量级也存在春灌期淤积、非春灌期冲刷的特点。1 800～2 000 m^3 / s 艾山—利津河段淤积量偏大主要由于“04 · 8”洪水造成的。该流量级出现的天数有 6 d，其中 5 d 艾山—利津河段都发生了冲刷，总冲刷量为 0.013 4 亿 t，另外一天由于处于“04 · 8”洪水过程中，含沙量很高，花园口含沙量为 196.8 kg / m^3，演进到艾山含沙量为 165 kg / m^3，引起艾山—利津河段淤积了 0.066 9 亿 t，淤积量远大于其他 5 d 的冲刷量，导致该流量级表现为淤积。

表 7-1　艾山—利津河道冲淤分析

流量级 (m^3/s)	天数 (d)	春灌期					洪水期				
		天数 (d)	艾山水量 (亿 m^3)	利津水量 (亿 m^3)	水量减幅 (%)	艾山—利津冲淤量 (亿 t)	天数 (d)	艾山水量 (亿 m^3)	利津水量 (亿 m^3)	水量减幅 (%)	艾山—利津冲淤量 (亿 t)
1 400～1 600	13	9	5.65	0.62	89.0	0.072 4	4	5.70	5.18	9.1	-0.007 1
1 600～1 800	9	4	2.27	0.15	93.6	0.029 8	5	8.66	7.91	8.6	-0.005 3

(4)图 7-2(b)中 2000～2004 年花园口—高村河段在 2 400 m^3/s 以上较大流量级发生了淤积。分析原因，其中 2 400～2 600 m^3/s 主要集中在 2003 年的秋汛洪水过程中的 34 d、2004 年调水调沙试验过程中的 2 d 和“04·8”洪水过程中的 1 d，共 37 d。由于 2003 年秋汛洪水过程中蔡集工程 9 月 18 日出险至 10 月 29 日复堵，这期间洪水进入滩地并发生了淤积，使得花园口—高村河段发生淤积。2 600～2 800 m^3/s 主要发生在 2002 年调水调沙试验过程中的 4 d、2003 年秋汛洪水过程中的 10 d、2004 年调水调沙试验过程中的 13 d。同样，由于 2003 年秋汛洪水过程中因蔡集工程出险，洪水进入滩地发生了淤积，该河段淤积了 0.197 6 亿 t，其他洪水则冲刷了 0.080 3 亿 t；而且 2002 年调水调沙试验期间该河段发生漫滩淤积，共同引起该河段大流量时淤积。根据上述原因，修正后的关系见图 7-3。

由图 7-1 和图 7-3 可以看出，不同河段由冲转淤的流量条件花园口—高村为 600～800 m^3/s、高村—艾山为 1 200～1 400 m^3/s、艾山—利津为 2 000～2 200 m^3/s；单位水量淤积量较大的流量级花园口—高村为 200～400 m^3/s、高村—艾山为 800～1 000 m^3/s、艾山—利津为 1 000～1 200 m^3/s；冲刷量较大、再增大后单位水量冲刷量增大不明显的流量级各河段都基本上在 3 000 m^3/s 左右。

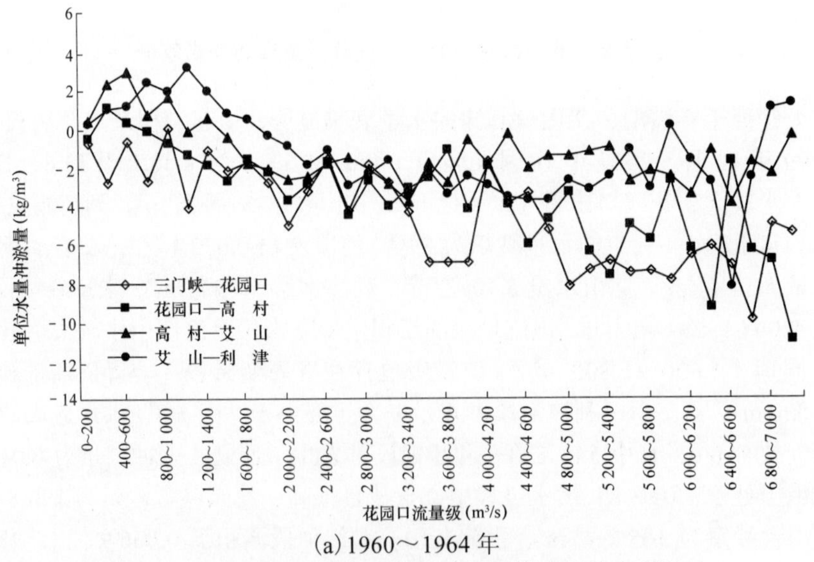

(a)1960～1964 年

图 7-3　不同时段下游各河段分流量级的冲刷效率(修正)

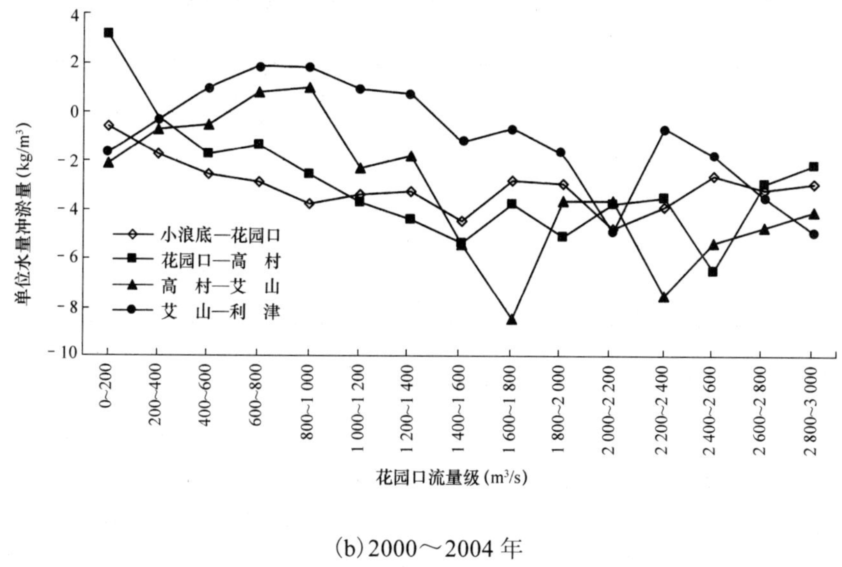

(b)2000～2004 年

续图 7-3

根据黄河下游低含沙水流冲刷期各河段不同洪峰流量与单位水量冲淤关系(见图 7-4 和表 7-2)可以看出，小浪底水库异重流排沙或清水冲刷条件下，下游河道冲淤，尤其是冲刷能够发展的距离与洪峰平均流量具有较好的相关关系。洪峰平均流量越大，冲刷距离越长，上段冲刷、下段淤积的分界河段越靠近下游。花园口洪峰平均流量 800 m³ / s 条件下，高村以上河段发生显著冲刷，高村—艾山河段淤积最为严重(平均含沙量衰减约 2 kg / m³)，艾山—利津窄河段淤积不明显。当花园口洪峰平均流量 1 500 m³ / s 时，冲刷发展到艾山，高村—艾山河段也有一定程度的冲刷，淤积主要集中在艾山—利津窄河段(平均含沙量衰减约 2 kg / m³)。

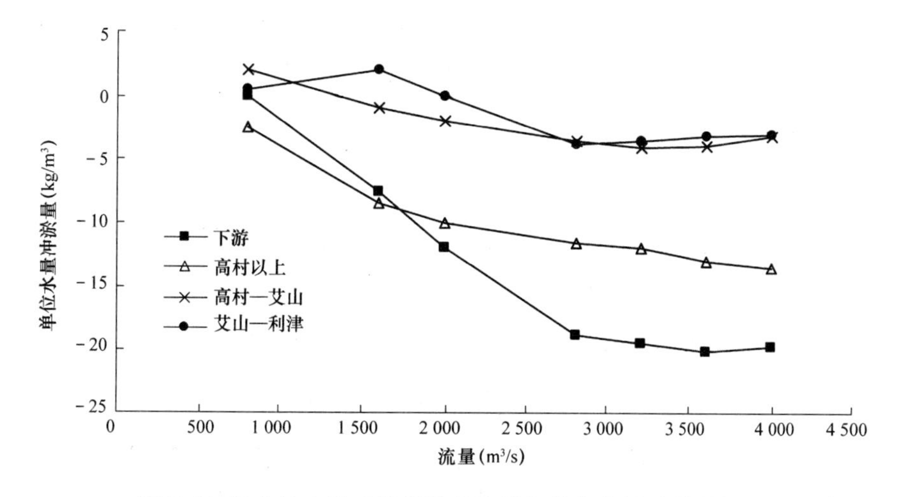

图 7-4　低含沙水流冲刷期洪峰流量与单位水量冲淤量关系

表 7-2　黄河下游低含沙水流冲刷期各河段不同洪峰流量与单位水量冲淤量

（单位：kg／m³）

流量(m³／s)	全下游	高村以上	高村—艾山	艾山—利津
800	0	－2.5	2	0.5
1 600	－7.5	－8.5	－1	2
2 000	－12	－10	－2	0
2 800	－18.8	－11.5	－3.5	－3.8
3 200	－19.5	－12	－4	－3.5
3 600	－20.1	－13	－3.9	－3.2
4 000	－19.7	－13.5	－3.2	－3

二、低含沙水流冲刷期下游河道调整特点

水流条件的差别是黄河下游清水下泄时期河道冲淤调整特点不同的主要因素。对比小浪底水库和三门峡水库运用初期下游清水冲刷时期河道的冲淤情况(见表 7-3)可见，2000～2004 年与 1960～1964 年相比，在全下游冲刷量偏小的前提下，从各河段冲刷量占全下游冲刷量的比例来看，冲刷分布特点由 1960～1964 年的“上段多冲、下段少冲”变为 2000～2004 年“两头多冲、中间少冲”，高村—艾山河段冲刷量减小，艾山—利津河段冲刷增多。

表 7-3　下游清水冲刷时期河道的冲淤情况

时段	项目	花园口以上	花园口—高村	高村—艾山	艾山—利津	利津以上
1999 年 10 月～2004 年 10 月	冲淤量(亿 t)	－2.466	－2.749	－0.336	－0.964	－6.515
	占下游比例(%)	38	42	5	15	100
1960 年 9 月～1964 年 10 月	冲淤量(亿 t)	－5.429	－6.6	－3.572	－0.914	－16.514
	占下游比例(%)	33	40	22	5	100

其主要原因是 1999 年 11 月～2004 年 10 月汛期花园口日平均流量在 1 000 m³／s 以下历时 328.4 d(见图 7-5)，占全年历时的 90%，相应水量占全年的 74%；而 1960～1964 年 1 000～1 500 m³／s 历时年均将近 70 d，因此导致两时期冲刷分布不同。

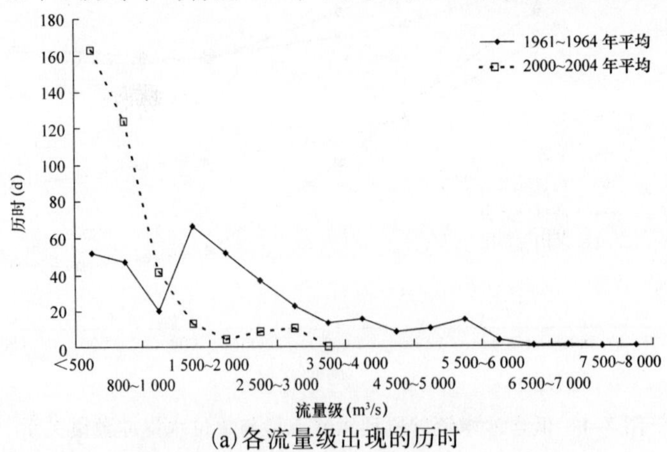

(a)各流量级出现的历时

图 7-5　花园口不同时期各流量级出现的历时及相应的水量

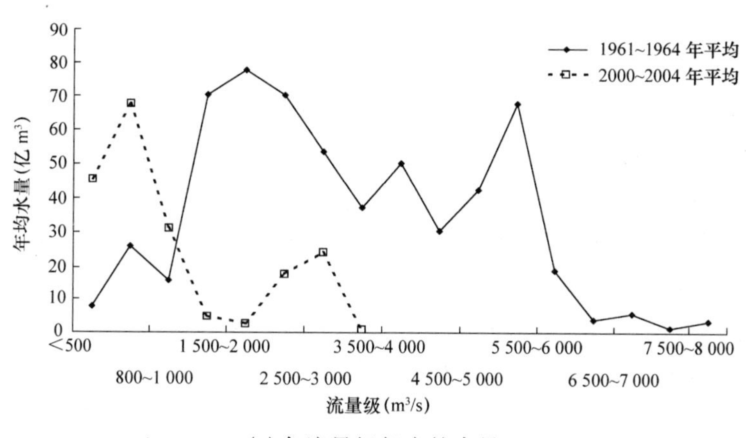

(b)各流量级相应的水量

续图 7-5

三、河道边界条件对河道输沙能力的影响

对比1960～1964年和2000～2004年同流量单位水量冲淤量可见，2000～2004年的冲刷效率略高于1960～1964年，分析原因主要有以下两点。

(一)断面形态变化的影响

1986年以后黄河下游河道萎缩，河槽断面面积减小、宽度缩窄、断面形态、趋于窄深，河道主槽内流速增加，水流输沙能力增强(见图7-6)。

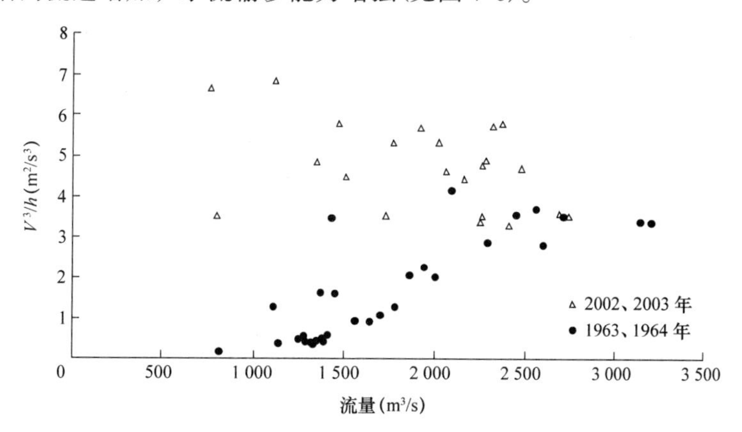

图 7-6　不同冲刷期利津站挟沙力参数与流量变化关系

图7-6表明，2000～2004年同流量条件下的输沙因子要明显大于1960～1964年，尤其在2 000 m^3/s小流量条件下，前者约为后者的两倍以上。这也是近年来艾山以下窄河段冲刷效率较高，同流量水位下降较为明显的主要原因。

(二)河槽组成变细的影响

20世纪90年代不同粒径泥沙冲淤调整的最大特点就是在来沙组成变化不大的前提下细泥沙、中泥沙淤积比增大，这样必然引起河槽淤积物组成变细，在同样的水流条件下更易于输沙。

河道冲刷期泥沙的补给主要来自于主槽的冲刷和滩岸的坍塌，随着河道整治工程的不断完善、河势的逐渐稳定，2000～2004 年滩岸坍塌所导致的泥沙补给明显减少。但 20 世纪 90 年代以来，长期枯水少沙，尤其洪水较少，致使河槽泥沙组成发生了明显的细化。2004 年第三次调水调沙试验前实测资料表明，高村—孙口河段河槽表层至 4 m 深的河床范围内，小于 0.025 mm 的细颗粒泥沙占全沙的 37%，明显大于 1960 年以前河槽内细沙占全沙约 10%的比例。

2000～2004 年游荡性河段河势趋于稳定，减少了滩地坍塌补给泥沙；但河槽物质组成变细、水流输沙因子增强，有利于河槽的冲刷补给，两者相抵，冲刷效率基本与 1960～1964 年一致。河势较为稳定的河段，塌滩补给变化不大，而河槽物质变细、水流输沙因子增强有利于河槽的冲刷补给，从而导致了 2000～2004 年高村以下河段、尤其艾山—利津窄河段的冲刷效率略高于 1960～1964 年。

第八章 认识与建议

(1)2004 运用年黄河下游水沙仍然偏枯，水、沙量分别为 286.45 亿 m^3、1.489 亿 t，分别较长系列均值偏少 27%和 89%。年内大流量较少，主要出现在 3 场洪水过程中。洪水较少，3 场洪水前两场为调水调沙试验 6 月和 7 月的两个阶段，第三场洪水为“04・8”高含沙洪水；洪峰流量较低，花园口最大洪峰流量 4 150 m^3/s，小浪底最大含沙量 352 kg/m^3。

2004 年下游河道白鹤—利津共冲刷 1.1879 亿m^3，其中非汛期和汛期分别冲刷 0.372 6 亿 m^3 和 0.815 3 亿 m^3。冲刷量分布特点为“两头大、中间小”，高村以上、高村—艾山、艾山—利津冲刷量分别占下游冲刷量的 72%、8%、20%。洪水期河道冲刷作用较大，小浪底水库第三次调水调沙试验两个阶段冲刷量达 0.656 亿 t，占年冲刷量的 39%。“04・8”高含沙洪水在下游仅发生微淤。

下游各站同流量水位沿程下降，下降幅度为“两头大、中间小”，花园口下降最多，为–0.52 m；孙口下降最少，仅为–0.04 m，与冲刷量特点基本一致。

(2)黄河下游不同时期来沙量相差较大，但来沙组成变化不大。粒径小于 0.025 mm 的细泥沙、粒径在 0.025～0.05 mm 的中泥沙、粒径大于 0.05 mm 的粗泥沙比例分别为 50%、27%、23%左右，粗泥沙中粒径大于 0.1 mm 的特粗泥沙比例为 3%左右。

黄河下游不同粒径组泥沙淤积比具有显著的差异，泥沙粒径越细，淤积比越小。1965～1999 年多年平均水沙条件下，细泥沙淤积比 8%，中泥沙淤积比 19%，粗泥沙淤积比 47%，其中特粗泥沙淤积比达 86%。

黄河下游不同粒径组泥沙的冲淤状况与来水条件密切相关，基本上是随着水量的增加，淤积比减小。但不同粒径组泥沙淤积比随水量的变化而不同，细泥沙和中泥沙淤积比随水量变化而变化大，粗泥沙淤积比随水量变化而变化小，特粗泥沙淤积比基本上不随水量变化而变化。

20 世纪 90 年代细泥沙和中泥沙淤积比明显提高，分别达 22%和 34%。其原因主要是汛期水量大幅度减少、水流动力较弱、下游河道频繁断流及洪水漫滩。这说明，虽然细泥沙在下游河道具有较大的输沙潜力，但要维持细泥沙在下游河道不淤或少淤，也必须满足一定的水流条件，当下游水量较少、沿程水量损失较大时，细泥沙淤积也将增加。

(3)低含沙水流冲刷时期黄河下游不同粒径组泥沙的冲刷特点不同。细颗粒泥沙冲刷效率最大，并且随流量的增大而迅速增加，但当流量在 3 000 m^3/s 左右时冲刷效率达到最大，其后随流量的增大冲刷效率反而降低；中颗粒泥沙冲刷效率居中，同样随流量的增大而增大，流量大于 3 000 m^3/s 后冲刷效率保持稳定；较粗颗粒泥沙和特粗颗粒泥沙的冲刷效率随流量变化不明显，分别在流量超过 4 000 m^3/s 和 5 000 m^3/s 后才开始随流量的增大而增加。

(4)小浪底水库异重流排沙或清水冲刷条件下，下游河道冲淤、尤其是冲刷能够发展的距离与洪峰平均流量具有较好的相关关系。洪峰平均流量越大，冲刷距离越长，上段冲刷、下段淤积的分界河段越靠近下游。花园口洪峰平均流量 800 m^3/s 条件下，高村以上河段发生显著冲刷，高村—艾山河段淤积最为严重(平均含沙量衰减约 2 kg/m^3)，艾山—利津窄河段淤积不明显。当花园口洪峰平均流量 1 500 m^3 / s 时，冲刷发展到艾山，高村—艾山河段也有一定程度的冲刷，淤积主要集中在艾山—利津窄河段(平均含沙量衰减约 2 kg / m^3)。三门峡水库蓄水运用期艾山—利津窄河段冲刷较少，小浪底水库投入运用以来冲刷最小的河段集中在高村—艾山，主要是前者 1 000 m^3 / s、后者 1 500 m^3 / s 流量级历时及相应水量较大的结果。因此，建议减少花园口 1 000 m^3 / s 流量的历时，以缓解过渡段淤积强度大、冲刷强度小的问题。

(5) 小浪底水库异重流排沙条件下维持下游河道不淤积的含沙量随洪峰期流量的增大和细沙比例的增大而增大。花园口流量 3 000 m^3 / s 条件下，细沙占全沙的比例由 60%增加到 80%，下游冲刷平衡的含沙量可提高 20 kg / m^3。而且，增加细泥沙含量提高下游冲刷平衡的含沙量的幅度随流量的增大而增大，花园口流量 3 500 m^3 / s 时，同样细泥沙含量由 60%增加到 80%，下游冲刷平衡的含沙量可提高 23 kg / m^3。与上述洪水期平均流量 3 000 m^3 / s 相比，多增加 3 kg / m^3。因此，建议在小浪底水库许可的条件下，花园口控制含沙量可进一步提高。

第六专题　黄河下游“8·24”洪水流量沿程增大原因初步探讨

2004年进入下游的大小洪峰共有4次，分别是2004年6月16～18日的预泄洪水、2004年6月19～29日和7月3～13日的基于“人工扰动”的调水调沙试验期间的两场洪水以及发生于8月下旬的高含沙洪水(简称“8·24”洪水，因为演进到花园口的时间为24日)。小浪底水库出库沙量的96%集中在“8·24”高含沙洪水期，4%的沙量则主要集中在2004年调水调沙试验期第二场洪水期。

“8·24”洪水主要受入库高含沙洪水和小浪底水库前期浑水水库的影响而形成。从8月22日8时～31日20时，小浪底出库最大流量2 690 m^3/s，出库最大含沙量346 kg/m^3，泥沙组成很细，d_{50}仅0.01 mm。其中在第三天，为减小花园口洪峰流量、预防下游大范围漫滩，小浪底水库下泄流量控制在1 000 m^3/s以下约12 h，使得8月22日8时～31日20时为期9 d的洪水过程变为第一阶段历时约3 d、第二阶段历时约6 d的两个较为明显的洪峰过程。“8·24”洪水是小浪底水库投入运用以来含沙量最高的洪水，也是输沙量最大的一次洪水。

“8·24”洪水在下游演进过程中发生了以小浪底—花园口间(简称小花间)洪峰流量增大为代表的3个异常现象：

(1)小花间流量沿程明显增大，“8·24”洪水期间，小浪底站洪峰流量2 690 m^3/s，洪水演进到花园口断面，涨水过程基本是清水，洪峰流量却增大到3 990 m^3/s，扣除伊洛河和沁河流量约200 m^3/s，花园口站洪峰流量偏大1 100 m^3/s。

(2)洪水在花园口—孙口河段演进过程中，洪峰流量几乎没有衰减，峰型有不断变尖瘦的趋势。

(3)沙峰的传播不断滞后于洪峰，小浪底水文站沙峰与洪峰同步，到花园口水文站沙峰已明显滞后于洪峰，而洪水传播到孙口水文站以后，沙峰已经由前面的洪峰滞后到了后面的洪峰过程中。与以往流量沿程增大一般发生在洪水漫滩的情况下不同，此次洪峰流量沿程增大并没有发生漫滩。

目前，黄河下游河槽萎缩的不利状况还没有得到根本改善，其中孙口附近瓶颈河段的平滩流量仍较小。今后对小浪底水库的要求是能够在下游不漫滩的条件下尽可能下泄较大流量冲刷下游河道。因此，以报汛资料为主，对“8·24”洪水期间小花间流量沿程增大的原因进行了初步分析，为黄河下游洪水调度及深化对高含沙洪水演进规律的认识提供可靠依据。

第一章 “8·24”高含沙洪水演进及河道冲刷概况

2004 年 8 月 22 日 8 时～31 日 20 时，三门峡水库泄放了一场最大流量为 2 960 m^3/s、最大含沙量 542 kg/m^3 的高含沙洪水过程。该次洪水 100 kg/m^3 以上含沙量持续时间 3.1 d，出库水量 9.22 亿 m^3，沙量 1.66 亿 t。

该期间小浪底水库存在浑水水库，坝前浑水面一般在 191～203 m 之间变化；小浪底水库的库水位在 218.63～224.89 m 之间变化。受入库高含沙洪水、前期浑水水库，以及入库水流在库区三角洲明流段冲刷的影响，小浪底水库出库含沙量也很高。从 8 月 22 日 8 时到 31 日 20 时，小浪底出库的最大流量为 2 690 m^3/s，出库最大含沙量为 346 kg/m^3。其中在第三天，为减小花园口洪峰流量、预防下游大范围漫滩，小浪底水库下泄流量控制在 1 000 m^3/s 以下约 12 h，使得 9 d 洪水过程变为第一阶段历时约 3 d、第二阶段历时约 6 d 的两个较为明显的洪峰过程。第一阶段是从 8 月 22 日 8 时～8 月 25 日 8 时的 3 d(72 h)，第二阶段是 8 月 25 日 8 时～31 日 8 时的 6 d(144 h)。两阶段小浪底水库出库水量分别为 4.39 亿 m^3 和 9.2 亿 m^3，分别占该次洪水总水量的 32%和 68%。其中，第一阶段洪峰流量、含沙量都较高，第二阶段洪峰流量和含沙量较低。两阶段的最大含沙量分别为 346 kg/m^3 和 156 kg/m^3。两阶段的沙量分别是 0.83 亿 t 和 0.60 亿 t，分别占总排沙量的 58%和 42%。两阶段的平均含沙量分别为 189 kg/m^3 和 65 kg/m^3。该次洪水期间，含沙量大于 100 kg/m^3 的时间约 1.83 d(44 h)，小浪底水库补水约 4.7 亿 m^3，水库出库水量 13.59 亿 m^3，沙量 1.43 亿 t，平均含沙量 105 kg/m^3，水库的排沙比为 86%。此次进入黄河下游的高含沙洪水简称“8·24”高含沙洪水，其出库的水沙过程见表 1-1 和图 1-1。

表 1-1 “8·24”洪水水沙特征统计

项目		径流量(亿 m^3)	输沙量(亿 t)	历时(h)	平均流量(m^3/s)	平均含沙量(kg/m^3)	最大流量(m^3/s)	最大含沙量(kg/m^3)
三门峡		9.22	1.66	228	1 123	180	2 960	542
小浪底	第一阶段	4.39	0.83	72	1 696	189	2 690	346
	第二阶段	9.2	0.6	144	1 775	65	2 430	156
	合计	13.59	1.43	216	1 748	105	2 690	346
小黑武		14.85	1.43	216	1 910	96	2 890	—

注：小黑武的最大流量根据小浪底的最大流量和黑石关、武陟的流量计算。

根据实时水情资料统计计算，“8·24”洪水期间，小花间支流伊洛河和沁河加水仅 1.25 亿 m^3，没有加沙。

一、“8·24”洪水洪峰和沙峰在下游的演进情况

“8·24”洪水在下游演进过程出现了“异常”现象，表现在如下 3 个方面。

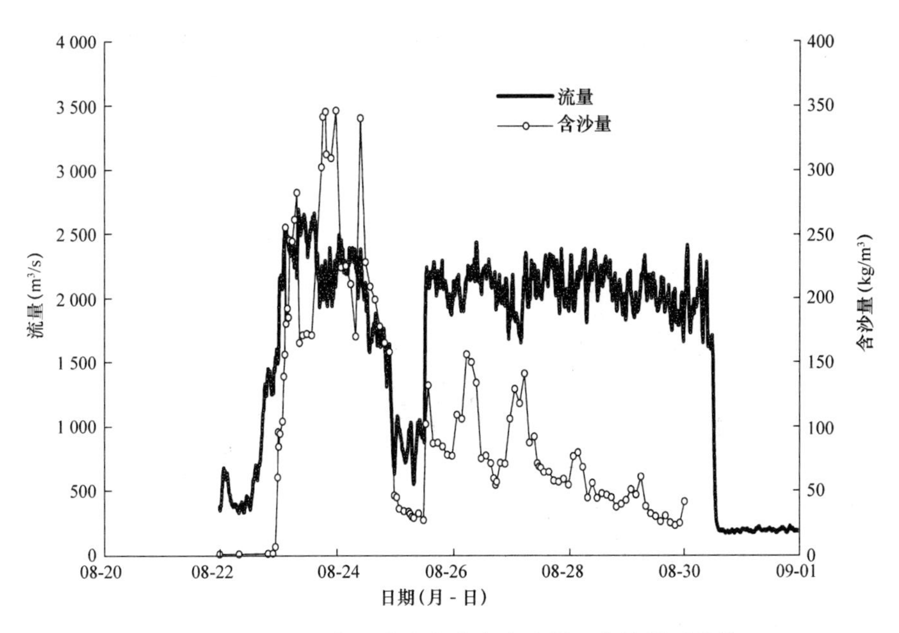

图 1-1 "8·24"洪水小浪底水库出库流量、含沙量过程线

(一)小浪底—花园口河段洪峰流量沿程增大

花园口站的洪峰流量为3 990 m^3/s,明显比小浪底站的洪峰流量2 690 m^3/s大1 300 m^3/s，考虑伊洛河和沁河相应流量约 200 m^3/s，花园口的洪峰流量比小黑武 2 890 m^3/s偏大 1 100 m^3/s，即花园口的洪峰流量偏大 38.1%。

小浪底—花园口河段洪峰流量增大的"异常"现象只发生在第一阶段。

(二)"8·24"第一阶段洪水孙口以上河段洪水持续时间沿程明显缩短、峰型趋于尖瘦的沿程变化趋势

峰型变尖瘦反映在洪峰流量沿程衰减不明显和洪水历时沿程减小两方面。分析黄河下游各水文站断面流量、含沙量过程，由图 1-1 和图 1-2(a)～(g)可以看出，"8·24"洪水第一次洪峰洪水历时沿程缩短、峰型趋于尖瘦，花园口—孙口河段洪峰流量沿程衰减不明显。表 1-2 统计了"8·24"洪水沿程的洪峰流量，并计算了起涨阶段的水量。由表 1-2 可以看出,小浪底、花园口、夹河滩、高村和孙口的洪峰流量为 2 690、3 990、3 830、3 820 m^3/s 和 3 930 m^3/s，从花园口到孙口，洪峰流量几乎没有衰减；图 1-3 反映了"8·24"洪水各水文站洪水持续历时的沿程变化,洪水持续历时分别为 2.81、2.39、2.33、2.14 d 和 2.08 d，从小浪底到孙口，洪水历时由 2.81 d 逐渐缩短到 2.08 d。洪水峰型也更加趋于尖瘦。从表 1-2 给出的涨水阶段的水量沿程变化看，涨水阶段沿程水量从小浪底站的 0.69 亿 m^3，到花园口增大到 0.92 亿 m^3，到利津则增大到 2.9 亿 m^3，利津起涨阶段的水量是花园口站的 3 倍多。

从图 1-3 能明显看到，洪水在小花间演进的过程中，涨水阶段的持续时间沿程越来越短，而落水过程的持续时间差别不明显。这与表 1-2 中给出的涨水阶段水量沿程不断增大所反映的情况是一致的。说明涨水阶段峰型沿程不断变得尖瘦是花园口以上河段直到孙口的共同特点。分析认为，主要原因有以下两点：

(1)径流和泥沙都快速向前走，挤压、聚集前面的清水。而清水加入会稀释降低水流含沙量。

(2)洪水涨水期淤得多，后期淤得少。

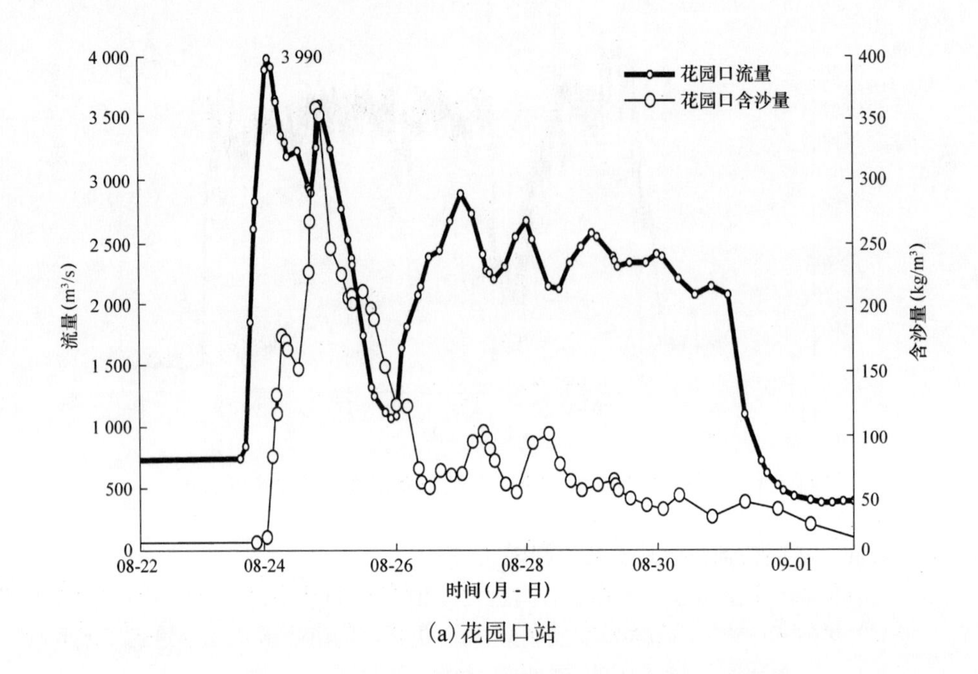

(a)花园口站

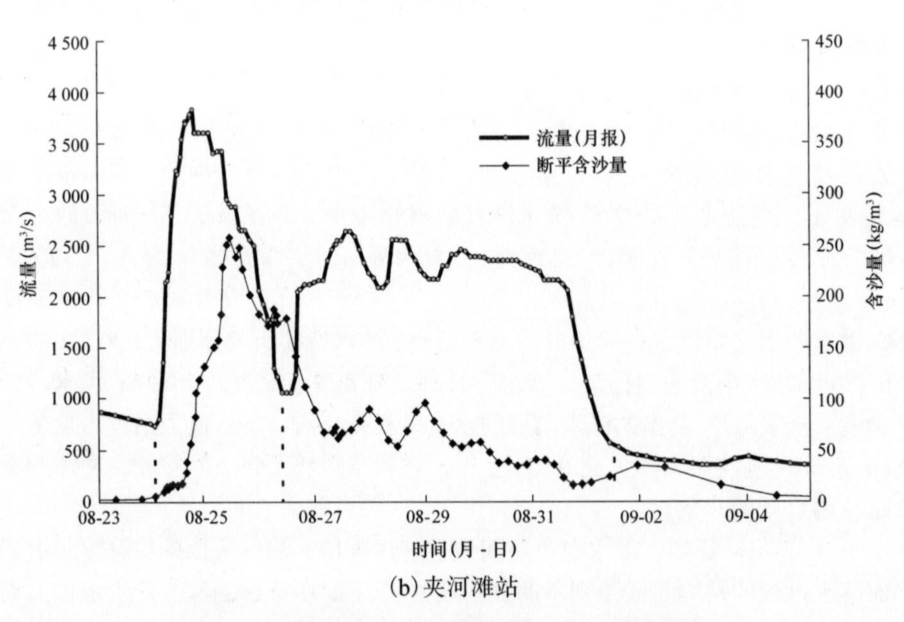

(b)夹河滩站

图 1-2　黄河下游各水文站流量、含沙量过程线

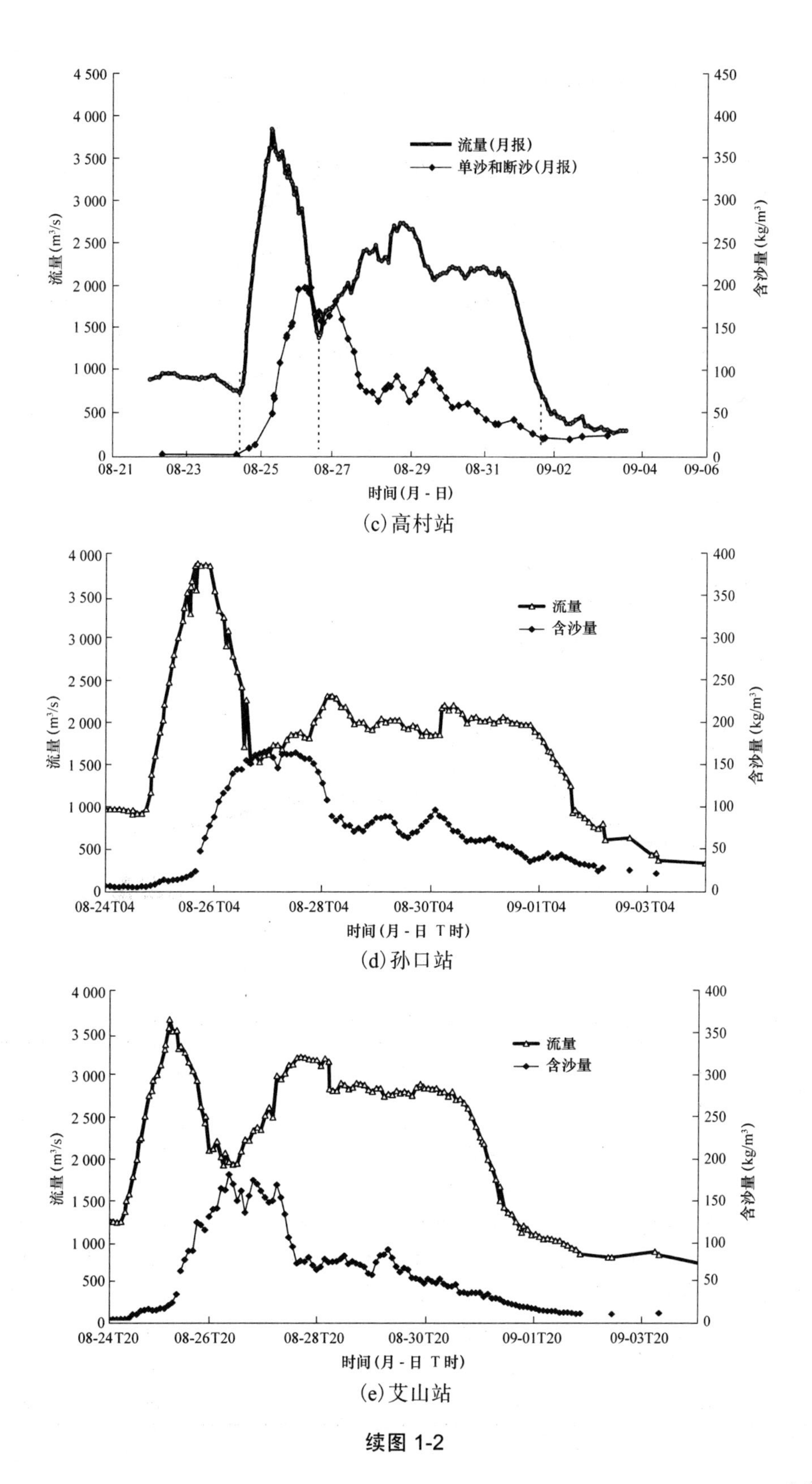

(c)高村站

(d)孙口站

(e)艾山站

续图 1-2

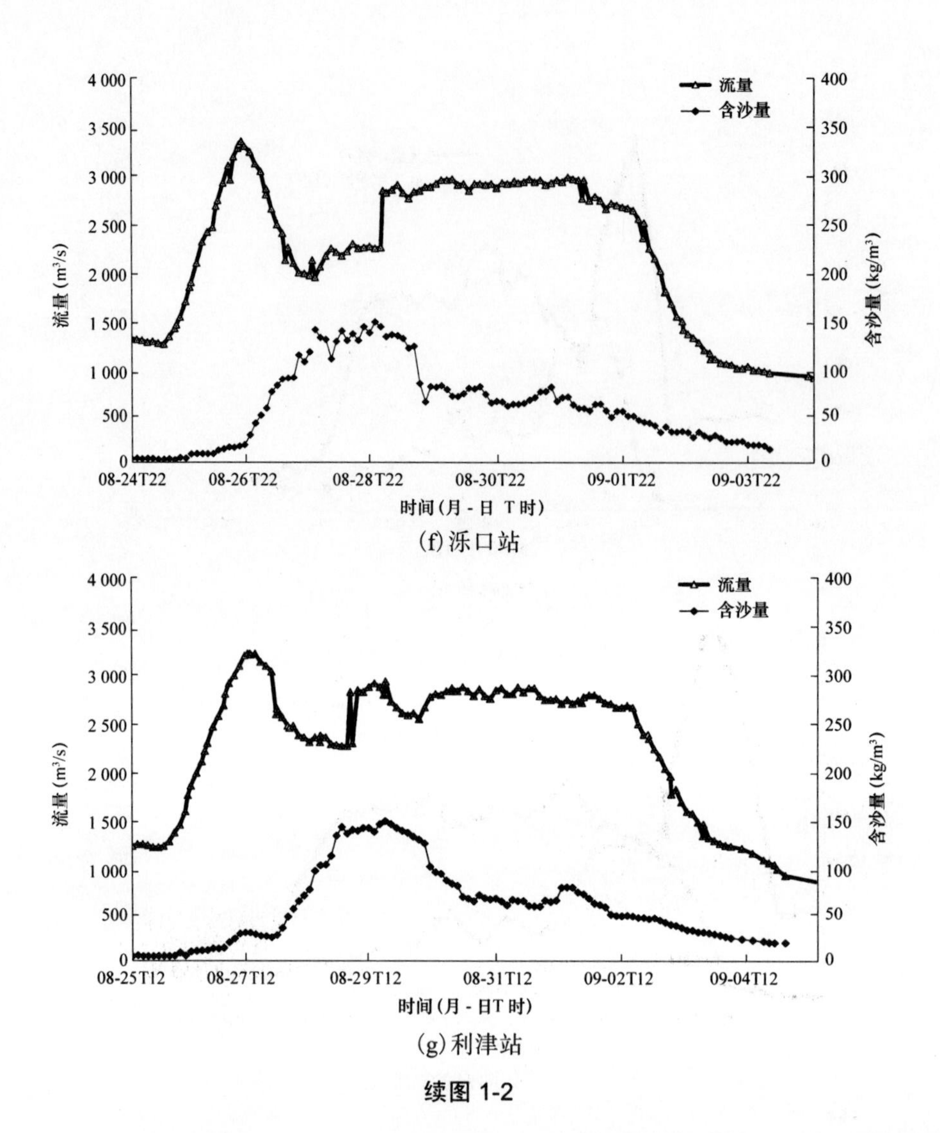

(f) 泺口站

(g) 利津站

续图 1-2

表 1-2　"8 · 24"洪水第一阶段涨水期水量统计

站名	起涨时刻 (月-日 T时:分)	峰现时刻 (月-日 T时:分)	起涨流量 (m^3 / s)	洪峰流量 (m^3 / s)	起涨阶段水量 (亿 m^3)
小浪底	08-22T12:36	08-23T08:36	351	2 690	0.69
花园口	08-23T14:00	08-24T00:48	743	3 990	0.92
夹河滩	08-24T02:00	08-24T19:00	740	3 830	1.56
高村	08-24T10:00	08-25T07:00	758	3 820	1.82
孙口	08-24T18:00	08-25T19:36	951	3 930	2.15
艾山	08-25T00:00	08-26T05:54	1 230	3 520	2.64
泺口	08-25T11:00	08-26T14:54	1 260	3 330	2.24
利津	08-25T22:00	08-27T10:00	1 160	3 200	2.90

注：部分站的洪峰流量为按最大流量统计。

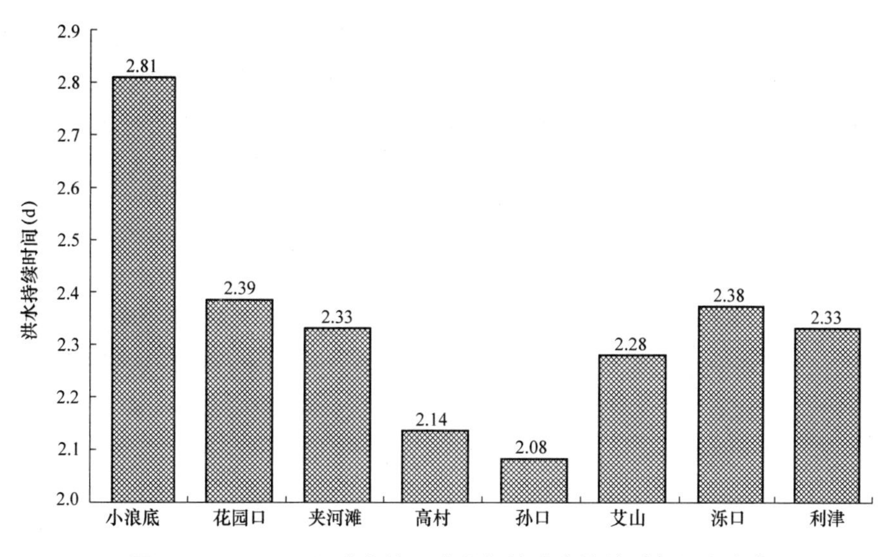

图 1-3 “8·24”洪水第一阶段各站洪水持续时间沿程变化

(三)沙峰不断滞后于洪峰

沙峰不断滞后于洪峰的特点不仅限于孙口以上河段，而是整个下游。小浪底水文站沙峰滞后于洪峰时间为 15.4 h，到孙口变化为 36.4 h，到利津时沙峰滞后于洪峰达 46.0 h，是小浪底的 3 倍(见表 1-3)。洪峰比沙峰传播得快，这一点从图 1-4 可更直观地得到反映。图 1-4 的横坐标是各水文站距小浪底大坝的距离，纵坐标是各水文站洪峰(或沙峰)出现的时间与小浪底水文站洪峰(或沙峰)出现的时间差，于是点群的斜率反映了洪峰(或沙峰)的传播速度。从图 1-4 中看出，“8·24”洪水第一阶段的洪峰从小浪底水文站传播到利津断面历时 3.32 d，沙峰传播历时 4.75 d，沙峰比洪峰慢了 1.43 d。

表 1-3 “8·24”洪水洪峰流量和沙峰及其出现时间统计

站名	最大流量 (m^3 / s)	出现时间 (日 T 时:分)	最大含沙量 (kg / m^3)	出现时间 (日 T 时:分)	沙峰滞后洪峰时间(h)
小浪底	2 690	23T08:36	346	24T00:00	15.4
花园口	3 990	24T00:48	359	24T18:48	18
夹河滩	3 830	24T19:19	258	25T11:11	16
高村	3 820	25T07:07	199	26T08:08	25
孙口	3 930	25T19:19	179	27T08:08	36.4
艾山	3 520	26T05:05	177	27T06:06	24.9
泺口	3 330	26T14:14	152	28T16:16	49.1
利津	3 200	27T10:10	146	29T08:08	46.0

二、“8·24”洪水在下游的冲淤情况

“8·24”洪水的沙峰和洪峰不对应，而且这种现象在向下游传播过程中愈演愈烈。在夹河滩以上河段，沙峰位于“8·24”洪水第一阶段洪峰的落水过程中；洪水传播到孙

口附近时，最大含沙量滞后到了“8・24”洪水的峰谷；当洪水传播到利津时，沙峰则滞后到“8・24”洪水第二阶段洪峰过程中。考虑到洪峰和沙峰不同步的情况，在进行沙量平衡法冲淤计算时，将“8・24”洪水两个阶段作为一个整体，用等历时法计算冲淤量。表 1-4 是按照等历时 9.5 d 并考虑洪水传播时间统计的“8・24”洪水各水文站实测径流量、输沙量和河段间的冲淤量。

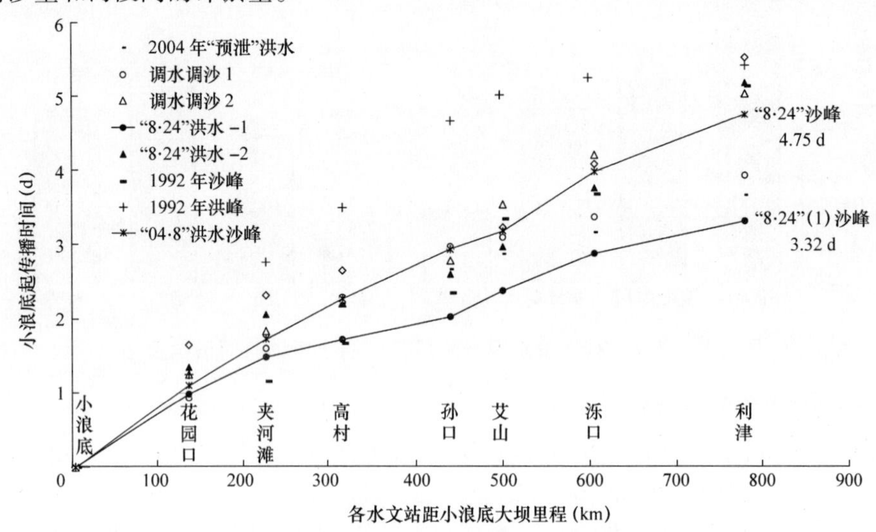

图 1-4 “8・24”洪水洪峰和沙峰传播过程

表 1-4 “8・24”洪水期间各河段冲淤量计算(不考虑引水引沙量)

站名	开始时间(月-日 T 时)	结束时间(月-日 T 时)	历时(d)	径流量(亿 m^3)	输沙量(亿 t)	河段冲淤量(亿 t)
小浪底	08-22T08	08-31T20	9.5	13.67	1.42	
黑石关	08-22T08	08-31T20	9.5	0.85		
武陟	08-22T08	08-31T20	9.5	0.47		
小黑武			9.5	14.99	1.42	
花园口	08-23T14	09-02T02	9.5	16.66	1.53	–0.11
夹河滩	08-24T02	09-02T14	9.5	16.66	1.41	0.11
高村	08-24T10	09-02T22	9.5	16.40	1.40	0.02
孙口	08-24T18	09-03T06	9.5	15.52	1.31	0.09
艾山	08-25T00	09-03T12	9.5	19.77	1.49	–0.18
泺口	08-25T11	09-03T23	9.5	19.03	1.38	0.11
利津	08-25T22	09-04T10	9.5	19.30	1.29	0.09
合计						0.13

从表 1-4 可以看出，不考虑引水引沙的影响，“8・24”洪水全下游淤积 0.13 亿 t，其中花园口以上和孙口—艾山两个河段为冲刷，其他河段为淤积。由于缺少引水实测资料，表中没有计算引沙量，这会使计算淤积量可能偏大。尽管如此，就进入下游的总沙

量 1.42 亿 t 而言，全下游淤积 0.13 亿 t，仅占来沙量的 9.2%，相对淤积量不大。

关于表 1-4 中的径流量的计算结果，需要补充说明：

(1) 花园口的 9.5 d 的径流量 16.66 亿 m^3，是根据整编资料计算的，而小浪底站的径流量是根据月报资料计算的(因没有整编资料)，黑石关和武陟的资料是根据黄河水文网实时水情资料计算(因没有月报资料)，径流量的计算是按照国家水文规范用“面积包围法”计算的。花园口径流量比小黑武(小浪底、黑石关、武陟)大 1.67 亿 m^3，占花园口洪峰径流量的 10%，不全是“8・24”洪水的第一阶段。图 1-5 给出了从起涨时刻算起的小黑武和花园口站的累计径流量过程线，同时还计算出了花园口和小黑武对应时刻的径流量差。“8・24”洪水第一阶段的历时为 2.39～3 d，图 1-5 显示无论是“8・24”洪水的第一阶段还是第二阶段，花园口站的等历时 9.5 d 的径流量都大于小黑武的等历时径流量。花园口比小黑武的径流量大 1.67 亿 m^3，相当于花园口的日平均流量比小黑武的大 203.5 m^3/s。

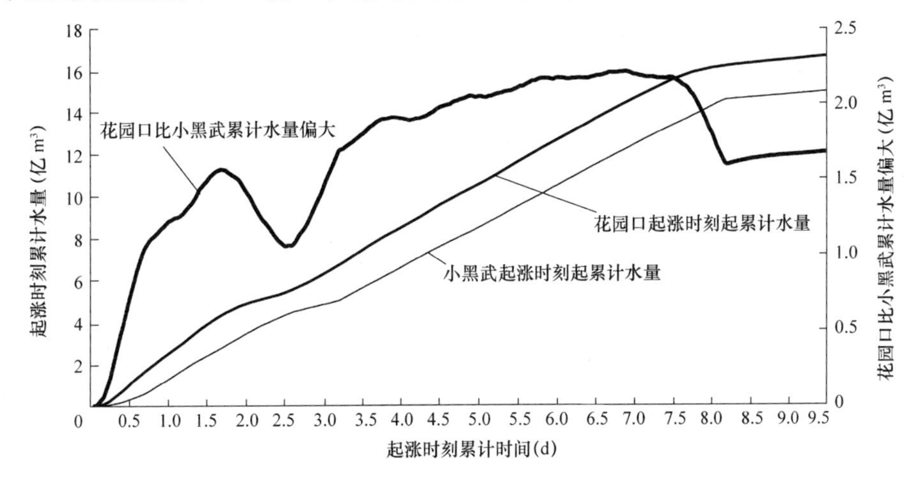

图 1-5 小黑武和花园口站从起涨时刻起的累计径流量过程线

(2) 艾山站的径流量为 19.77 亿 m^3，比孙口站的 15.52 亿 m^3 大 4.25 亿 m^3，是大汶河加水造成的。根据 8 时水情资料估算，“8・24”洪水期间，东平湖出湖闸大约向黄河泄水 4.3 亿 m^3。

另外，还计算了考虑引水的情况。由于缺少引水资料，引沙量按照如下方法考虑：如果下站的水量小于上站，则认为水量差的 90%为引水量(另 10%为蒸发和区间河道下渗量)，而引水的含沙量按上下站的平均含沙量计算。按照这种方法计算的整个下游的淤积量为 0.06 亿 t。

河道淤积的严重程度还可以用相对指标——河段排沙比来反映。表 1-5 是“8・24”洪水的河段排沙比，其中“输沙量法”的排沙比是根据下站与上站输沙量的比值计算的，“含沙量法”的排沙比则是用下站的含沙量和上站含沙量的比值计算的。用含沙量的比值可以消除引水对排沙比计算的影响。因此，在区间有引水的情况下，用含沙量法计算的河段排沙比应该更合理一些。表 1-5 中没有用含沙量法计算高村以下和小黑武—利津河段，是由于“8・24”洪水期间艾山上游的大汶河向黄河加水的缘故。由表 1-5 看出，“8・24”洪水期间，整个下游的沙量法排沙比约 90.8%，其中高村以上河段的排沙比为

98.2%，高村以下河段的排沙比为 92.5%，艾山—利津河段的排沙比为 87%。含沙量法排沙比高村以上河段为 89.8%，艾山—利津河段为 89.1%。

表 1-5 "8·24"洪水各河段排沙比

河段	输沙量法（%）	含沙量法(%)
高村以上	98.2	89.8
高村以下	92.5	—
艾山—利津	87.0	89.1
小黑武—利津	90.8	—

可见，"8·24"洪水期间，有 1.42 亿 t 的泥沙进入下游，有 1.29 亿 t 的泥沙被输送到利津，有 0.13 亿 t 的泥沙淤积在下游河道。无论用淤积的绝对量(全下游淤积 0.13 亿 t)还是排沙比(约 90%)来衡量，"8·24"洪水对下游造成的淤积都不是很严重的。

三、"8·24"洪水在下游的水位表现

为对比分析"8·24"洪水水位表现及其对下游河道过流能力的影响，图 1-6 给出了 2004 年包括两场调水调沙试验洪水在内的 7 站 5 场洪水(包括预泄洪水)的水位流量关系，并且把"8·24"洪水分为两场洪水，以便了解高含沙洪水之后的同流量水位变化。从这些站场洪水的水位表现看，花园口站的各场洪水的水位流量关系基本上都是顺时针绳套曲线，除花园口站之外的其他站的各场洪水的水位流量关系则基本上都是逆时针绳套曲线；"8·24"洪水的水位表现并不高。

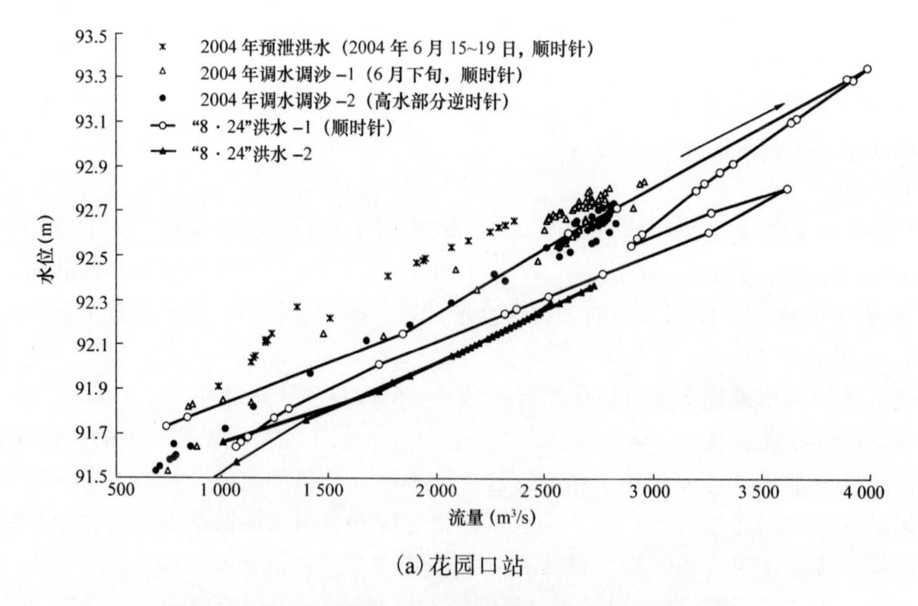

(a) 花园口站

图 1-6 黄河下游各站 2004 年各场洪水水位流量关系

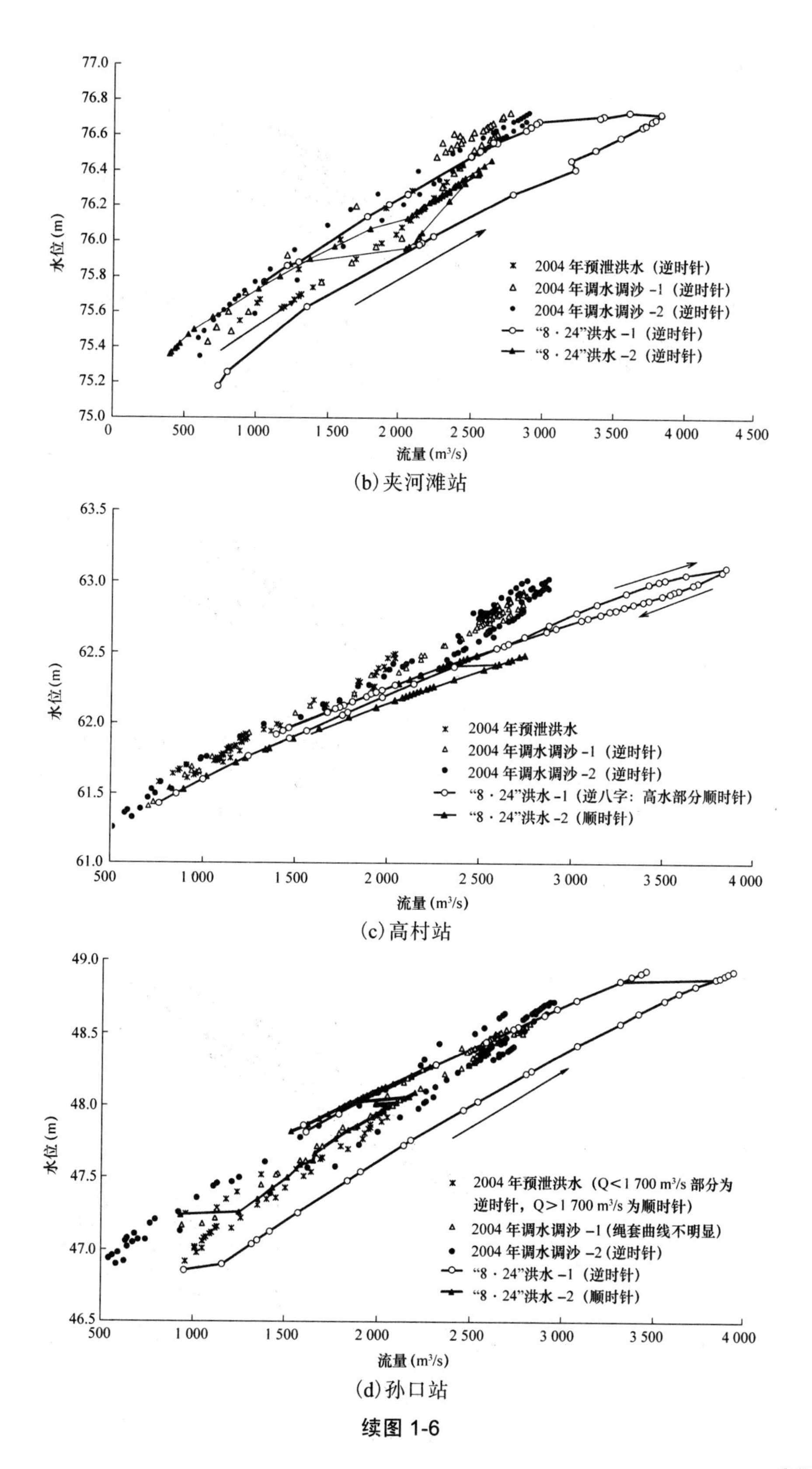

(b)夹河滩站

(c)高村站

(d)孙口站

续图 1-6

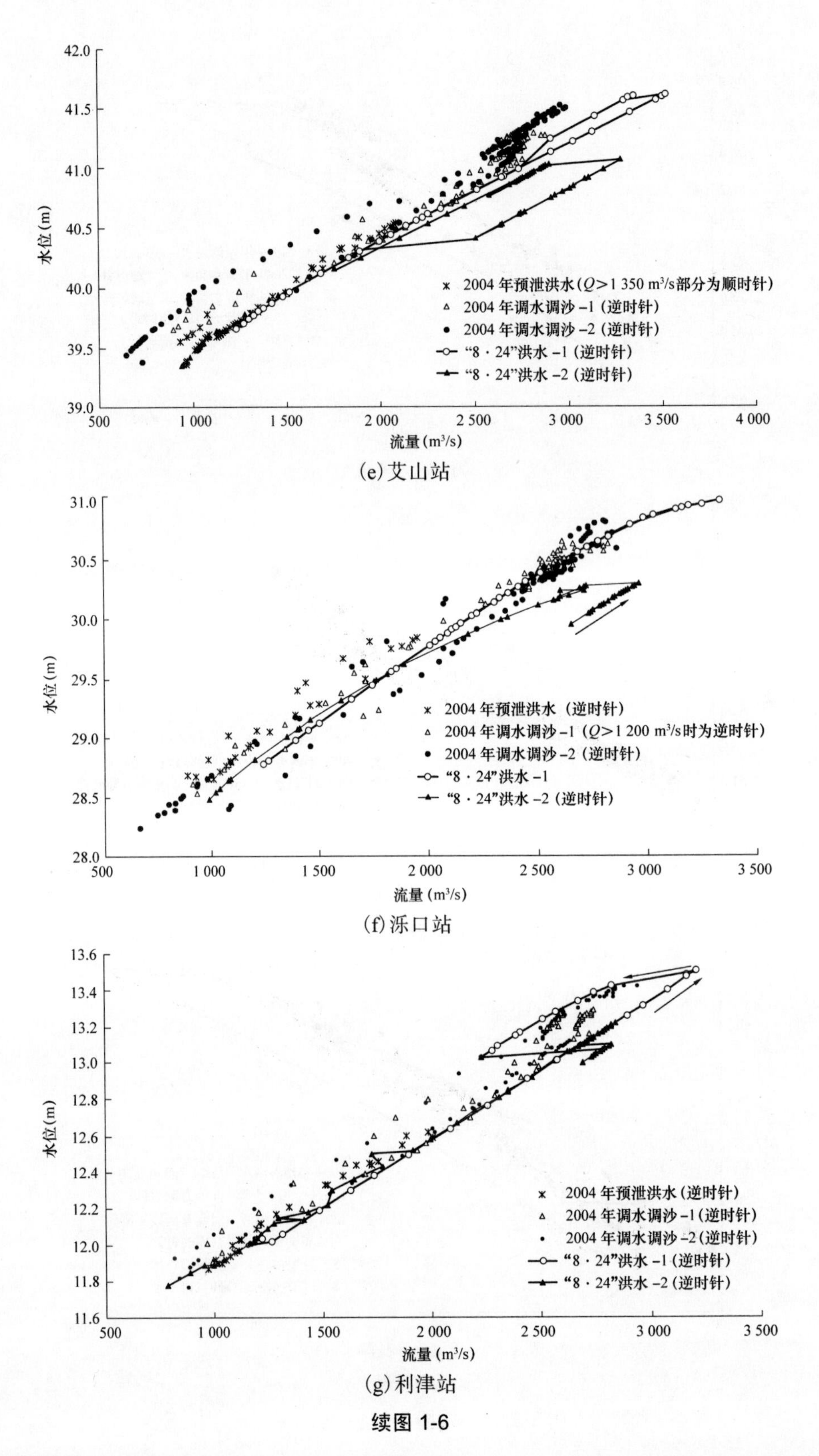

(e)艾山站

(f)泺口站

(g)利津站

续图 1-6

图 1-7 是“8·24”洪水落水期的同流量水位和 2004 年调水调沙试验首场洪水相比的同流量水位变化柱状图，图 1-7(a)、(b)和(c)分别是流量为 1 500、2 000 m^3/s 和 2 500 m^3/s 下游各站同流量水位变化情况。从图 1-7 中看到：

(1)1 500 m^3/s 的同流量水位夹河滩和泺口是明显抬升的，其他站都是下降的，但泺口站的抬升具有偶然性，如图 1-6(f)所示，不具有代表性，也就是说，“8·24”洪水过后 1 500 m^3/s 的小流量水位，只有夹河滩是抬升的，其他站以花园口和高村下降得较多，分别为 0.364 m 和 0.17 m，孙口以下的变化不大，这与 2 000 m^3/s 的同流量水位变化大体一致。2 000 m^3/s 的同流量水位只有夹河滩是抬升的；孙口站的 2 000 m^3/s 的同流量水位下降得最少，只有 0.011 m。

(2)从图 1-7(c)给出的 2 500 m^3/s 的同流量水位变化看，所有下游的水文站的同流量水位都是下降的。其中由于孙口站没有落水期的 2 500 m^3/s 的资料，故未能统计。总而言之，与 2004 年调水调沙试验第一场洪水相比，“8·24”洪水过后，较大流量的同流量水位降低较多，较小流量的同流量水位抬升的实际上只有夹河滩站，同流量水位下降最少的是孙口站。

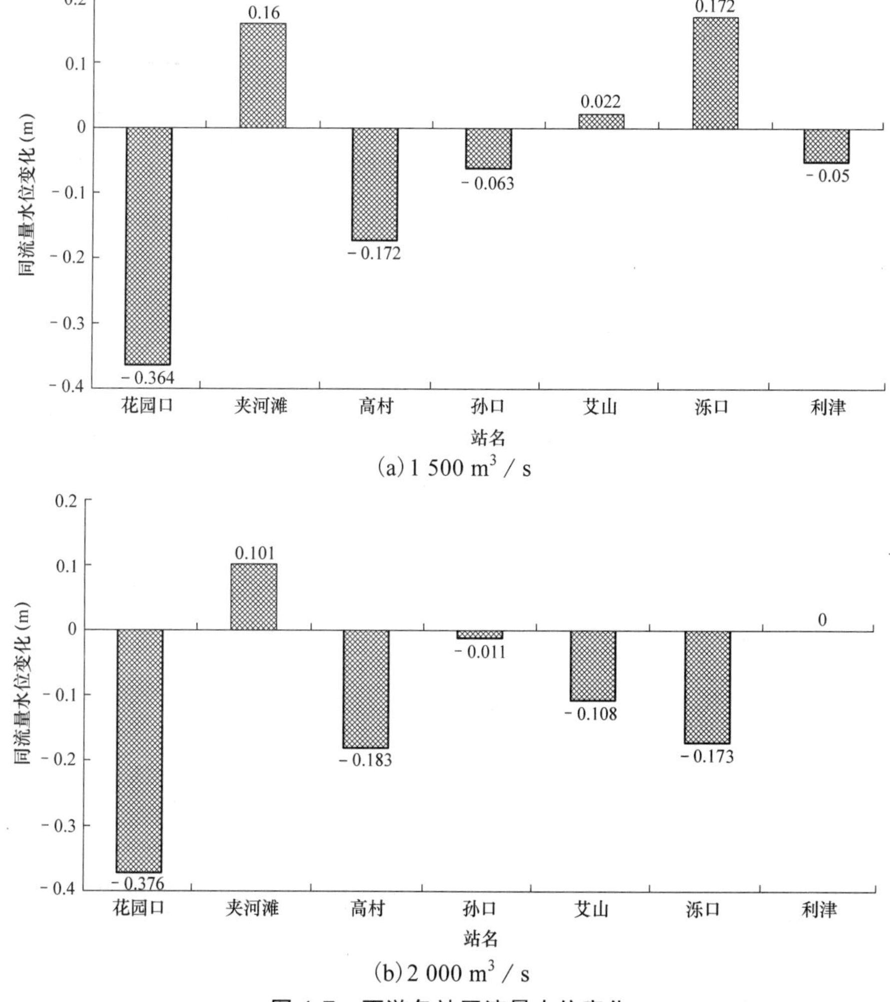

(a)1 500 m^3/s

(b)2 000 m^3/s

图 1-7　下游各站同流量水位变化

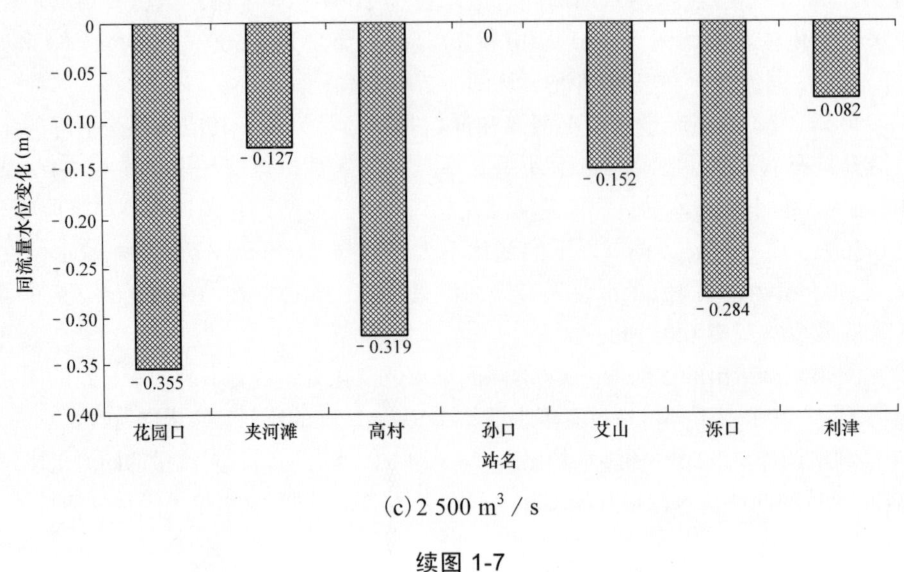

(c) 2 500 m³/s

续图 1-7

四、悬移质和床沙质颗粒级配变化

分析“8·24”洪水期间小浪底实测悬移质泥沙级配(见图 1-8)，可以看出，“8·24”洪水第一阶段涨水期，悬移质中值粒径很细，一般只有 0.005～0.008 mm，其后逐渐变粗，到第一阶段落水期粒径最粗达到 0.013 mm，随后又逐渐变细到 0.08 mm。

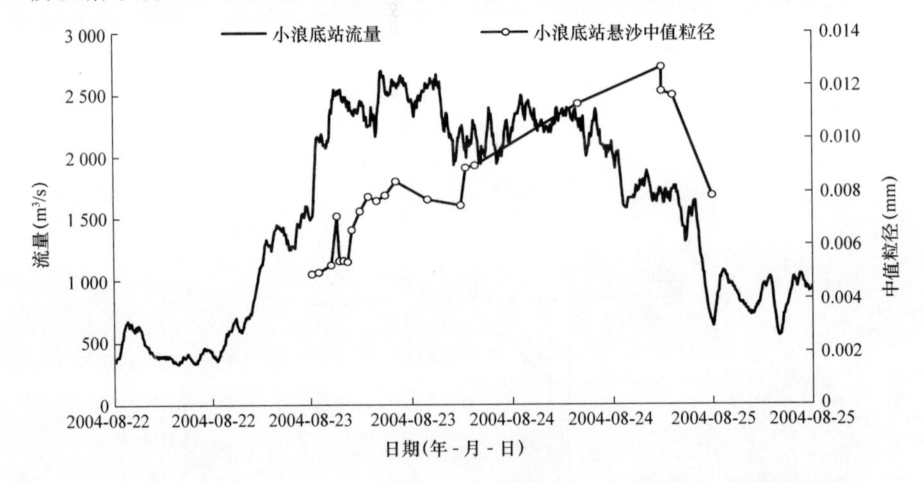

图 1-8　小浪底水文站悬移质泥沙中值粒径及其流量变化过程

与小浪底类似，花园口悬沙组成也经历了一个涨水阶段较细，中值粒径为 0.006 mm；其后逐渐变粗，最粗时中值粒径为 0.013 mm；随后又变细，中值粒径为 0.009 mm 的过程(见图 1-9)。

在床沙组成方面，“8·24”洪水过程中，花园口河段发生了较为明显的变化，“8·24”洪水以前以及涨水初期，水流含沙量将河床冲刷，河床明显粗化，8 月 24 日实测床沙中值粒径为 0.196 mm；“04·8”洪水涨水阶段，随着含沙量明显增多，同时由于来沙较细，河床泥沙组成迅速大幅度细化，到 8 月 24 日床沙中值粒径变细到 0.13 mm，8 月 25 日继续变细到 0.111 mm，其后基本稳定在 0.13～0.15 mm。

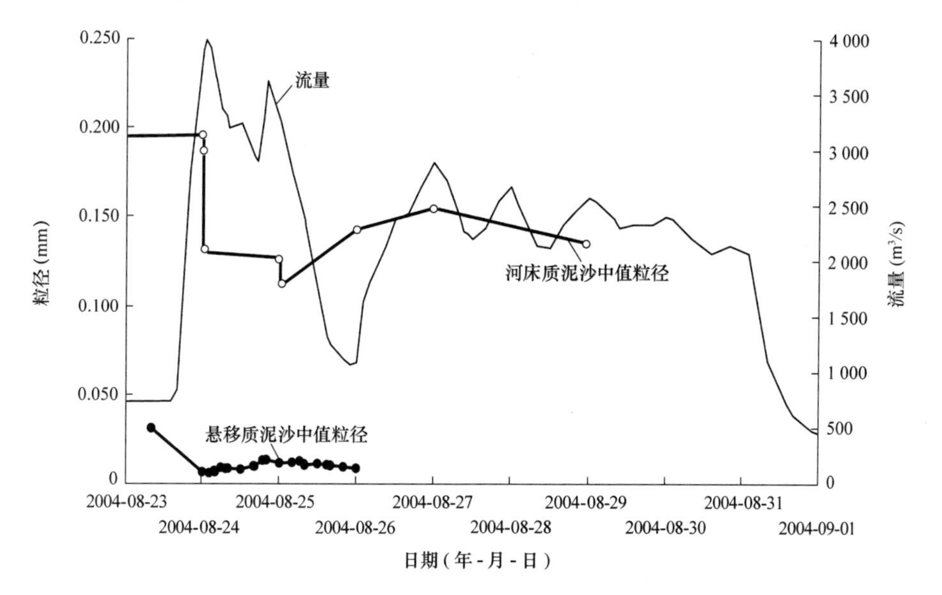

图 1-9　花园口悬移质、河床质泥沙中值粒径及其流量变化过程

第二章　高含沙洪水“异常”现象研究现状

一、以往“异常”现象的概况

高含沙洪水演进特性的不同主要是与历史上同量级的低含沙洪峰相比较而言的，主要包括洪水位高低、洪峰沿程坦化(削减)程度、洪水传播时间变化等3方面的指标。高含沙洪水由于来沙量大、造床作用强烈，特别是高含沙洪水在持续时间较长的条件下能够导致主槽强烈冲刷、引起水位—流量关系、流量—槽蓄量关系的变化，易于出现洪水水位偏高、小洪水大漫滩、洪峰流量沿程增大的异常现象。比如，在1973年8月(简称“73・8”)、1992年8月(简称“92・8”)均发生过洪水水位明显偏高、花园口洪峰流量明显增大的异常现象。类似的例子还有1970年、1977年、1988年，但异常现象不太明显。

同时，现有研究成果还表明，高含沙洪水在传播过程中出现异常现象还有两个共同的特点：一是均发生了较大范围的漫滩，二是沙峰一般出现在洪峰以前。洪水在较大范围内漫滩、槽蓄量(主要是滩地滞蓄洪水量)较大有利于因槽蓄量变化导致流量的沿程增减；沙峰在前易使最高洪水位以及相应的最大槽蓄量出现在洪峰以前，到洪峰出现时，水位反而偏低，槽蓄量减小，引起洪峰流量沿程增加。但“8・24”洪水不同，洪峰流量有沿程增大的现象，但并没有发生明显的漫滩。所有这些都充分表明黄河下游高含沙洪水演进规律的复杂性。

事实上，前述历次出现洪峰流量增大现象的高含沙洪水，其具体情况差别也是很大的：有漫滩的(如“92・8”)，也有未漫滩的(如“8・24”)；有流量大到 10 100 m^3/s 的(如1977年8月洪水，简称“77・8”)，也有流量小到不足3 000 m^3/s 的(如“8・24”)；最高含沙量有较低的(1988年8月洪水，简称“88・8”洪水，最大含沙量为216 kg/m^3)，也有高达941 kg/m^3 的(如“77・8”)；洪水历时也有长有短，次洪量和挟带的沙量有大有小；从悬移质泥沙组成看，泥沙有粗有细；从洪峰和沙峰出现的次序看，有的沙峰在洪峰之前，有的沙峰在洪峰之后(如“8・24”)。所有这些都进一步表明高含沙洪水期间发生流量沿程增大原因的复杂性。

二、对花园口洪峰流量增大产生原因的代表性观点

近年来对高含沙洪水异常现象开展过不同层次、不同规模的研究工作，积累了较为丰富的认识，对于花园口洪峰流量增大的原因提出过多种不同的设想。概括起来大致可以分为3类6种具有一定代表性的观点。

(一)第一类：局部沙坝和浆河、阵流类

1.局部沙坝“滞蓄—溃决”模式

在分析“73・8”洪水和“77・8”洪水花园口洪峰流量增大的原因时，部分研究者基于花园口以上河段流量—水位关系在峰顶附近同流量水位急剧抬升的现象，认为可能是在局部河段(更可能在河道宽浅散乱的河段)形成了局部沙坝、拦截水流，又在水流“聚

居”到一定程度后“溃决”，导致花园口水文站洪峰前期(涨水阶段)流量减小、在洪峰峰顶附近出现洪峰流量增大的异常现象。

2. 浆河、阵流—不稳定流模式

部分研究者[1]认为高含沙“浆河–溃决”、部分研究者[2]认为“滩地浆滞–恢复流动”是导致花园口洪峰流量增大的原因。

(二)第二类：主槽冲刷类

1. 主槽冲刷、沿程输沙率增大导致流量沿程增大的模式

针对1977年高含沙洪水的异常现象，部分研究者认为，河道的主流处于充分紊流状态，不会形成浆河，花园口站的洪峰流量大于上游站的原因，主要是由于主槽强烈冲刷、引起输沙率增大造成的[3][4]。

2.主槽强烈冲刷导致水位—流量关系的变化、显著改变漫滩洪水演进特性的模式

在分析“92·8”洪水花园口洪峰流量增大的原因时，部分人认为[5]，在高含沙洪水持续时间较长、沙峰出现在洪峰以前的条件下，河道断面形态调整经历“淤滩、形成相对窄深河槽—主流集中、导致主槽强烈冲刷”的过程，进而引起水位—流量关系和流量—槽蓄量关系具有“水位陡涨、槽蓄量增大、流量沿程减小—水位大幅度降低、槽蓄量(主要是滩地蓄水量)减少、流量沿程增大”的特点，水位—流量关系表现为较大的顺时针绳套曲线。最高洪水位以及相应的最大槽蓄量出现在洪峰以前，随后，流量上涨(一般上涨比较缓慢)但水位反而明显降低、槽蓄量减小，引起流量沿程增加；当水位陡落发生在洪峰峰顶附近时，即可能表现为洪峰流量的沿程增大。

(三)第三类：“挤压”、“积聚”类

即认为高含沙洪水流速增大、“挤压”或者“积聚”涨水阶段或涨水前平水期水流的模式。

1. 高含沙洪水流速大、“挤压”洪水涨水阶段水流导致洪峰流量增大的模式

“8·24”洪水异常现象出现以后，部分研究者认为，洪水涨水阶段含沙量小、流速低，后续洪水含沙量增加、流速逐步提高，致使涨水阶段水流受到“挤压”而逐渐变得尖瘦、洪峰流量增大，而不是一般洪水所表现出的“坦化”、洪峰流量降低。

2. 高含沙洪水运行速度快，“聚集”洪水前期、平水阶段的水流导致洪峰流量增大的模式

针对2004年“8·24”洪水异常现象，也有部分研究者认为，高含沙洪水流速较快，在其快速向下游推进的过程中，逐步将洪水前期以较小流速运行的平水阶段的水流逐步“聚集”(或者称为“收编”)，叠加到高含沙洪水的涨水阶段，导致洪峰流量沿程增大。

对于高含沙洪水流速增大的原因，认识上也存在较大的分歧，概括起来主要有4种具有一定代表性的观点：①以异重流排沙为主所形成的高含沙水流导致床沙迅速细化、

---

[1] 方宗岱，浆河形成规律的初步探讨，1977年10月。

[2] 许文沩，黄河下游河道高含沙洪水，《水文》，1982年第3期。

[3] 齐璞，黄河高含沙洪水的河床演变与输移特性，1981年10月。

[4] 齐璞，黄河高含沙洪水输移特性及其河床形成，水利学报，1982年9月。

[5] 齐璞，1992年8月黄河下游高含沙洪水输移与演变特性分析，黄河水利委员会，“92·8洪水”分析组，1992年12月。

糙率减小、流速增大；②高含沙洪水期主槽大幅度缩窄、横断面形态趋于窄深、水力半径增大、流速增大；③洪水涨水阶段附加比降大导致流速增大；④高含沙水流重度(容重)大导致流速增大。

总体上来说，以上各种设想，从不同侧面解释了高含沙洪水演进过程中出现洪峰流量增大现象的原因，丰富了对黄河下游洪水演进特性的认识，但大部分成果都以定性为主，并且各种解释都不同程度地存在不能自圆其说的现象。像前面所说的“挤压”假说，就不太好解释“花园口洪峰流量出现时，含沙量只有 11 kg / m^3，并不属于高含沙现象”；如果说是因为附加比降所致，又不太好解释“在 3 次调水调沙试验过程中，附加比降同样很大，但并没有出现异常的现象”。因此，现有研究成果还难以完全满足治黄要求，亟须对异常现象发生的机理进行研究，为科学制定高含沙洪水防洪调度预案提供参考依据。

第三章 “8・24”高含沙洪水流量沿程增大原因初步探讨

充分利用已掌握的各种资料，对“8・24”高含沙洪水小浪底—花园口河段洪峰流量沿程增大的原因进行了初步探讨，初步分析认为，高含沙洪水期间，花园口以上河段没有形成“浆河”、出现“阵流”现象。花园口以上河段洪峰流量沿程增大主要有以下两方面的原因：一是黑石关和武陟至花园口无控制区的区间加水的影响；二是在河床前期以下泄清水为主，主槽大量冲刷，高含沙洪水运行速度较快，“挤压”运行较慢、含沙量较低的洪水形成叠加。而造成高含沙水流流速快的主要原因在于：①床沙粗化的边界条件下，通过泥沙组成很细的高含沙水流，床沙迅速细化，致使“8・24”洪水高含沙阶段河床糙率比涨水初期及其以前的清水阶段的糙率明显减小；②高含沙洪水过程中，淤滩刷槽，使断面趋于窄深规顺，边界阻力减小，水力半径有所增大，即沿程塑槽作用的结果。

一、“8・24”洪水期间花园口以上河段没有形成“浆河”、出现“阵流”现象

在含沙量达到一定浓度后，高含沙水流将表现出非牛顿体的特性。在水流条件相对较弱的条件下，能够发生“浆河”，出现高含沙水流“走走停停”的“阵流”现象，从而导致流量沿程增大。已有试验研究结果表明，“浆河”等不稳定流现象只能发生在均质流、层流流态的条件下，如果是非均质流，则不会发生浆河现象。“8・24”洪水期间，含沙水流均处于充分紊流区，没有出现“浆河”、“阵流”现象。

图 3-1 是“8・24”洪水期间小浪底水文站的实测最大输沙率测次的悬移质泥沙组成曲线。该测次施测于 8 月 23 日 18 时 36 分～19 时 42 分，流量 2 340 m^3/s，含沙量 343 kg/m^3，悬移质泥沙中值粒径 0.009 2 mm。根据该测次悬移质泥沙颗粒级配，可计算出泥沙的总表面面积为 $6\sum_{i=1}^{9}\frac{p_i}{d_i}$ 为 1 547.6，总表面面积计算过程见表 3-1。

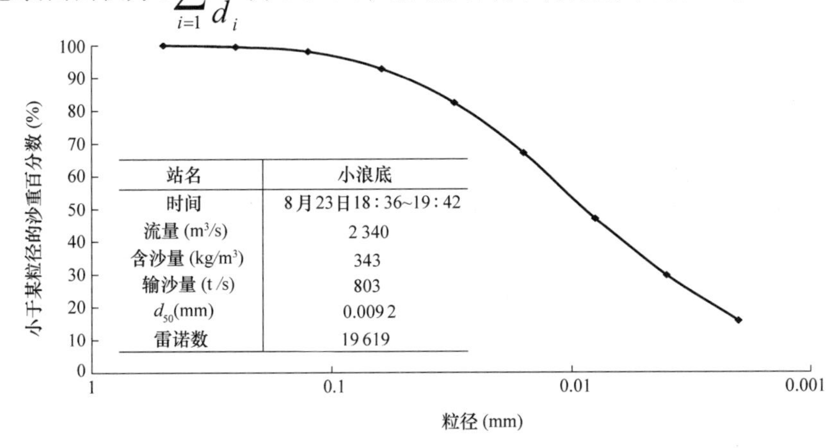

图 3-1 “8・24”洪水期间小浪底水文站的实测最大输沙率测次的悬移质泥沙组成曲线

表 3-1　泥沙总表面面积计算

粒径(mm)	0.002	0.004	0.008	0.016	0.031	0.062	0.125	0.25	0.5
小于该粒径的沙重百分数(%)	15.64	29.55	46.97	67.04	82.32	92.79	98.08	99.53	100.00
d_i	0.001	0.003	0.006	0.012	0.023 5	0.046 5	0.0935	0.187 5	0.375
p_i	15.64	13.91	17.42	20.07	15.28	10.47	5.29	1.45	0.47

由 $6\sum_{i=1}^{9}\dfrac{p_i}{d_i}$，可在 $6\sum_{i=1}^{9}\dfrac{p_i}{d_i}\sim S_{vm}$（极限体积含沙量）关系曲线上可查得 S_{vm} 为 0.435。而含沙量 343 kg / m^3 的体积含沙量为 0.129。由此求得浑水的刚度系数 η 和雷诺数 Re'：

$$\eta=\mu\left(1-\frac{S_v}{S_{vm}}\right)^{-2} \tag{3-1}$$

式中：μ 为清水在 25℃时的黏性系数，取 0.000 894，算得 η 为 0.02。

$$Re'=\frac{4\rho v}{\eta} \tag{3-2}$$

式中：ρ 为浑水密度，ρ 取值 1.214 t / m^3，可计算浑水雷诺数为 19 619，远大于临界雷诺数 2 000。

这表明，小浪底站在最大输沙率期间呈充分紊流状态，而不会进入层流。

采用同样的方法对小浪底站其他测次和花园口断面各测次进行计算，其雷诺数都远大于临界雷诺数，说明“8・24”洪水期间小浪底—花园口河段的高含沙水流都是呈充分紊流状态，不会发生诸如“浆河”和“阵流”等不稳定流现象。

“8・24”洪水期间小花间没有出现“浆河”、“阵流”现象，可以用从洪水期小花间各险工水尺水位过程(见图 3-2)得到验证。“浆河”、“阵流”现象出现，必然伴随较为明显的水位上下波动，水位过程呈较大的“锯齿状”。但从“8・24”洪水过程中，水位、流量均没有出现大幅度的波动。

二、引起流量沿程增大的一般原因

引起流量沿程增大的主要原因可能有：①区间加水；②冲刷使沿程含沙量显著增加，引起浑水水体的增加，从而引起流量增加[❶❷]；③流量测验错误或误差；④其他原因。

首先，冲刷不是引起花园口断面洪峰流量偏大的原因，因为花园口涨水阶段的含沙量在 4～11 kg / m^3 之间变化，远低于小浪底站的含沙量 60～346 kg / m^3，完全可以排除是由于单纯的冲刷引起的流量增大。

其次，小黑武—花园口未控区加水对洪峰沿程增大有一定的影响。干流小浪底、伊洛河、黑石关和沁河武陟至花园口无控制区面积 4 372 km^2，该区间降雨加水能够在一定

❶ 李勇，黄河下游高含沙洪水输移特性及数学模型，西安理工大学硕士论文，1997 年。

❷ 齐璞，赵业安等，1977 年高含沙洪水在黄河下游河道的演变与输移分析，黄河水利委员会，1984 年 4 月。

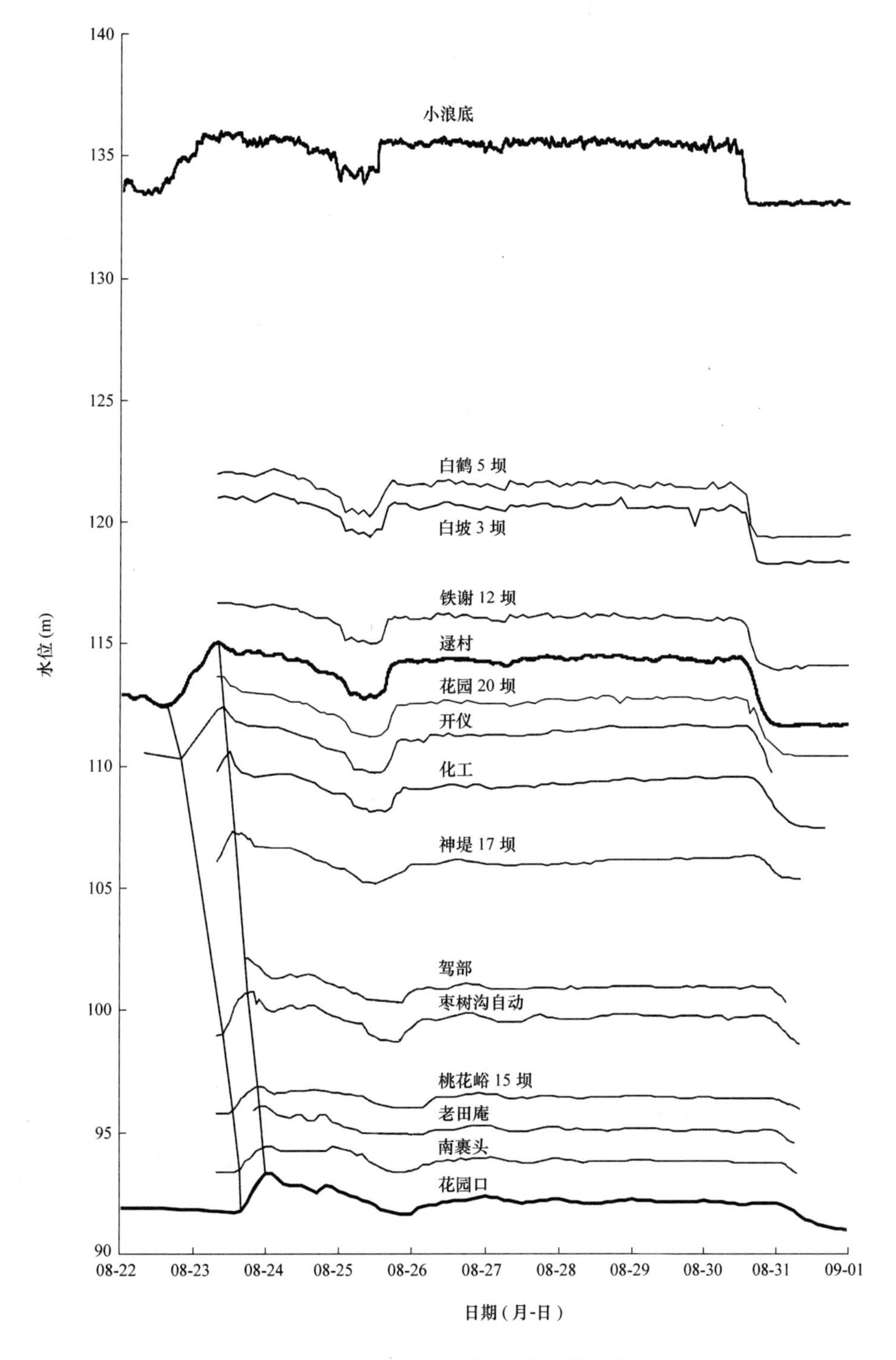

图 3-2　小花间水位观测点的水位过程线

程度上使花园口流量增大，“8·24”洪水期间，区间加水对花园口洪峰的影响主要表现在以下 3 个方面：

(1) 花园口站前期的基流比小黑武的大。统计表明洪水起涨前 24 h 花园口站的径流量为 0.72 亿 m^3，小黑武 3 站的径流量为 0.63 亿 m^3，二者相差 0.09 亿 m^3，折算为平均流量，洪水起涨前花园口断面比小黑武约大 104 m^3/s。

(2) 花园口洪水起涨时刻为 8 月 23 日 14 时，相应流量为 760 m^3/s，小浪底站洪水起涨时刻 8 月 22 日 12 时 36 分，相应流量为 350 m^3/s，考虑黑石关和武陟加入流量约 200 m^3/s，则花园口断面的流量较小黑武偏大 210 m^3/s。

(3) “8·24”洪水小浪底站第一阶段的洪水历时为 2.81 d，花园口历时为 2.39 d，花园口洪水历时比小黑武短 0.42 d，合 10.08 h，但花园口站的水量(5.32 亿 m^3)仍然比小黑武的水量(4.77 亿 m^3)大 0.55 亿 m^3，如果将这 0.55 亿 m^3 的水量平均分配在花园口的 2.39 d 内，将使花园口的平均流量增大 263 m^3/s。

由此可见，由于起涨时刻流量不同或者区间水量不平衡，可能造成花园口断面平均流量偏大约 263 m^3/s，占花园口断面洪峰流量流量偏大总数 1 100 m^3/s 的 23.9%，或者说除水量不平衡外引起的流量增大量为 837 m^3/s。

最后，“8·24”洪水期间，花园口以下各水文站(夹河滩、高村和孙口等)径流量和花园口差别不大，说明花园口站没有明显的测验错误。

三、“8·24”洪水流速偏大的原因分析

复式河床影响洪水传播速度主要取决于断面平均流速和河道横断面形态，断面平均流速越大，河道横断面形态越窄深，洪水传播速度越大，具体可表达为[1]

$$\omega = v\left(\frac{5}{3} - \frac{2R}{3B}\frac{\partial B}{\partial y}\right) \tag{3-3}$$

式中：ω为洪水传播速度；v 为断面平均流速；R 为水力半径；B 为水面宽；$\frac{\partial B}{\partial y}$ 为水面宽在垂直方向的变化率。

令 $k=\left(\frac{5}{3} - \frac{2R}{3B}\frac{\partial B}{\partial y}\right)$，当河槽形态为矩形时，$\frac{\partial B}{\partial y}=0$，$k=\frac{5}{3}$；当河槽横断面形态为三角形或抛物线形时，$\frac{B}{R} > \frac{\partial B}{\partial y} > 0$，$k=1 \sim \frac{5}{3}$；若河槽为宽浅形，$\frac{\partial B}{\partial y} > \frac{B}{R} > 0$，$k < 1$。

根据曼宁公式，断面平均流速

$$v = \frac{1}{n}R^{2/3}\sqrt{J} \tag{3-4}$$

式中：n 和 J 分别为糙率和比降。

从曼宁公式知，在糙率和比降不变的情况下，水深的增加会使流速增大。如果断面形态变得窄深，则会导致同流量水深增加，从而引起断面平均流速增大。

---

[1] 日本土木学会主编，水理公式集（昭和 46 年改订版），第 181 页，昭和 47 年 2 月 10 日。

“8 · 24”洪水小浪底水库高含沙水流出库的时间是 8 月 22 日 8 时，在此之前，小浪底—花园口之间河道基流小于 700 m^3 / s，这些槽蓄水流以 1.0 m / s 以下的流速缓慢运行(见图 3-3)。从 8 月 22 日 8 时小浪底水库下泄高含沙水流开始，到花园口站 8 月 24 日出现洪峰流量这段时间，流量突然增大，流速也明显加快。点绘花园口站包括“8 · 24”洪水在内的近 3 场洪水的流量与流速关系(见图 3-4)，发现“8 · 24”洪水同流量流速大大高于前面的两场洪水。高含沙洪水以明显快于其前期基流的流速运行，挤压前面“8 ·24”洪水涨水阶段和洪水前期部分槽蓄量，形成叠加，从而出现了花园口站洪峰流量大于小浪底站的异常现象。

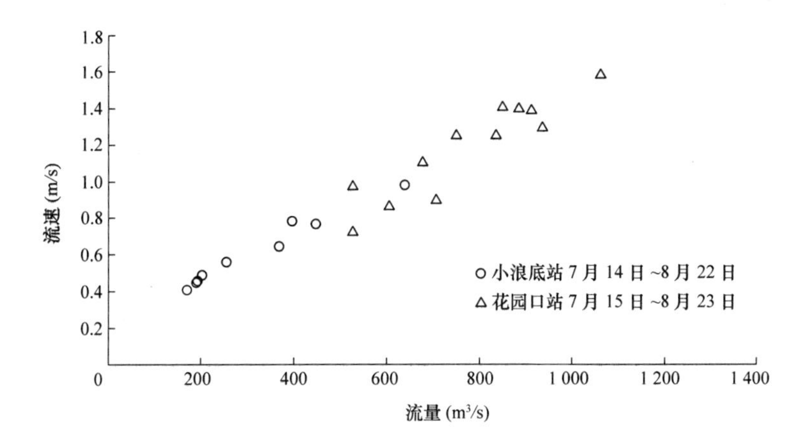

图 3-3 “8 · 24”洪水前期槽蓄水流流量流速关系

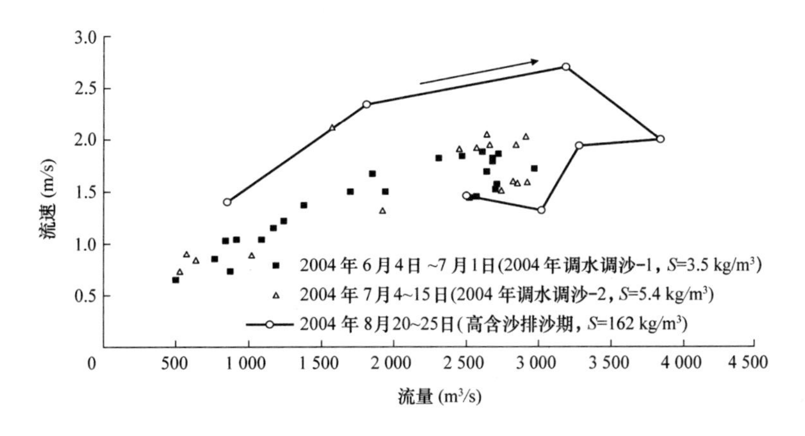

图 3-4 花园口站的流速与流量关系

为说明“8 · 24”洪水小浪底和花园口站流量过程线的差异，图 3-5 给出了“经过处理的”小黑武和花园口的流量过程，所谓的“处理”包括：

(1)将小浪底和黑石关、武陟的流量过程叠加在一起，作为小黑武的流量过程。

(2)将小黑武流量过程线“抬高”，使得“8 · 24”洪水前后的小流量过程线基本吻合，以比较在基流流量一致的情况下，花园口和小黑武流量过程线的差异，也就是补充了小黑武—花园口区间的平均入注流量。

(3)将花园口站的流量过程线向左平移 16 h(相当于平均传播时间)，使两站“8·24”洪水第二阶段的流量过程尽可能重叠。

经过这样的“处理”，就可十分明显地看到，“8·24”洪水第二阶段的流量过程是基本“正常”的。第一阶段花园口站洪水历时明显比小黑武短，流量过程明显尖瘦。涨水初期水流含沙量低、流速较慢，而后续水流含沙量高、流速加快，流量过程不断“挤压”，使花园口洪峰流量明显增大。同时，前期低含沙洪水被后续高含沙洪水吸纳，也使得花园口洪水初期含沙量明显降低。另外，从花园口站 2.39 d 的洪峰径流量仍比小黑武 2.81 d 的径流量偏大 0.55 亿 m^3(折合花园口流量 263 m^3/s)，可能是部分前期槽蓄量被“收编”对花园口洪峰流量 3 990 m^3/s 的贡献。

造成小浪底—花园口河段流速增大的主要原因，是由于“8·24”高含沙洪水水流糙率比较小，以及高含沙水流强烈的塑槽作用对断面形态的剧烈调整作用，引起断面形态显著地调整为相对窄深断面；而相对前期的宽浅形态而言，窄深的断面不但使断面平均流速变大，而且受断面平均流速的影响，洪水的运行速度将会增加更大。

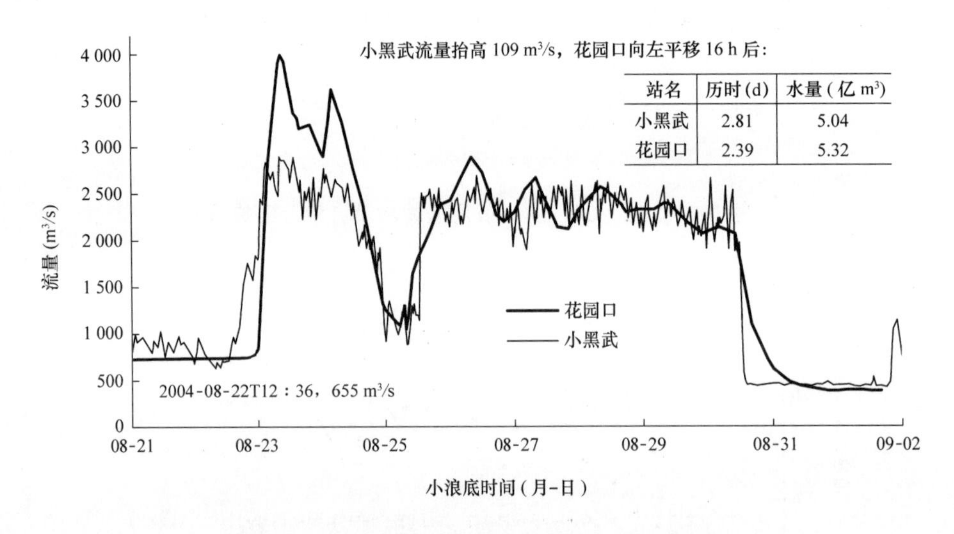

图 3-5 小黑武和花园口的流量过程线形状比较

(一)小浪底—花园口河段前期槽蓄量分析计算

计算前期槽蓄量有两种办法：一是径流量法，二是用大断面法。

1.径流量法

小浪底站高含沙洪水流量开始起涨的时间是 8 月 22 日 8 时，花园口高含沙洪水的起涨时间为 8 月 23 日 8 时，即认为小浪底站到花园口站的基流的传播时间大约为 24 h。24 h 小花间的槽蓄量可以通过计算前 24 h(8 月 21 日 8 时～22 日 8 时)内小浪底站的径流量而得到。经计算，8 月 21 日 8 时～22 日 8 时期间，小浪底水文站的径流量为 0.393 4 亿 m^3，黑石关的径流量为 0.112 4 亿 m^3，沁河口距离花园口较近，其对小花间槽蓄量的影响可不考虑，则花园口“8·24”洪水涨水前小花间的槽蓄量估计为 0.505 8 亿 m^3。

2.大断面计算法

7 月 14～16 日期间，有一次统测大断面，小浪底—花园口之间共有 55 个实测大断面，当时的流量在 440～711 m^3/s 之间，根据大断面的实测水位，计算的槽蓄量为 1.205 亿 m^3。“8·24”洪水前期，小浪底站的流量大体上和该次大断面统测时的流量相当，故小浪底站“8·24”洪水起涨前小花间的槽蓄量也基本上是 1.205 亿 m^3。

可见，花园口“8·24”洪水涨水前的槽蓄量在 0.51 亿～1.21 亿 m^3 之间，平均为 0.855 亿 m^3，完全有可能是引起花园口洪峰流量增大的部分水量。

（二）近 3 场洪水的流速变化

点绘花园口站 2004 年调水调沙试验第一场、第二场洪水以及“8·24”洪水的流量流速关系（见图 3-4），发现在涨水阶段，高含沙洪水的同流量的平均流速明显大于前两场洪水 0.5 m/s。

（三）流体密度对流速的影响

根据牛顿第二定律，对于机械运动有

$$F=ma \tag{3-5}$$

式中：F 为作用于物体的力，N；m 为物体的质量，kg；a 为物体运动的加速度，m/s^2。

如图 3-6 所示，假设有一体积为 V、密度为ρ的物体在坡度为θ的斜面上运动，则物体所受的重力为

$$G=V\rho g \tag{3-6}$$

推动物体运动的力为物体所受重力沿斜坡方向上的分量

$$F=V\rho g\sin\theta \tag{3-7}$$

式中：g 为重力加速度。

因此，物体沿斜坡运动的加速度 a 为

$$a=\frac{F}{m}=\frac{V\rho g\sin\theta}{V\rho}=g\sin\theta \tag{3-8}$$

即物体沿斜坡运动的加速度与物体的质量或密度无关。这样，一个以 V_0 为起始运动速度的物体，则经过 t 时间后，运动速度增加到

$$V=V_0+at \tag{3-9}$$

即

$$V=V_0+gt\sin\theta \tag{3-10}$$

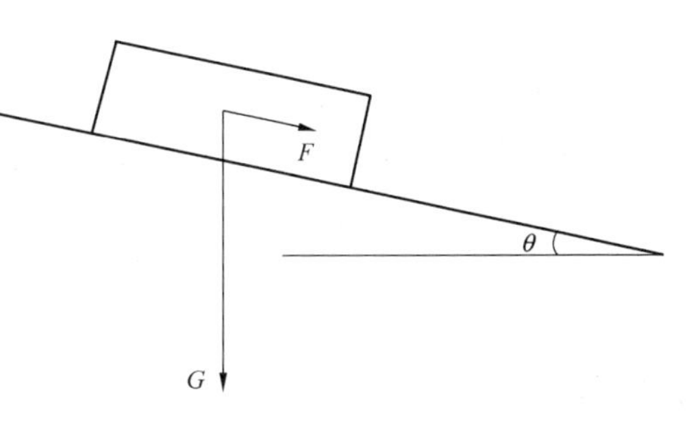

图 3-6　物体沿斜面运动示意

也就是说，对于机械运动，物体运动速度不会因密度的增加而增加。

牛顿运动定律正确表达了物体运动的自然规律，它同样适应于黏滞性流体运动规律。实际上，基于牛顿运动定律推导出的黏性流体运动的微分方程，就是著名的纳维埃·司托克斯方程，即

$$\left(-\frac{\partial p_x}{\partial x}+\frac{\partial \tau_{yx}}{\partial y}+\frac{\partial \tau_{zx}}{\partial z}\right)\delta x\delta y\delta z+X\rho\delta x\delta y\delta z=\rho\delta x\delta y\delta z\frac{\mathrm{d}u_x}{\mathrm{d}t} \tag{3-11}$$

它是液体运动和液体所受力之间的数学表达式。对于天然河流均匀流，当流体在一个斜角为 θ 的斜坡上运动，可以认为流体在 xOy 平面上，流体的各项水力因子如图 3-7 所示。

于是有

$$\begin{cases} X-\dfrac{1}{\rho}\dfrac{\partial p}{\partial x}+\dfrac{\mu}{\rho}\left(\dfrac{\partial^2 u_x}{\partial x^2}+\dfrac{\partial^2 u_x}{\partial y^2}\right)=u_x\dfrac{\partial u_x}{\partial x}+u_y\dfrac{\partial u_x}{\partial y} \\ Y-\dfrac{1}{\rho}\dfrac{\partial p}{\partial y}+\dfrac{\mu}{\rho}\left(\dfrac{\partial^2 u_y}{\partial x^2}+\dfrac{\partial^2 u_y}{\partial y^2}\right)=u_x\dfrac{\partial u_y}{\partial x}+u_y\dfrac{\partial u_y}{\partial y} \\ X+\dfrac{\mu}{\rho}\dfrac{\partial^2 u_y}{\partial y^2}=0 \\ Y-\dfrac{1}{\rho}\dfrac{\partial p}{\partial y}=0 \end{cases} \tag{3-12}$$

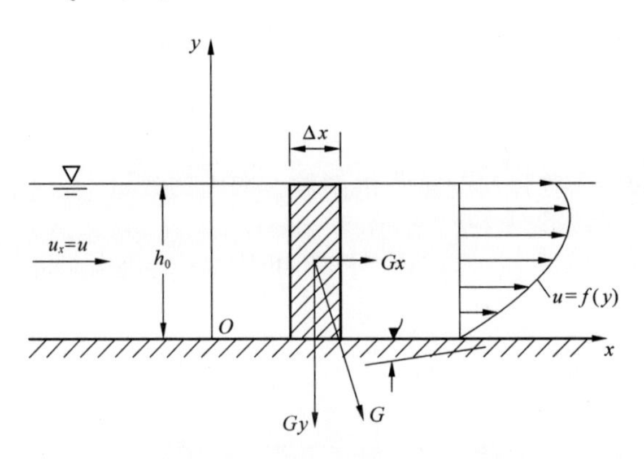

图 3-7　二维流体在斜坡上的运动示意

这样，再根据二元水流的特殊性和流体运动的边界已知条件及合理简化，最终可从纳维埃·司托克斯方程中求解出流体的运动速度的表达式为

$$v=\frac{1}{h_0}\int_0^{h_0}u\,\mathrm{d}y=\frac{\rho g h_0^2\sin\theta}{3\mu} \tag{3-13}$$

式中：μ为动力黏滞系数，考虑到流体的动力黏滞系数是流体密度ρ和运动黏滞系数ν的乘积，即

$$\mu=\rho\nu \tag{3-14}$$

可得到

$$v=\frac{1}{h_0}\int_0^{h_0}udy=\frac{g h_0^2\sin\theta}{3\nu} \tag{3-15}$$

即对于一定的流体，流体的运动速度和它的密度无关。更确切地说，就是对于均质均匀流，并且流体的边界条件在运动过程中不发生改变的情况下，流体密度的增加不会增加流体的运动速度。

在排除了流体的密度对流速的影响后，影响水流流速的因素就可用曼宁公式来解释。因此，引起流速增加的原因有：①比降增大；②糙率减小；③河槽形态变得窄深。

（四）附加比降对流速的影响

附加比降是指洪水波水面比降与同水位均匀流水面比降的差。某一水质点（而不是流路纵向空间上的两点）在一个很短的时间内，它在水平方向的位移是 ∂x，在垂直方向上向上的位移是 ∂y，那么附加比降可按下式计算

$$\Delta J = \frac{\partial y}{\partial x} \tag{3-16}$$

因此，对于水面一个水质点，从时刻 t_1 到时刻 t_2 的时段（Δt）内水位由 Z_1 变化到 Z_2，水位的变化量为ΔZ，水质点在流线方向运行的距离为ΔX，则附加比降ΔJ 可按下式计算

$$\Delta J = \frac{Z_2 - Z_1}{\Delta X} = \frac{\dfrac{Z_2 - Z_1}{t_2 - t_1}}{\dfrac{\Delta X}{t_2 - t_1}} \tag{3-17}$$

通常水面的流速接近实测最大流速，即

$$\frac{\Delta X}{t_2 - t_1} \approx V_{\max}$$

其中 $V_{\max}$ 为最大流速，于是附加比降可按下式计算

$$\Delta J = \frac{\dfrac{Z_2 - Z_1}{\Delta t}}{V_{\max}} \tag{3-18}$$

与大河比降相比，附加比降的绝对量是很小的。利用实测流量资料，根据上式计算花园口“8·24”洪水附加比降最小为–0.18‱，最大为洪峰附近时的 0.082‱。可见，附加比降对流速的影响很小。

（五）比降和糙率对流速的影响分析

比降和糙率是相互独立的影响水流流速的两个物理量。在其他条件相同的情况下，比降越大，流速越大；糙率越小，流速越大。

糙率反映了河床边界阻力对水流的综合影响。冲积性河流的糙率影响因素复杂，通常包括河床组成、河床形态、沙波发育程度以及水流黏滞性等方面的影响，目前还没有很好的办法能够准确计算糙率，一般通过实测资料进行反求。著名的商品化河道水流数学模型 Delft-3D Flow 在处理糙率时，也是通过实测资料反求或者通过使用者的经验确定的。

利用实测资料反求糙率，必然要用到水面比降这一因子，而该因子在洪水过程中随机性很大，比降的不确定性必然会对反求的糙率带来极大影响[❶]。

黄河下游游荡性河段流性多变，并且受局部河势、河道整治工程等局部边界条件的

---

❶ 孙赞盈，黄河下游河宽缩窄对洪水位影响的研究，2003 年。

影响，实测到的水文站断面比降变化很大。初步分析表明，黄河下游水面比降的变化与洪水期含沙量大小似乎没有必然联系。图 3-8 点绘了 1977 年、1982 年等典型高含沙洪水和低含沙洪水的实测流量比降关系，图中标出的数字为含沙量。可以看出，1982 年洪水含沙量均在 50 kg / m^3 以下，实测水面比降为 3‱～7‱，而 1977 年洪水含沙量高达 432.4 kg / m^3，相应水面比降为 1‱～4‱，低含沙洪水的比降明显大于高含沙洪水。

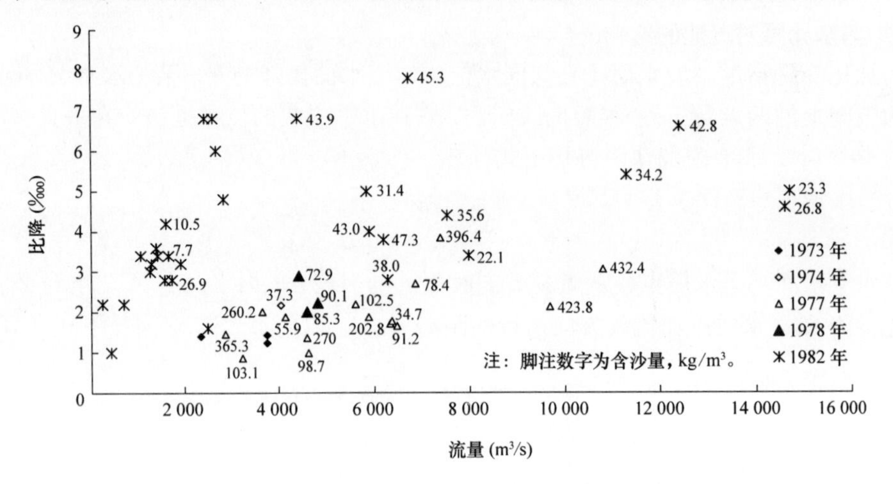

图 3-8　流量、含沙量与实测比降的关系

可见，对于黄河下游河道，尤其游荡性河道，比降变化不是主要影响因素。实测资料表明，将比降和糙率联系起来，以 $\sqrt{J}/n$ 综合反映河床边界对过流能力的影响相对更好一些。

小浪底断面平均流速与流量具有较好的相关关系(见图 3-9)。两场调水调沙试验洪水和“8 ·24”高含沙洪水期 $\sqrt{J}/n$ 与流量之间的相关关系也没有发生明显的变化(见图 3-10)。有关文献[1]对小浪底水文站断面进行了套绘分析表明，“8 · 24”洪水期间小浪底站的断面形态没有明显变化。可见，与前两次调水调沙试验洪水相比，小浪底站的糙率和断面形态都没有明显的改变。

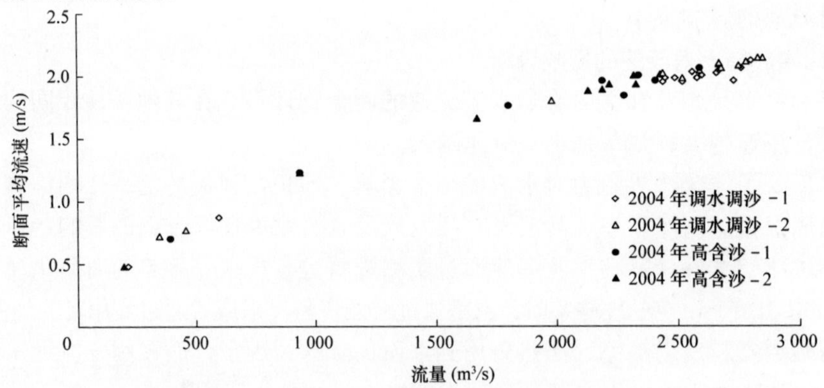

图 3-9　小浪底站流量与断面平均流速关系

[1] 河南水文水资源局，黄河调水调沙生产运用小浪底、花园口水文站流量测验分析，2004 年 8 月。

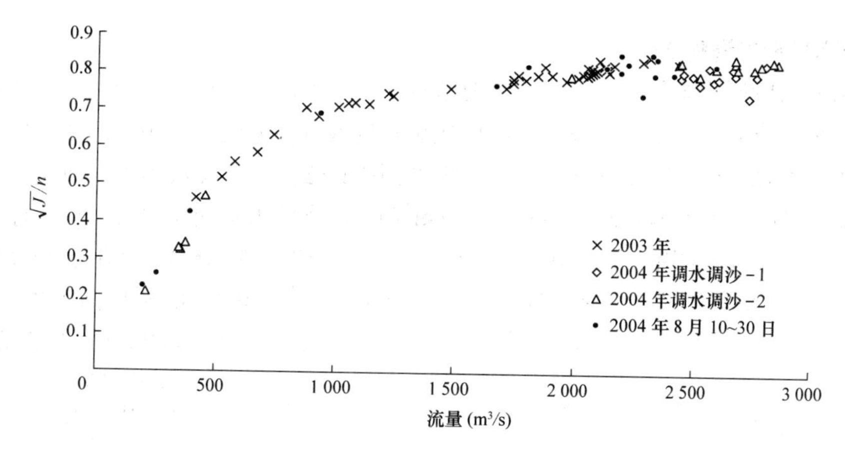

图 3-10 小浪底站 $\sqrt{J}/n$ 与流量关系

表 3-2 列出了花园口站“8・24”高含沙洪水洪峰流量时的实测比降和反求的糙率，由于实测比降很大，为 6.2‱，由此反求得到的糙率也明显偏大，为 0.028。$\sqrt{J}/n$ 为 0.889(见表 3-2)，与 2004 年调水调沙试验期洪水相比，变幅相对较小。

表 3-2 花园口站高含沙最大实测流量期间的比降和糙率

日期 (月-日)	开始时间 (时:分)	结束时间 (时:分)	流量 (m^3 / s)	比降 (‱)	糙率	$\sqrt{J}/n$
08-24	02:12	03:48	3 840	6.2	0.028	0.889

分析花园口站“8・24”高含沙洪水和 2004 年其他场次洪水的 $\sqrt{J}/n$ 和流量之间的关系(见图 3-11)表明，除 2004 年调水调沙试验期第二阶段流量为 1 570 m^3 / s 的测次 $\sqrt{J}/n$ 为 1.37，有些反常偏大外，涨水阶段“8・24”洪水的 $\sqrt{J}/n$ 比其他清水场次洪水大 17%左右。$\sqrt{J}/n$ 变大，说明糙率在变小。然而，这还不足以解释同流量流速增大的全部原因。可以知道，在其他因素一定的情况下，流速和 $\sqrt{J}/n$ 成正比，从前文的叙述知，同流量流速增大约 30%。这说明，流速增大还有其他因素的影响。

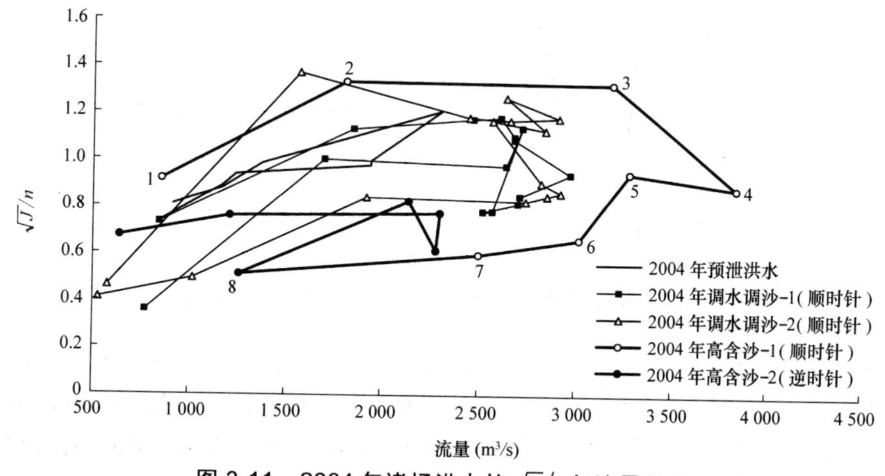

图 3-11 2004 年诸场洪水的 $\sqrt{J}/n$ 与流量关系

（六）河槽形态调整变化

小浪底河段属于峡谷形河道，河床为卵石组成。“8·24”洪水期间，水文站断面的糙率和断面形态没有发生显著的改变。与两次调水调沙试验期间洪水相比，花园口断面不但糙率发生了变化，断面形态也发生了较大变化。图 3-12 点绘了 4 次洪水水面宽与过水面积相关关系。可以看出过水面积 1 100～1 700 m^2 时，高含沙洪水同面积水面宽只有 400 m 左右，比前几次洪水水面宽缩窄 200～300 m。8 月 24 日 17 时 33 分高含沙洪水场次的水面宽为 800 m，而深槽部分也只有 500～600 m（见图 3-13）。等面积 1 300 m^2 的河相系数由原来的 13 $m^{1/2}/m$ 减小到 7 $m^{1/2}/m$，意味着河槽大大缩窄、河道横断面形态明显趋于窄深方向发展。

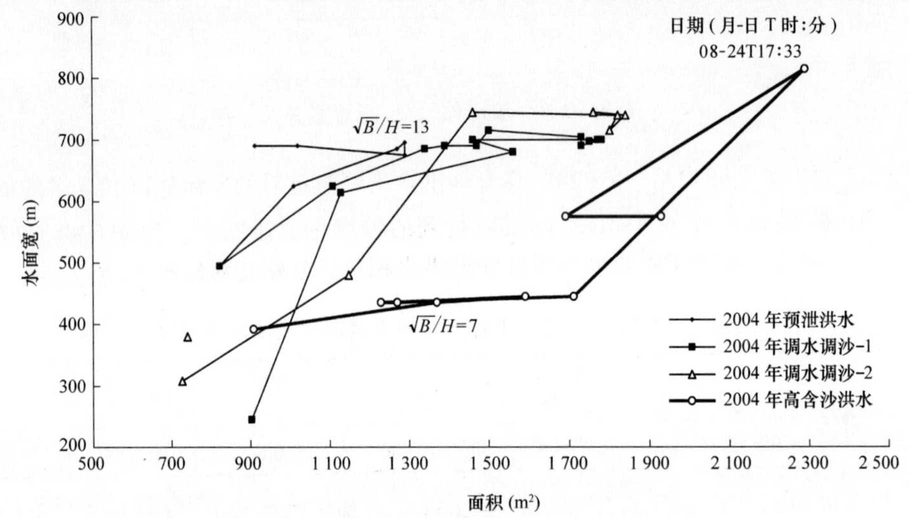

图 3-12　花园口断面水面宽与过水面积关系（基下 2 100 m）

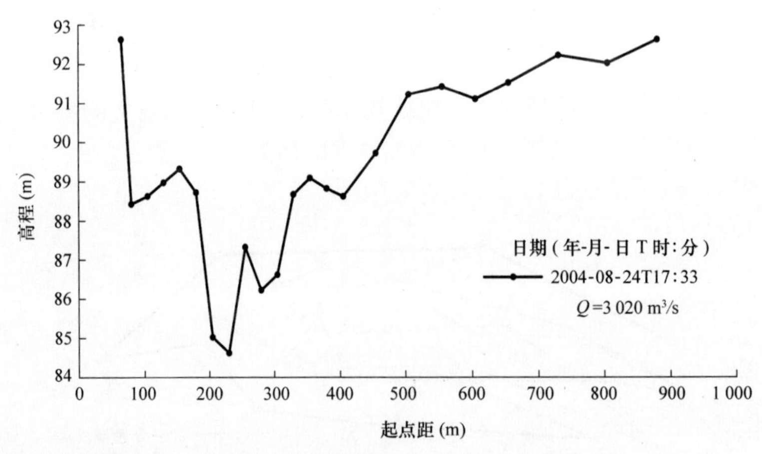

图 3-13　花园口测流断面（8 月 24 日，基下 2 100 m）

在糙率和比降相同的条件下，同样过水面积条件下，河槽越窄深，流速越大。图 3-14 是基于曼宁公式计算的等面积 1 300 m^2 条件下，河相系数与流速的相关关系，其中糙率按 0.012，比降按 2‱考虑，河相系数 13 $m^{1/2}/m$ 的流速为 1.85 m/s，而河相系数 7 $m^{1/2}/m$ 的流速为 2.44 m/s，说明断面形态对流速的影响也是十分明显的。

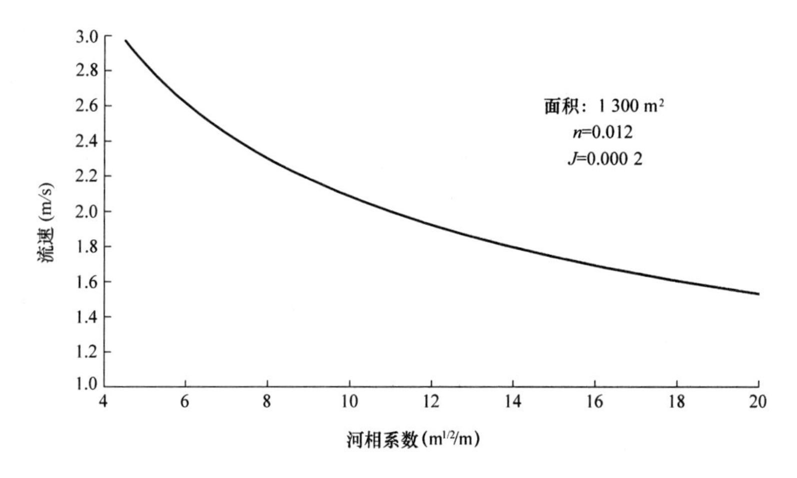

图 3-14　等面积 1 300 m^2 流速与河相系数的关系

"8·24"高含沙洪水期间"滩淤槽冲"、断面形态趋于窄深方向发展的塑槽作用，还可以通过下面两种资料加以证实。

1.小浪底和花园口水文站的沙峰对应关系及沿程变化

"8·24"洪水小浪底站有 3 次明显的沙峰(图 3-15 中标出的 a、b、c)，花园口站也有 3 次明显的沙峰(图 3-15 中标出的 A、B、C)。统计小浪底和花园口站 3 次沙峰出现的时间以及沙峰出现的时间间隔(见表 3-3)可以看出，第一次和第二次沙峰间隔 12 h 左右，第一次和第三次之间间隔 26 h。从小浪底和花园口站 3 次沙峰的时间间隔基本一致可以判断，3 次沙峰是分别一一对应的。第一次沙峰在小浪底含沙量为 282 kg / m^3，到了花园口降低为

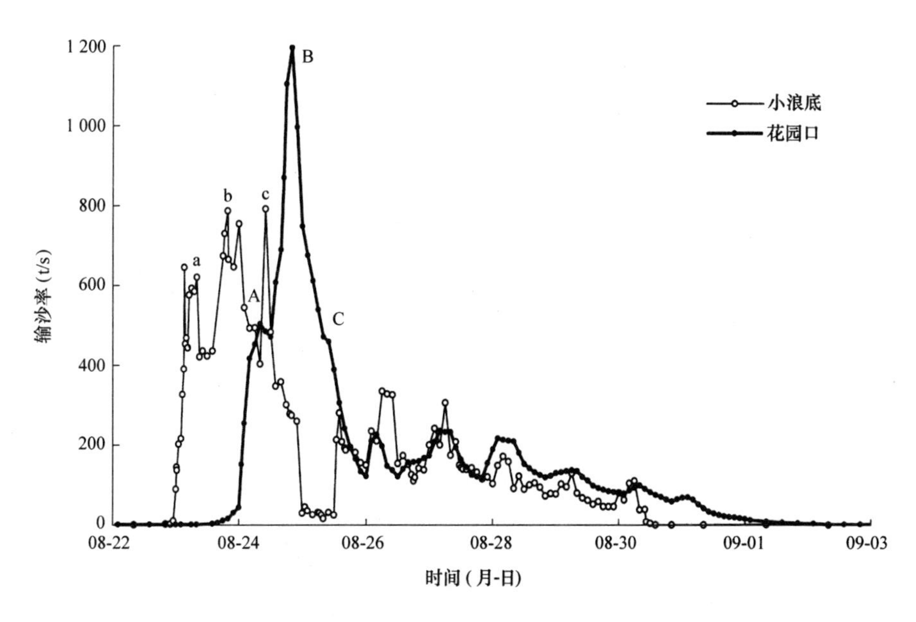

图 3-15　小浪底和花园口输沙率过程线

174 kg／m^3，含沙量降低了 38.3%。相应地，最大输沙率由 620.4 t／s 减小到 586.4 t／s，减小了 34 t／s(5.5%)。第二次的沙峰由小浪底的 345 kg／m^3 增加到花园口的 359 kg／m^3，增加了 3.8%，对应的最大输沙率的增幅更大，由 786.6 t／s 增加到 1 173.93 t／s，增加了 387.33 t／s (49.2%)；第三次沙峰的减小则是落水期流速减小的必然现象。含沙量特别是输沙率的变化，说明"8・24"洪水在落水前在小浪底—花园口河段经历了一个十分明显的"先淤后冲"的过程。

表 3-3 "04・8"洪水小浪底和花园口站沙峰出现时间统计

	序号	1	2	3
小浪底	沙峰出现时间(日 T 时:分)	23T8:00	23T19:42	24T10:00
	含沙量(kg／m^3)	282	345	340
	输沙率(t／s)	620.4	786.6	792.2
	时间间隔(h)		11.7	26
花园口	沙峰出现时间(日 T 时:分)	24T5:48	24T18:48	25T12:00
	含沙量(kg／m^3)	174	359	210
	输沙率(t／s)	586.4	1173.93	365.4
	时间间隔(h)		13	17.3
小花间最大含沙量增幅(kg／m^3)		–115	23	–125
小花间最大输沙率增幅(t／s)		–116.06	408	–332.3

注：时间间隔均为与第一次相比；含沙量和输沙率增幅为负数表示减小。

2.实测大断面变化

"8・24"洪水前后两次统测大断面测验日期是第二场调水调沙试验后的 7 月 18 日和高含沙洪水过后的 10 月 12 日前后(见图 3-16(a)～(l))，反映了小浪底—花园口河段部分断面在两测次间"滩淤槽冲"的情况。可以看出，天然河流的断面形态不是规则的，由于水深在横断面上的分布不均，边滩水浅流缓，而深槽附近水深流急，高含沙洪水在这样的断面通过时，边滩处必然发生淤积，而深槽则发生冲刷。从小浪底—花园口河段沙量平衡法冲淤计算结果来看，"8・24"高含沙洪水期间该河段冲淤基本平衡，而同流量水位明显降低就是滩地淤积而深槽冲刷的结果。

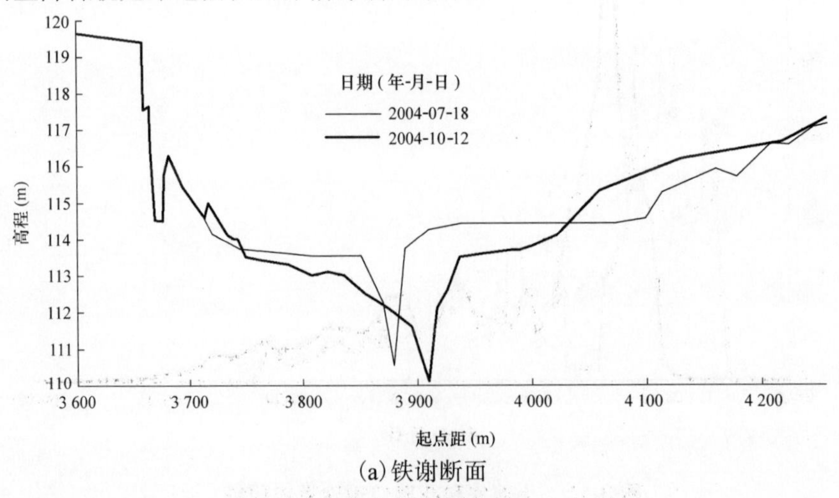

(a)铁谢断面

图 3-16 各断面测验情况

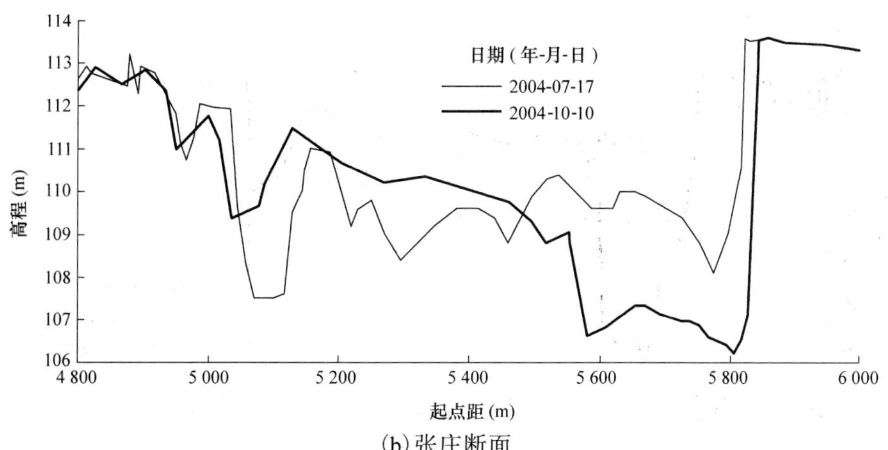

(b) 张庄断面

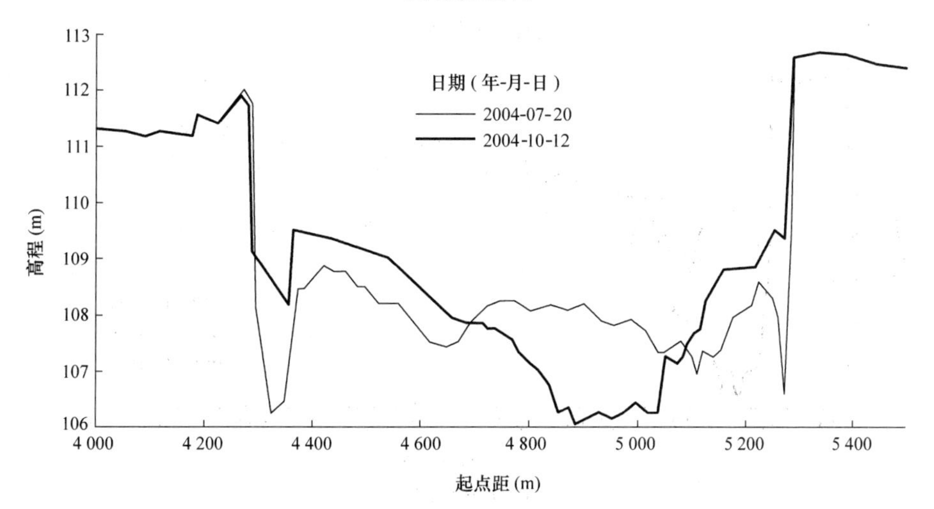

(c) 高庄断面

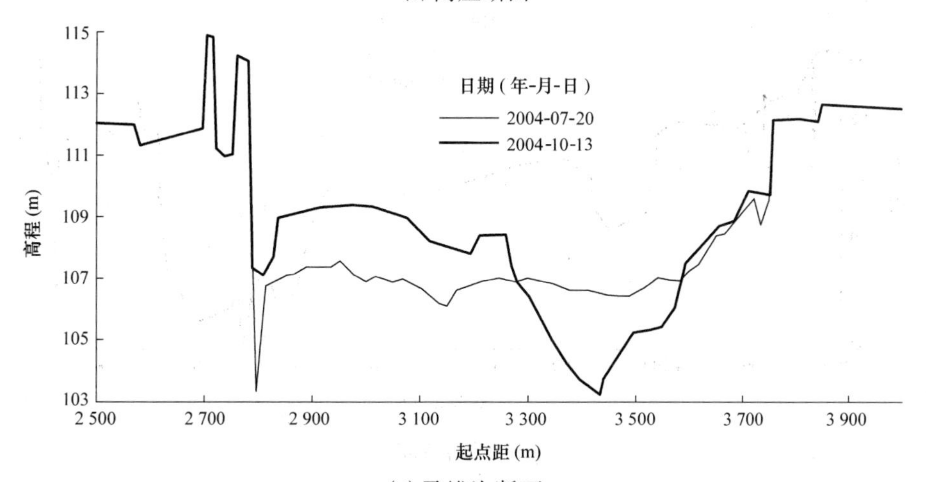

(d) 马峪沟断面

续图 3-16

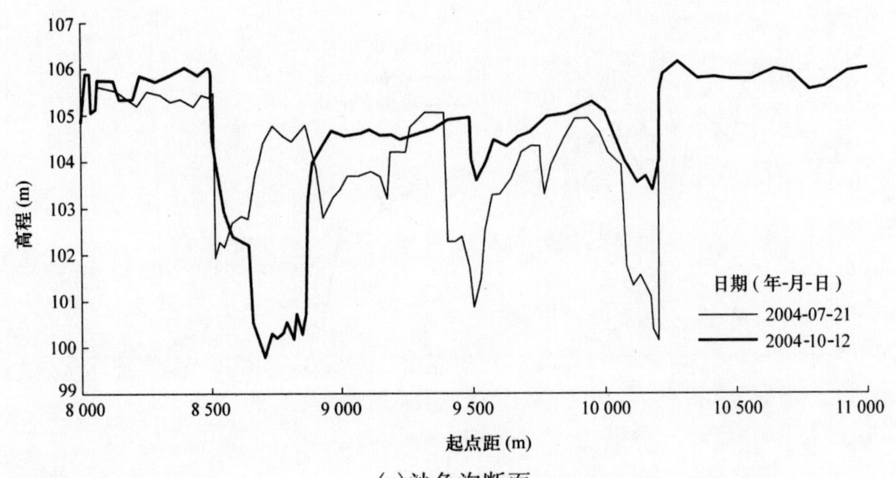

(e)沙鱼沟断面

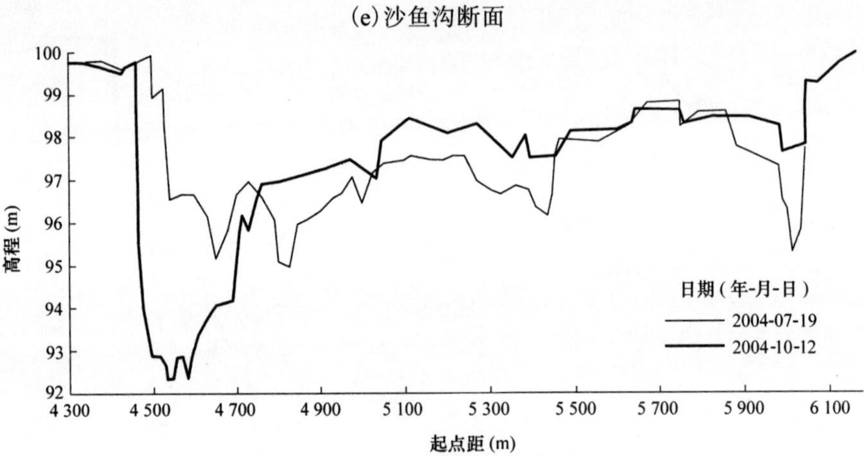

(f)方陵断面

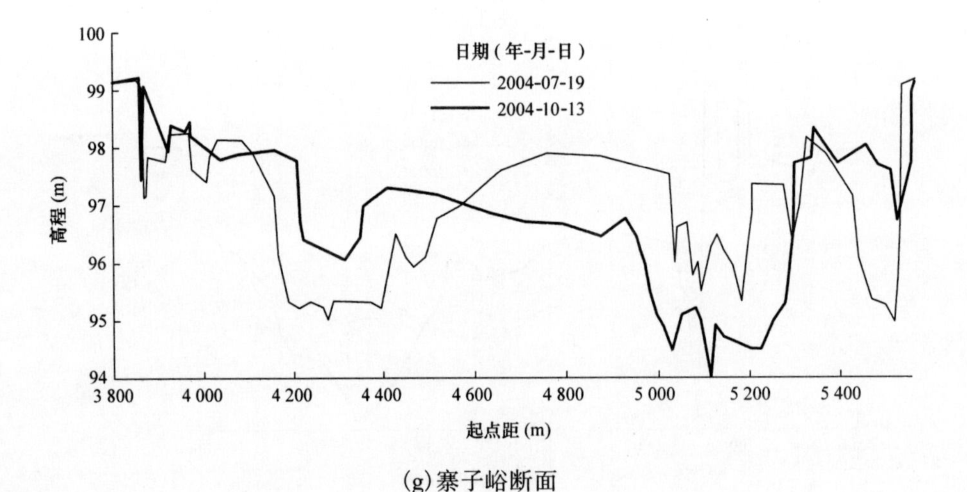

(g)寨子峪断面

续图 3-16

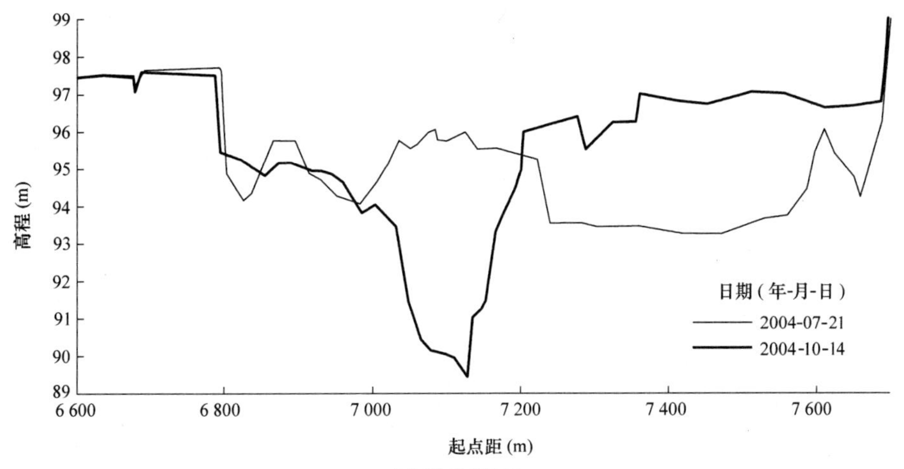

(h) 张沟断面

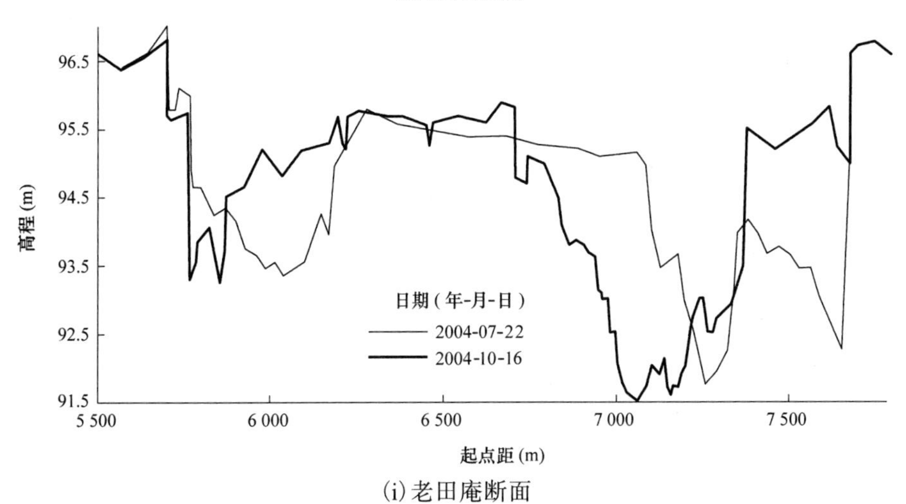

(i) 老田庵断面

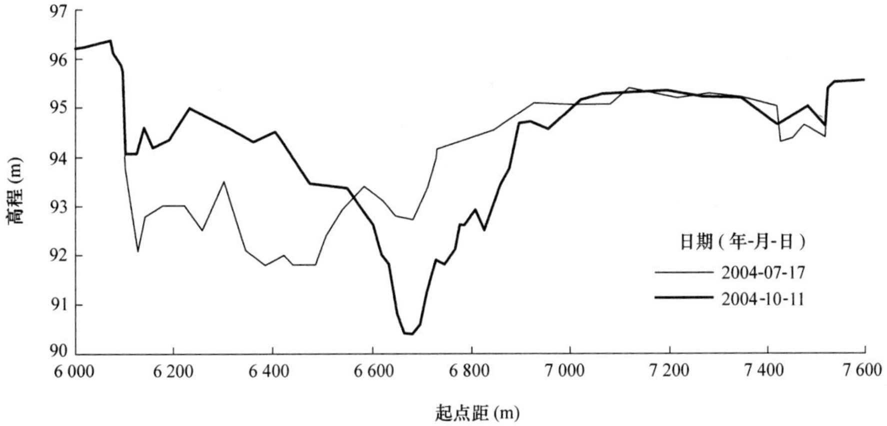

(j) 张菜园断面

续图 3-16

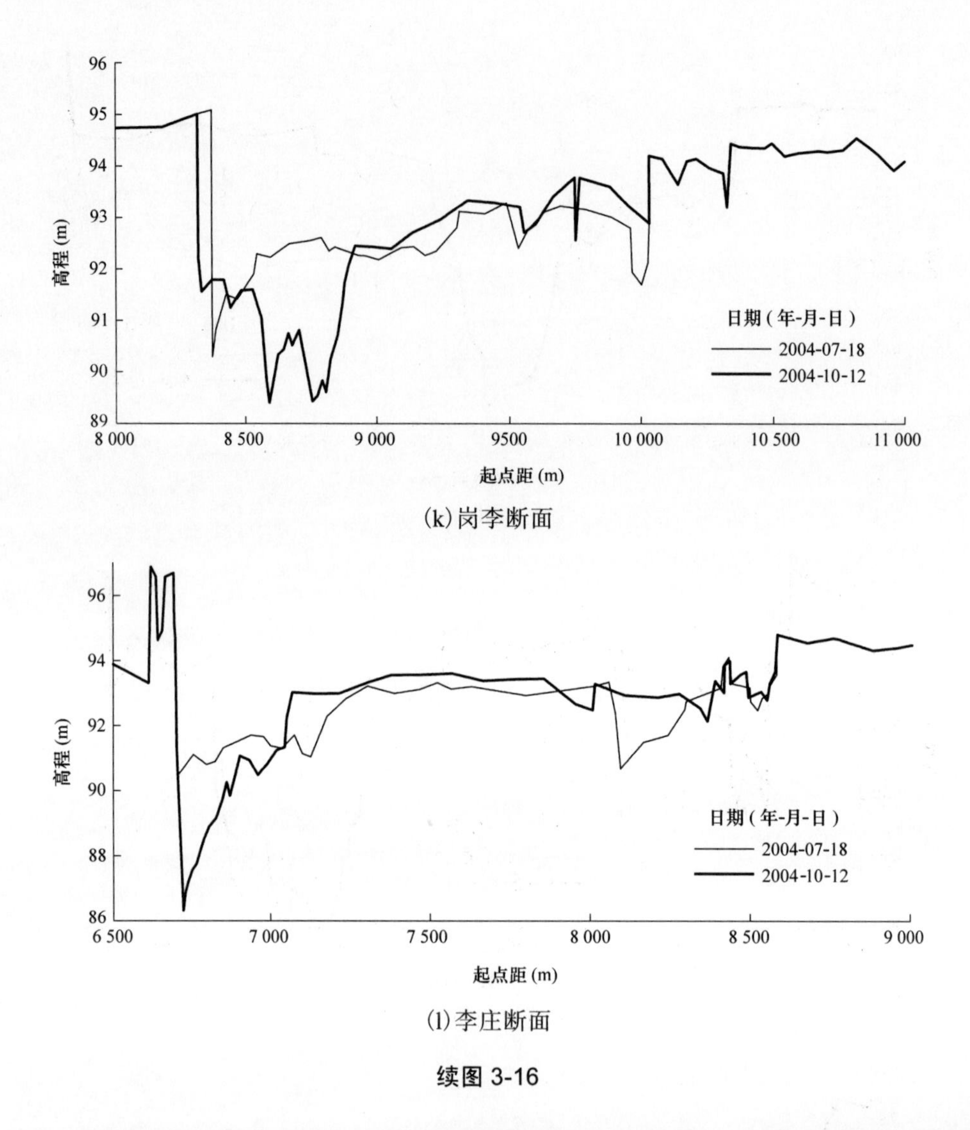

(k)岗李断面

(l)李庄断面

续图 3-16

高含沙期间滩淤槽冲的结果使得河道横断面形态变得窄深，与所形成的相对宽浅断面相比，窄深断面的平均流速大，洪水传播流速快。由于河床边界阻力和河道横断面形态共同作用，从而使高含沙洪水传播速度大大快于其涨水初期含沙量较低时段以及前期槽蓄小流量水流的传播速度而形成叠加。

第四章 结 论

⑴ “8·24”洪水在下游的异常表现主要有3个方面：一是“8·24”洪水第一阶段花园口站的洪峰流量偏大1 100 m^3/s；二是“8·24”洪水第一阶段孙口以上河段的洪峰流量没有出现沿程衰减，而且峰型有不断变尖瘦的趋势；三是“8·24”洪水在沿程演进过程中沙峰不断滞后于洪峰。

⑵ 针对花园口洪峰流量增大的原因进行分析，认为对于一定的恒定均质流体，浑水密度不是引起流速增大的主要原因；“8·24”洪水期间的来水来沙和河床边界条件下，水流处于充分紊流区，没有进入层流状态，也没有发生“浆河”和“阵流”现象。

⑶ 花园口洪峰流量沿程增大原因是多方面的。其中高含沙洪水的流速大大快于涨水初期含沙量较低时段以及前期槽蓄小水流的流速，在演进过程中，不断“挤压”涨水初期的清水，“收编”前期槽蓄量，形成叠加，是造成花园口的洪峰流量增大的主要原因。其次是未控区加水。再次，“8·24”洪水期间，小花间可能有区间加水，另外，由于本文分析所依据的大多是未经整编的月报资料，不完全排除资料误差的原因。目前，因为花园口和小黑武水量不平衡，能够引起花园口的洪峰平均流量偏大约263 m^3/s，占洪峰流量偏大总数1 100 m^3/s的23.9%。

⑷ 依据小浪底和花园口站水力要素初步分析认为，高含沙洪水期间河槽糙率明显减小、“滩淤槽冲”使得横断面明显趋于窄深规顺可能是引起流速增大的原因。

⑸ 本文初步分析依赖于小浪底和花园口水文站的实测资料，而花园口洪峰流量增大的过程发生在小花间，该河段内没有沿程流量实测资料，险工水位过程也不完整，因而所得结论是初步的，不少认识带有推测性。要了解花园口流量增大的真正原因，还需要结合实体模型试验、理论分析和更广泛的黄河实测资料开展更加深入系统的研究工作。

第七专题　小浪底水库运用5年库区和下游河道冲淤特性分析

小浪底水库1999年10月25日下闸蓄水至2004年10月，已运用5年。5年来，黄河流域枯水少沙，洪水较少，仅2003年秋汛期水量较为丰沛。这5年来小浪底水库运用以蓄水拦沙为主，期间进行了3次调水调沙试验，绝大多数中粗泥沙被拦在库里，进入黄河下游的泥沙明显减少。一般情况下，小浪底水库下泄清水，洪水期间水库以异重流为主排出细泥沙，从而使得下游河道发生了持续的冲刷。为了及时了解小浪底水库运用以来的情况，不断完善小浪底水库运用方式，本专题以实测资料为主，对5年来小浪底库区和下游河道的冲淤情况进行了分析，并通过与三门峡水库蓄水运用初期对比，初步揭示了小浪底水库运用以来在新的水沙和边界条件下库区和下游河道的冲淤演变规律。

第一章　小浪底水库入库水沙特点

一、入库水沙为枯水少沙系列

三门峡水文站是三门峡水库的出库站，也是小浪底水库的进口控制站，其历年水沙变化情况见表 1-1 和图 1-1 及图 1-2，1999 年 11 月～2004 年 10 月，5 个运用年三门峡水文站年平均水量 171.17 亿 m^3，年平均沙量 4.282 亿 t，较多年均值（1950～2000 年，下同）分别偏少 54%和 63%，属于典型的枯水少沙系列。其中汛期水沙量偏少幅度更大，汛期平均水沙量分别为 76.86 亿 m^3 和 4.038 亿 t，较多年同期均值分别偏少 63%和 61%。平均含沙量变化不大，平均含沙量由多年平均的 32 kg / m^3 降低到 25 kg / m^3。由表 1-1 可以看出，5 年中，2003 年水沙量相对较多，年水沙量分别为 217.69 亿 m^3 和 7.747 亿 t，相应汛期水沙量分别为 146.94 亿 m^3 和 7.742 亿 t。

表 1-1　1999 年 11 月～2004 年 10 月三门峡站实测水沙统计

项目		2000 年	2001 年	2002 年	2003 年	2004 年	前 3 年平均	5 年平均	多年平均
水量（亿 m^3）	非汛期	99.37	80.93	108.07	70.75	112.44	96.12	94.31	165.24
	汛期	67.23	53.83	50.43	146.94	65.86	57.16	76.86	207.11
	运用年	166.6	134.76	158.5	217.69	178.3	153.28	171.17	367.35
沙量（亿 t）	非汛期	0.235	0	0.981	0.005	0	0.405	0.244	1.457
	汛期	3.337	2.94	3.493	7.742	2.676	3.257	4.038	10.254
	运用年	3.572	2.94	4.474	7.747	2.676	3.662	4.282	11.711
平均含沙量（kg / m^3）	汛期	50	55	69	53	41	57	53	50
	运用年	21	22	28	36	15	24	25	32
汛期占年（%）	水量	40	40	32	67	37	37	45	56
	沙量	93	100	78	100	100	89	94	88

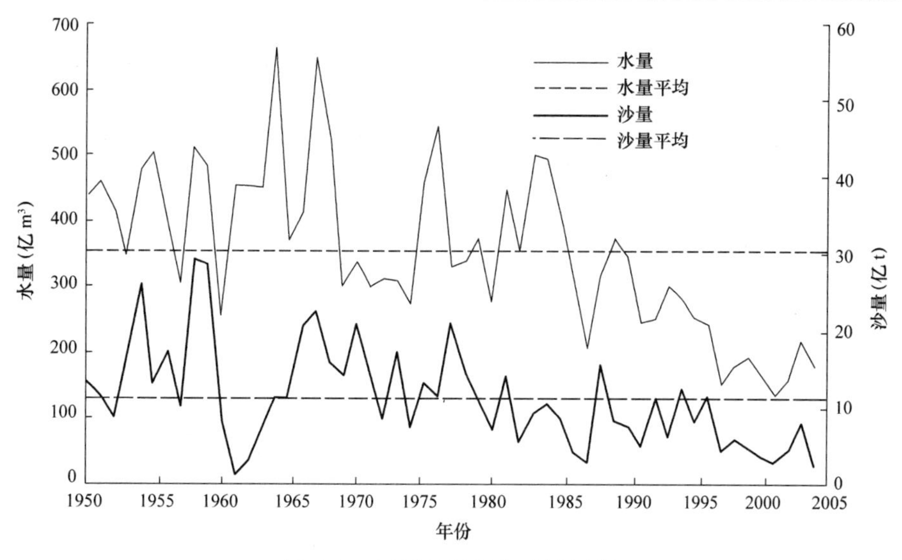

图 1-1　三门峡站历年水沙过程

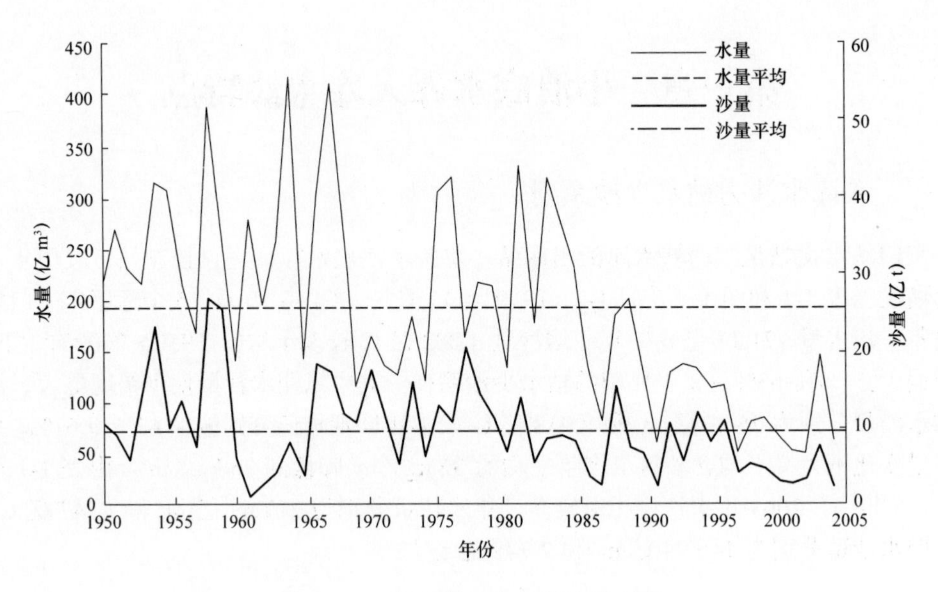

图 1-2　三门峡站历年汛期水沙过程

由表 1-1 还可以看出，水沙量年内分配发生重大变化，多年平均汛期水沙量分别占年水沙量的 56%和 88%，而近 5 年汛期平均水沙量分别占年水沙量的 45%和 94%，汛期水量占年水量的比例较多年平均明显减小，汛期沙量占年沙量的比例明显增加。

在小浪底水库运用方式研究中，曾对设计水沙系列进行了分析预测，设计系列与实测系列对比情况见表 1-2，Ⅰ为 1978～1982 年+1987～1996 年(共 15 年)设计系列，Ⅱ为 1985～1989 年+1971～1980 年(共 15 年)设计系列，Ⅲ为考虑了龙羊峡、刘家峡水库的影响和龙门—潼关河段冲淤调整的 1991～1995 年(共 5 年)枯水枯沙设计系列，Ⅳ为考虑了龙羊峡、刘家峡水库的影响和龙门—潼关河段冲淤调整的 1977～1981 年(共 5 年)丰水丰沙设计系列。可以看出，实测水沙量与各代表系列相比，均偏小较大，其中前 3 年较设计系列水量偏少 42%～56%，沙量偏少 33%～75%；前 5 年水量较设计系列偏少 35%～50%，沙量偏少 48%～65%。

表 1-2　设计系列与实测系列对比情况

项目		实测系列	Ⅰ	Ⅱ	Ⅲ	Ⅳ
前 3 年	水量(亿 m³)	153.29	326	287.6	262.9	351.9
	沙量(亿 t)	3.662	8.8	5.5	7.1	14.7
	含沙量(kg / m³)	24	27	19	27	42
前 5 年	水量(亿 m³)	171.17	343.2	312.5	261.7	339.6
	沙量(亿 t)	4.282	9.0	8.2	8.6	12.2
	含沙量(kg / m³)	25	26	26	33	36
前 3 年距设计系列	水量(%)		–53	–47	–42	–56
	沙量(%)		–58	–33	–48	–75
前 5 年距设计系列	水量(%)		–50	–45	–35	–50
	沙量(%)		–52	–48	–50	–65

二、入库洪水场次少、洪峰流量小、历时短

分析 5 年来入库日平均流量和含沙量变化过程(见图 1-3)可以看出，汛期入库日平均流量大于 1 500 m^3/s 的洪水仅 12 场，年平均 2.4 场，较多年(1974～2000 年)平均 4.3 场明显偏少，各场洪水特征值见表 1-3。5 年来入库最大洪峰流量仅 5 130 m^3/s(2004 年 7 月 7 日)，最大含沙量 916 kg/m^3。

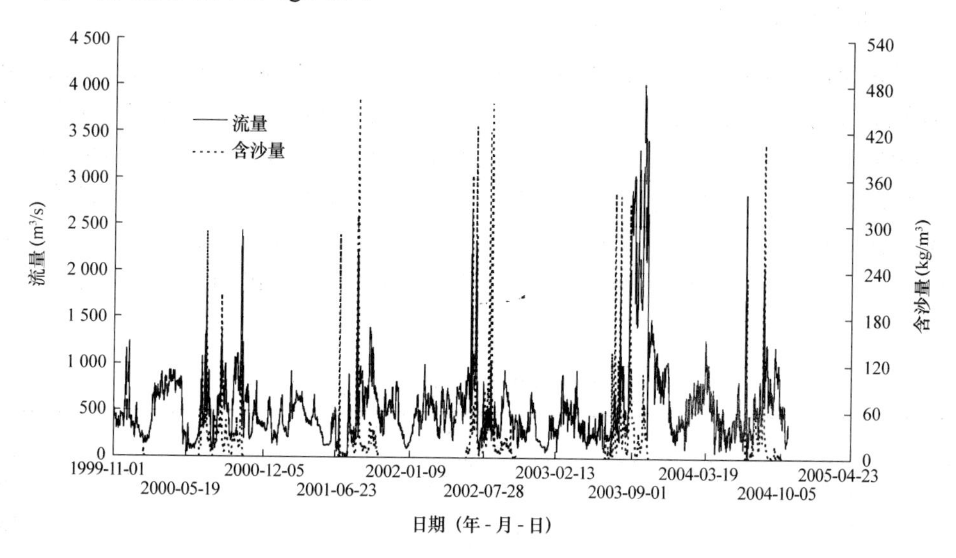

图 1-3　5 年入库日平均流量和含沙量变化过程

表 1-3　汛期入库洪水特征值

时段(年-月-日)	历时(d)	洪峰流量		最大含沙量		水量(亿 m^3)	沙量(亿 t)	平均含沙量(kg/m^3)
		数值(m^3/s)	出现时间(月-日)	数值(kg/m^3)	出现时间(月-日)			
2000-07-06～07-12	7	2 600	07-10	381	07-10	5.57	0.904	162
2000-10-10～10-16	16	2 730	10-14	171	10-14	8.41	0.86	102
2001-08-19～08-23	5	2 900	08-22	542	08-22	5.54	1.844	333
2002-06-23～06-27	5	4 460	06-24	477	06-25	5.36	0.800	149
2002-07-05～07-09	5	3 180	07-06	517	07-06	6.46	1.739	269
2003-08-01～08-09	9	2 280	08-02	916	08-01	7.24	0.841	116
2003-08-25～09-16	23	3 830	08-27	474	08-27	44.79	3.41	76
2003-09-17～09-29	13	3 860	09-21	36.6	09-21	23.79	0.414	17
2003-09-30～10-09	10	4 530	10-03	157	10-03	25.89	1.631	63
2003-10-10～10-16	16	3 500	10-14	37	10-13	13.45	0.391	29
2004-07-05～07-09	5	5 130	07-07	368	07-07	6.39	0.356	56
2004-08-21～08-25	5	2 460	08-23	478	08-23	5.80	1.614	278
平均	9.9					13.2	1.23	93

与历史洪水相比，近 5 年来洪峰流量明显偏小。每场洪水平均历时仅 9.9 d，较多年平均 12 d 明显减少。每场洪水平均洪量 13.2 亿 m^3，与多年平均洪水 26 亿 m^3 相比明显减小。5 年洪水期间水沙量分别占汛期水沙量的 41%和 73%，历时占汛期的 19%。2003 年秋汛期洪水历时长达 71 d，占该年汛期历时的 58%；水沙量分别为 115.16 亿 m^3 和 6.687 亿 t，分别占该年汛期水沙量的 78%和 86%。

三、入库水量存在偏小现象

统计进出库水量情况见表 1-4，可以看出，5 年入库水量 855.85 亿 m^3，而出库水量 913.34 亿 m^3，水库增加蓄水量 37.88 亿 m^3，如果不考虑水库蒸发、渗漏、引水及支流来水，小浪底出库水量多出 95.37 亿 m^3，水量不能平衡，占入库站三门峡水量的 11%，其中 2003 年和 2004 年不平衡水量均超过 20 亿 m^3。如果将潼关（5 年水量 968.67 亿 m^3）作为小浪底进库站，不考虑三门峡水库蓄水，小浪底出库水量仅少 17.45 亿 m^3 不能平衡，占潼关水量 2%。由此可见，相比潼关站和小浪底站而言，三门峡出库站实测水量存在偏小现象。

表 1-4　小浪底水库历年进出库水量平衡计算

水文站	2000 年	2001 年	2002 年	2003 年	2004 年	合计
潼关水量（亿 m^3）①	186.3	157.88	181.2	236.26	207.03	968.67
三门峡水量（亿 m^3）②	166.60	134.76	158.50	217.69	178.30	855.85
小浪底水量（亿 m^3）③	141.15	165.63	194.62	160.15	251.78	913.34
小浪底蓄水增量（亿 m^3）④	41.37	−15.5	−18.7	78.91	−48.20	37.88
三门峡—小浪底不平衡水量②-③-④	−15.92	−15.37	−17.42	−21.37	−25.17	−95.37
潼关—小浪底不平衡水量①-③-④	+3.78	+7.75	+5.28	−2.8	+3.56	+17.45

注：不平衡水量中“−”为多出水量，“+”为减少水量。

第二章　小浪底水库运用特点

小浪底水库的开发任务是防洪、防凌、减淤为主，兼顾灌溉、供水和发电，除害兴利，综合利用。5 年来，除 2003 年罕见的“秋汛”外，连续枯水少沙，水库总体上以蓄水拦沙为主、水库运用水位及出库流量过程变化复杂。

一、5 年运用的总体特征

5 年期间，水库最高最低运用水位分别为 265.58 m(2003 年 10 月 15 日)及 181.24 m(1999 年 11 月 2 日)，见表 2-1。从 1999 年 11 月 1 日至 2004 年 10 月 31 日，水库水位累计上升 60.77 m。从图 2-1 看出，非汛期 2004 年运用水位最高，前 7 个月时间水位均在 255 m 以上，最高水位达 264.3 m(2004 年)，运用水位最低为 2000 年，基本上不超过 210 m。汛期运用水位变化复杂，最低水位逐年上升，水库水位最高的是 2003 年的 265.58 m，最低是 2001 年的 191.72m。

表 2-1　小浪底水库非汛期和汛期蓄水情况

蓄水特征值	2000 年	2001 年	2002 年	2003 年	2004 年
非汛期蓄水变化(亿 m^3)	5.47	–33.4	12	8.2	–53.60
汛期蓄水变化(亿 m^3)	35.9	17.9	–30.7	70.71	5.4
年蓄水变化(亿 m^3)	41.37	–15.5	–18.7	78.91	–48.20
非汛期水位变化(m)	14.07	–29.83	11.77	9.62	–27.63
汛期水位变化(m)	39.04	20.27	–26.81	44.84	5.43
年水位变化(m)	53.11	–9.56	–15.04	54.46	–22.2
汛限水位(m)	215	220	225	225	225
汛期最高水位(m)	234.25	225.42	236.61	265.58	242.26
汛期最低水位(m)	193.82	191.72	207.98	217.98	218.63
非汛期最高水位(m)	210.49	234.81	240.78	230.69	264.3
非汛期最低水位(m)	181.24	208.61	224.79	209.6	235.65

注：“–”表示水位下降或水库泄水。

由表 2-1 看出，5 年来，水库累计蓄水 37.88 亿 m^3，其中汛期增加蓄水量 99.21 亿 m^3，非汛期泄水量 61.33 亿 m^3，蓄水量增加最多的是 2003 年汛期，达 70.71 亿 m^3，水库泄水最多的是 2004 年非汛期，泄水达 53.6 亿 m^3。水库最大蓄水量 94.9 亿 m^3(2003 年 10 月 15 日)。

由表 2-2 看出，5 年间，汛期水库下泄流量日均最大最小值分别为 2 790 m^3 / s(2002 年 7 月 5 日)及 53.5 m^3 / s(2001 年 7 月 28 日)；年平均下泄流量最大最小值分别为 795 m^3 / s(2004 年)和 447 m^3 / s(2000 年)；非汛期年平均下泄流量最大最小值分别为 869 m^3 / s(2004 年)及 347 m^3 / s(2003 年)，汛期年平均下泄流量最大最小值分别为 828 m^3 / s(2003 年)及 367 m^3 / s(2000 年)。

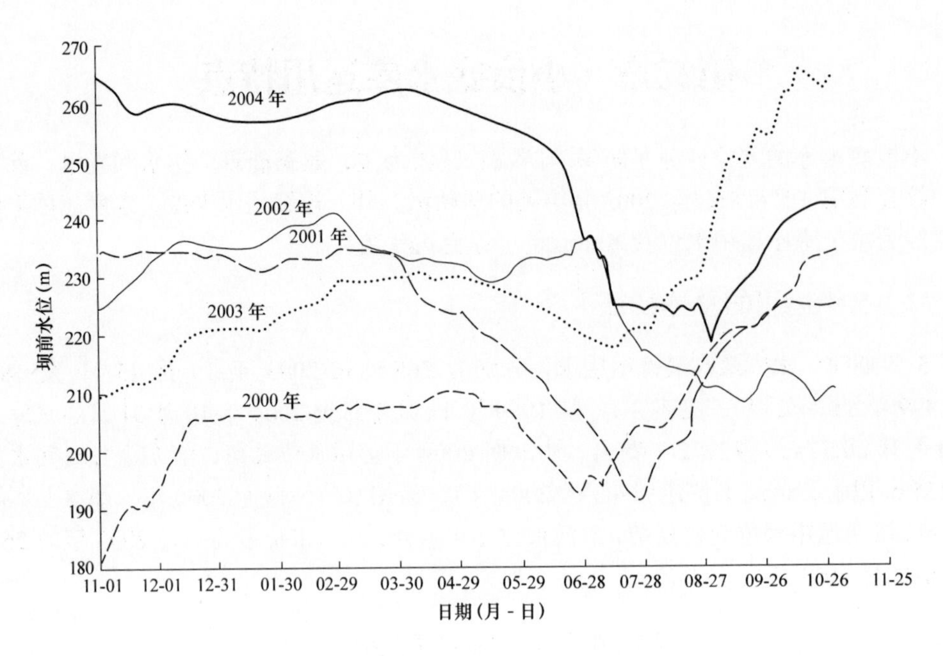

图 2-1　小浪底水库库水位历年变化对比

表 2-2　小浪底水库下泄流量特征值　　　(单位：m^3/s)

时段		特征值	2000 年	2001 年	2002 年	2003 年	2004 年
非汛期	11 月 1 日～3 月 1 日	最大流量	826	1 060	622	369	2 230
		最小流量	105	199	127	107	443
		平均流量	305	434	291	183	811
	3 月 1 日～7 月 1 日	最大流量	1 190	1 490	1590	749	2 575
		最小流量	145	375	328	273	484
		平均流量	668	746	736	509	926
汛期	7 月 1 日～10 月 31 日	最大流量	631	930	2 790	2 337	2 684
		最小流量	53.8	53.5	252	94	179
		平均流量	367	396	817	828	650

二、水库年内运用特点

从图 2-1 及图 2-2 看出，虽然各年运用水位及出库流量过程不同，但按其变化特点及水库调度目标的不同，均可大致分为 3 个阶段，各阶段运用特点如下。

从年初至 2 月底为第一阶段，水库调度目标是防凌及春灌蓄水，本阶段水库运用水位各年基本上均上升，上升幅度一般在 15～25 m 之间。2004 年由于年初蓄水位较高，为了坝体安全，水库泄水，水位下降。该阶段水库下泄流量除 2004 年最大达 2 230 m^3/s、平均达 811 m^3/s 外，其他年份下泄流量基本控制在 500 m^3/s 以下，平均流量在 183～434 m^3/s 之间(见表 2-2)。

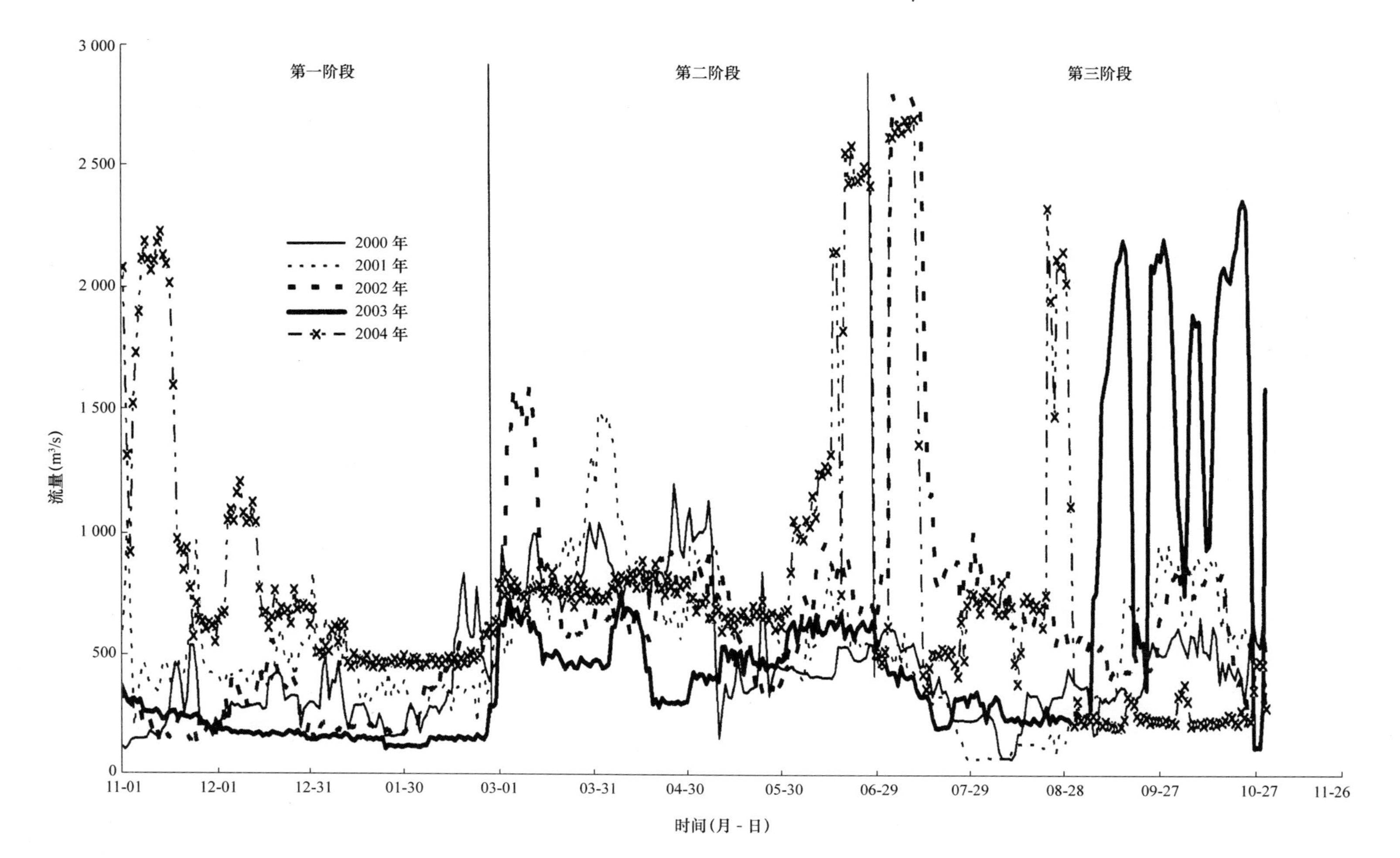

图 2-2　小浪底水库下泄流量过程对比

从 3 月初至汛初为第二阶段，水库调度目标是减淤、供水和灌溉，水库以泄水为主，各年运用水位均下降，降幅最大的是 2001 年和 2004 年，大约下降 42 m，降幅最小的是 2003 年，下降约 12 m。本阶段年平均下泄流量在 509～926 m^3/s 之间，2004 年最大，2001 年次之，2003 年最小，各年度多数时间下泄流量控制在 500～1 000 m^3/s 之间。

第三阶段为汛期，水库调度目标是防洪、减淤。由于水沙条件变化较大，汛期水库运用情况也较为复杂，平水期以蓄水拦沙为主，汛限水位以上的库区蓄水量满足进行调水调沙试验的基本条件，遇到较大洪水进行防洪或调水调沙试验。5 年来成功进行了 3 次调水调沙试验，尤其是 2004 年水库进行了基于人工扰动方式和更大空间尺度上的黄河第三次调水调沙试验，在小浪底水库成功地塑造了人工异重流，改善了水库的淤积形态，冲刷了下游河道，提高了下游河道的排洪能力，取得了较好的效果。2003 年汛期发生了罕见的秋汛，水库蓄水位最高达到 265.58 m。3 次调水调沙试验期间，下泄流量较大，日均最大达 2 790 m^3/s(2002 年 7 月 5 日)。2003 年秋汛期下泄流量也较大，达到 2 337 m^3/s(2003 年 10 月 24 日)。另外，2004 年 8 月下旬小浪底水库下泄了一场高含沙洪水，小浪底水库出库最大流量 2 690 m^3/s，最大含沙量 346 kg/m^3。除上述特殊时期外，水库下泄流量均控制在 1 000 m^3/s 以下。

5 年来，在来水持续偏枯的情况下，通过小浪底水库的科学调度，分别于 2001、2003 年及 2004 年 3 次引黄济津，共送水约 23.9 亿 m^3，并且 5 年来下游河道没有断流。

第三章 小浪底水库对水沙的调节作用

一、水库运用调节改变了水量的年内分配

由5年来进出库水量情况可以看出(见表3-1)，5年入库水量汛期占年水量的45%，而经过水库调节后，出库水量汛期占年水量的比例减小到了36%，即进出库水量不仅总量发生变化，而且年内分配也发生了较大变化。除2002年汛期外，其余年份出库水量汛期占年水量百分比均较入库水量的百分比小10%左右，这一点应引起重视。

表3-1 5年实测进出库水量变化

年份	年水量(亿 m³)		汛期水量(亿 m³)		汛期占年(%)	
	入库	出库	入库	出库	入库	出库
2000年	166.60	141.15	67.23	39.05	40	28
2001年	134.76	165.63	53.83	42.03	40	25
2002年	158.50	194.62	50.43	86.87	32	45
2003年	217.69	160.15	146.94	88.01	67	55
2004年	178.30	251.78	65.86	69.13	37	27
5年平均	171.17	182.67	76.86	65.02	45	36

二、水库运用调节了洪水过程

由小浪底水库运用以来进出库流量过程(见图3-1)可以看出，5年来，入库日均最大流量大于1 500 m³/s的洪水共12场(见本专题表1-3)，其中利用2002年7月、2003年9月初、2004年7月初的3场洪水进行了调水调沙试验，2004年8月份的洪水水库借机排沙，其余洪水均被水库拦蓄和削峰，削峰率最大达65%。此外，为满足下游春灌要求，2001年3月和2002年3月分别有一次日均最大流量1 500 m³/s左右的洪水过程。

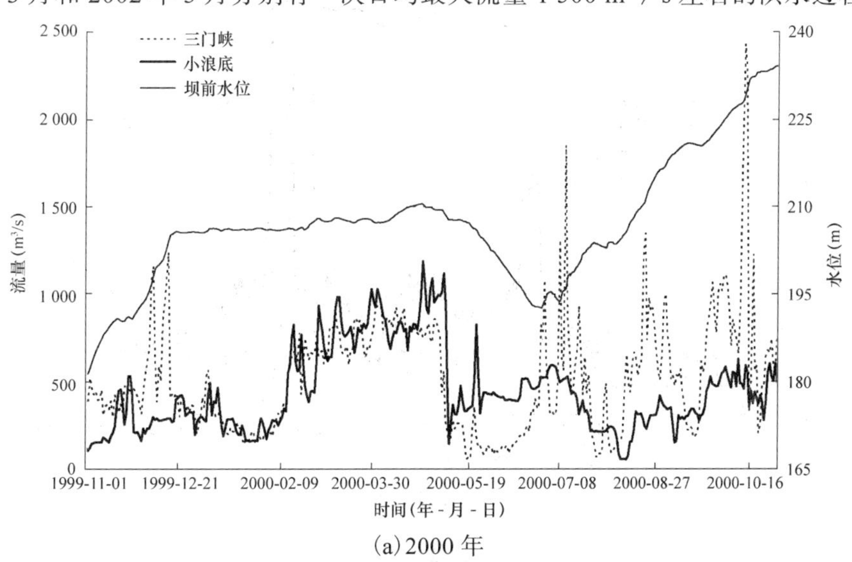

(a)2000年

图3-1 历年小浪底进出库流量过程

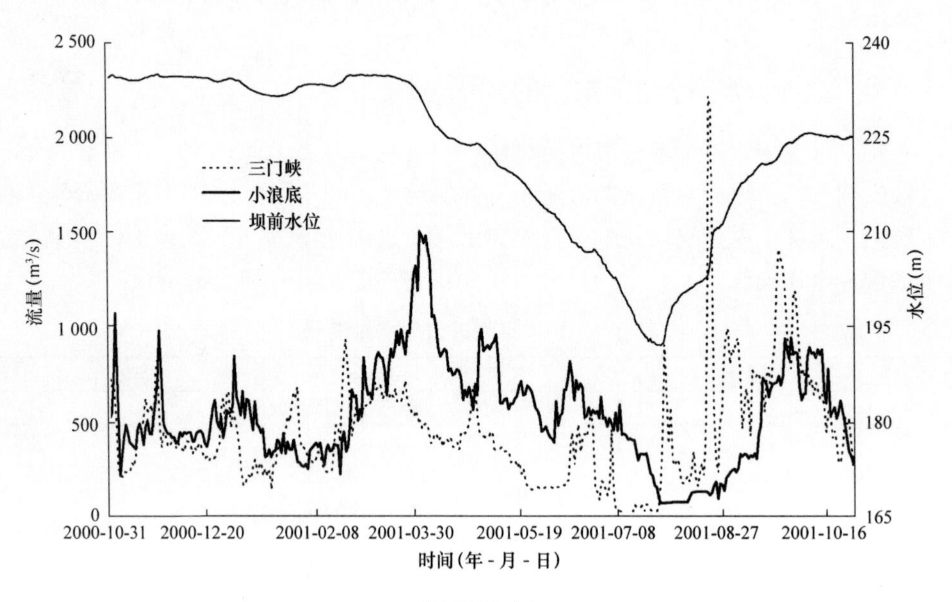

(b) 2001 年

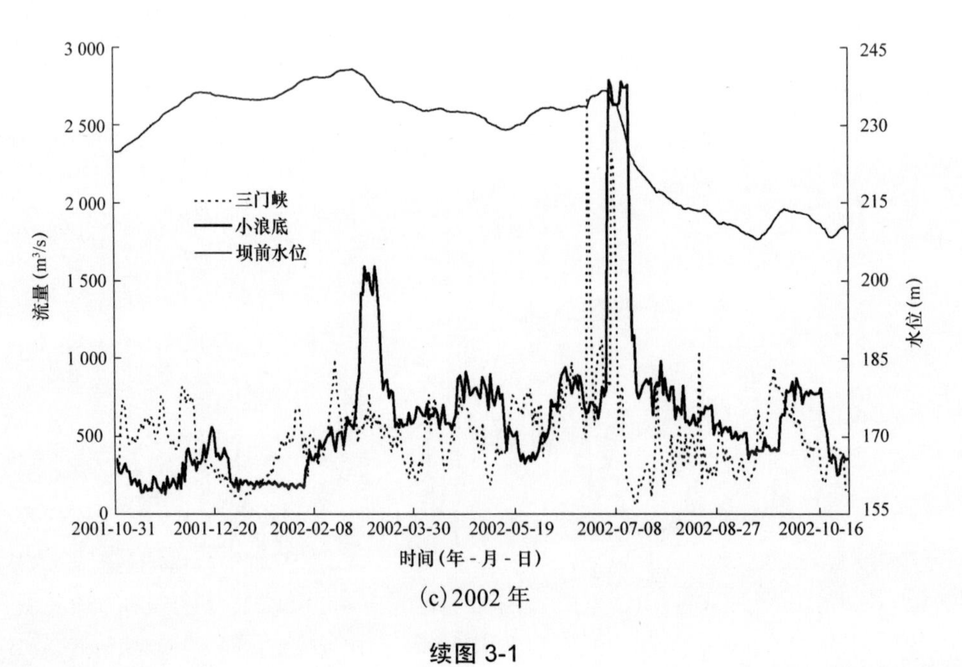

(c) 2002 年

续图 3-1

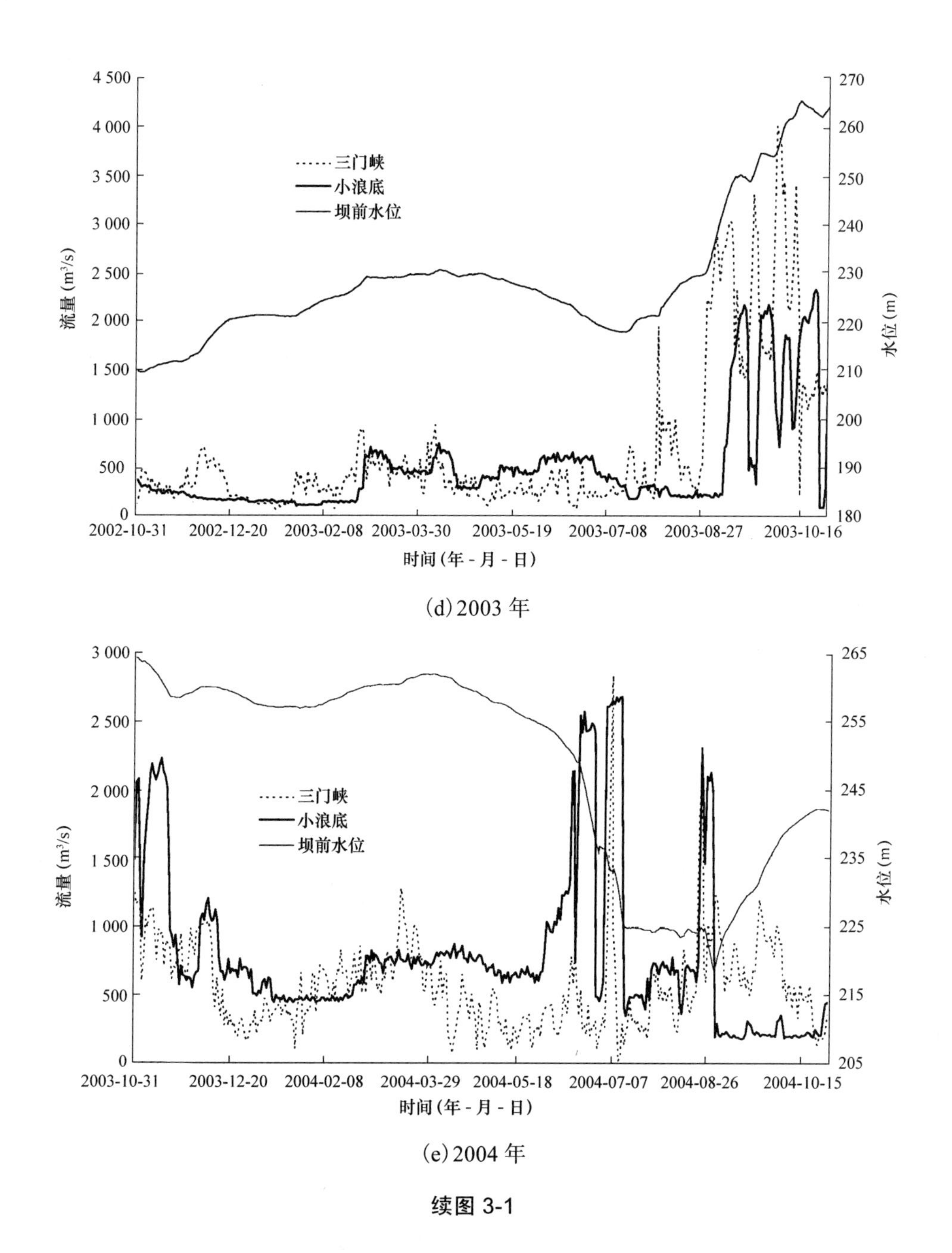

(d) 2003 年

(e) 2004 年

续图 3-1

三、水库运用在一定程度上协调了水沙关系

小浪底水库非汛期蓄水拦沙运用，根据下游河道冲淤、防凌和灌溉需要泄水。汛期则通过水库调节，使流量两极分化，要么以 2 600 m^3 / s 左右的大流量排沙，要么以 800 m^3 / s 以下的小流量过程兴利运用，减少对下游冲淤不利的 800～2 600 m^3 / s 流量级出现的几率。分析小浪底水库汛期各级流量进出库历时和水沙量变化情况(见表 3-2～表 3-5)，可以看出，入库的 2 000～3 000 m^3 / s 流量级年平均 7 d，而出库的则为 8.8 d，水量占汛

期比例由入库的 10%，增加到出库的 14%，增加了 4%；1 000 m³ / s 以下的流量级年平均由入库的 100 d，增加到出库的 108.6 d，水量占汛期比例由入库的 52%，增加到出库的 61%，增加了 9%；而 1 000～1 500 m³ / s 流量级平均调节力度最大，由入库的 10.4 d，减小到出库的 2 d，水量占汛期比例由入库的 13.9%，减小到出库的 3.3%，减少了 10.3%；大于 3 000 m³ / s 流量级全部被调节为 3 000 m³ / s 以下下泄。

表 3-2　汛期各级流量下的天数统计

水文站	年份	各流量级(m³ / s)天数(d)								
		<100	100～300	300～500	500～1 000	1 000～1 500	1 500～2 000	2 000～2 500	2 500～3 000	>3 000
三门峡	2000	6	19	21	60	13	2	2	0	0
	2001	24	24	15	49	9	0	2	0	0
	2002	2	32	50	34	2	1	2	0	0
	2003	0	22	15	17	20	13	13	14	9
	2004	2	24	29	55	8	3	1	1	0
	合计	34	121	130	215	52	19	20	15	9
小浪底	2000	6	30	60	27	0	0	0	0	0
	2001	18	31	30	44	0	0	0	0	0
	2002	0	2	29	78	2	1	1	10	0
	2003	3	45	25	10	5	16	19	0	0
	2004	0	54	24	27	3	1	5	9	0
	合计	27	162	168	186	10	18	25	19	0

表 3-3　汛期各级流量下的水量统计

水文站	年份	各流量级(m³ / s)水量(亿 m³)								
		<100	100～300	300～500	500～1 000	1 000～1 500	1 500～2 000	2 000～2 500	2 500～3 000	>3 000
三门峡	2000	0.5	3.3	7.6	35.8	12.8	3.2	4.1	0	0
	2001	0.5	4.5	5.3	30.4	9.4	0	3.8	0	0
	2002	0.1	5.9	17.1	20.1	1.9	1.4	3.9	0	0
	2003	0	4.6	4.8	9.9	22.0	19.6	25.1	33.8	27.1
	2004	0.1	4.7	10.6	34.1	7.7	4.6	1.8	2.5	0
	合计	1.1	23.0	45.4	130.3	53.8	28.7	38.6	36.2	27.1
小浪底	2000	0.3	5.9	19.9	12.9	0	0	0	0	0
	2001	1.0	4.7	9.6	26.7	0	0	0	0	0
	2002	0	0.4	10.3	47.5	2.0	1.4	1.9	23.4	0
	2003	0.2	8.8	7.9	6.6	5.4	24.2	34.9	0	0
	2004	0	9.9	8.7	15.7	3.4	1.7	9.2	20.6	0
	合计	1.6	29.8	56.3	109.5	10.7	27.2	46.0	44.0	0

表 3-4　汛期各级流量下的沙量统计

水文站	年份	各流量级(m³/s)沙量(亿 t)								
		<100	100～300	300～500	500～1 000	1 000～1 500	1 500～2 000	2 000～2 500	2 500～3 000	>3 000
三门峡	2000	0.009	0.041	0.207	1.011	0.868	0.640	0.561	0	0
	2001	0.026	0.121	0.091	0.688	0.603	0	1.412	0	0
	2002	0	0.145	0.563	0.657	0.475	0.339	1.316	0	0
	2003	0	0.087	0.265	0.814	0.136	0.664	2.093	1.792	1.709
	2004	0.001	0.027	0.171	0.645	0.114	0.820	0.723	0.137	0
	合计	0.036	0.420	1.297	3.815	2.196	2.463	6.105	1.928	1.709
小浪底	2000	0	0.004	0.035	0.004	0	0	0	0	0
	2001	0.022	0.093	0.055	0.060	0	0	0	0	0
	2002	0	0	0.104	0.258	0.002	0.018	0.030	0.315	0
	2003	0	0.042	0.024	0.096	0.051	0.687	0.251	0	0
	2004	0	0.005	0	0.008	0.102	0.347	0.965	0.044	0
	合计	0.022	0.144	0.218	0.425	0.155	1.052	1.246	0.359	0

表 3-5　汛期各级流量下的含沙量统计

水文站	年份	各流量级(m³/s)含沙量(kg/m³)								
		<100	100～300	300～500	500～1 000	1 000～1 500	1 500～2 000	2 000～2 500	2 500～3 000	>3 000
三门峡	2000	18	12	27	28	68	200	137	0	0
	2001	52	27	17	23	64	0	372	0	0
	2002	0	25	33	33	250	242	337	0	0
	2003	0	19	55	82	6	34	83	53	63
	2004	10	6	16	19	15	178	402	55	0
	合计	33	18	29	29	41	86	158	53	63
小浪底	2000	0	1	2	0	0	0	0	0	0
	2001	22	20	6	2	0	0	0	0	0
	2002	0	0	10	5	1	13	16	13	0
	2003	0	5	3	15	9	28	7	0	0
	2004	0	1	0	1	30	204	105	2	0
	合计	14	5	4	4	14	39	27	8	0

分析不同流量级进出库沙量情况(见表 3-4)可以看出，由于小浪底水库处于拦沙初期，水库以拦沙为主，各流量级相应的沙量都明显小于入库沙量。汛期入库泥沙主要集中在 500 m^3 / s 以上的大流量排出。其中 500～1 000 m^3 / s 级流量和 2 000～2 500 m^3 / s 级流量入库沙量相对较多，分别为 3.815 亿 t 和 6.105 亿 t，分别占汛期沙量 19%和 30%；该级流量下水库排沙量为 0.425 亿 t 和 1.246 亿 t，仅占汛期排沙的 11%和 34.4%。汛期出库沙量主要集中在 1 500～2 500 m^3 / s 级流量，相应沙量 2.298 亿 t，占汛期沙量的 64%。出库在 500～1 000 m^3 / s 流量级排沙也比较多，主要是 2002 年 9 月份小浪底水库坝前漏斗排沙，为 0.332 亿 t，占该流量级的 78%。

分析不同流量级进出库含沙量情况(见表 3-5)可以看出，2002 年 1 000～2 500 m^3 / s 级流量入库含沙量基本上均在 250 kg / m^3 以上，经过水库调节，出库该流量级含沙量均在 20 kg / m^3 以下。

四、水库排沙比变化较大

由 5 年来进出库沙量情况(见表 3-6)可以看出，小浪底入库沙量主要集中在汛期，占年沙量 94%；出库沙量也集中在汛期，汛期排沙占年的 98%。汛期平均排沙比 18%。由于各年小浪底运用条件不同，不同时期排沙比差别比较大。前 2 年为了形成小浪底坝前铺盖，排沙比不到 10%，而后 3 年排沙比明显增加。尤其是 2004 年 8 月 22～31 日，三门峡水库泄放了一场洪峰流量 2 960 m^3 / s、最大含沙量 542 kg / m^3 的高含沙量洪水，出库沙量 1.711 亿 t(见表 3-7)，同期小浪底水库泄放了两场洪峰流量分别为 2 690 m^3 / s 和 2 430 m^3 / s、最大含沙量分别为 346 kg / m^3 和 156 kg / m^3 的洪水，水库排沙 1.422 亿 t，排沙比达 83%。因此，2004 年汛期排沙比较大，达 55%。

由表 3-7 可以看出，小浪底水库异重流排沙效果比较好，异重流运行到达坝前不及时排出时，能够形成浑水水库，而在一定时期内，浑水中的泥沙仍能够在后续异重流过程中排出库外。2003 年 9 月和 2004 年 8 月两场异重流排沙比高达 53%和 83%，显示了异重流排沙的潜力。多年大流量过程中，入库沙量超过 1 亿 t，排沙比大于 20%的仅有 3 次。

表 3-6　5 年进出库沙量情况

年份	年沙量			汛期沙量			汛期占年	
	入库(亿 t)	出库(亿 t)	排沙比(%)	入库(亿 t)	出库(亿 t)	排沙比(%)	入库(%)	出库(%)
2000 年	3.572	0.042	1	3.337	0.042	1	93	100
2001 年	2.940	0.230	8	2.941	0.230	8	100	100
2002 年	4.474	0.740	17	3.494	0.725	21	78	98
2003 年	7.747	1.194	15	7.742	1.150	15	100	96
2004 年	2.676	1.484	55	2.676	1.484	55	100	100
5 年平均	4.282	0.738	17	4.038	0.726	18	94	98

表 3-7　小浪底水库主要时段的排沙情况

年份	时段（月-日）	水量（亿 m^3）		沙量（亿 t）		排沙比（%）
		三门峡	小浪底	三门峡	小浪底	
2000 年	06-23～07-03	5.05	4.94	0.291	0	0
	07-04～07-24	11.60	7.72	1.047	0.034	3
	07-25～10-20	49.35	25.38	2.232	0.008	0
2001 年	07-04～07-10	0.51	2.85	0.032	0	0
	07-29～08-18	5.52	1.39	0.211	0	0
	08-19～09-16	19.68	6.16	2.150	0.17	8
	09-17～09-29	10.88	8.17	0.286	0	0
	09-30～10-17	11.69	12.13	0.258	0.059	23
2002 年	06-13～06-27	12.24	10.20	0.871	0	0
	06-28～07-03	4.88	3.79	0.24	0.018	8
	07-04～07-15	9.39	26.66	1.833	0.363	20
	07-28～09-04	13.58	22.18	1.233	0.024	2
	09-05～09-12	1.84	3.30	0.015	0.332	22.13
	09-13～10-17	17.34	18.99	0.274	0	0
2003 年	01-01～01-21	2.2	2.8	0	0.029	—
	08-01～08-09	7.2	2.1	0.841	0.002	0
	08-10～08-24	6.4	2.8	0.203	0.001	0
	08-25～09-16	44.8	17.3	3.41	0.701	21
	09-17～09-29	23.8	15.9	0.414	0.219	53
	09-30～10-09	25.9	12.9	1.631	0.163	10
	10-10～10-20	17.8	15.7	0.399	0.064	16
2004 年	07-05～07-13	7.05	19.5	0.385	0.044	11
	07-18～08-21	13.4	18.48	0.411	0	0
	08-22～08-31	10.27	13.83	1.711	1.422	83
	09-01～10-21	31.28	9.71	0.130	0	0

五、小浪底水库拦粗排细效果明显

2000～2003 年来进出库泥沙悬移质级配情况见表 3-8，可以看出，4 年进库小于 0.025 mm 细泥沙占全沙 46%，出库占全沙 88%，排沙比 23%；而进库大于 0.05 mm 的粗泥沙占全沙 25%，出库占全沙 5%，排沙比 2%。特别是进库小于 0.01 mm 极细泥沙占全沙 24%，出库占全沙 66%，排沙比 32%。由此说明小浪底水库拦粗排细效果明显。

表 3-8　小浪底进出库悬移质泥沙调整

项目	粒径 d(mm)	2000 年	2001 年	2002 年	2003 年	平均
三门峡站级配(%)	<0.010	24	27	25	23	24
	<0.025	43	47	46	46	46
	0.025～0.05	30	25	29	31	29
	>0.05	27	28	25	23	25
小浪底站级配(%)	<0.010	78	60	63	69	66
	<0.025	96	87	88	88	88
	0.025～0.05	3	9	8	6	7
	>0.05	0	4	4	6	5
各级粒径排沙比(%)	<0.010	4	17	42	46	32
	<0.025	3	14	32	29	23
	0.025～0.05	0	3	5	3	3
	>0.05	0	1	3	4	2

第四章　小浪底水库冲淤特点

1999 年 11 月～2004 年 10 月期间，小浪底入库水量 855.87 亿 m^3，入库沙量 21.409 亿 t，出库水量 913.34 亿 m^3，出库沙量 3.687 亿 t，排沙比为 17%，断面法水库共淤积 14.991 亿 m^3，沙量平衡法共淤积 17.72 亿 t（见表 4-1），如果取干容重 1.2 t / m^3，两者相差约 0.27 亿 t。

表 4-1　小浪底水库历年水沙和淤积情况

项目		2000 年	2001 年	2002 年	2003 年	2004 年	合计
三门峡	水量（亿m^3）	166.60	134.76	158.50	217.69	178.30	855.85
	沙量（亿 t）	3.572	2.940	4.474	7.747	2.676	21.409
小浪底	水量（亿m^3）	141.15	165.63	194.62	160.15	251.78	913.34
	沙量（亿 t）	0.042	0.230	0.740	1.194	1.484	3.689
冲淤量	沙量法（亿 t）	3.530	2.710	3.734	6.553	1.192	17.720
	断面法（亿m^3）	3.815	3.006	2.103	4.893	1.174	14.991

一、水库淤积主要在干流

1999 年 10 月～2004 年 10 月，水库淤积泥沙 14.991 亿 m^3（见表 4-2），其中干流淤积 12.887 亿 m^3，占总淤积量的 86%，支流淤积 2.104 亿 m^3，占总淤积量的 14%。左岸支流淤积 1.212 亿 m^3，占总淤积量的 8%，右岸支流淤积 0.892 亿 m^3，占总淤积量的 6%。干流淤积主要发生在 2003 年和 2001 年，淤积量分别为 4.623 亿 m^3 和 3.471 亿 m^3，分别占干流总淤积量的 36%和 27%。2004 年由于水库大量排沙，干流仅淤积 0.297 亿 m^3，占干流总淤积量的 2%，而支流则发生较大淤积，为 0.877 亿 m^3，占支流总淤积量的 42%。2004 年支流淤积主要发生在汛期（见图 4-1）。由图 4-1 看出，汛期只有大峪河发生冲刷，东阳河、西阳河、芮村河、畛水河、石井河、涧河等支流淤积量较大，特别是畛水河淤积达 0.256 亿 m^3（见表 4-3）。

表 4-2　小浪底水库历年干、支流冲淤量统计　　（单位：亿 m^3）

时段（年-月）	干流	左岸支流	右岸支流	支流合计	总冲淤量
1999-10～2000-11	3.471	0.2	0.144	0.344	3.815
2000-11～2001-12	2.557	0.199	0.250	0.449	3.006
2001-12～2002-10	1.939	0.145	0.019	0.164	2.103
2002-10～2003-10	4.623	0.164	0.106	0.270	4.893
2003-10～2004-10	0.297	0.504	0.373	0.877	1.174
1999-10～2004-10	12.887	1.212	0.892	2.104	14.991

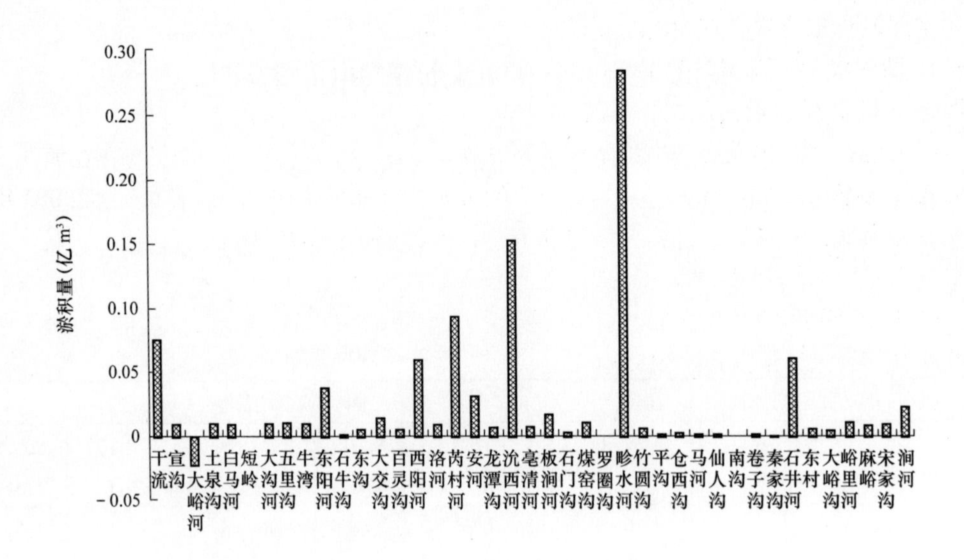

图 4-1 2004 年汛期干、支流淤积量分布

表 4-3 2004 年汛期典型支流汛期淤积情况

支流名称	大峪河	东阳河	西阳河	芮村河	沇西河	板涧河	畛水河	石井河
冲淤量(亿 m^3)	−0.045	0.023	0.044	0.051	0.022	−0.008	0.256	0.061

二、库区淤积时空分布不均

历年淤积时空分布情况见表 4-4，可以看出，淤积最多的是 2003 年，为 4.893 亿 m^3，占 5 年库区总淤积量的 32.6%；其次是 2000 年淤积 3.815 亿 m^3，占 5 年库区总淤积量的 25.4%，2004 年库区淤积量最小，仅占 5 年总淤积量的 7.8%。

表 4-4 小浪底库区断面法淤积量时程分布

时段 (年-月)	项目	大坝— 15 断面	15 断面— 27 断面	27 断面— 38 断面	38 断面— 49 断面	49 断面— 56 断面	合计
1999-09～ 2000-11	冲淤量(亿 m^3)	1.905	0.409	0.634	0.865	0.002	3.815
	空间分布(%)	49.9	10.7	16.6	22.7	0.1	100
2000-11～ 2001-12	冲淤量(亿 m^3)	2.349	0.689	0.322	−0.387	0.033	3.006
	空间分布(%)	78.1	22.9	10.7	−12.8	1.1	100
2001-12～ 2002-10	冲淤量(亿 m^3)	0.506	0.672	1.04	−0.137	0.022	2.103
	空间分布(%)	24.1	32	49.4	−6.5	1	100
2002-10～ 2003-10	冲淤量(亿 m^3)	−0.024	0.589	1.624	2.257	0.447	4.893
	空间分布(%)	−0.4	12	33.2	46.1	9.1	100
2003-10～ 2004-10	冲淤量(亿 m^3)	1.036	0.921	1.156	−1.506	−0.433	1.174
	空间分布(%)	88.2	78.4	98.5	−128.3	−36.8	100
1999-09～ 2004-10	合计(亿 m^3)	5.772	3.28	4.776	1.092	0.071	14.991
	空间分布(%)	38.5	21.9	31.9	7.3	0.4	100

水库淤积主要集中在 38 断面以下大约 65 km 以内，占总淤积量的 92.3%，其中大坝—15 断面淤积占总淤积量的 38.5%，15 断面—27 断面淤积量占总淤积量的 21.9%，27 断面—38 断面淤积量占总淤积量的 31.9%。

同时还看出淤积重心与坝前水位关系密切。2000 年及 2001 年淤积重心在大坝—15 断面间，该库段淤积量占年度淤积量的比例分别为 49.9%及 78.1%；2002 年及 2003 年随着坝前运用水位的升高，淤积重心逐渐上移，2002 年位于 27 断面—38 断面间，淤积量占本年度淤积总量的 49.4%，2003 年汛期坝前水位是 5 年中最高的一年，淤积重心进一步上移到 38 断面—49 断面间，淤积比例为 46.1%；2004 年汛期坝前水位大幅度降低，大量排沙，淤积三角洲尾部段 38 断面以上冲刷 1.939 亿 m^3，淤积重心又下移到 27 断面—38 断面间。

三、水库淤积以中粗泥沙为主

表 4-5 为小浪底水库运用 2000～2003 年来不同粒径组泥沙淤积量情况，4 年全沙淤积量 16.53 亿 t，其中小于 0.025 mm 细泥沙淤积量占总淤积量的 40%；而大于 0.025 mm 的中粗泥沙淤积量占总淤积量的 60%。特别是小于 0.01 mm 极细泥沙淤积量仅占总淤积量的 19%。

表 4-5　小浪底水库 2000～2003 年不同粒径组泥沙淤积情况

粒径 d(mm)	不同时段淤积量(亿 t)				
	2000 年	2001 年	2002 年	2003 年	合计
<0.010	0.824	0.656	0.653	0.958	3.091
<0.025	1.495	1.182	1.408	2.513	6.598
0.025～0.05	1.070	0.715	1.239	2.330	5.353
>0.05	0.964	0.814	1.089	1.710	4.578
全沙	3.529	2.711	3.736	6.553	16.529

四、干流淤积形态分析

自 1999 年小浪底水库蓄水到 2004 年 10 月，小浪底库区干流距坝 60 km 以内的河段，河底高程平均抬升 40 m 左右，其变化情况见图 4-2。1999 年开始，随着水库运用水位升高，河底高程逐渐抬高，淤积三角洲顶点逐渐上移，到 2001 年汛前干流距坝 60 km 以内的河段河底高程平均抬高 18 m，由于 2001 年和 2002 年异重流排沙和水库调水调沙试验，虽然距坝 60 km 以内的平均河底仍然抬高，但在距坝 60～90 km 之间，平均河底明显下降。2003 年汛期由于运用水位较高，入库沙量大，致使 60～100 km 之间库段河床明显抬升。2003 年汛期在距坝 70～110 km 之间河底高程达到 5 年间的最高。2004 年由于调水调沙试验和水库异重流排沙，在距坝 60～110 km 之间河段，河底高程明显降低，基本恢复到 2001 年状态，但距坝 60 km 以内的河床仍在升高。

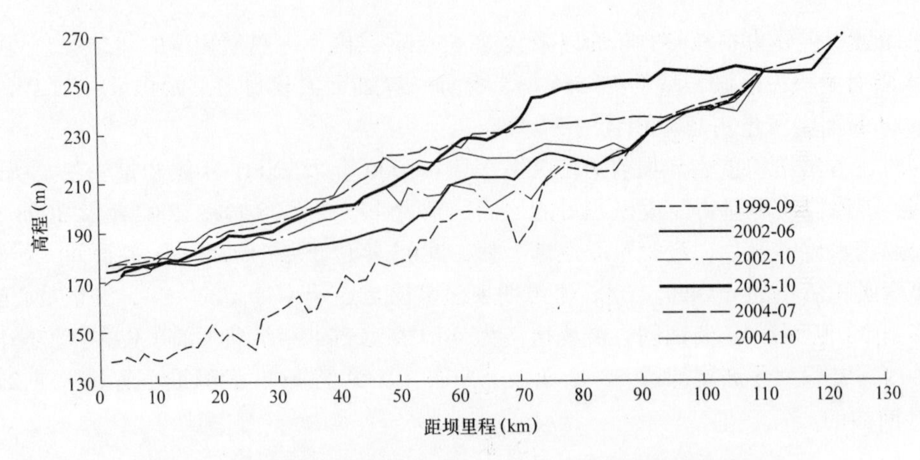

图 4-2 小浪底水库历年干流主槽最低河底高程沿程变化对比

五、库容变化情况

截至 2004 年 10 月，水库 275 m 高程以下库容为 112.24 亿 m^3(见图 4-3)，其中干流库容为 61.53 亿 m^3，左岸支流库容为 23.50 亿 m^3，右岸支流库容为 27.21 亿 m^3，分别占总库容 55%、21%、24%；水库 190 m 高程以下库容 1.97 亿 m^3，其中干流库容 1.54 亿 m^3。

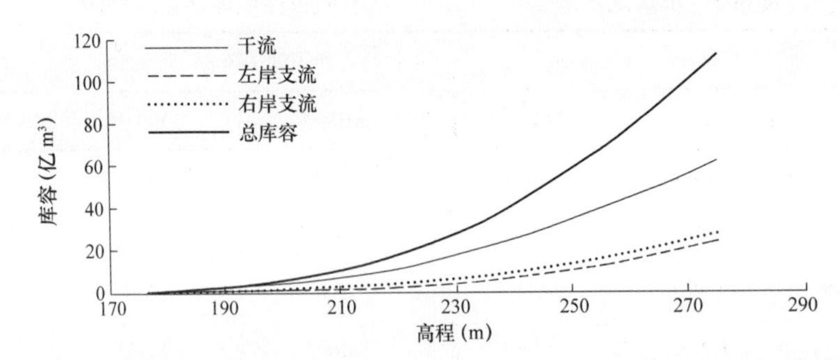

图 4-3 2004 年 10 月各级高程下库容情况

第五章　5年进入下游的水沙特点

一、进入下游水沙属于枯水少沙系列

小浪底水库投入运用以后，1999 年 11 月～2004 年 10 月年均进入下游水量 207.26 亿 m^3(见表 5-1)，较多年均值(1950～2000 年，下同)406.39 亿 m^3 偏少 49%；年均进入下游沙量 0.758 亿 t，较多年均值 12.65 亿 t 偏少 94%，属于枯水少沙系列。其中汛期平均水沙量分别为 81.11 亿 m^3 和 0.746 亿 t，较多年同期均值分别偏少 64%和 93%。年平均含沙量 3.7 kg／m^3，汛期平均含沙量 9.2 kg／m^3，分别较多年年均值(31.1 kg／m^3)和多年汛期均值(47 kg／m^3)明显减少。

表 5-1　1999 年 11 月～2004 年 10 月进入下游水沙特征统计

项目		2000 年	2001 年	2002 年	2003 年	2004 年	5 年平均
水量(亿 m^3)	非汛期	105.15	132.14	112.76	76.74	203.96	126.15
	汛期	50.60	46.50	91.00	134.8	82.66	81.11
	运用年	155.75	178.64	203.76	211.54	286.62	207.26
沙量(亿 t)	非汛期	0	0	0.015	0.043	0.001	0.012
	汛期	0.047	0.240	0.725	1.231	1.488	0.746
	运用年	0.047	0.240	0.740	1.274	1.489	0.758
平均含沙量(kg／m^3)	汛期	0.9	5.2	8.0	9.1	18.0	9.2
	运用年	0.3	1.3	3.6	6.0	5.2	3.7
汛期占年(%)	水量	32	26	45	64	29	39
	沙量	100	100	98	97	100	98

汛期水量占年水量 39%，较多年均值的 56%明显减少；汛期沙量占年沙量 98%，较多年均值的 88%有所增加，水沙量年内分配变化也比较大。

由表 5-1 还可以看出，各年水沙量有所不同。2004 年水沙量相对较多，年水沙量分别为 286.62 亿 m^3 和 1.488 亿 t，相应汛期水沙量分别为 82.66 亿 m^3 和 1.488 亿 t，分别约为 5 年均值的 1.4 倍和 2 倍；2000 年水沙量相对较少，仅为 155.75 亿 m^3 和 0.047 亿 t，分别较 5 年均值约偏少 24%和 93%。

二、入海水沙量明显偏少

1999 年 11 月～2004 年 10 月，年均入海(利津站)水量 104.23 亿 m^3(见表 5-2)，较多年均值偏少 68%，年均入海沙量 1.494 亿 t，较多年均值偏少 82%，也属于枯水枯沙系列。其中汛期平均水沙量分别为 57.92 亿 m^3 和 1.153 亿 t，较多年均值分别偏少 71%和 83%。年平均含沙量 14.3 kg／m^3，汛期平均含沙量 19.9 kg／m^3，都较多年同期均值明显减少。

表 5-2　1999 年 11 月～2004 年 10 月利津水沙统计

项目		2000 年	2001 年	2002 年	2003 年	2004 年	5 年平均	多年平均
水量（亿 m^3）	非汛期	20.77	46.52	15.1	8.43	140.70	46.31	126.26
	汛期	17.20	13.10	29.50	122.30	107.52	57.92	202.94
	运用年	37.97	59.62	44.6	130.73	248.22	104.23	329.20
沙量（亿 t）	非汛期	0.052	0.223	0.024	0.008	1.398	0.341	1.245
	汛期	0.094	0.064	0.524	3.012	2.071	1.153	7.167
	运用年	0.146	0.287	0.548	3.020	3.469	1.494	8.412
平均含沙量（kg / m^3）	汛期	5.5	4.9	17.8	24.6	19.3	19.9	35.3
	运用年	3.8	4.8	12.3	23.1	14.0	14.3	25.6
汛期占年（%）	水量	45	22	66	94	43	56	62
	沙量	64	22	96	100	60	77	85

三、下游河道水量不平衡问题突出

1999 年 11 月～2004 年 10 月，黄河下游小浪底—利津河段年均引水量 68.67 亿 m^3（见表 5-3），占进入下游水量的 33%。汛期年均引水量 21.37 亿 m^3，占汛期进入下游水量的 26%；非汛期年均引水量 47.3 亿 m^3，占非汛期进入下游水量的 38%。从引水量分布看，非汛期引水量大于汛期引水量；非汛期引沙量占年引沙量的 69%。

5 年年均进入下游水量 207.26 亿 m^3，区间年均引水 68.67 亿 m^3，入海利津站年均水量 104.23 亿 m^3，区间东平湖年均加水 8.38 亿 m^3，不考虑蒸发和渗漏，每年约缺少 42.75 亿 m^3 水量不能平衡，约占进入下游水量的 21%。

表 5-3　水量不平衡情况

时段	年引水量（亿 m^3）	汛期引水量（亿 m^3）	汛期占年引水（%）	非汛期不平衡水量（亿 m^3）	汛期不平衡水量（亿 m^3）	年不平衡水量（亿 m^3）	非汛期不平衡水量占年（%）
2000 年	64.01	26.14	41	46.51	7.26	53.77	86
2001 年	73.68	21.36	29	33.30	20.54	53.84	62
2002 年	87.31	35.94	41	46.29	25.56	71.85	64
2003 年	62.02	15.63	25	21.92	3.76	25.68	85
2004 年	56.35	7.8	14	18.99	–10.40	8.59	221
5 年平均	68.67	21.37	31	33.40	9.34	42.75	78

水量不平衡主要发生在非汛期，5 年非汛期平均不平衡水量 33.4 亿 m^3，占同期进入下游水量的 27%，占年平均不平衡水量的 78%。由表 5-3 还可以看出，水量不平衡主要发生在 2000～2002 年，每年均超过 50 亿 m^3，特别是 2002 年高达 71.85 亿 m^3。2000 年和 2002 年非汛期，不平衡水量超过 46 亿 m^3，分别占同期进入下游水量的 44%和 41%。非汛期水量不平衡问题较汛期突出。

四、进入下游洪水场次少、洪峰流量小

由花园口日平均流量和含沙量过程可见(见图 5-1)，1999 年 11 月以来花园口洪峰流量大于 2 000 m^3 / s 的洪水仅 10 场(见表 5-4)，年平均仅 2 场，较多年平均偏少 67%；洪峰流量大于 4 000 m^3 / s 的洪水没有一场，多年平均 3.6 场，洪水场次明显偏少。5 年中花园口最大洪峰仅 3 550 m^3 / s，洪峰流量减小明显。

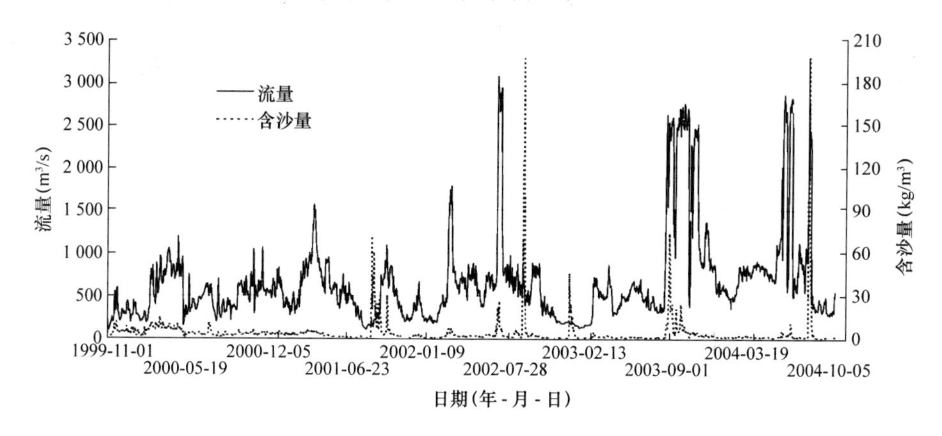

图 5-1　5 年花园口日平均流量和含沙量过程线

表 5-4　花园口洪水特征值

时段 (年-月-日)	历时 (d)	洪峰流量 (m^3 / s)	最大含沙量 (kg / m^3)	最高水位 (m)	水量 (亿 m^3)	沙量 (亿 t)	平均含沙量 (kg / m^3)
2002-07-04～07-19	15	3 170	44.6	93.65	29.8	0.380	12.8
2003-08-31～09-05	6	2 780	10.4	93.44	9.99	0.083	8.3
2003-09-06～09-20	15	2 720	80.7	93.18	29.59	0.889	30.0
2003-09-24～10-26	32	2 760	8.7	93.09	72.04	0.626	8.7
2003-10-28～11-04	5	2 450	6.7	92.8	7.08	0.03	4.2
2003-11-05～11-21	17	2 560	5.3	90.93	30.70	0.127	4.1
2004-06-09～06-18	10	2 310	6.61	92.66	11.15	0.033	3.0
2004-06-19～06-30	12	2 970	7.22	92.41	23.72	0.082	3.5
2004-07-04～07-14	11	2 950	13.1	92.2	23.18	0.128	5.5
2004-08-23～08-31	9	3 550	394	93.31	16.45	1.51	91.8

五、汛期下游水沙变化特点

(一)径流过程以小流量为主，中大流量较少

由表 5-5 可以看出，小浪底水库运用以来下游径流过程以 1 000 m^3 / s 以下的小流量为主。各水文站 1 000 m^3 / s 以下流量级的历时均占汛期总天数的 80%以上。特别是利津站流量级小于 300 m^3 / s 历时达 404 d，占 5 年汛期总天数的 66%，其中流量级小于 100 m^3 / s 的历时达 254 d，占 5 年汛期总天数的 41%。

表 5-5　汛期各流量级出现的天数统计

水文站	年份	各流量级(m^3/s)出现天数(d)								
		<100	100～300	300～500	500～1 000	1 000～1 500	1 500～2 000	2 000～2 500	2 500～3 000	>3 000
小浪底	2000	6	30	60	27	0	0	0	0	0
	2001	18	31	30	44	0	0	0	0	0
	2002	0	2	29	78	2	1	1	10	0
	2003	3	45	25	10	5	16	19	0	0
	2004	0	54	24	27	3	1	5	9	0
	合计	27	162	168	186	10	18	25	19	0
花园口	2000	0	13	57	53	0	0	0	0	0
	2001	0	55	23	44	1	0	0	0	0
	2002	0	1	20	88	3	0	0	10	1
	2003	0	0	54	12	4	7	21	25	0
	2004	0	9	51	38	9	1	5	9	1
	合计	0	78	205	235	17	8	26	44	2
高村	2000	0	41	34	48	0	0	0	0	0
	2001	22	46	29	26	0	0	0	0	0
	2002	0	8	40	62	2	2	1	8	0
	2003	0	11	45	9	6	5	20	27	0
	2004	0	18	41	40	8	1	6	9	0
	合计	22	124	189	185	16	8	27	44	0
艾山	2000	0	54	27	42	0	0	0	0	0
	2001	2	66	48	7	0	0	0	0	0
	2002	0	40	61	9	0	4	8	1	0
	2003	1	21	38	4	5	8	12	33	1
	2004	0	21	11	44	22	8	5	10	2
	合计	3	202	185	106	27	20	25	44	3
利津	2000	60	40	20	3	0	0	0	0	0
	2001	80	33	7	3	0	0	0	0	0
	2002	100	8	1	1	2	2	9	0	0
	2003	14	45	5	1	7	10	19	22	0
	2004	0	24	17	34	22	9	4	13	0
	合计	254	150	50	42	31	21	32	35	0

下游各站流量级大于 2 000 m^3/s 的径流出现历时比较短，花园口以下各站占汛期总天数仅 10%左右。大于 2 000 m^3/s 流量级主要发生在 2002～2004 年 3 次调水调沙试验期间和 2003 年秋汛期洪水及 2004 年的洪水期间。5 年中流量级大于 3 000 m^3/s 以上流量级更少，仅花园口和艾山分别出现了 2 d 和 3 d。

(二)水量在各级流量的沿程分布不同

由表 5-6 可见,水量在各流量级沿程分布不同。小浪底出库的水量主要集中在 500～1 000 m^3/s 流量级，占汛期水量的 34%，相应沙量仅占汛期的 11%；小浪底排沙最大的流量级为 2 000～2 500 m^3/s，占汛期排沙的 34%(见表 5-7)，相应水量仅占汛期水量的 14%。

表 5-6　汛期各流量级下的水量统计

水文站	年份	各流量级(m^3/s)水量(亿 m^3)								
		<100	100～300	300～500	500～1 000	1 000～1 500	1 500～2 000	2 000～2 500	2 500～3 000	>3 000
小浪底	2000	0.3	5.9	19.9	12.9	0	0	0	0	0
	2001	1.0	4.7	9.6	26.7	0	0	0	0	0
	2002	0	0.4	10.3	47.5	2.0	1.4	1.9	23.4	0
	2003	0.2	8.8	7.9	6.6	5.4	24.2	34.9	0	0
	2004	0	9.9	8.7	15.7	3.4	1.7	9.2	20.6	0
	合计	1.6	29.8	56.3	109.5	10.7	27.2	46.0	44.0	0
花园口	2000	0	2.8	19.1	27.4	0	0	0	0	0
	2001	0	9.6	8.2	26.2	0.9	0	0	0	0
	2002	0	0.2	7.3	53.7	3.2	0	0	24.2	2.6
	2003	0	0	18.1	6.1	4.4	10.4	43.7	56.0	0
	2004	0	2.2	16.5	24.2	8.7	1.6	9.9	21.2	2.8
	合计	0	14.9	69.1	137.6	17.1	12.0	53.6	101.4	5.5
高村	2000	0	8.5	11.2	27.4	0	0	0	0	0
	2001	1.7	7.8	10.6	14.1	0	0	0	0	0
	2002	0	2.0	14.1	33.7	2.2	3.1	2.0	18.9	0
	2003	0	2.4	14.5	5.0	6.3	7.7	39.6	61.8	0
	2004	0	4.4	12.7	27.1	7.9	1.7	11.7	20.5	0
	合计	1.7	25.1	63.1	107.4	16.5	12.5	53.3	101.2	0
艾山	2000	0	10.8	8.7	24.4	0	0	0	0	0
	2001	0.2	11.3	15.4	3.7	0	0	0	0	0
	2002	0	8.0	20.2	5.0	0	6.1	15.6	2.2	0
	2003	0.1	4.3	11.9	2.3	5.7	12.3	22.9	77.3	2.6
	2004	0	3.8	3.6	27.2	24.2	11.2	10.0	23.8	5.2
	合计	0.2	38.2	59.8	62.7	30.0	29.6	48.5	103.3	7.8
利津	2000	2.8	6.1	6.8	1.5	0	0	0	0	0
	2001	4.4	4.9	2.2	1.5	0	0	0	0	0
	2002	4.9	1.1	0.3	0.6	2.3	3.2	17.0	0	0
	2003	0.9	7.3	1.4	0.6	8.0	15.7	37.5	50.9	0
	2004	0	4.7	6.2	21.2	24.1	13.0	8.1	30.5	0
	合计	13	24.1	16.9	25.4	34.4	31.9	62.6	81.4	0

花园口—艾山河段水量主要集中在 500～1 000 m^3/s 和 2 500～3 000 m^3/s 流量级，花园口这两个流量级分别占汛期水量的 33%和 25%；高村分别占汛期水量的 28%和 26%；艾山分别占汛期水量的 16%和 27%，各站占汛期水量的百分比不同。

利津水量较大的流量级分别集中在小于 500 m^3/s 的小流量级和 2 000～3 000 m^3/s 的中大流量级，分别占汛期水量的 18%和 50%。

(三)汛期输沙以较大流量为主

由表 5-7 可见，就 5 年合计而言，花园口、高村、艾山、泺口、利津输沙量较大的流量级均为 2 000～3 000 m³ / s，分别为 2.554 亿、3.257 亿、3.878 亿 t 和 4.531 亿 t，分别占该站汛期总沙量的 54%、62%、64%、79%。

表 5-7 汛期各流量级下的沙量统计

水文站	年份	各流量级(m³ / s)沙量(亿 t)								
		<100	100～300	300～500	500～1 000	1 000～1 500	1 500～2 000	2 000～2 500	2 500～3 000	>3 000
小浪底	2000	0	0.004	0.035	0.004	0	0	0	0	0
	2001	0.022	0.093	0.055	0.060	0	0	0	0	0
	2002	0	0	0.104	0.258	0.002	0.018	0.030	0.315	0
	2003	0	0.042	0.024	0.096	0.051	0.687	0.251	0	0
	2004	0	0.005	0	0.008	0.102	0.347	0.965	0.044	0
	合计	0.022	0.144	0.218	0.425	0.155	1.052	1.246	0.359	0
花园口	2000	0	0.004	0.054	0.109	0	0	0	0	0
	2001	0	0.121	0.015	0.134	0.010	0	0	0	0
	2002	0	0	0.044	0.497	0.017	0	0	0.304	0.058
	2003	0	0	0.018	0.010	0.019	0.077	0.860	0.657	0
	2004	0	0.001	0.028	0.044	0.052	0.314	0.611	0.122	0.546
	合计	0	0.127	0.159	0.794	0.098	0.391	1.471	1.083	0.604
高村	2000	0	0.026	0.060	0.249	0	0	0	0	0
	2001	0.004	0.052	0.059	0.141	0	0	0	0	0
	2002	0	0.005	0.212	0.253	0.020	0.062	0.029	0.222	0
	2003	0	0.005	0.040	0.024	0.062	0.092	0.675	1.203	0
	2004	0	0.007	0.043	0.113	0.041	0.305	0.604	0.523	0
	合计	0.004	0.094	0.415	0.780	0.122	0.459	1.308	1.949	0
艾山	2000	0	0.036	0.055	0.268	0	0	0	0	0
	2001	0	0.046	0.099	0.022	0	0	0	0	0
	2002	0	0.056	0.153	0.089	0	0.140	0.286	0.028	0
	2003	0	0.010	0.045	0.016	0.068	0.205	0.569	1.827	0.039
	2004	0	0.004	0.007	0.104	0.102	0.061	0.468	0.701	0.525
	合计	0	0.152	0.359	0.498	0.170	0.406	1.322	2.556	0.565
利津	2000	0.005	0.024	0.053	0.012	0	0	0	0	0
	2001	0.007	0.016	0.015	0.026	0	0	0	0	0
	2002	0.012	0.004	0.003	0.009	0.044	0.078	0.375	0	0
	2003	0	0.011	0.006	0.008	0.136	0.349	1.271	1.234	0
	2004	0	0.006	0.013	0.129	0.169	0.104	0.191	1.461	0
	合计	0.024	0.061	0.090	0.185	0.348	0.530	1.837	2.694	0

表 5-8 为汛期各流量级下的平均含沙量统计。

表 5-8　汛期各流量级下的平均含沙量统计

水文站	年份	各流量级(m^3/s)含沙量(kg/m^3)								
		<100	100～300	300～500	500～1 000	1 000～1 500	1 500～2 000	2 000～2 500	2 500～3 000	>3 000
小浪底	2000	0	1	2	0	0	0	0	0	0
	2001	22	20	6	2	0	0	0	0	0
	2002	0	0	10	5	1	13	16	13	0
	2003	0	5	3	15	9	28	7	0	0
	2004	0	1	0	1	30	204	105	2	0
	平均	14	5	4	4	14	39	27	8	0
花园口	2000	0	1	3	4	0	0	0	0	0
	2001	0	13	2	5	11	0	0	0	0
	2002	0	0	6	9	5	0	0	13	22
	2003	0	0	1	2	4	7	20	12	0
	2004	0	0	2	2	6	196	62	6	195
	平均	0	9	2	6	6	33	27	11	110
高村	2000	0	3	5	9	0	0	0	0	0
	2001	2	7	6	10	0	0	0	0	0
	2002	0	3	15	8	9	20	15	12	0
	2003	0	2	3	5	10	12	17	19	0
	2004	0	2	3	4	5	179	52	26	0
	平均	2	4	7	7	7	37	25	19	0
艾山	2000	0	3	6	11	0	0	0	0	0
	2001	0	4	6	6	0	0	0	0	0
	2002	0	7	8	18	0	23	18	13	0
	2003	0	2	4	7	12	17	25	24	15
	2004	0	1	2	4	4	5	47	29	101
	平均	0	4	6	8	6	14	27	25	72
利津	2000	2	4	8	8	0	0	0	0	0
	2001	2	3	7	17	0	0	0	0	0
	2002	2	4	10	15	19	24	22	0	0
	2003	0	2	4	13	17	22	34	24	0
	2004	0	1	2	6	7	8	24	48	0
	平均	2	3	5	7	10	17	29	33	0

第六章　下游河道冲淤分析

一、河道冲淤特点

根据每年下游实测大断面计算，5 年下游总冲刷量为 6.515 亿 m^3(见表 6-1)，根据下游各站实测沙量和河段引沙量计算，5 年下游冲刷量 5.908 亿 t，两种计算方法在定性上一致。如果按干容重 1.4 t / m^3 计算，冲刷量两者差 3.213 亿 t。由于下游水量不平衡问题突出，引沙量是根据引水量计算，也存在一定的问题，因此断面法相对合理。

表 6-1　1999 年 11 月～2004 年 10 月下游冲淤情况

项目	2000 年	2001 年	2002 年	2003 年	2004 年	合计
断面法冲淤量(亿m^3)	–0.753	–0.816	–0.748	–2.62	–1.578	–6.515
沙量法冲淤量(亿 t)	–0.619	–0.593	–0.382	–2.057	–2.257	–5.908

(一)冲淤量时空分布不均

5 年来黄河下游河道实现全程冲刷，沿程冲刷量分布呈现两头大、中间小的特点(见图 6-1)，即高村以上河段和艾山以下河段冲刷较多，高村—艾山河段冲刷比较少。其中高村以上河段冲刷 5.215 亿 m^3，占冲刷总量的 80%，特别是夹河滩以上河段冲刷量达 4.699 亿 m^3，占冲刷总量的 72%；艾山以下河段冲刷 0.964 亿 m^3，占冲刷总量的 15%；而高村—艾山河段仅冲刷 0.336 亿 m^3，占冲刷总量的 5%。

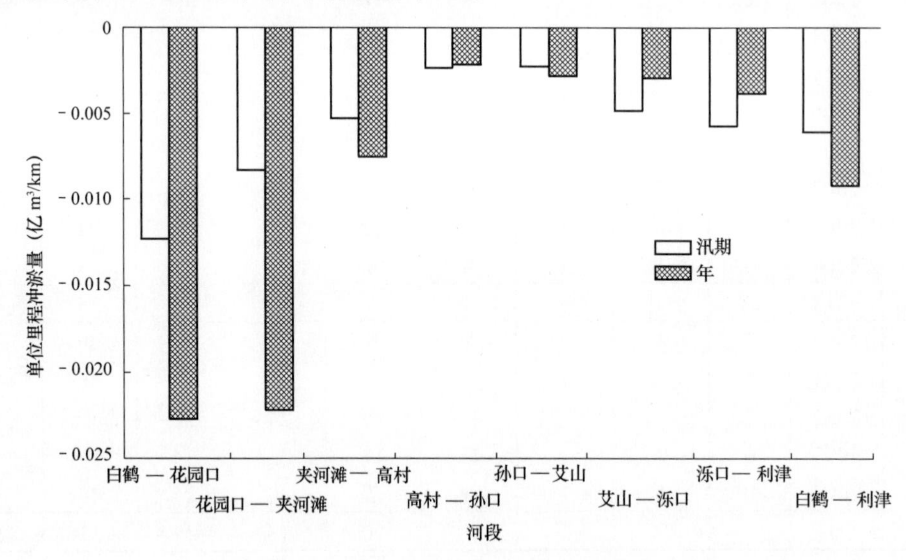

图 6-1　下游河道 5 年各河段冲刷情况

从冲刷时间分布看，冲刷主要发生在汛期，汛期 5 年总冲刷量 4.283 亿 m^3，占全年冲刷量的 66%(见表 6-2)。从年际冲刷量看，2003 年冲刷量最大，为 2.62 亿 m^3，占 5 年总冲刷量的 40%；其次为 2004 年，为 1.578 亿 m^3，占 5 年总冲刷量的 24%；2000～2002

年 3 年冲刷相对较少，均在 0.8 亿 m^3 左右，3 年合计占总冲刷量的 36%。

表 6-2　小浪底水库运用后下游各河段断面法冲淤量的时空分布

时段	不同河段冲淤量(亿 m^3)							
	白鹤—花园口	花园口—夹河滩	夹河滩—高村	高村—孙口	孙口—艾山	艾山—泺口	泺口—利津	白鹤—利津
2000 年	–0.659	–0.435	0.054	0.133	0.006	0.11	0.038	–0.753
2001 年	–0.473	–0.315	–0.1	0.071	–0.017	–0.003	0.021	–0.816
2002 年	–0.304	–0.397	0.133	0.048	–0.003	–0.04	–0.185	–0.748
2003 年	–0.648	–0.698	–0.319	–0.300	–0.108	–0.228	–0.319	–2.620
2004 年	–0.382	–0.388	–0.284	–0.105	–0.061	–0.149	–0.209	–1.578
5 年非汛期合计	–1.142	–1.4	–0.154	0.016	–0.039	0.172	0.315	–2.232
5 年汛期合计	–1.324	–0.833	–0.362	–0.169	–0.144	–0.482	–0.969	–4.283
5 年合计	–2.466	–2.233	–0.516	–0.153	–0.183	–0.31	–0.654	–6.515
2002 年汛期滩地	0.004	0	0.028	0.11	0.001	0	0	0.143
2002 年汛期河槽	–0.186	–0.112	0.131	–0.054	–0.016	–0.072	–0.139	–0.448
河槽 5 年汛期	–1.328	–0.833	–0.39	–0.279	–0.145	–0.482	–0.969	–4.426
河槽 5 年合计	–2.47	–2.233	–0.544	–0.263	–0.184	–0.31	–0.654	–6.658

(二)冲刷发展情况

2000 年由于小浪底水库大量蓄水，年内基本为小流量下泄，最大流量 1 290 m^3 / s，下游平均流量非汛期和汛期分别为 505 m^3 / s 和 475 m^3 / s(见表 6-3)，平均流量相差不大。全年冲刷主要发生在夹河滩以上河段，为 1.094 亿 m^3，其中非汛期冲刷 0.867 亿 m^3，占夹河滩以上全年冲刷量的 79%，较汛期冲刷量大。

表 6-3　5 年下游河槽各河段冲刷发展情况

时段(年-月)	进入下游平均水沙条件		不同河段冲刷量(亿 m^3)							
	含沙量(kg / m^3)	流量(m^3 / s)	白鹤—花园口	花园口—夹河滩	夹河滩—高村	高村—孙口	孙口—艾山	艾山—泺口	泺口—利津	白鹤—利津
1999-11～2000-05	0	505	–0.58	–0.287	0.064	0.090	–0.017	0.107	0.128	–0.495
2000-06～2000-10	1	475	–0.079	–0.148	–0.01	0.043	0.023	0.003	–0.09	–0.258
2000-11～2001-05	0	640	–0.327	–0.295	–0.096	–0.027	–0.016	0.003	0.108	–0.65
2001-06～2001-10	4	464	–0.146	–0.02	–0.004	0.098	–0.001	–0.006	–0.087	–0.166
2001-11～2002-05	0	509	–0.122	–0.285	–0.026	–0.008	0.012	0.032	–0.046	–0.443
2002-06～2002-10	7	836	–0.182	–0.112	0.159	0.056	–0.015	–0.072	–0.139	–0.305
2002-11～2003-05	1	331	–0.006	–0.214	–0.007	–0.06	–0.004	0.014	0.061	–0.216
2003-06～2003-11	8	1 141	–0.642	–0.484	–0.312	–0.24	–0.104	–0.242	–0.38	–2.404
2003-12～2004-04	0	1 026	–0.107	–0.319	–0.089	0.021	–0.014	0.016	0.064	–0.428
2004-05～2004-10	10	811	–0.275	–0.069	–0.195	–0.126	–0.047	–0.165	–0.273	–1.15
2002 年汛期河槽	7	836	–0.186	–0.112	0.131	–0.054	–0.016	–0.072	–0.139	–0.448

2001 年小浪底水库仍然是小流量下泄，最大流量仅 1 720 m^3 / s，冲刷主要发生在高村以上河段，较 2000 年冲刷距离有所增加。下游汛期平均流量为 464 m^3 / s，与 2000 年汛期接近，虽然区间东平湖加了水，但全下游冲刷量仍然小于 2000 年汛期。特别是 2001 年汛期夹河滩以上较 2000 年汛期冲刷偏少 26%。

2002 年非汛期下游平均流量 509 m^3 / s，冲刷发展到孙口，冲刷重心在花园口—夹河滩河段，占全下游冲刷量的 64%，较 2001 年的花园口以上河段明显下移。2002 年汛期由于调水调沙试验，下游河道主槽全程冲刷(见表 6-4)，冲刷量呈现两头多、中间少的格局；2002 年汛期调水调沙试验期间，二滩发生淤积，淤积量 0.143 亿 m^3。

2003 年非汛期下游平均流量虽然仅 331 m^3 / s，冲刷发展到艾山，冲刷重心仍在花园口—夹河滩河段，占下游冲刷量的 99%。2003 年汛期下游平均流量 1 141 m^3 / s，相对较大，由于调水调沙试验和东平湖加水，实现了全线冲刷，冲刷分布仍然是两头多、中间少的格局，与 2002 年汛期一致。

表 6-4　2002 年汛期冲刷情况

河段	距离(km)	汛期冲淤量(亿m^3)			其中调水调沙试验期间冲淤量(亿m^3)		
		主槽	滩地	全断面	主槽	滩地	全断面
白鹤—花园口	108.87	–0.251	0.004	–0.182	–0.162	0.004	–0.094
花园口—夹河滩	100.80	–0.161	0	–0.112	–0.100	0	–0.051
夹河滩—高村	72.70	–0.010	0.028	0.159	–0.161	0.028	0.008
高村—孙口	118.20	–0.120	0.110	0.056	–0.125	0.110	0.051
孙口—艾山	63.87	–0.024	0.001	–0.015	–0.021	0.001	–0.012
艾山—泺口	101.84	–0.076	0	–0.072	–0.069	0	–0.064
泺口—利津	167.80	–0.141	0	–0.139	–0.079	0	–0.076
白鹤—利津	734.08	–0.783	0.143	–0.305	–0.717	0.143	–0.239

2004 年非汛期下游平均流量虽然达 1 026 m^3 / s，较 2001 年非汛期、2002 年非汛期、2003 年非汛期平均流量都大，但冲刷距离相对较短，仅发展到高村。汛期下游平均流量 811 m^3 / s，由于期间调水调沙试验和东平湖加水，下游河槽全程冲刷。

(三)汛期不同时期的冲淤情况

小浪底水库投入运用以来，冲刷主要发生在汛期，根据水沙条件不同，将汛期分为 4 个时期，分析各时期下游冲淤情况(见表 6-5)可以看出，5 年汛期下游冲刷 3.268 亿 t，其中调水调沙试验期为 1.074 亿 t，占总冲刷量的 33%；洪水期和平水下泄清水期分别为 1.186 亿 t 和 1.208 亿 t，均占总冲刷量的 36%；小流量排沙期淤积 0.2 亿 t。

由于 2002 年调水调沙试验期间，二滩发生淤积(0.2 亿 t)，如果不考虑二滩淤积情况，5 年汛期冲刷量中，调水调沙试验期冲刷最大，为 1.274 亿 t，占总冲刷量的 39%；其次为洪水期间，占总冲刷量的 36%。如果仅考虑主槽冲刷情况，5 年总冲刷量中，调水调沙试验期占到 53%。

表 6-5　汛期不同水沙条件下各河段冲淤情况(沙量法)

项目		不同河段冲淤量(亿 t)							
		白鹤—花园口	花园口—夹河滩	夹河滩—高村	高村—孙口	孙口—艾山	艾山—泺口	泺口—利津	白鹤—利津
调水调沙试验期	2002 年	–0.131	–0.071	0.011	0.071	–0.017	–0.09	–0.107	–0.334
	2003 年	–0.105	–0.036	–0.117	0.024	–0.187	–0.002	–0.033	–0.456
	2004 年	–0.076	–0.045	–0.007	–0.071	–0.024	–0.003	–0.058	–0.284
洪水期	2003 年	–0.279	–0.209	–0.042	–0.289	–0.261	0.073	–0.319	–1.326
	2004 年	–0.1	0.11	0.02	0.09	–0.18	0.11	0.09	0.14
平水泄清水期	2000 年	–0.116	–0.17	–0.005	–0.009	–0.039	0.032	0	–0.307
	2001 年	–0.068	–0.07	0.03	0.037	–0.02	0.039	–0.054	–0.106
	2002 年	–0.324	–0.36	0.147	–0.036	0.009	0.175	0.18	–0.209
	2003 年	–0.028	0.008	–0.073	–0.009	–0.028	0.013	–0.029	–0.146
	2004 年	–0.054	–0.004	–0.109	–0.037	0.002	–0.098	–0.14	–0.44
小流量排沙期	2001 年	0.021	0.013	0.014	0.007	0.005	0.003	0.005	0.068
	2002 年	–0.03	–0.024	0.124	0.026	–0.003	0.007	0.032	0.132
时期合计	调水调沙	–0.312	–0.152	–0.113	0.024	–0.228	–0.095	–0.198	–1.074
	洪水期	–0.379	–0.099	–0.022	–0.199	–0.441	0.183	–0.229	–1.186
	平水期	–0.59	–0.596	–0.01	–0.054	–0.076	0.161	–0.043	–1.208
	小流量	–0.009	–0.011	0.138	0.033	0.002	0.01	0.037	0.2
汛期	2000 年	–0.116	–0.17	–0.005	–0.009	–0.039	0.032	0	–0.307
	2001 年	–0.047	–0.057	0.044	0.044	–0.015	0.042	–0.049	–0.038
	2002 年	–0.485	–0.455	0.282	0.061	–0.011	0.092	0.105	–0.411
	2003 年	–0.412	–0.237	–0.232	–0.274	–0.476	0.084	–0.381	–1.928
	2004 年	–0.23	0.061	–0.096	–0.018	–0.202	0.009	–0.108	–0.584
	合计	–1.29	–0.858	–0.007	–0.196	–0.743	0.259	–0.433	–3.268

注：(1)洪水期不含调水调沙期，汛期平水期为去掉洪水期、小流量排沙期及调水调沙试验期。

(2)引水日报统计 2004 年汛期全下游引水 7.8 亿 m^3，占下游来水 9%，冲淤计算没有考虑引沙。

(3)2002 年调水调沙试验冲淤量为全断面的断面法冲淤量。

(4)2004 年调水调沙试验为第二阶段(7 月份)。

调水调沙试验期间主槽全程冲刷，全断面表现为高村—孙口河段淤积，其余河段均发生冲刷；洪水期和平水期均为高村—孙口河段和艾山—泺口河段淤积，其余河段均发生冲刷；小流量排沙期仅夹河滩以上发生微冲。

从各河段发生的冲淤量和水沙条件类型看，花园口以上河段各时段都发生冲刷，冲刷量最大的是平水期，冲刷量占汛期该河段冲刷量的 46%；其次是洪水期，冲刷量占汛期该河段冲刷量的 29%。花园口—夹河滩河段各时段都发生冲刷，冲刷量最大的是平水期，冲刷量占汛期该河段冲刷量的 69%；其次是调水调沙试验期，冲刷量占汛期该河段冲刷量的 18%。夹河滩—高村段除小流量排沙期间淤积，其余各时段都发生冲刷。高村—孙口段洪水期冲刷最大。孙口—艾山小流量排沙期间淤积，其余时段均表现出冲刷，冲刷量最大的是洪水期间，由于东平湖加水的影响，冲刷量占汛期该河段冲刷量的 59%。艾山以下河段平水期和小流量排沙期均发生淤积，冲刷量最大的是调水调沙试验期间。

二、主槽过流能力增加

(一)同流量水位下降

同流量水位的变化是对一定时期河道冲淤变化的客观反映。依据下游主要水文站水位流量关系(见图 6-2)，比较 2004 年与小浪底水库运用前的 1999 年同流量水位变化情况，可以看出各站同流量水位均表现为降低。表 6-6 统计了同流量水位变化情况，可见，2 000 m^3/s 的水位 5 年下游各站降低幅度 0.13～1.49 m；1 000 m^3/s 的水位 5 年下游各站降低幅度 0.25～1.51 m。花园口水位下降幅度最大，2 000 m^3/s 和 1 000 m^3/s 的水位分别降低 1.49 m 和 1.51 m；其次为高村，2 000 m^3/s 和 1 000 m^3/s 的水位分别降低 0.9 m 和 0.84 m；孙口水位下降最小，2 000 m^3/s 和 1 000 m^3/s 的水位分别降低 0.13 m 和 0.25 m。

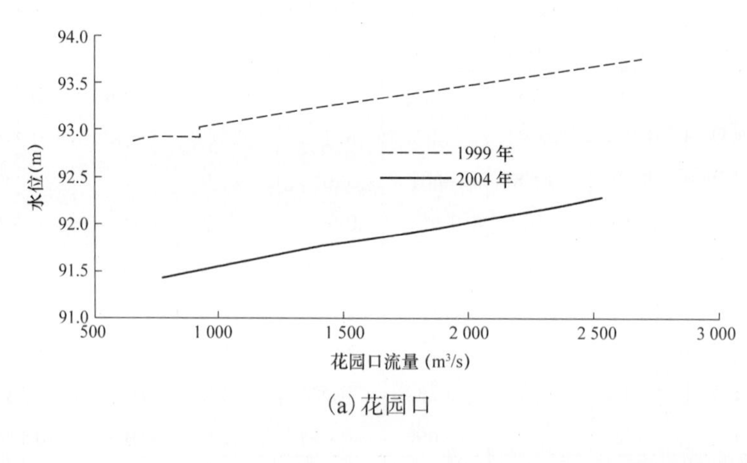

(a)花园口

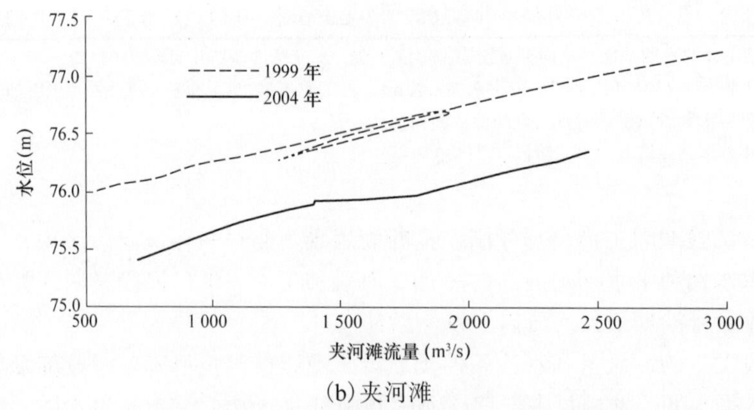

(b)夹河滩

图 6-2　下游主要水文站水位流量关系

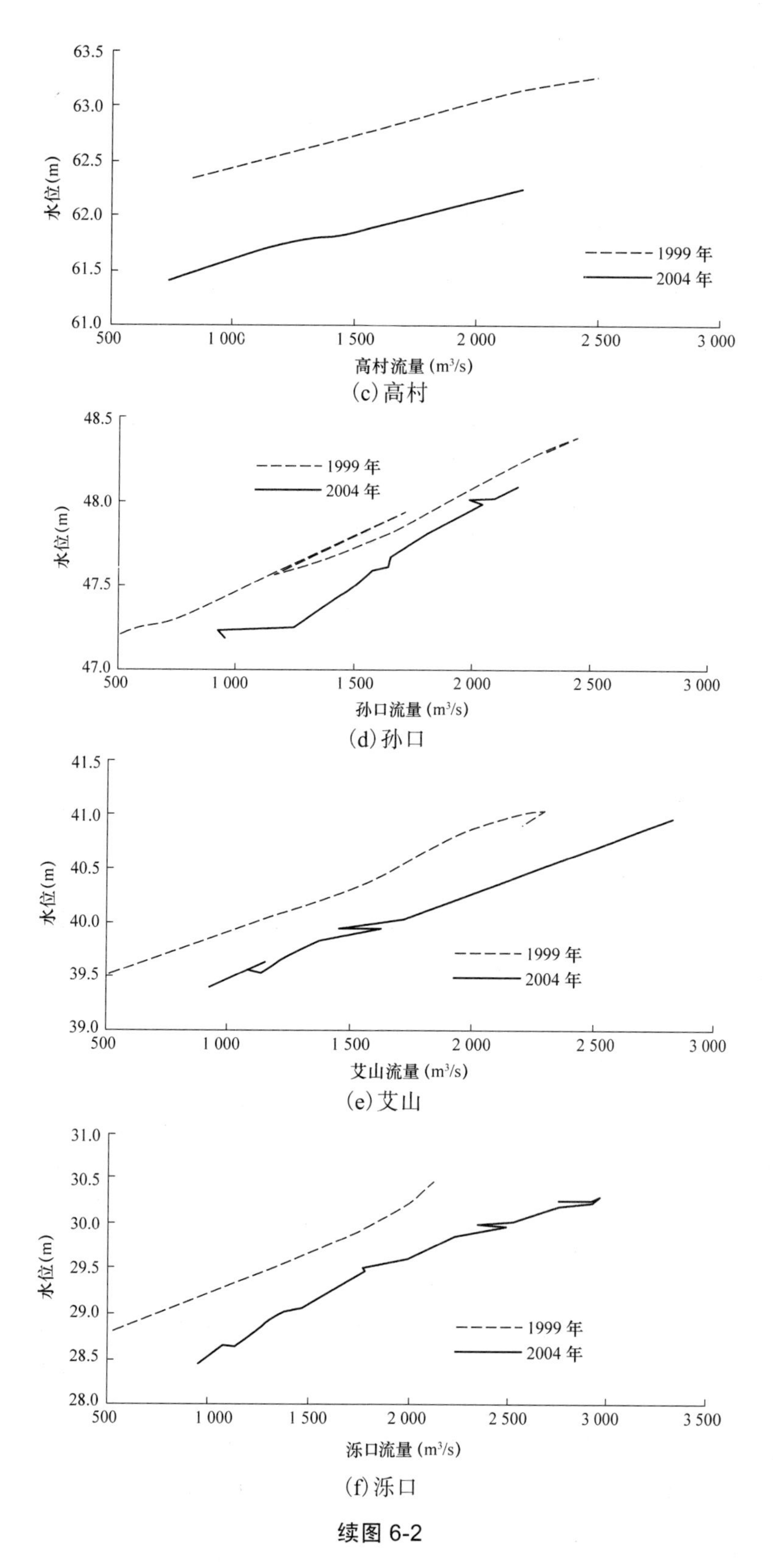

(c)高村

(d)孙口

(e)艾山

(f)泺口

续图 6-2

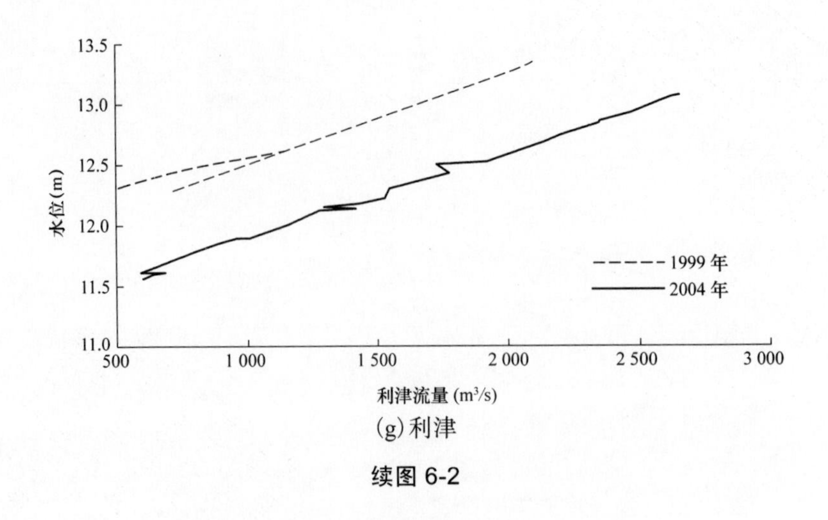

(g)利津

续图 6-2

表 6-6　黄河下游主要水文站同流量水位变化

水文站	2 000 m³/s			1 000 m³/s		
	1999 年水位 H_{99}(m)	2004 年水位 H_{04}(m)	H_{04}–H_{99} 水位差(m)	1999 年水位 H_{99}(m)	2004 年水位 H_{04}(m)	H_{04}–H_{99} 水位差(m)
花园口	93.49	92	−1.49	93.05	91.54	−1.51
夹河滩	76.77	76.1	−0.67	76.28	75.65	−0.63
高村	63.04	62.13	−0.91	62.44	61.6	−0.84
孙口	48.07	47.94	−0.13	47.47	47.22	−0.25
艾山	40.86	40.28	−0.58	39.91	39.5	−0.41
泺口	30.24	29.6	−0.64	29.21	28.51	−0.7
利津	13.25	12.58	−0.67	12.55	11.9	−0.65

1 000 m³/s 和 2 000 m³/s 的同流量水位降低幅度均表现出两头大、中间小的格局，与断面法冲淤量沿程分布定性表现一致。

(二)主槽平滩流量增加

主槽是排洪输沙的主要通道，其过流能力大小直接影响到黄河下游的防洪安全。平滩流量是反映河道排洪能力的重要指标，平滩流量越小，主槽过流能力以及对河势的约束能力越低，防洪难度越大。初步分析黄河下游河道经过 5 年清水冲刷和调水调沙试验期冲刷，平滩流量增加 700～2 000 m³/s。

三、断面形态调整

小浪底水库运用后，黄河下游各河段纵横断面得到相应调整。表 6-7 为小浪底水库运用 5 年后黄河下游各河段断面形态统计情况，可以看出，高村以上河段的断面形态调整基本以展宽和下切并举，高村以下河段是以下切为主。花园口以上河床下切幅度最大，平均达 1.51 m；花园口—夹河滩河段展宽比较大，平均达 403 m；孙口—艾山河段河床下切幅度小，仅 0.6 m。河床下切幅度沿程表现为两头大、中间小，与河道冲刷量和水位表现变化一致。

表 6-7　1999 年 10 月～2004 年 10 月黄河下游各河段断面特征变化统计

河段	距离(km)	断面(个)	1999 年 10 月河宽 B(m)	2004 年 10 月河宽 B(m)	河宽变化(m)	冲淤厚度(m)	1999 年 10 月 $\sqrt{B}/H$	2004 年 10 月 $\sqrt{B}/H$
白鹤—花园口	108.87	19	1 040	1370	330	−1.51	17.9	12.0
花园口—夹河滩	100.80	22	1 072	1475	403	−0.79	24.5	19.8
夹河滩—高村	77.07	13	725	876	151	−1.24	15.6	10.8
高村—孙口	118.20	9	518	529	11	−0.85	12.1	8.1
孙口—艾山	63.87	17	505	498	−7	−0.6	8.8	7.1
艾山—泺口	101.84	14	446	438	−8	−0.71	6.0	4.9
泺口—利津	167.80	23	405	405	0	−0.79	6.5	5.1

用河相系数 $\sqrt{B}/H$ 的变化反映河槽横断面情况，2004 年汛后与小浪底水库运用前相比，各河段沿程均有所减小，说明横断面趋于窄深，其中孙口以上河段减小幅度较大。

第七章　小浪底水库初期与三门峡水库蓄水拦沙期间的对比分析

一、水沙条件对比

(一) 水沙对比

小浪底水库初期运用5年(以下简称小浪底初期)与三门峡清水下泄期间(以下简称三门峡初期)水沙情况对比见表7-1，可以看出，小浪底初期年均出库水沙量明显偏少，较三门峡水库初期分别偏小63%和86%，其中汛期分别偏小77%和82%。三门峡水库初期年平均含沙量约是小浪底初期年平均含沙量的3倍，但两个时期汛期平均含沙量变化不大。从水沙量年内分配看，汛期出库水量集中程度降低，水库泄水量三门峡初期占年水量的57%，而小浪底初期汛期泄水量仅占年泄水量的36%。汛期出库沙量集中程度提高，汛期平均排沙量三门峡初期占年排沙量的74%，而小浪底初期汛期平均排沙量占年排沙量的98%。

表7-1　小浪底水库拦沙期间与三门峡水库蓄水期间下游水沙对比

项目	时段	三门峡初期年平均	小浪底初期年平均	三门峡初期汛期平均	小浪底初期汛期平均
水库下泄	水量(亿m^3)	493.03	182.67	281.03	65.02
	沙量(亿t)	5.433	0.738	4.000	0.726
	平均含沙量(kg/m^3)	11.0	4.0	14.0	11.2
进入下游	水量(亿m^3)	558.75	207.26	320.25	81.11
	沙量(亿t)	5.820	0.759	4.290	0.747
	平均含沙量(kg/m^3)	10.4	3.7	13.3	9.2
花园口	水量(亿m^3)	582.45	206.84	338.95	82.51
	沙量(亿t)	7.870	1.347	5.885	0.945
	平均含沙量(kg/m^3)	13.5	6.5	17.4	11.5
利津站	水量(亿m^3)	621.25	104.23	377.0	57.90
	沙量(亿t)	11.220	1.494	8.62	1.153
	平均含沙量(kg/m^3)	18.0	14.3	22.8	19.9
花园口平均流量(m^3/s)		1 846	656	3 189	970
花园口 s/q		0.007	0.010	0.006	0.012

注：小浪底初期为1999年11月1日～2004年10月31日；三门峡初期为1960年11月1日～1964年10月31日。

从水沙量在下游沿程变化情况看，三门峡初期下游区间加水多，引水特别少，入海利津站水量较进入下游年均增加 62.5 亿m^3；而小浪底初期下游区间加水少，引水比较多，入海利津站水量较进入下游年均减少 103.0 亿m^3。

(二)洪水对比

在小浪底建库初期(简称小浪底初期)，花园口年平均流量和汛期平均流量较三门峡建库初期(简称三门峡初期)分别偏小 64%和 70%。与三门峡初期相比，花园口洪水场次减少，洪峰流量大于 2 000 m^3/s 的洪水三门峡初期年均 4.75 场，而小浪底初期年均仅 1.8 场；洪水历时缩短，三门峡初期洪水平均历时 20 d，而小浪底初期洪水平均历时仅 10 d；洪峰流量明显减小，洪峰流量大于 2 000 m^3/s 的洪水年均 3.3 场，而小浪底初期 5 年才出现 2 场。

二、冲淤量对比

小浪底初期与三门峡初期下游河槽冲刷对比情况见表 7-2，可以看出，下游 5 年年均冲淤量仅 1.864 亿 t，较三门峡初期的年均 5.655 亿 t 冲淤量偏小 67%。

表 7-2 河槽冲淤量对比情况

河段	年平均冲淤量(亿 t)		年均空间分布(%)		汛期平均冲淤量(亿 t)		汛期占年比例(%)	
	三门峡初期	小浪底初期	三门峡初期	小浪底初期	三门峡初期	小浪底初期	三门峡初期	小浪底初期
花园口以上	-2.198	-0.692	39	37	-1.629	-0.372	74	54
花园口—高村	-1.877	-0.778	33	42	-1.294	-0.342	69	44
高村—艾山	-0.791	-0.125	14	7	-0.513	-0.119	65	95
艾山—利津	-0.789	-0.270	14	14	-0.953	-0.406	121	151
高村以上	-4.075	-1.469	72	79	-2.922	-0.714	72	49
高村以下	-1.580	-0.395	28	21	-1.466	-0.525	93	133
全下游	-5.655	-1.864	100	100	-4.388	-1.239	78	66

三门峡初期河槽冲刷量沿程减少，而小浪底初期表现出两头大、中间小的特点。花园口以上河段两个时期年均冲刷量占全下游的比例变化不大。花园口—高村河段和高村—艾山河段两个时期占全下游的比例变化比较大，小浪底初期花园口—高村河段比例为 42%，较三门峡初期的 33%明显增加；小浪底初期高村—艾山河段比例为 7%，较三门峡初期的 14%明显减小。艾山—利津河段两个时期比例基本上没有变化。

下游冲刷量在年内分布不同，小浪底初期汛期占年的比例为 66%，较三门峡初期的 78%减小了 12%。各河段汛期占年比例在不同时期也表现不同。小浪底初期花园口以上河段汛期占年的比例为 54%，明显小于三门峡初期的 74%；小浪底初期花园口—高村河段汛期占年的比例仅 49%，小于该时期的非汛期，较三门峡初期也减小了 23%；小浪底初期高村以下河段汛期占年的比例较三门峡初期明显增加。两个时期的共同点是艾山—利津河段汛期占年比例均超过 120%。

三、排洪能力对比

对比不同时期下游主要水文站同流量水位变化情况(见表 7-3)，可以看出，两个时期除利津站外，同流量水位均表现出降低的特点。三门峡清水下泄期间同流量水位下降幅度均较小浪底拦沙期下降幅度大，特别是孙口站在小浪底拦沙期年下降 0.03 m，较三门峡清水下泄期间同流量水位下降的 0.39 m 明显减小。

表 7-3 同流量水位年平均下降幅度对比

时段	不同断面水位降幅(m)						
	花园口	夹河滩	高村	孙口	艾山	泺口	利津
1960～1964 年平均①	–0.33	–0.33	–0.33	–0.39	–0.19	–0.17	0.002
2000～2004 年平均②	–0.30	–0.13	–0.18	–0.03	–0.12	–0.13	–0.13
②-①	0.03	0.20	0.15	0.36	0.07	0.04	–0.13

注：1960～1964 年同流量指 3 000 m^3 / s，2000～2004 年同流量指 2 000 m^3 / s。利津 1960～1964 年水位为插补值。

四、冲刷效率对比

对比三门峡清水下泄期间和小浪底拦沙期间的冲刷效率(见表 7-4)，可以看出，小浪底拦沙期间全下游年平均冲刷效率低于三门峡清水下泄期间的 36%；汛期平均冲刷效率高于三门峡清水下泄期的 7%。同时可以看出，三门峡清水下泄期间第一年和第二年冲刷效率比较高，随后开始减弱；小浪底拦沙期间前三年冲刷效率低，第四年冲刷效率比较高，而后开始减弱。

表 7-4 河槽冲刷效率对比 (单位：kg / m^3)

年份	三门峡初期 年平均冲刷效率	小浪底初期 年平均冲刷效率	三门峡初期 汛期平均冲刷效率	小浪底初期 汛期平均冲刷效率
第一年	–20	–7	–17	–7
第二年	–17	–6	–13	–5
第三年	–8	–6	–8	–7
第四年	–13	–17	–15	–25
第五年	—	–8	—	–19
平均	–14	–9	–14	–15

五、调水调沙试验及人造洪峰对比分析

调水调沙试验期间与人造洪峰对比情况见表 7-5。

2002 年调水调沙试验历时 12 d，利津以上河槽全程冲刷，冲刷量 0.534 亿 t(见表 7-5)，其中艾山—利津河段冲刷 0.197 亿 t；全下游河槽冲刷效率 20 kg / m^3。由于水流漫滩，滩地淤积量 0.2 亿 t。

表 7-5　3 次调水调沙试验与三门峡水库“人造洪峰”对比

项目		2002 年调水调沙	2003 年调水调沙	2004 年调水调沙	1963 年人造洪峰	1964 年人造洪峰
进入下游	平均含沙量(kg / m^3)	12.0	29	0.9	0.3	0.7
	水量(亿 m^3)	26.61	25.91	47.89	18.36	9.36
	沙量(亿 t)	0.319	0.751	0.044	0.005	0.007
花园口	历时(d)	12.3	13.3	24.5	14	5
	平均流量(m^3 / s)	2 649	2 394	2 247	1 658	2 268
	平均含沙量(kg / m^3)	13.3	31.1	4.4	6.8	10.0
	水量(亿 m^3)	28.23	27.49	47.57	21.5	9.8
	沙量(亿 t)	0.372	0.856	0.211	0.147	0.098
艾山	平均流量(m^3 / s)	1 984	2 524	2 207	1 613	2 246
	平均含沙量(kg / m^3)	17.8	37.7	11.4	13.1	17.8
	水量(亿 m^3)	25.1	31.08	48.14	20.9	9.7
	沙量(亿 t)	0.449	1.174	0.548	0.273	0.173
河槽河段冲淤量(亿 t)	花园口以上	–0.136	–0.105	–0.169	–0.091	–0.139
	花园口—夹河滩	–0.071	–0.036	–0.101	–0.020	–0.006
	夹河滩—高村	–0.028	–0.117	–0.046	–0.001	–0.070
	高村—艾山	–0.102	–0.163	–0.197	–0.054	–0.050
	艾山—利津	–0.197	–0.035	–0.151	0.023	0.070
	全下游	–0.534	–0.456	–0.665	–0.143	–0.195
冲刷效率(kg / m^3)	利津以上	–20	–18	–14	–8	–21
	艾山—利津	–7	–1	–3	1	7

注：2002 年 7 月调水调沙试验，冲淤量为断面法，开始于白鹤断面；2003 年 9 月调水调沙试验，冲淤量开始于小浪底；2004 年调水调沙试验，冲淤量开始于小浪底；1963 年 12 月 5 日位山水利枢纽破除，前期淤积 0.6 亿 m^3，对艾山—利津冲淤不利。

2003 年第二次调水调沙试验历时 13 d，利津以上冲刷 0.456 亿 t，其中艾山—利津河段冲刷 0.035 亿 t；利津以上河道单位水量冲刷效率 18 kg / m^3。

2004 年第二次调水调沙试验历时 25 d，利津以上冲刷 0.665 亿 t，其中艾山—利津河段冲刷 0.151 亿 t；利津以上河道单位水量冲刷效率 14 kg / m^3。

3 次调水调沙冲刷效率对比，如果不考虑滩地淤积，利津以上河槽冲刷效率最大的为 2002 年；考虑滩地淤积情况，利津以上河槽冲刷效率最大的为 2003 年。

3 次调水调沙试验与三门峡水库下泄低含沙量洪水期对比，3 次调水调沙河槽全程冲刷，而 1963 年和 1964 年人造洪峰试验冲刷发展到艾山，艾山—利津河段明显淤积。1963 年人造洪峰试验艾山—利津河段淤积的主要原因是造峰流量小，大流量持续历时短；1964 年人造洪峰试验艾山—利津河段淤积的主要原因是造峰水量偏小。

点绘 3 次调水调沙期间冲刷情况和三门峡水库下泄低含沙量洪水期冲刷情况（见

图 7-1)，可以看出，水沙条件相近时，下游河道随着冲刷的发展，床沙粗化，冲刷效率明显降低。2003 年调水调沙试验与 2003 年调水调沙试验后 9 月 24 日～10 月 28 日的洪水，平均流量接近，后者洪水的平均含沙量远小于调水调沙试验期间，洪水历时是调水调沙试验历时的 3 倍，但洪水的冲刷效率没有 2003 年调水调沙试验高。2004 年调水调沙试验分为两个时段，两个时段的水沙条件和洪水历时接近，后一个时段冲刷效率较前一个时段冲刷效率减少 20%。1961 年 11 月 23～30 日与 1962 年 8 月 13～20 日的洪水及 1963 年 5 月 25 日～6 月 2 日，历时相同，平均流量均为 3 400 m^3/s 左右，冲刷效率相差 4 kg/m^3。

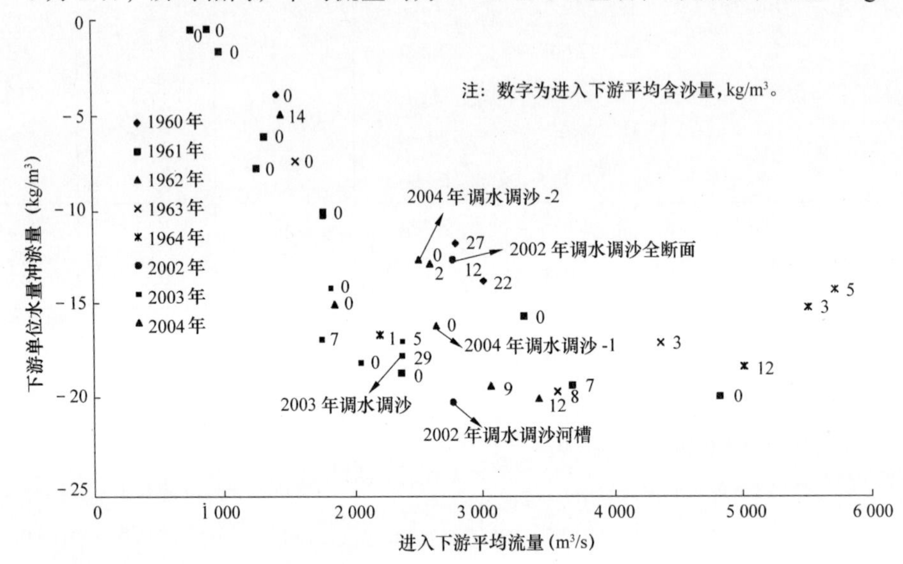

图 7-1　3 次调水调沙试验期间与三门峡水库下泄低含沙量洪水期冲刷情况对比

统计 3 次调水调沙试验期间下游悬移质泥沙中值粒径及粗泥沙占比例沿程变化情况(见表 7-6 和表 7-7)，可以看出，悬移质泥沙中值粒径从小浪底出库到入海利津站粗化特别明显，尤其是 2002 年和 2004 年调水调沙试验期间，大于 0.05 mm 的粗泥沙比例沿程明显增加。花园口—利津 2002 年和 2003 年悬移质泥沙中值粒径增加明显。

表 7-6　沿程悬移质泥沙中值粒径调整情况　　(单位：mm)

水文站	不同时段中值粒径 (mm)				
	2002 年	2003 年	2004 年	2004–1	2004–2
小浪底	0.006	0.006	0.007	0	0.007
花园口	0.008	0.006	0.042	0.044	0.037
夹河滩	0.009	0.007	0.032	0.037	0.030
高村	0.015	0.008	0.028	0.034	0.023
孙口	0.018	0.009	0.030	0.036	0.030
艾山	0.027	0.014	0.036	0.039	0.037
泺口	0.023	0.013	0.035	0.037	0.032
利津	0.027	0.019	0.031	0.030	0.029

注：2004–1 和 2004–2 分别为 2004 年调水调沙试验第一阶段和第二阶段。

表 7-7　下游各站粗泥沙（d >0.05 mm）所占百分数　　（%）

水文站	2002 年	2003 年	2004 年	2004–1	2004–2
小浪底	3.3	2	4.1	0	4.1
花园口	11.9	9	42.9	44.2	40.4
夹河滩	10.4	11	34.4	37.3	33.3
高村	18.3	14	28.5	32.8	24.4
孙口	14.9	14	30.9	35	32.1
艾山	26.5	23	37.8	40.4	38.5
泺口	19.9	21	36	38.4	34.4
利津	21	24	31	29.3	28.6

第八章　结论与认识

(1) 1999 年 10 月～2004 年 10 月，小浪底水库入库水沙系列属于枯水少沙系列，水沙量年平均仅 171.17 亿 m^3 和 4.282 亿 t，较多年均值偏少 54%和 63%。特别是汛期水量占年水量由多年平均的 56%减小到 45%，而汛期沙量占年沙量的比例由多年平均的 88%增加到 94%。

(2) 小浪底水库运用 5 年，水库共泄水 913.34 亿 m^3，排沙 3.687 亿 t，1999 年 10 月～2004 年 10 月增加蓄水量 37.88 亿 m^3，水位上升 60.77 m。蓄水量增加最多的是 2003 年汛期，达 70.71 亿 m^3，水库泄水最多的是 2001 年非汛期。5 年来水库运用水位 2003 年最高，达 265.58 m(10 月 15 日)，2001 年出现最低水位 191.72 m(7 月 28 日 8 时)。

(3) 小浪底水库调节了年内水量分配，汛期水量占年水量由入库的 45%减少到 36%，优化了水沙搭配；削减了洪峰，最大削峰率达 65%，减少了流量级 1 000～1 500 m^3/s 出现的时间，小于 0.025 mm 的细泥沙排沙比 23%，而大于 0.05 mm 的粗泥沙排沙比仅 2%，水库拦粗排细效果明显。

(4) 根据断面法计算，水库 5 年内共淤积 14.991 亿 m^3，淤积主要在干流，为 12.887 亿 m^3；水库淤积主要集中在坝前 38 断面以下，占总淤积量的 92%；淤积主要发生在 2003 年，占总淤积量的 33%。5 年来坝前 60 km 以内，河床平均抬高 40 m。截至 2004 年 10 月，水库 275 m 高程以下库容为 112.24 亿 m^3，其中干流库容为 61.53 亿 m^3；水库 225 m 高程以下库容为 21.78 亿 m^3，其中干流库容为 13.94 亿 m^3；水库 190 m 高程以下库容为 1.97 亿 m^3，其中干流库容为 1.54 亿 m^3。

(5) 5 年进入下游总水量 1 036.31 亿 m^3，入海总水量 521.15 亿 m^3，下游总引水量 343.37 亿 m^3；进入下游沙量 3.794 亿 t，引沙 2.233 亿 t，入海沙量 7.47 亿 t。根据断面法计算，5 年下游冲刷 6.515 亿 m^3，其中汛期占 65.7%。总冲刷量空间分布为两头大、中间小，即高村以上河段冲刷量占全下游的 80%，艾山以下占下游的 15%。时间分布为 2003 年冲刷最大，占总冲刷的 40%。2004 年与 1999 年相比，同流量水位降低 0.13～1.49 m，河槽的河相系数均减小。高村以上河段断面基本以展宽和下切为主，高村以下河段断面主要是下切为主。

(6) 与三门峡下泄清水期间比较，小浪底水库拦沙期进入下游的水沙量、平均流量、平均含沙量均偏小 60%以上，河槽年平均冲刷量偏少 67%，汛期冲刷效率增加 7%。同流量水位除利津站外年平均偏低 0.03～0.36 m。

(7) 小浪底水库如果不考虑水库蒸发、渗漏、引水以及支流来水，出库水量多出 95.37 亿 m^3 水量不能平衡，占入库三门峡站水量的 11%。黄河下游如果不考虑蒸发、渗漏和区间加水，大约有 171.78 亿 m^3 水量不能平衡，占进入下游水量的 17%。

(8) 通过对 3 次调水调沙试验及人造洪峰和三门峡下泄清水期间洪水冲刷情况分析，认为水沙条件相近时，下游河道随着冲刷的发展，床沙粗化，冲刷效率明显降低。

(9) 2004 年小浪底库区支流淤积严重，其原因有待于专门研究。

第八专题　2000～2004 年黄河水沙分析

进入 21 世纪初，黄河来了多少水、输了多少沙，降水、洪水有什么特点等，这是大家所关心的问题。近十几年由于人类活动的影响，黄河的水沙情况发生了很大的变化，尤其是在降水量减少不多的情况下，天然径流大幅度地衰减，不能不引起人们的关注。本专题把 2000～2004 年的黄河水沙情况作一简要的统计和归纳。

第一章　黄河流域降水量

黄河流域2000～2004年(以下简称近5年)降水有以下3个特点(见表1-1、图1-1、图1-2)：

(1)黄河流域近5年平均降水量为430.9 mm，比1956～1999年均值(以下简称多年均值)偏少3.9%，但比1990～1999年均值(以下简称90年代)偏多2.1%。

(2)流域分区近5年平均降水量，头道拐以上比多年均值偏少10.4%，三门峡以下比多年均值偏多5.4%，其他分区与多年均值基本持平。

(3)近5年中降水量最多的是2003年，年降水量为555.6 mm，是新中国成立以来第5位丰水年，比多年均值偏多23.8%；最少的是2000年，年降水量381.8 mm，是新中国成立以来倒数第6位枯水年，比多年均值偏少14.9%；最多最少年降水量相差174 mm，比例为1∶0.7。2003年降水特点是前5个月严重偏枯，进入汛期、特别是秋汛降雨大幅度增加，增雨区主要在兰州以上、头道拐—龙门区间、汾河、泾洛渭河、三门峡—花园口区间、花园口以下，以上各区7～10月降雨量比多年均值偏多55%～75%，是黄河流域1964年以来少有的“华西秋雨”。

表1-1　黄河流域2000～2004年降水量统计　　(单位：mm)

分区	2000年	2001年	2002年	2003年	2004年	5年平均	1990～1999年	1956～1999年
兰州以上	412.9	434.5	375.6	524.9	418.0	433.2	470.9	484.6
兰州—头道拐	182.9	238.3	261.0	282.4	219.4	236.8	266.3	263.5
头道拐—龙门	338.9	418.4	436.9	545.4	415.5	431.0	403.6	435.6
龙门—三门峡	478.7	469.4	505.9	735.7	462.5	530.4	491.7	541.8
三门峡—花园口	657.1	521.6	578.1	991.8	668.4	683.4	603.6	659.5
花园口以下	681.5	525.8	381.7	922.2	988.0	699.8	663.9	647.0
内流区	165.6	293.0	327.1	291.4	272.0	269.8	260.5	274.3
全流域	381.8	404.0	404.2	555.6	409.2	430.9	422.2	448.6

注：2004年是报汛资料，11～12月降水按20世纪90年代年内分配比例数插补。

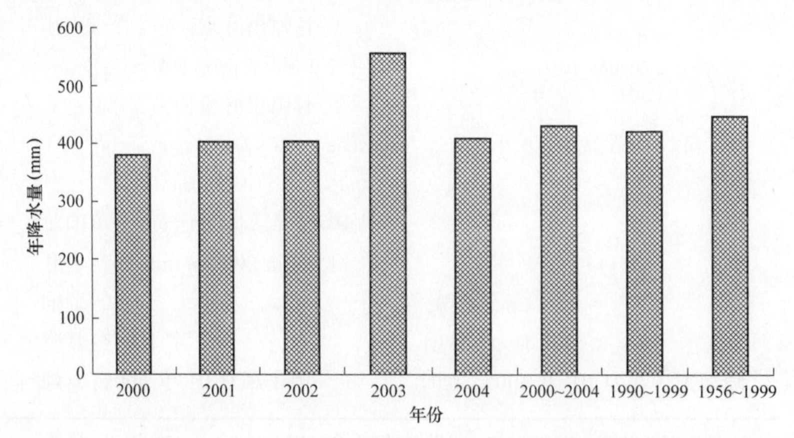

图1-1　黄河流域2000～2004年降水量示意

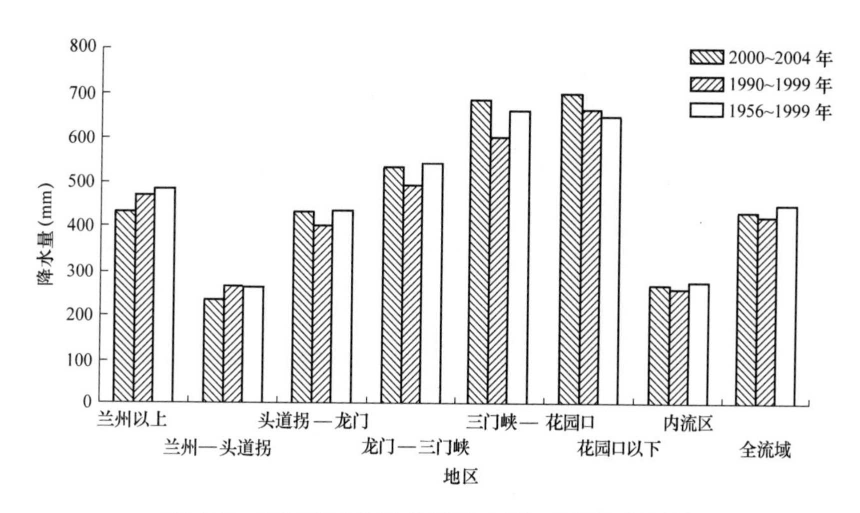

图 1-2 黄河流域各地区不同时段年均降水量比较

第二章　黄河干支流主要站实测水量

表 2-1 是黄河干支流主要站的实测水量，可以看出，近 5 年黄河水量普遍偏枯，如兰州、头道拐、龙门、三门峡、花园口站 5 年平均实测水量分别为 237.3 亿、123.9 亿、154.9 亿、172.1 亿、208.0 亿 m^3，与多年均值比，偏少 25%～53%，与 20 世纪 90 年代的枯水期比，偏少 9%～29%。

表 2-1　黄河干流主要控制站 2000～2004 年实测径流量统计表　（单位：亿 m^3）

水文站	2000 年	2001 年	2002 年	2003 年	2004 年	5 年平均	1990～1999 年	1956～1999 年
唐乃亥	154.5	138.1	105.8	171.6	151.5	144.3	176.0	205.1
兰　州	259.6	235.6	235.8	219.7	235.7	237.3	259.7	314.3
头道拐	140.2	113.3	122.8	115.6	127.7	123.9	156.7	223.9
龙　门	157.2	139.4	156.6	162.3	159.2	154.9	198.2	275.4
三门峡	163.1	142.6	152.1	236.1	166.6	172.1	242.3	362.3
花园口	165.3	165.5	195.6	272.7	240.8	208.0	256.9	395.7
高　村	136.9	129.5	157.7	257.6	229.4	182.2	222.0	370.4
利　津	48.6	46.5	41.9	192.6	198.3	105.6	140.8	321.4
红　旗	24.70	32.57	23.00	44.81	34.47	31.91	35.06	47.50
温家川	1.717	1.823	1.714	2.321	1.993	1.914	4.482	6.229
白家川	6.749	8.672	9.025	8.363	7.071	7.976	9.338	12.12
河　津	1.506	1.619	1.994	6.372	4.661	3.230	5.085	10.88
洑　头	5.880	6.911	6.428	12.47	3.447	7.027	7.500	8.735
华　县	35.54	26.23	26.72	93.38	36.94	43.76	43.74	71.33
黑石关	13.61	7.388	7.667	42.97	20.98	18.52	14.56	27.02
武　陟	4.044	2.995	1.055	18.17	7.088	6.670	3.73	8.284

从图 2-1 看出，近 5 年干流主要控制站的平均实测水量比 20 世纪 90 年代普遍下降，比多年均值下降更多，且越向下游减少越多。5 年中 2003 年的水量最大，2003 年下游的实测水量比 20 世纪 90 年代偏多，如花园口站 2003 年偏多 6.2%，利津站偏多 36.7%，而 2003

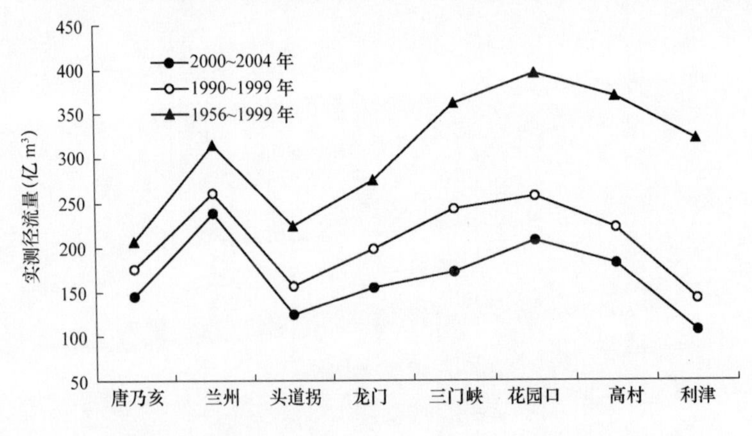

图 2-1　黄河干流站各时段年均实测径流量示意

年的上、中游各站的水量仍比 90 年代偏少，如兰州偏少 15.4%，龙门偏少 18.1%，三门峡偏少 3.6%。2003 年下游水量偏多的原因主要是“华西秋雨”形成汾河、渭河、北洛河、伊洛河、大汶河水量增加。从表 2-1 中看出河津、洑头、华县、黑石关、武陟等支流站 2003 年的水量比其他 4 年或比 20 世纪 90 年代都大幅度增加，除河津外，大部分比多年均值还多。

近 5 年实测水量大幅度地减少，除了降雨原因外主要是人类活动的影响。人类活动对河川径流的影响不仅反映在径流量的锐减，也反映在年内分配的变化上。图 2-2、图 2-3 中的粗线是兰州和花园口两站天然状况下的实测径流年内分配比例，最大 4 个月的水量都发生在汛期 7～10 月，其水量占全年水量的 61%左右。虚线是人类活动影响后近 5 年平均水量年内分配过程，其中兰州站最大 4 个月水量发生在 5、6、9、10 月，且占全年的 43.5%；花园口站发生在 3、7、9、10 月，且占全年的 42.2%。图 2-4、图 2-5 是兰州和花园口两站近 5 年各年的水量年内分配过程，兰州主要受龙刘水库(龙羊峡、刘家峡水库)调节和少量的引耗水量影响，5 年平均分配过程和各年过程的趋势大体一致。花园口站因受上中游各个水库调节、引耗水量以及人工调水调沙试验等影响，故各年的分配过程各不相同，如 2000 年最大 4 个月水量已不在汛期，而发生在 3、4、10、11 月，

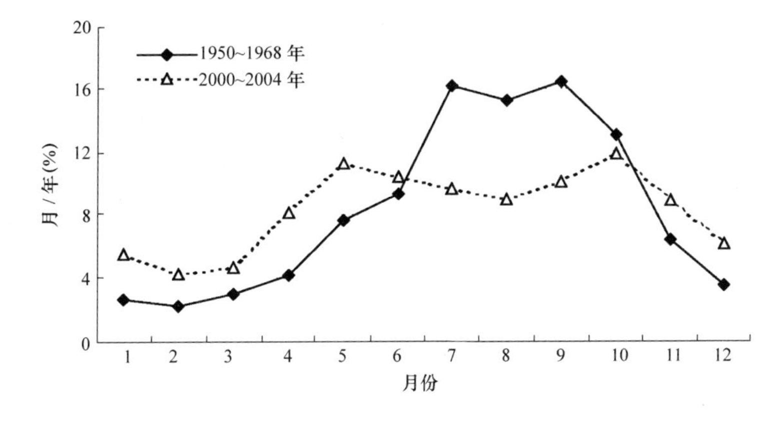

图 2-2　兰州 1950～1968 年与 2000～2004 年平均实测径流年内分配

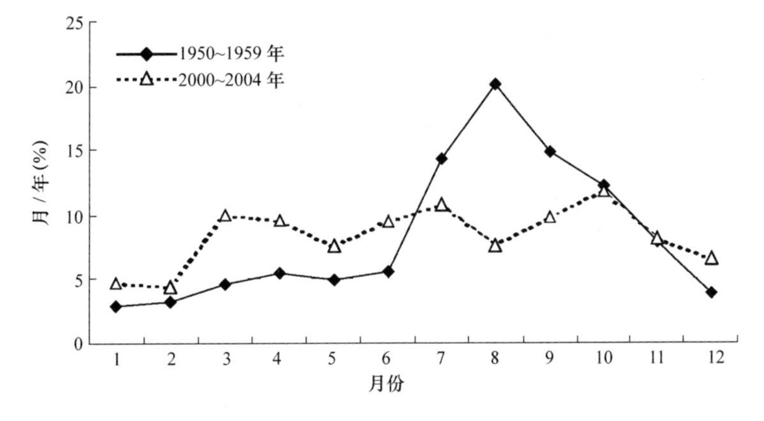

图 2-3　花园口 1950～1959 年与 2000～2004 年平均实测径流年内分配

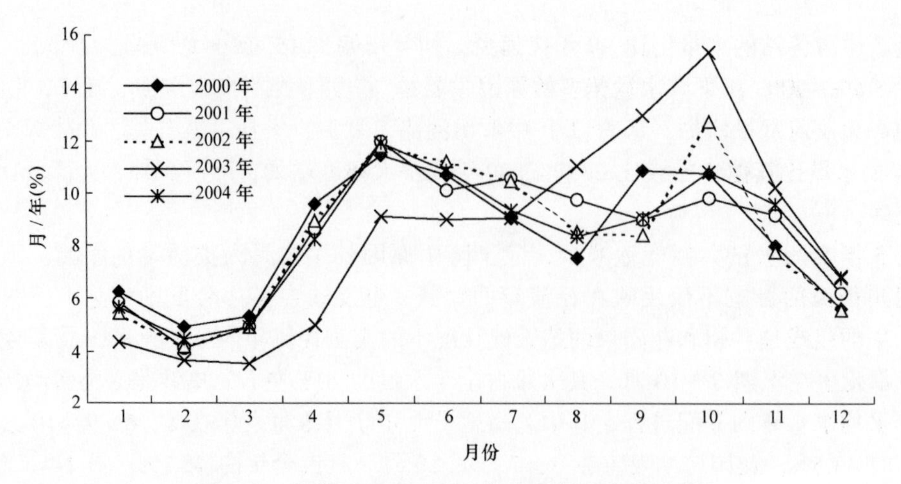

图 2-4　兰州 2000～2004 年实测径流年内分配

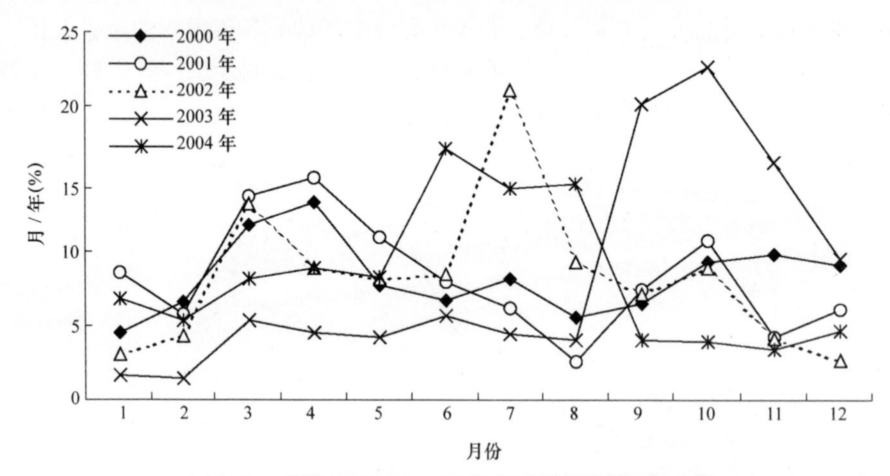

图 2-5　花园口 2000～2004 年实测径流年内分配

汛期水量只占 29.9%；2001 年发生在 3、4、5、10 月，汛期水量只占 27.1%；2002 年发生在 3、7、8、10 月，汛期水量占 46.7%；2003 年发生在 9、10、11、12 月，汛期水量占 51.2%；2004 年发生在 4、6、7、8 月，汛期水量占 36.9%(见表 2-2)。说明进入下游的河川径流量由于受人类活动各方面的影响，完全改变了天然条件下的年内分配过程，而且各年的过程各不相同。

表 2-2　兰州、花园口站实测径流年内分配　(%)

站名	时段	1 月	2 月	3 月	4 月	5 月	6 月	7 月	8 月	9 月	10 月	11 月	12 月	7～10 月
兰州	1950～1968 年	2.7	2.3	3.0	4.2	7.7	9.3	16.1	15.2	16.4	13.0	6.4	3.5	60.7
	2000～2004 年	5.5	4.3	4.7	8.1	11.3	10.4	9.7	9.0	10.0	11.8	8.9	6.2	40.5
	2000 年	6.2	4.9	5.3	9.6	11.4	10.7	9.1	7.5	10.9	10.7	8.0	5.6	38.2
	2001 年	5.8	4.1	4.9	8.6	11.9	10.1	10.5	9.8	9.0	9.8	9.2	6.2	39.1
	2002 年	5.5	4.2	4.9	9.0	11.8	11.2	10.5	8.5	8.4	12.7	7.8	5.5	40.1
	2003 年	4.3	3.6	3.5	5.0	9.1	9.0	9.0	11.0	13.0	15.4	10.2	6.8	48.4
	2004 年	5.7	4.4	4.9	8.2	11.9	10.9	9.3	8.4	9.1	10.8	9.6	6.8	37.6

续表 2-2

站名	时段	1月	2月	3月	4月	5月	6月	7月	8月	9月	10月	11月	12月	7～10月
花园口	1950～1959年	3.0	3.2	4.6	5.5	5.0	5.6	14.3	20.0	14.8	12.2	7.9	3.9	61.4
	2000～2004年	4.7	4.4	9.9	9.5	7.6	9.4	10.8	7.5	9.8	11.7	8.1	6.5	39.8
	2000年	4.5	6.7	11.9	13.5	7.8	6.8	8.2	5.7	6.6	9.4	9.9	9.1	29.8
	2001年	8.6	5.9	13.8	15.1	11.1	8.0	6.2	2.6	7.5	10.8	4.2	6.1	27.1
	2002年	3.1	4.4	13.4	8.9	8.2	8.5	21.1	9.4	7.2	9.0	4.2	2.7	46.6
	2003年	1.6	1.4	5.4	4.6	4.3	5.7	4.5	4.0	20.1	22.6	16.2	9.6	51.1
	2004年	6.8	5.4	8.3	9.0	8.4	17.1	14.4	14.6	4.0	3.9	3.4	4.7	37.0

第三章　黄河流域天然径流量

天然径流量是指实测水量加上还原水量。目前计算的还原水量仅包括人类引耗水量和水库蓄水量。但是真正的还原水量应包括由于人类活动而引起的所有产汇流的损耗水量，例如由于修建水库增加水面蒸发损失量、水土保持和集雨工程的拦水量、地下水超采引起的河道基流损失量、下游悬河道的侧向渗漏量等。而这些损失量目前都没有计算进还原水量中，所以计算的天然径流量一般来说都是偏小的。

一、人类耗水量统计

人类耗水量主要指农业灌溉用水、工业用水、城镇生活用水和农村人畜用水。近 5 年黄河流域年平均耗水量为 264.0 亿 m^3，如果以 580 亿 m^3 为基础，则利用率为 45.5%，如果以近 5 年的天然水量(395 亿 m^3)为基础，则利用率为 66.8%。

近 5 年黄河流域年均耗水量与多年均值比增加了 5.6%，但与 20 世纪 90 年代比则下降了 11.0%。5 年中耗水量最多的是 2002 年，比多年均值增加 14.0%；最少的是 2003 年，比多年均值减少 3.0%。在地区分布上近 5 年和 20 世纪 90 年代比，兰州以上和头道拐—龙门区间耗水量有所增加，而其他各区则有所下降，尤其是三门峡—花园口区间下降比例较大，如多年均值是 30.70 亿 m^3，90 年代是 25.04 亿 m^3，近 5 年又减少为 12.44 亿 m^3，减少原因不太清楚(见表 3-1)。

表 3-1　黄河流域 2000～2004 年耗水量统计　　(单位：亿 m^3)

分区	2000 年	2001 年	2002 年	2003 年	2004 年	5 年平均	1990～1999 年	1956～1999 年
兰州以上	27.04	25.34	25.50	26.15	26.0	26.0	21.38	14.88
兰州—头道拐	102.66	102.16	99.01	91.72	101.0	99.31	105.89	92.86
头道拐—龙门	6.27	6.03	5.60	5.97	5.5	5.87	3.87	2.31
龙门—三门峡	33.73	34.16	33.26	29.12	32.0	32.45	35.57	29.02
三门峡—花园口	14.12	12.71	11.84	11.53	12.0	12.44	25.04	30.70
花园口以下	88.27	83.67	109.82	77.75	80.0	87.9	104.80	80.16
合计	272.09	264.07	285.03	242.24	256.5	264.0	296.55	249.93

注：2004 年耗水量 1～6 月引自黄委水调局资料，7～12 月通过近十几年的来水和用水之间的关系估算而得。

二、水库蓄水量

表 3-2 统计了干流 6 个主要大型水库 2000～2004 年的蓄变量，5 年中 6 水库较 1999 年多蓄水 16.53 亿 m^3，其中 2003 年共蓄水 130.17 亿 m^3，2002 年则补水 74.8 亿 m^3，到 2004 年末 6 水库共累计蓄水 237.6 亿 m^3。下面举两个水库说明。

(一)龙羊峡水库

1986 年运用以来到 1999 年末龙羊峡水库共累计蓄水 168.00 亿 m^3，年均蓄水量 12.00 亿 m^3，近 5 年中不但没有增加蓄水量，反而补水 30.0 亿 m^3，近 5 年的蓄补情况是：2000、

2001、2002 年分别补水 34.00 亿、23.00 亿、42.30 亿 m^3 水量，2003 年和 2004 年分别蓄水 64.30 亿、5.00 亿 m^3，至 2004 年底共累计蓄水 138.00 亿 m^3。

表 3-2　黄河干流大型水库蓄变量统计　　（单位：亿 m^3）

水库名	1999 年末蓄水量	2000 年蓄变量	2001 年蓄变量	2002 年蓄变量	2003 年蓄变量	2004 年蓄变量	2004 年末蓄水量
龙羊峡	168.00	–34.00	–23.00	–42.30	64.30	5.00	138.0
刘家峡	27.30	1.50	4.80	–8.30	4.30	–0.60	29.0
万家寨	3.22	0.06	0.95	0.02	0.65	–0.94	3.96
三门峡	1.78	0.60	–0.08	–0.47	3.00	–0.71	4.12
小浪底	17.70	29.40	–2.10	–21.60	54.60	–18.4	59.6
东平湖	3.07	0.45	–0.15	–2.15	3.32	–1.62	2.92
合计	221.07	–1.99	–19.58	–74.8	130.17	–17.27	237.6

（二）小浪底水库

1999 年末小浪底水库共蓄水 17.7 亿 m^3，至 2004 年底累计蓄水 59.6 亿 m^3，其中近 5 年共蓄水 41.90 亿 m^3，年均蓄水 8.38 亿 m^3，2000、2003 年分别蓄水 29.4 亿、54.6 亿 m^3，2001 年、2002 年、2004 年分别补水 2.1 亿、21.6 亿、18.4 亿 m^3。

三、干流主要站天然径流量

近 5 年兰州、头道拐、龙门、三门峡、花园口站年均天然径流量分别为 259.8 亿、244.2 亿、283.5 亿、333.1 亿、389.0 亿 m^3，与多年均值比偏少 22%～35%；与 20 世纪 90 年代比，偏少 8.0%～19.0%（见表 3-3、表 3-4）。

5 年中，2003 年天然径流量最多，属丰水年，如花园口站为 575.4 亿 m^3，比多年均值偏多 1.2%，比 20 世纪 90 年代偏多 27.2%，但是该年三门峡以上的天然径流量仍比多年均值偏少，因为 2003 年的秋雨主要降在龙门以下地区。2002 年天然径流量最少，如花园口只有 300.3 亿 m^3，比多年均值偏少 47.2%，比 20 世纪 90 年代偏少 33.6%。花园口站最多和最少天然径流量之差达 275.12 亿 m^3。2003 年因丰水水库共蓄水 130.17 亿 m^3，2002 年因严重偏枯水库共补水 74.8 亿 m^3。5 年中如果没有 2003 年的丰水年，则平均水量将偏枯更多。

表 3-3　黄河干流主要控制站 2000～2004 年天然径流量统计　　（单位：亿 m^3）

水文站	2000 年	2001 年	2002 年	2003 年	2004 年	5 年平均	1990～1999 年	1956～1999 年
兰　州	254.14	242.77	214.45	316.66	270.8	259.8	283.2	334.8
头道拐	237.30	222.68	199.80	304.61	256.4	244.2	286.2	338.0
龙　门	260.09	256.63	239.17	358.36	303.2	283.5	331.7	392.2
三门峡	301.05	292.60	267.22	467.50	337.1	333.1	411.2	508.5
花园口	349.87	323.33	300.30	575.42	396.2	389.0	452.3	568.8

表 3-4　黄河干流主要控制站 2000～2004 年年均降水、实测、天然径流量统计

项目	时段	兰州	头道拐	龙门	三门峡	花园口
降水(mm)	2000～2004 年①	433.2	349.9	360.4	404.8	419.9
	1990～1999 年②	470.9	384.2	388.5	417.2	427.8
	1956～1999 年③	484.6	390.9	400.8	440	452.5
	(①–②) / ②	–8.0%	–8.9%	–7.2%	–3.0%	–1.8%
	(①–③) / ③	–10.6%	–10.5%	–10.1%	–8.0%	–7.2%
实测径流(亿 m^3)	2000～2004 年①	237.3	123.9	154.9	172.1	208.0
	1990～1999 年②	259.7	156.7	198.2	242.3	256.9
	1956～1999 年③	314.3	223.9	275.4	362.3	395.7
	(①–②) / ②	–8.6%	–20.9%	–21.8%	–29.0%	–19.0%
	(①–③) / ③	–24.5%	–44.7%	–43.8%	–52.5%	–47.4%
天然径流(亿 m^3)	2000～2004 年①	259.8	244.2	283.5	333.1	389.0
	1990～1999 年②	283.2	286.2	331.7	411.2	452.3
	1956～1999 年③	334.8	338.0	392.2	508.5	568.8
	(①–②) / ②	–8.3%	–14.7%	–14.5%	–19%	–14%
	(①–③) / ③	–22.4%	–27.8%	–27.7%	–34.5%	–31.6%

1922～1932 年是黄河流域有资料以来连续 11 年的特枯水时段，1990～1999 年是新中国成立以来连续 10 年的枯水时段。表 3-5 列出了近 5 年兰州、三门峡、花园口 3 站年均天然和实测径流量与 20 世纪 90 年代及 1922～1932 年的年均值对照情况，可以看出，除了兰州站近 5 年的天然径流量略大于 1922～1932 年均值外，近 5 年不论是天然径流量或实测量都小于 90 年代和 1922～1932 年两个枯水段的年均水量。近 5 年实测水量比 1922 ~ 1932 年减少是因为人类引耗水量大幅度增加造成的，而近 5 年天然径流量三门峡和花园口均小于 1922～1932 年，说明兰州以下的天然径流减少很快。按多年平均情况(指 1956～2000 年)三门峡的天然径流要比兰州增加 170 亿 m^3 左右，花园口比兰州要增加 230 亿 m^3 左右，但近 5 年平均分别只增加 73 亿 m^3 和 130 亿 m^3，这说明兰州以下近 5 年水量比 1922～1932 年更枯。

表 3-5　黄河干流站枯水时段径流量对照　　(单位：亿 m^3)

时段	兰州		三门峡		花园口	
	天然	实测	天然	实测	天然	实测
2000～2004 年①	259.8	237.3	333.1	172.1	389.0	208.0
1990～1999 年②	283.2	259.7	411.2	242.3	452.3	256.9
1922～1932 年③	244.8	242.2	353.8	313.8	394.8	352.7
(①–②) / ②	–8.3%	–8.6%	–19.0%	–29.0%	–14.0%	–19.0%
(①–③) / ③	6.1%	–2.0%	–5.8%	–45.2%	–1.5%	–41.0%

第四章　降雨径流关系

图 4-1 是黄河近 5 年干流主要控制站以上的降水、天然径流量和实测径流量关系。总的来说，降水和径流的关系基本上是相对应的。

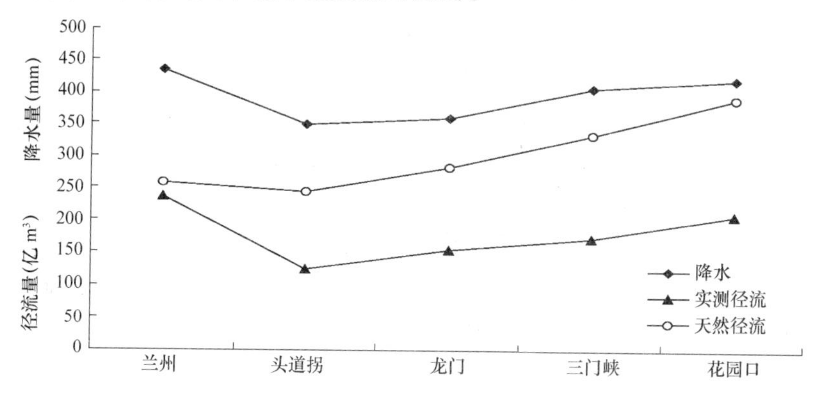

图 4-1　黄河干流站 2000～2004 年年均降水量、径流量关系

图 4-2 是花园口以上年降水、天然径流相关关系，可以看出，20 世纪 90 年代的点子都在 1956～1989 年的平均线左上方，而近 5 年的点子又都在 90 年代点子的左上方。也就是说，尽管水量已经还原为天然径流，但是近十几年特别是近 5 年天然径流严重衰减，粗估一下在同样降水条件下，90 年代的天然径流量比多年均值偏少 100 亿 m^3 左右，近 5 年要比多年均值偏少 180 亿 m^3 左右。天然径流偏小的原因，主要是天然径流量还原计算没有“还够”。众所周知，某断面天然径流量是指该断面实测径流量加断面以上的还原量，实测径流量的测验误差一般不超过 ±5%，那么天然径流偏小的主要原因就在还原计算上。目前，从河川径流的调度、分配和可利用这个角度，还原量是指地表产流汇入河道后被人类引耗的水量，还原水量主要包括工农业耗水量、城镇生活耗水量、农村人畜耗水量、

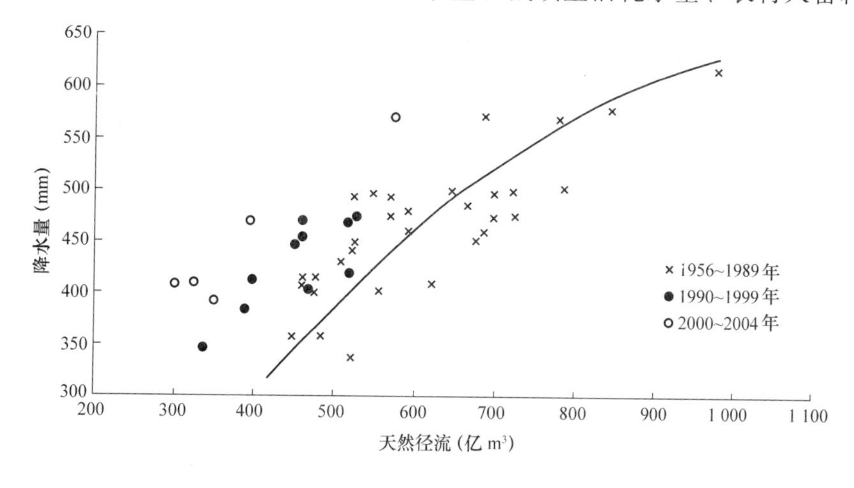

图 4-2　花园口以上年降水、天然径流相关关系

水库蓄变量等，以上几项是人类直接引耗水量。但是从另一个角度理解天然径流量，应是指不受人类活动影响、下垫面保持稳定的产汇流量。鉴于这样的认识，则目前由于人类活动改变了下垫面条件和水循环路径，引起河川径流的变化，因此还有以下几项没有进行还原计算：①兴建水库后增加的水面蒸发量；②水土保持和农村集雨工程的拦蓄水量；③地下水超采引起河川基流量减少；④悬河主槽的旁侧渗漏等。以上几项暂称为人类间接引耗水量。据有些专家估计，近一二十年黄河的间接引耗水量可达 100 亿 m^3 左右，黄河第二次水资源评价估算为 62.5 亿 m^3。这些情况在今后水资源利用规划时必须考虑。

近 5 年天然径流减少的原因主要是人类活动影响和气候变化造成的。如果以 20 世纪 50 年代人类活动影响较少的天然径流作为基准(花园口以上年均降水量为 460.8 mm，天然径流量为 596.8 亿 m^3)和近 5 年的天然径流量 389 亿 m^3 进行比较，则近 5 年减少了 207.8 亿 m^3。如按 20 世纪 50 年代的降水量与天然径流量相关关系计算，近 5 年花园口以上年均降水量 419.9 mm，相应天然径流量应为 543.8 亿 m^3，即因降水量变化可能导致的天然径流量减少量只有 53.0 亿 m^3，仅占减少量 207.8 亿 m^3 的 25.5%，而因人类活动影响引起的天然径流量减少要占总减水量的 74.5%。

第五章　黄河干支流输沙量

近 5 年干支流来沙量大幅度减少，如干流龙门、潼关、花园口站 5 年平均实测输沙量分别为 2.423 亿、4.192 亿、1.326 亿 t，比多年均值分别减少 69.7%、64.2%和 87.2%，比 20 世纪 90 年代分别减少 52.4%、46.9%和 80.6%。黄河几条主要来沙支流的输沙量大大减少，见表 5-1 和图 5-1。

表 5-1　黄河干支流主要站实测输沙量统计　（单位：亿 t）

站名	2000 年	2001 年	2002 年	2003 年	2004 年	5 年平均	1990～1999 年	1956～1999 年
唐乃亥	0.053	0.067	0.081	0.137	0.087 9	0.085	0.110	0.131
兰　州	0.251	0.217	0.171	0.294	0.153	0.217	0.516	0.720
头道拐	0.284	0.200	0.268	0.279	0.248	0.256	0.409	1.126
龙　门	2.190	2.364	3.352	1.857	2.354	2.423	5.092	8.006
潼　关	3.410	3.423	4.496	6.179	3.452	4.192	7.897	11.70
三门峡	3.570	2.939	4.478	7.768	2.676	4.286	8.112	11.60
小浪底	0.134	0.729	0.753	1.130	1.484	0.846	7.294	11.10
花园口	0.835	0.657	1.160	1.970	2.01	1.326	6.834	10.34
高　村	1.160	0.840	1.230	2.750	2.421	1.680	4.923	9.210
利　津	0.222	0.197	0.543	3.690	2.701	1.471	3.899	8.120
红　旗	0.085	0.080	0.086	0.217	0.041	0.102	0.204	0.262
温家川	0.058	0.113	0.076	0.127	0.053	0.085	0.648	1.015
白家川	0.285	0.957	0.696	0.145	0.478	0.512	0.840	1.269
河　津	0	0.001	0.001	0.013	0.006	0.004	0.035	0.222
洑　头	0.340	0.700	0.442	0.218	0.297	0.399	0.889	0.824
华　县	1.490	1.288	2.395	2.997	1.085	1.851	2.841	3.644
黑石关	0.002	0	0	0.044	0.001	0.009	0.010	0.122
武　陟	0.003	0.010	0.010	0.045	0.008	0.015	0.009	0.047
6 站和	4.025	4.363	6.200	5.174	3.751	4.703	8.534	12.864
3 站和	0.139	0.739	0.763	1.219	1.493	0.871	7.313	11.269

注：6 站指龙门、华县、河津、洑头、黑石关、武陟，3 站指小浪底、黑石关、武陟。

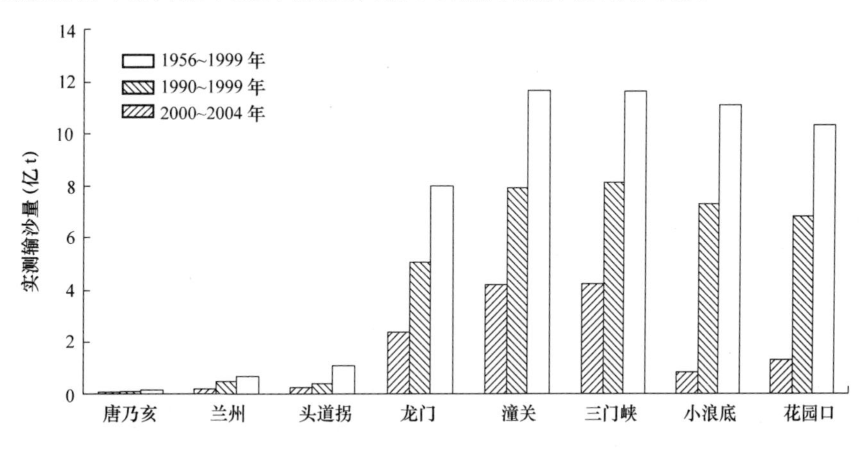

图 5-1　黄河干流站各时段年均输沙量比较

以龙、华、河、洑、黑、武 6 站的输沙量之和代表黄河流域的来沙量，则近 5 年 6 站年均来沙量为 4.703 亿 t，比多年均值 12.86 亿 t 减少 63.4%，比 90 年代均值 8.534 亿 t 减少 44.9%。如果以小、黑、武 3 站的输沙量之和代表进入下游的沙量，则近 5 年 3 站的年均输沙量为 0.871 亿 t，比多年均值 11.27 亿 t 减少 92.3%，比 90 年代均值 7.313 亿 t 减少了 88.1%(见表 5-1)。

近 5 年共来沙 23.51 亿 t(指 6 站)，其中来沙量最多的是 2002 年，共来沙 6.20 亿 t，占总来沙量的 26.3%。2002 年 7、8 月份在无定河、清涧河、延河、泾河发生暴雨洪水，仅这几条支流当年就产沙 4.66 亿 t。其次是 2003 年来沙 5.174 亿 t，占 5 年总沙量的 22.0%。2003 年 8～10 月在渭河发生秋汛强降雨，该年仅华县和洑头就产沙 3.215 亿 t。相反，多沙区河口镇—龙门区间因该年雨洪少，来沙量在近 5 年中是最少的一年，龙门来沙量只有 1.857 亿 t。

图 5-2 是 2000～2004 年 6 站和 3 站输沙量过程线。5 年 6 站输沙总量为 23.51 亿 t，3 站输沙总量为 4.353 亿 t，用输沙率法计算，则有 19.16 亿 t 泥沙淤积在三门峡和小浪底水库里，淤积量占来沙量的 81.5%，其中小浪底水库淤积 17.2 亿 t，三门峡水库淤积 1.96 亿 t。

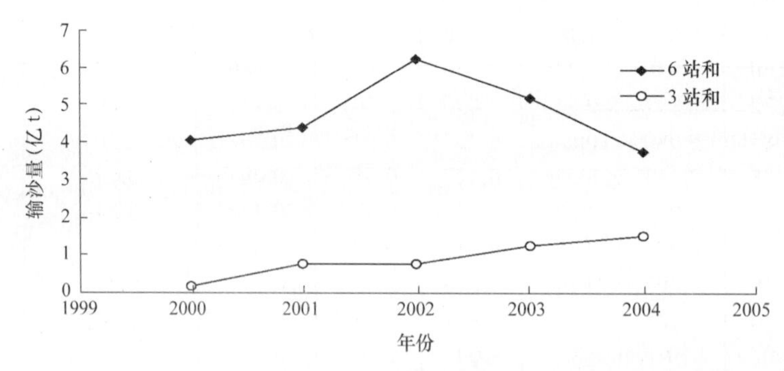

图 5-2　黄河流域 2000～2004 年 6 站及 3 站输沙量过程线

第六章　洪水及流量级变化特征

一、洪水概况

近 5 年，除了 2003 年秋汛在黄河干支流连续发生十几次中常洪水外，其他时间只发生两次小范围的雨洪。

2002 年 7 月中旬，在支流清涧河流域发生暴雨洪水，子长站 7 月 5 日出现建站以来最大洪峰流量 4 250 m^3 / s。由于是局部雨洪，对黄河干流影响不大，龙门站 6 日洪峰流量为 4 600 m^3 / s。

2003 年 7 月底，在山陕区北部发生暴雨洪水，7 月 30 日支流黄甫川洪峰流量为 6 500 m^3 / s，孤山川为 2 900 m^3 / s，朱家川为 1 380 m^3 / s，窟野河为 2 200 m^3 / s。7 月 30 日干流府谷站洪峰流量为 12 900 m^3 / s，为建站以来最大值，相应最大含沙量为 219 kg / m^3，吴堡站洪峰流量为 9 400 m^3 / s，最大含沙量为 168 kg / m^3。由于吴堡以下无大水量加入，故洪峰削减很快，7 月 31 日龙门洪峰为 7 230 m^3 / s，最大含沙量 127 kg / m^3；8 月 1 日潼关洪峰为 2 150 m^3 / s，最大含沙量 65 kg / m^3。

2003 年 8 月下旬至 10 月中旬，黄河出现 1964 年以来少有的 50 多天持续降雨过程，中下游先后出现十多次洪水过程。其中渭河洪水 5 次，华县站洪峰在 2 000～3 500 m^3 / s 之间，历时 61 d，洪水总量 62.6 亿 m^3，输沙量 1.95 亿 t，平均含沙量 31 kg / m^3。洪水过后，渭河主槽冲刷 1.01 亿 t 泥沙，渭南以下同流量水位下降 1.3～2.5 m，平滩流量由原来的 1 000 m^3 / s 增加到 2 000 m^3 / s；伊洛河洪水 5 次，黑石关洪峰在 8 00～2 300 m^3 / s 之间，历时 58 d；下游洪水 5 次，因受水库调节影响，花园口洪峰在 2 450～2 780 m^3 / s 之间，历时 87 d，洪水总量 146.7 亿 m^3，输沙量 1.22 亿 t，平均含沙量 8.3 kg / m^3。洪水过后，下游沿程冲刷泥沙 2.37 亿 t，同流量水位下降 0.4～0.9 m(见图 6-1～图 6-3)。

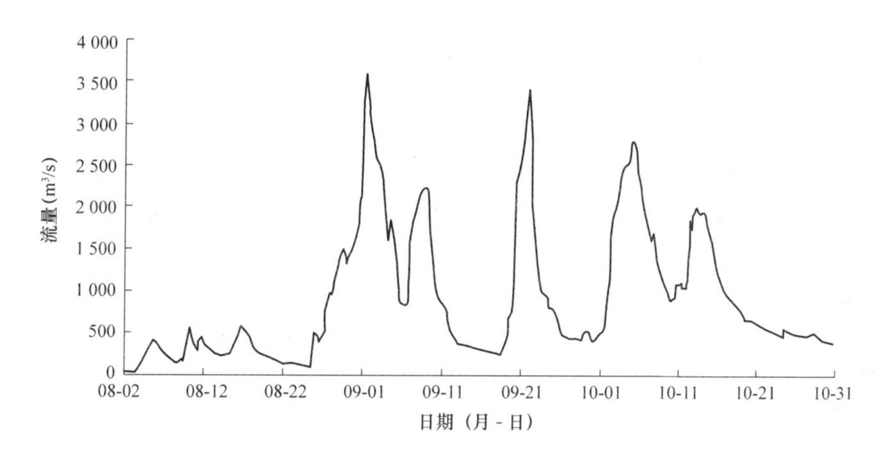

图 6-1　华县 2003 年秋汛洪水过程

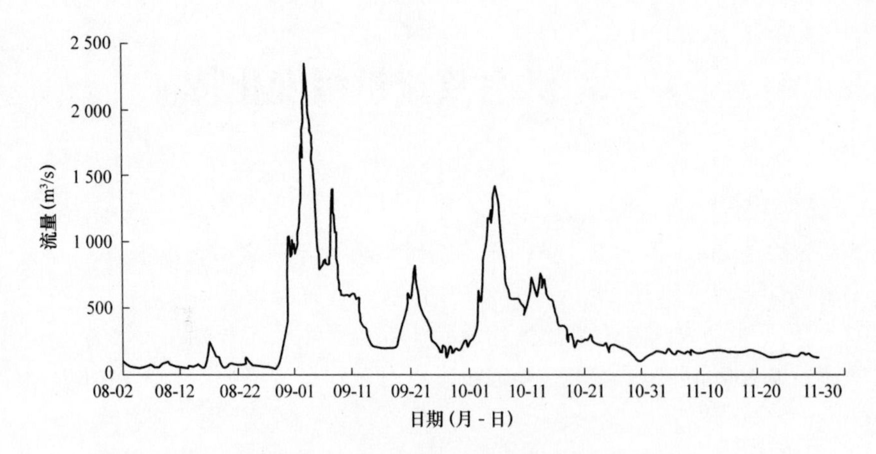

图 6-2　黑石关 2003 年秋洪水过程

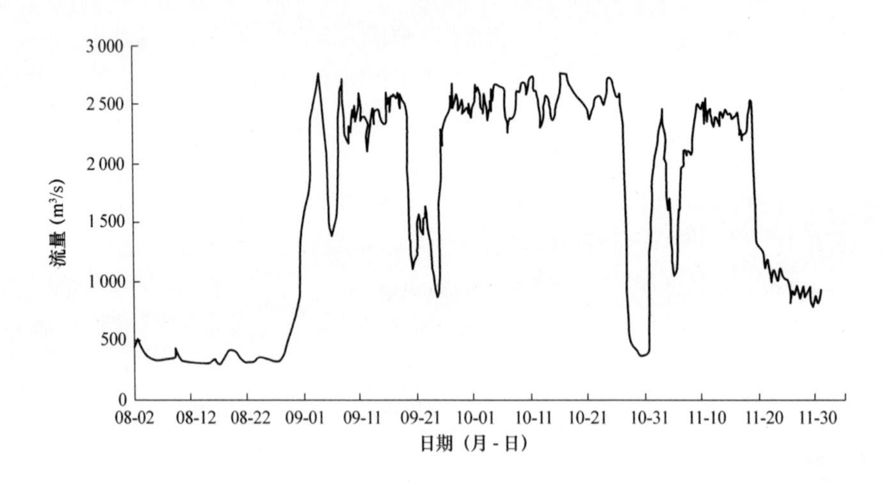

图 6-3　花园口 2003 年秋洪水过程

二、洪水发生频次及洪峰量级变化

与历年洪水对比，近十几年特别是近 5 年，不论是洪水发生的频次或洪峰的量级都有很大的变化，现选头道拐、潼关和花园口为代表站进行统计分析，头道拐站为上游末端控制站，潼关站代表“上大洪水”的控制站，也是三门峡、小浪底水库调节的主要来水站，花园口站是下游洪水的代表站，也是下游防洪的关键控制站。

(一)头道拐站

图 6-4 是头道拐历年最大洪峰日流量过程线，其多年平均值为 2 752 m^3 / s，其中 1958～1989 年最大洪峰日流量平均值为 2 999 m^3 / s，1990～1999 年平均值为 2 258 m^3 / s，后者比前者减少 24.7%，近 5 年的最大洪峰日流量平均值为 2 162 m^3 / s，又比 20 世纪 90 年代减少了 4.3%。近 5 年的最大洪峰日流量分别为 2 300、2 600、1 950、1 880、2 500 m^3 / s。从头道拐站历年最大日流量过程线看，1968 年以后连续几年和 1986 年以后年最大洪峰偏小，除了与天然来水偏小有关外，与刘家峡、龙羊峡水库的蓄水调节有很大关系。

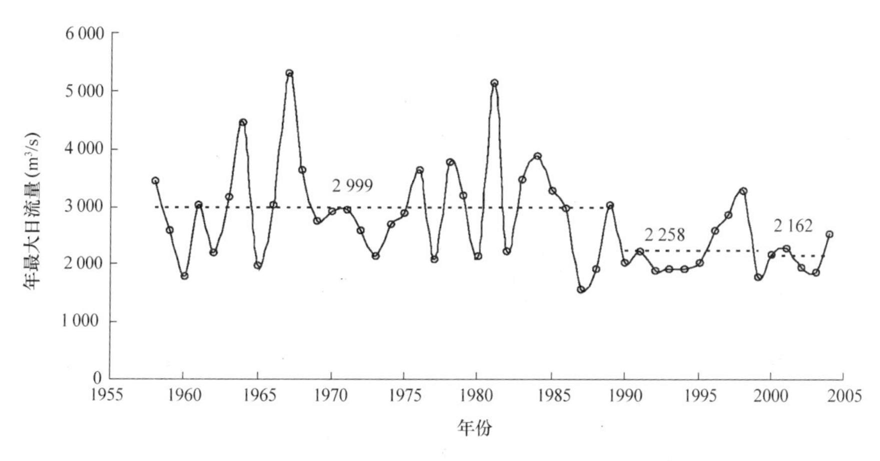

图 6-4　头道拐站历年最大日流量过程线

表 6-1 是头道拐各年代不同级的日均洪峰流量统计，可以看出，20 世纪 60、70、80 年代年均出现大于 1 500 m^3/s 的洪峰次数在 3.4～3.6 次之间，到了 90 年代年均出现次数减少为 1.5 次，近 5 年年均只出现 1 次；大于 3 000 m^3/s 的洪峰 60、70、80 年代年均出现 0.4～0.8 次，到了 90 年代年均出现 0.1 次，近 5 年一次也没有出现。说明头道拐站从 90 年代以来，洪水的峰量和洪水出现的次数都有所减少。另外，从表 6-1 看出，由于龙羊峡水库投入运用后，年最大洪峰出现的时间，从原来多数发生在汛期变成多数发生在非汛期，如 60、70、80 年代出现大于 1 500 m^3/s 的洪峰次数共有 106 次，其中汛期发生 79 次，占 74.5%；到了 90 年代发生在汛期的洪峰次数只占 33.3%，而到了近 5 年则年最大洪峰全部发生在非汛期，而且都是由冬季凌洪形成年最大洪峰。

表 6-1　头道拐站各年代各级日均洪峰流量统计

项目	时段	>1 500 m^3/s		>2 000 m^3/s		>3 000 m^3/s		>4 000 m^3/s		>5 000 m^3/s	
		全年	汛期	全年	汛期	全年	汛期	全年	汛期	全年	汛期
出现次数	1960～1969 年	34	24	23	18	8	8	2	2	1	1
	1970～1979 年	36	29	24	18	4	4	0	0	0	0
	1980～1989 年	36	26	18	13	6	6	1	1	1	1
	1990～1999 年	15	5	6	0	1	0	0	0	0	0
	2000～2004 年	5	0	3	0	0	0	0	0	0	0
出现频次	1960～1969 年	3.4	2.4	2.3	1.8	0.8	0.8	0.2	0.2	0.1	0.1
	1970～1979 年	3.6	2.9	2.4	1.8	0.4	0.4	0	0	0	0
	1980～1989 年	3.6	2.6	1.8	1.3	0.6	0.6	0.1	0.1	0.1	0.1
	1990～1999 年	1.5	0.5	0.6	0	0.1	0	0	0	0	0
	2000～2004 年	1	0	0.6	0	0	0	0	0	0	0

表 6-2 是反映头道拐站各年代不同流量级年均出现的天数统计。从表 6-2 中看出，各年代年均出现的大流量天数以 20 世纪 60、80 年代最多，70、90 年代有所减少，近 5 年更少，总的趋势是大流量出现天数越来越少，而小流量的年均天数越来越多，如头道拐站年均大于 200 m^3/s 的天数，60、70、80、90 年代分别是 334、326、327、300 d，近 5 年是 262 d；年均大于 1 500 m^3/s 的天数，60、70、80、90 年代分别是 66、42、35、5 d，

近 5 年也是 5 d。

表 6-2　头道拐站各年代大于某流量级年均出现天数统计　（单位：d）

时段	≥200 m³/s		≥500 m³/s		≥1 000 m³/s		≥1 500 m³/s		≥2 000 m³/s		≥3 000 m³/s		≥4 000 m³/s	
	全年	汛期	全年	汛期	全年	汛期	全年	汛期	全年	汛期	全年	汛期	全年	汛期
1960～1969 年	334	90	186	80	101	60	66	45	38	28	7	6	2	2
1970～1979 年	326	82	212	65	68	43	42	28	22	15	4	4	0	0
1980～1989 年	327	89	228	78	67	46	35	25	23	17	9	7	2	1
1990～1999 年	300	78	154	56	25	18	5	2	1	0	0	0	0	0
2000～2004 年	262	55	102	32	10	2.2	5	0	1	0	0	0	0	0
2000 年	287	70	124	34	15	0	9	0	2	0	0	0	0	0
2001 年	234	53	89	30	6	1	4	0	3	0	0	0	0	0
2002 年	265	41	107	21	9	1	3	0	0	0	0	0	0	0
2003 年	232	58	101	43	13	9	2	0	0	0	0	0	0	0
2004 年	290	55	90	34	8	0	6	0	2	0	0	0	0	0

据统计，头道拐多年平均流量为 696 m^3/s，其汛期平均流量为 1 116 m^3/s，汛期平均 1 471 m^3/s，汛期平均流量是年平均流量的 1.6 倍；其中 20 世纪 50、60 年代年平均流量为 809 m^3/s，汛期平均流量为年平均流量的 1.8 倍；90 年代年平均流量为 497 m^3/s，汛期平均流量为 553 m^3/s，汛期平均流量是年平均流量的 1.1 倍；而近 5 年年平均流量仅 390 m^3/s，汛期平均流量只有 292 m^3/s，汛期平均流量比年平均流量还小，是年平均流量的 0.75 倍。以上变化说明龙羊峡水库投入运用后，汛期径流占年径流的比例减少了许多。上游汛期流量的减少，导致了中下游基流减少，其结果是一方面削减了中下游发生大洪水的概率，另一方面又增加了中下游发生高含沙量洪水的概率，这对黄河下游的河床冲淤和演变是很不利的。

（二）潼关站

图 6-5 是潼关站历年最大洪峰流量过程，可以看出，20 世纪 90 年代以后的年最大洪峰流量比 90 年代以前要减少很多。据统计，1950～1989 年的多年平均年最大洪峰流量为

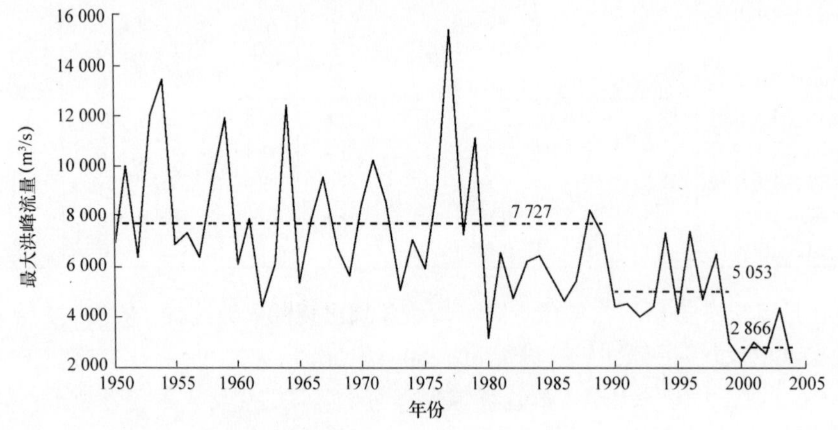

图 6-5　潼关站历年最大洪峰过程线

7 727 m^3 / s，1990～1999 年的多年平均最大洪峰流量为 5 053 m^3 / s，后者比前者减少了 34.6%。潼关站近 5 年的年最大洪峰流量均值 2 866 m^3 / s，比 1990～1999 年均值又减少了 43.3%，近 5 年年最大洪峰流量分别为 2 290、3 000、2 550、4 350、2 140 m^3 / s。

从表 6-3 看出，潼关站大于 4 000 m^3 / s 的洪峰，1960～1989 年年均出现 4.2 次，1990～1999 年年均出现 1.3 次，近 5 年年均只出现 0.2 次；大于 8 000 m^3 / s 的洪水，1960～1989 年年均出现 0.4 次，1990～1999 年和近 5 年一次也没有出现。以上说明，潼关站从 20 世纪 90 年代以来，洪水的峰量和洪水出现的次数都有明显减少，特别是大洪水出现的频次大大的减少。

表 6-3　潼关站各年代各级洪峰流量统计

项目	时段	≥4 000 m^3 / s	≥6 000 m^3 / s	≥8 000 m^3 / s	≥10 000 m^3 / s	≥12 000 m^3 / s
出现次数	1960～1969	62	21	3	1	1
	1970～1979	34	15	8	5	2
	1980～1989	31	6	1	0	0
	1990～1999	13	3	0	0	0
	2000～2004	1	0	0	0	0
出现频次	1960～1969	6.2	2.1	0.3	0.1	0.1
	1970～1979	3.4	1.5	0.8	0.5	0.2
	1980～1989	3.1	0.6	0.1	0	0
	1990～1999	1.3	0.3	0	0	0
	2000～2004	0.2	0	0	0	0

表 6-4 和图 6-6、图 6-7 是反映潼关站各年代不同流量级年均出现的天数统计。

表 6-4　潼关站各年代大于某流量级年均出现天数统计　（单位：d）

时段	≥200 m^3 / s		≥500 m^3 / s		≥1 000 m^3 / s		≥1 500 m^3 / s		≥2 000 m^3 / s		≥3 000 m^3 / s		≥4 000 m^3 / s		≥5 000 m^3 / s	
	全年	汛期	全年	汛期	全年	汛期	全年	汛期	全年	汛期	全年	汛期	全年	汛期	全年	汛期
1961～1969 年	362	123	318	120	189	106	119	89	86	74	47	45	20	19	7.3	7.3
1970～1979 年	358	122	306	115	141	90	75	65	49	44	20	19	7.5	7.5	2.5	2.5
1980～1989 年	361	123	298	116	139	93	70	64	48	46	20	20	7.6	7.6	2.3	2.3
1990～1999 年	340	116	251	96	92	53	34	26	14	11	2.1	2	0.5	0.5	0.2	0.2
2000～2004 年	328	113	200	79	41	27	15	13	8	8.4	2.4	2.4	0.2	0.2	0	0
2000 年	311	111	207	87	40	20	11	4	2	2	0	0	0	0	0	0
2001 年	282	92	193	73	16	14	3	3	1	1	0	0	0	0	0	0
2002 年	342	115	208	56	18	7	3	2	1	1	0	0	0	0	0	0
2003 年	339	123	182	89	96	73	51	51	38	38	12	12	1	1	0	0
2004 年	364	122	211	89	33	23	6	3	0	0	0	0	0	0	0	0

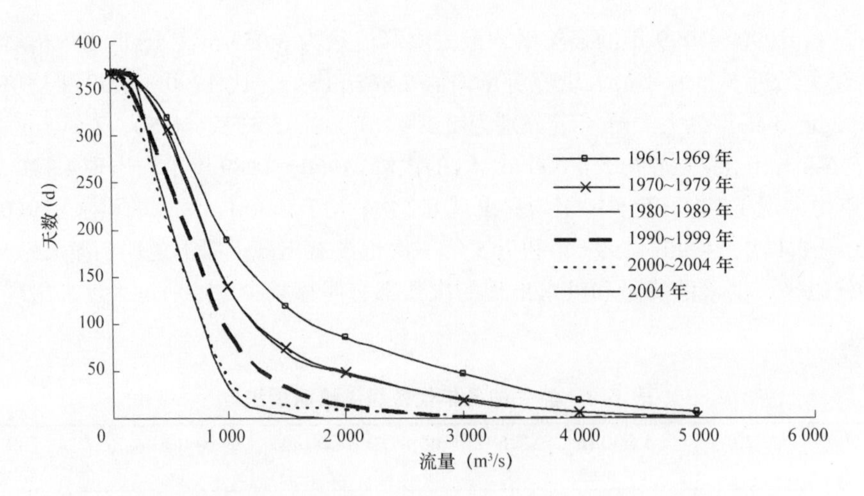

图 6-6　潼关站各年代大于某流量级年均出现天数变化对比

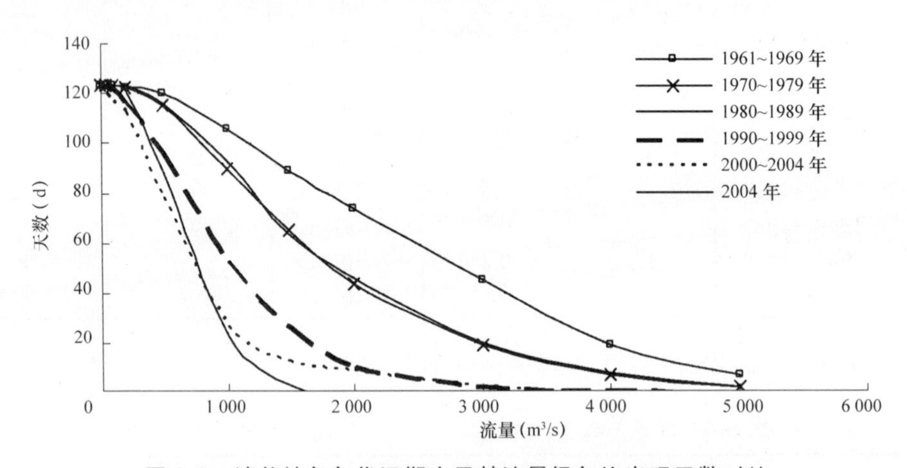

图 6-7　潼关站各年代汛期大于某流量级年均出现天数对比

可以看出，总的趋势是各年代年均出现的大流量天数越来越少，而小流量则越来越多。例如潼关站出现日流量大于 1 500 m^3/s 的年均天数，在 20 世纪 60、70、80、90 年代分别是 119、75、70、34 d，近 5 年更少，只有 15 d，其中汛期出现的天数分别是 89、65、64、26 d，近 5 年是 13 d；日流量大于 3 000 m^3/s 的年均天数，60、70、80、90 年代分别是 47、20、20、2 d，近 5 年是 2 d。相反，小流量级出现的天数随年代越来越多，如出现日流量小于 500 m^3/s 的天数，60、70、80、90 年代分别是 47、59、67、114 d，近 5 年是 165 d，小于 200 m^3/s 的天数，60、70、80、90 年代分别是 3、7、5、25 d，近 5 年是 37 d。

以上说明，三门峡水库满足汛期入库日流量大于 1 500 m^3/s 敞泄排沙的天数，20 世纪 90 年代不到 1 个月，近 5 年只有十几天时间。三门峡水库汛期冲沙要求大于 3 000 m^3/s 流量的天数 90 年代只有 2 d，近 5 年是 2.4 d。为维持潼关以下库区年内输沙基本平衡，汛期三门峡水库敞泄排沙的流量还必须降低。近 5 年中，前 3 年多因汛期来水偏少，三门峡库区都有不同程度的淤积。

（三）花园口站

图 6-8 是花园口站年最大洪峰流量过程，可以看出，20 世纪 90 年代以后的年最大洪峰流量比 90 年代以前要减少很多。

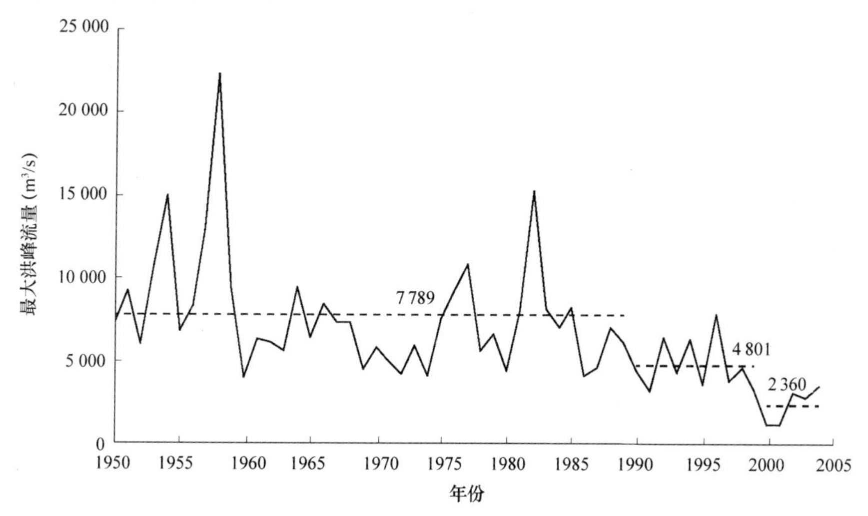

图 6-8　花园口站历年最大洪峰过程线

据统计，1950～1989 年年最大洪峰流量均值为 7 789 m^3 / s，1990～1999 年年均为 4 801 m^3 / s，后者比前者减少了 38.4%。近 5 年的年最大洪峰均值为 2 360 m^3 / s，比 1990～1999 年又减少了 50.8%。近 5 年年最大洪峰分别为 1 220、1 170、3 080、2 780、3 550 m^3 / s。

从表 6-5 看出，花园口站大于 4 000 m^3 / s 的洪峰，1950～1989 年年均出现 3.6 次，1990～1999 年年均出现 0.9 次，近 5 年一次也没出现；大于 8 000 m^3 / s 的洪水，1950～1989 年年均出现 0.5 次，1990～1999 年和近 5 年一次也没有出现。以上说明，从 90 年代以来，花园口站洪水的峰量和洪水出现的次数都有明显减少，特别是大洪水出现的频次大大减少。

表 6-5　花园口站各年代各级洪峰流量统计

项目	时段	≥4 000 m^3 / s	≥6 000 m^3 / s	≥8 000 m^3 / s	≥10 000 m^3 / s	≥15 000 m^3 / s
出现次数	1950～1959	36	21	11	5	2
	1960～1969	35	11	3	0	0
	1970～1979	34	7	2	1	0
	1980～1989	40	15	4	1	1
	1990～1999	9	2	0	0	0
	2000～2004	0	0	0	0	0
出现频次	1950～1959	3.6	2.1	1.1	0.5	0.2
	1960～1969	3.5	1.1	0.3	0	0
	1970～1979	3.4	0.7	0.2	0.1	0
	1980～1989	4.0	1.5	0.4	0.1	0.1
	1990～1999	0.9	0.2	0	0	0
	2000～2004	0	0	0	0	0

表 6-6 和图 6-9 是反映花园口站各年代不同流量级年均出现的天数统计，与潼关站类似，年均大流量出现的天数随年代逐渐减少，而小流量则逐渐增加，例如花园口站出现日流量大于 3 000 m³ / s 的天数，在 20 世纪 50、60、70、80、90 年代分别是 40、53、25、32、4 d，近 5 年只有 0.4 d；大于 5 000 m³ / s 的天数分别是 10、14、3、7、0.2 d，近 5 年是 0，90 年代前天数有波动、有下降，而 20 世纪 90 年代以后减少很快。说明今后只有依靠小浪底水库预蓄水进行调水调沙试验塑造洪水，使花园口控制流量从 2 600 m³ / s 逐步加大到 3 000 m³ / s 以上，才有可能逐步恢复主槽过洪能力。

表 6-6 花园口站各年代大于某流量级年均出现天数统计 （单位：d）

时段	≥200 m³/s		≥500 m³/s		≥1 000 m³/s		≥1 500 m³/s		≥2 000 m³/s		≥3 000 m³/s		≥4 000 m³/s		≥5 000 m³/s	
	全年	汛期	全年	汛期	全年	汛期	全年	汛期	全年	汛期	全年	汛期	全年	汛期	全年	汛期
1950～1959 年	357	123	323	123	177	117	118	97	87	78	40	39	21	21	9.9	9.7
1960～1969 年	335	120	297	117	214	105	143	89	104	76	53	47	28	26	14	14
1970～1979 年	357	122	304	117	156	95	82	72	54	50	25	24	12	12	3.2	3.2
1980～1989 年	362	123	316	118	156	97	89	74	61	57	32	32	19	19	7	7
1990～1999 年	339	114	254	94	94	57	37	31	16	15	3.6	3.5	1.1	1.1	0.2	0.2
2000～2004 年	342	117	201	66	36	20	24	16	19	14	0.4	0.4	0	0	0	0
2000 年	361	123	189	53	7	0	0	0	0	0	0	0	0	0	0	0
2001 年	337	95	178	45	14	1	3	0	0	0	0	0	0	0	0	0
2002 年	339	123	211	102	24	14	18	11	11	11	1	1	0	0	0	0
2003 年	307	123	195	68	90	57	69	51	60	46	0	0	0	0	0	0
2004 年	366	123	231	64	47	26	28	16	26	15	1	1	0	0	0	0

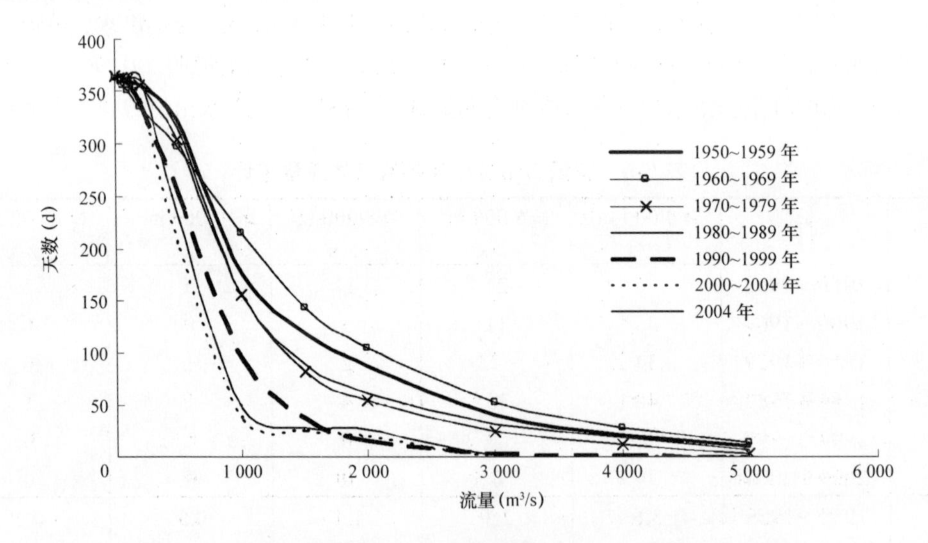

图 6-9 花园口站各年代大于某流量级年均出现天数变化对比

花园口小流量年均出现的天数，在 20 世纪 90 年代前变化不大，但到 90 年代和近 5 年增加很多，例如出现日流量小于 500 m³ / s 的年均天数，在 50、60、70、80、90 年代分别是 42、68、61、49、111 d，近 5 年是 164 d。小于 200 m³ / s 的年均天数分别是 8、20、

8、3、26 d，近 5 年是 23 d。在灌溉期间，如果花园口日流量小于 500 m³/s，则在下游很容易发生断流现象，需要依靠水库调度补水措施来避免断流。

三、水利水电工程引起的洪水变化

黄河洪水按其成因可分为暴雨洪水和冰凌洪水两种类型。暴雨洪水发生在 7、8 月的称为“伏汛”，发生在 9、10 月的称为“秋汛”；冰凌洪水是因河道解冻开河，槽蓄水量下泄形成的洪水，在黄河下游河段多发生在 2 月，在宁夏、内蒙古河段多发生在 3 月，一般统称冰凌洪水，但因宁夏、内蒙古河段的冰凌洪水传播到黄河下游适值桃花盛开的季节，故又称“桃汛”。

(一)桃汛洪水变化

黄河上游河道解冰开河时间，一般在 3 月中下旬，少数年份在 4 月上旬，其特点是峰低、量小、历时短、含沙量低，洪水过程线型式基本上是三角形。

图 6-10 及图 6-11 为黄河上中游头道拐、万家寨、潼关 3 站，历年桃汛洪峰流量过程线与桃汛洪峰洪量过程线；表 6-7 为头道拐、万家寨、潼关 3 站历年桃汛洪水洪峰流量(日平均流量)及洪量统计情况。可见，头道拐站桃汛洪水一般历时 13～15 d，当桃汛洪水演进到潼关时，区间支流有少量水量以及河曲上下河段的冰凌洪水加入，形成三门峡水库入库(潼关站)桃汛洪水。据统计，1960～1998 年多年平均头道拐站桃汛洪峰历时约 14 d，桃峰流量为 2 070 m³/s，桃峰洪量为 11.6 亿 m³，其中 20 世纪 60、70、80、90 年代桃峰平均流量分别为 1 869、1 996、2 166、2 244 m³/s，桃汛洪量分别为 9.17 亿、12.0 亿、10.7 亿、14.5 亿 m³。可以看出，桃汛洪水的洪峰流量随年代略有增加，而洪量随年代变化起伏，但 20 世纪 90 年代增加较多。潼关站 1960～1998 年平均桃汛洪峰流量约为 2 340 m³/s，桃汛洪量约为 15.85 亿 m³，其中 60、70、80、90 年代潼关站桃汛洪峰平均流量分别为 2 306、2 301、2 300、2 411 m³/s，桃汛洪量分别为 14.6 亿、16.3 亿、14.4 亿、18.1 亿 m³。可以看出，潼关站桃汛洪峰流量随年代变化不大，只是 20 世纪 90 年代略有增加，但 90 年代的桃汛洪量增加较多。对比头道拐与潼关两站桃汛洪水可以看出，多年平均潼关站的洪峰均值要比头道拐站大 270 m³/s，增加了 13%；洪量均值要比头道拐增加 4.25 亿 m³，增加 36.6%。

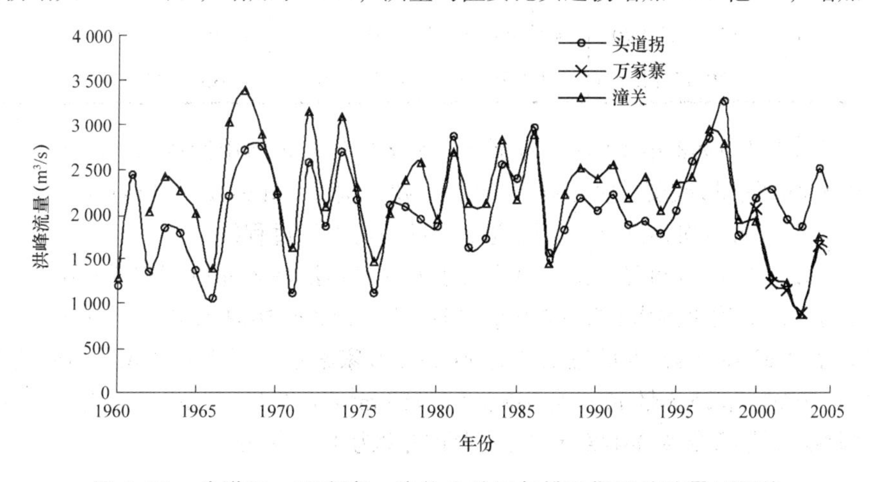

图 6-10　头道拐、万家寨、潼关 3 站历年桃汛期洪峰流量过程线

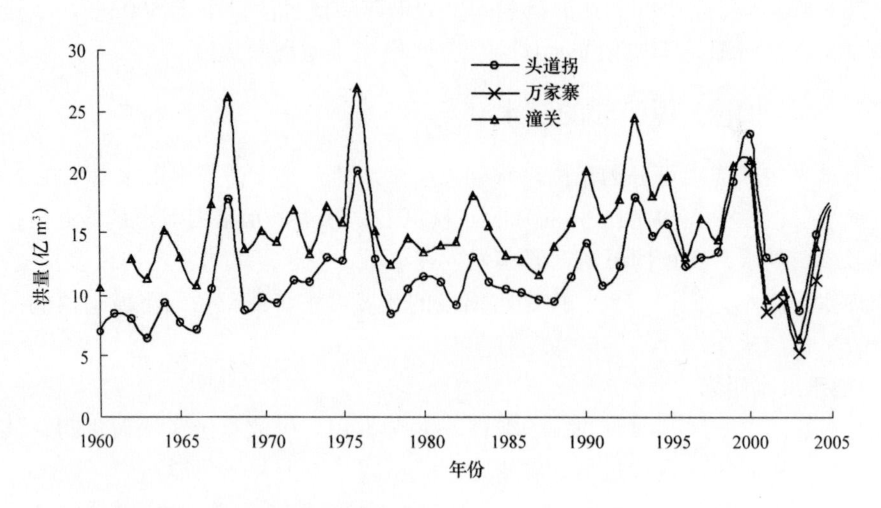

图 6-11　头道拐、万家寨、潼关 3 站历年桃汛期洪量过程线

表 6-7　黄河桃汛水量统计情况　(单位：洪峰，m^3/s；洪量，亿 m^3)

时段	历时(d)	头道拐		万家寨		潼关		潼关—头道拐		万家寨—头道拐		潼关—万家寨	
		洪峰	洪量	洪峰	洪量	洪峰	洪量	洪峰	洪量	洪峰	洪量	洪峰	洪量
1960～1969	12.7	1 869	9.17			2 306	14.6	437	5.48				
1970～1979	15.1	1 996	12.0			2 301	16.3	305	4.30				
1980～1989	12.7	2 166	10.7			2 300	14.4	134	3.67				
1990～1999	15.3	2 244	14.5			2 411	18.1	167	3.65				
2000～2004	14.4	2 162	14.7	1 407	13.5	1 428	12.3	–734	–2.38	–755	–3.66	21	1.27
2000	19	2 180	23.3	2 060	20.3	1 930	21.1	–250	–2.16	–120	–2.98	–130	0.81
2001	13	2 280	13.2	1 240	8.69	1 330	9.6	–950	–3.58	–1 040	–4.49	90	0.91
2002	15	1 960	13.2	1 170	9.50	1 240	10.4	–720	–2.78	–790	–3.69	70	0.91
2003	11	1 870	8.7	905	5.40	890	6.45	–980	–2.30	–965	–3.35	–15	1.05
2004	14	2 520	15.1	1 660	11.3	1 750	14.0	–770	–1.09	–860	–3.77	90	2.67

万家寨水库于 1998 年 10 月 1 日下闸蓄水运用后对黄河中游桃汛洪水有很大改变，削减了桃汛洪峰流量，改变了洪水峰形，减少了洪水总量。图 6-12～图 6-16 分别为 2000～2004 年桃汛洪水头道拐、万家寨、潼关 3 站日平均流量过程线。

由图 6-12～图 6-16 可见，由于万家寨水库在桃汛洪峰入库以前降低水位运用，在洪峰时蓄水运用，对桃汛洪水有很大影响。据统计，2000～2004 年 5 年平均头道拐站桃汛洪峰流量为 2 162 m^3/s，洪量为 14.7 亿 m^3，而万家寨水库下泄的洪峰平均流量为 1 407 m^3/s，平均洪量为 13.5 亿 m^3，分别减少了 755 m^3/s 和 1.2 亿 m^3，致使潼关站近 5 年平均桃汛洪峰流量降低为 1 428 m^3/s，洪量减少为 12.3 亿 m^3。

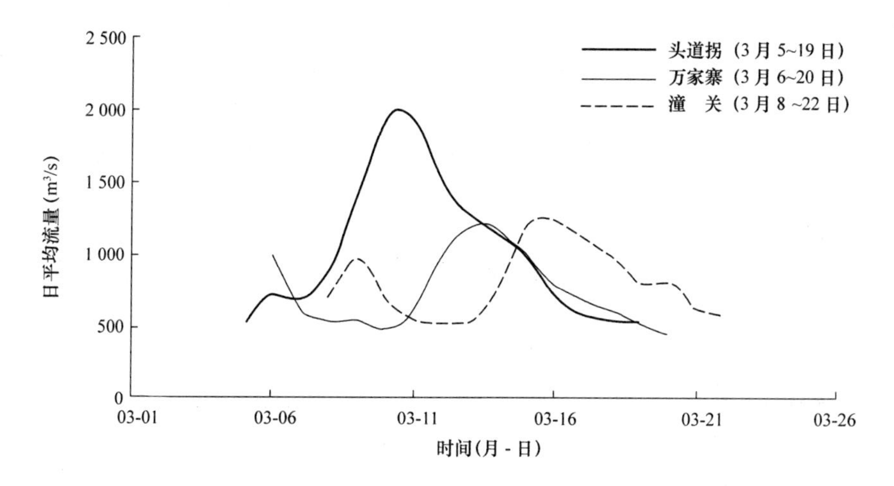

图 6-12　2000 年头道拐、万家寨、潼关桃汛期日平均流量过程线

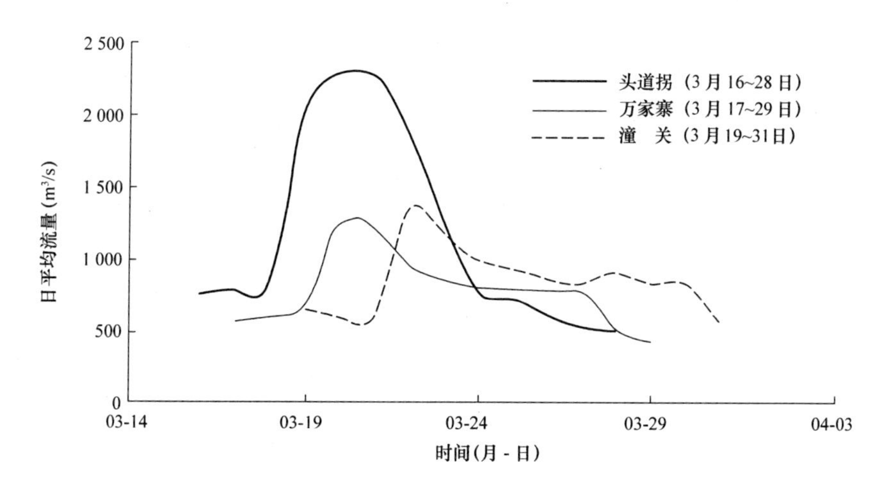

图 6-13　2001 年头道拐、万家寨、潼关桃汛期日平均流量过程线

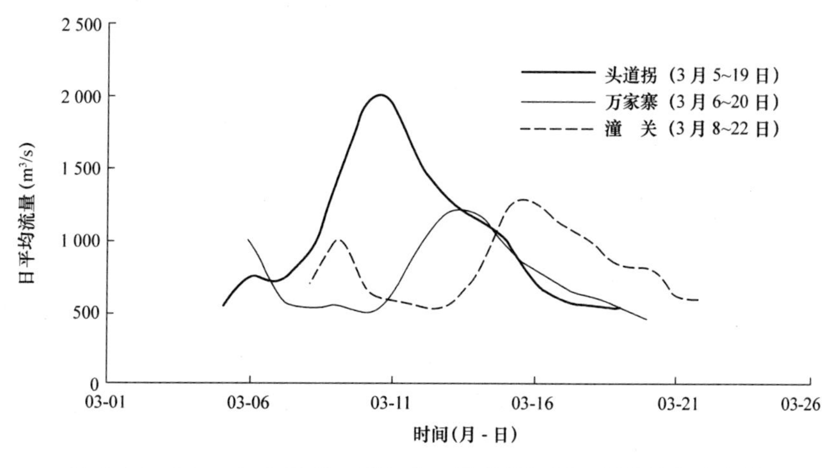

图 6-14　2002 年头道拐、万家寨、潼关桃汛期日平均流量过程线

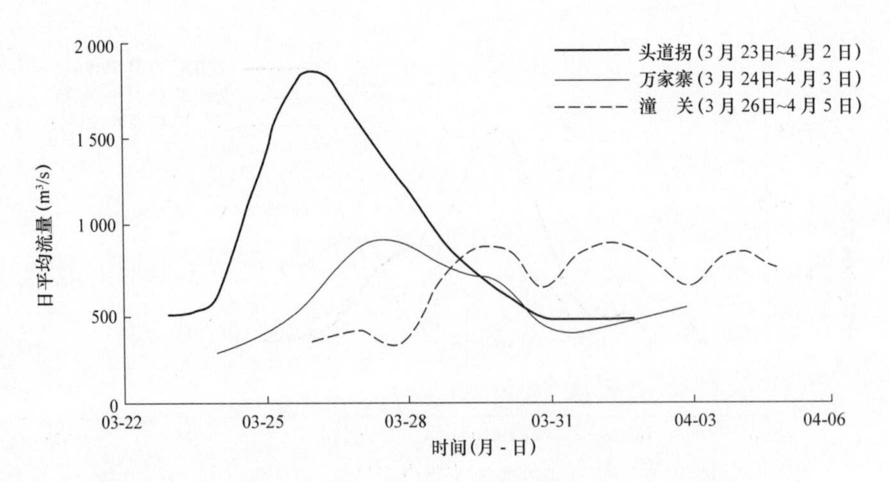

图6-15　2003年头道拐、万家寨、潼关桃汛期日平均流量过程线

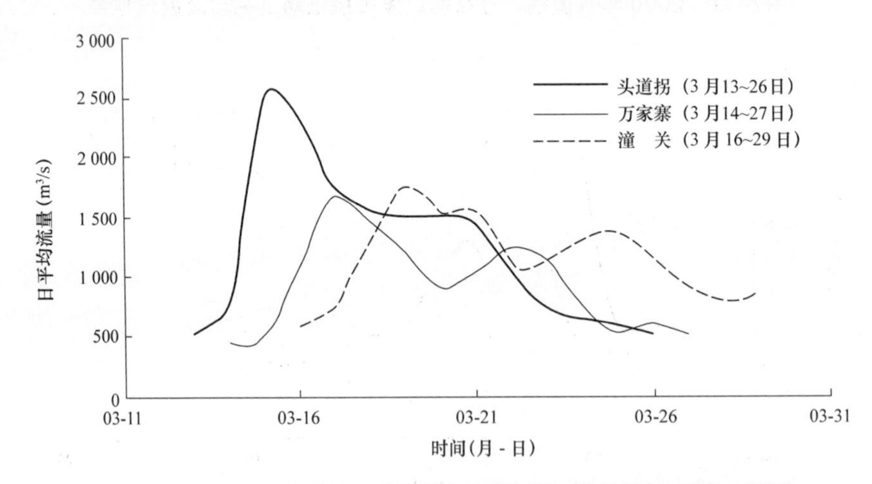

图6-16　2004年头道拐、万家寨、潼关桃汛期日平均流量过程线

桃汛洪水含沙量低，历来对冲刷三门峡库区河道主槽、降低潼关河床高程有利，万家寨水库对桃汛洪水的削减，以及对冲刷降低潼关河床高程是不利的，需要合理调整万家寨水库蓄泄过程，避免改变黄河上游桃汛洪水过程。

(二)伏汛洪水变化

黄河较大洪水由暴雨形成，大洪水主要发生在中游地区，因此洪水的发生时间与暴雨的发生时间一致。由于暴雨多出现在夏秋6～10月，因此洪水也多在6～10月发生。较大洪水主要发生在7～9月，特大洪水集中在7、8两月，更集中在8月份。因此，伏汛洪水是黄河的主要洪水。表6-8～表6-10为黄河干流主要控制站各年代各级洪峰(以日平均流量计)流量的洪水出现次数统计情况。

头道拐站显示黄河上游洪水变化，由表6-8可见伏汛期洪峰流量大于1 500 m^3/s的洪水，20世纪60～80年代发生次数较多，平均每年为1.4～1.8次；而进入90年代，急剧减少到平均每年0.5次；近5年没有一次。其中大于2 000 m^3/s的洪水自90年代起至今不再出现，主要原因是龙羊峡水库1986年运用后拦蓄了入库的洪水。

表 6-8　头道拐站各年代各级洪峰频次统计

项目	时段	>1 500 m^3／s			>2 000 m^3／s			>3 000 m^3／s			>4 000 m^3／s			>5 000 m^3／s		
		全年	7～8月	9～10月	全年	7～8月	9～10月	全年	7～8月	9～10月	全年	7～8月	9～10月	全年	7～8月	9～10月
出现次数	1960～1969	34	16	8	23	11	7	8	3	5	2	1	1	1	0	1
	1970～1979	36	14	15	24	7	11	4	1	3	0	0	0	0	0	0
	1980～1989	36	18	8	18	7	6	6	3	3	1	0	1	1	0	1
	1990～1999	15	5	0	6	0	0	1	0	0	0	0	0	0	0	0
	2000～2004	5	0	0	3	0	0	0	0	0	0	0	0	0	0	0
出现频次	1960～1969	3.4	1.6	0.8	2.3	1.1	0.7	0.8	0.3	0.5	0.2	0.1	0.1	0.1	0	0.1
	1970～1979	3.6	1.4	1.5	2.4	0.7	1.1	0.4	0.1	0.3	0	0	0	0	0	0
	1980～1989	3.6	1.8	0.8	1.8	0.7	0.6	0.6	0.3	0.3	0.1	0	0.1	0.1	0	0.1
	1990～1999	1.5	0.5	0	0.6	0	0	0.1	0	0	0	0	0	0	0	0
	2000～2004	1	0	0	0.6	0	0	0	0	0	0	0	0	0	0	0

潼关站显示黄河中游的洪水变化，由表 6-9 可见，伏汛期大于 1 500 m^3／s 的洪水，20 世纪 50～90 年代平均每年总要出现 3～4 次，但近 5 年平均每年仅有 0.4 次。其中大于 4 000 m^3／s 的洪水在 50～80 年代平均每年出现 1～2 次，90 年代减少为平均每年 0.5 次，近 5 年一次也未出现。黄河中游的洪水减少除受降雨的影响外，主要是龙羊峡水库拦蓄洪水以及宁夏、内蒙古地区灌溉大量引水，大幅度减少了进入中游的的基流，导致中游洪水剧减，此外中游地区水利水保措施也有一定的减水削峰作用。

花园口站为黄河下游的控制站，1960 年三门峡水库投入运用后，对黄河下游洪水滞洪削峰很大，致使 20 世纪 60 年代起大于 4 000 m^3／s 的洪水，由建库前每年 3 次减为每年 1 次，90 年代进一步减少到平均每年 0.6 次，近 5 年一次也未发生。

由上述各站洪水变化情况可见，黄河上中下游伏汛洪水已逐年减少，1990 年以后，黄河上游头道拐站未出现大于 3 000 m^3／s 的洪水，中游潼关站未出现大于 6 000 m^3／s 的洪水，黄河下游花园口站未出现大于 8 000 m^3／s 的洪水，这一变化趋势及其影响应引起重视。

(三)秋汛洪水变化

黄河在 9～10 月发生的洪水，人们称为秋汛，其特点是洪峰流量较小，洪峰历时较长，洪峰水量较大，含沙量较低。秋汛主要由黄河上中游地区大面积较强连阴雨形成，主要落雨区是黄河上游兰州以上、渭河流域、泾河和北洛河中下游，有时可扩至伊洛沁河流域，形成上游大洪水、特大洪水，而在中游只能形成泾洛渭河较大洪水与三门峡—花园口区间一般洪水。

由表 6-8 可见，黄河上游头道拐站 1990 年以前常发生流量大于 1 500 m^3／s 的秋汛洪水，平均每年出现 0.8～1.5 次，其中大于 3 000 m^3／s 的洪水每 2～3 年要发生 1 次，但 1990 年以来大于 1 500 m^3／s 的洪水没有发生。

表 6-9　潼关站各年代各级洪峰频次统计

项目	时段	>1 500 m³ / s			>2 000 m³ / s			>3 000 m³ / s			>4 000 m³ / s			>5 000 m³ / s			>6 000 m³ / s			>8 000 m³ / s		
		全年	7～8月	9～10月	全年	7～8月	9～10月	全年	7～8月	9～10月	全年	7～8月	9～10月	全年	7～8月	9～10月	全年	7～8月	9～10月	全年	7～8月	9～10月
出现次数	1954～1959	25	14	5	22	14	5	17	13	4	11	10	4	7	5	2	5	4	2	3	2	1
	1960～1969	95	43	22	76	39	20	47	29	14	32	19	12	19	9	10	6	3	10	1	1	0
	1970～1979	84	43	25	60	29	21	31	17	12	18	12	6	8	6	2	4	4	0	1	1	0
	1980～1989	91	43	22	64	36	17	29	20	8	19	13	6	7	5	2	1	1	1	0	0	0
	1990～1999	60	32	9	45	28	7	15	11	3	5	5	0	2	2	0	0	0	0	0	0	0
	2000～2004	11	2	6	7	2	5	4	0	4	1	0	1	0	0	0	0	0	0	0	0	0
出现频次	1954～1959	6.3	3.5	1.3	5.5	3.5	1.3	4.3	3.3	1	2.8	2.5	1	1.8	1.3	0.5	1.3	1	0.5	0.8	0.5	0.3
	1960～1969	9.5	4.3	2.2	7.6	3.9	2.0	4.7	2.9	1.4	3.2	1.9	1.2	1.9	1	1.0	0.6	0	1.0	0.1	0	0
	1970～1979	8.4	4.3	2.5	6	2.9	2.1	3.1	1.7	1.2	1.8	1.2	0.6	0.8	0.6	0.2	0.4	0.4	0	0.1	0.1	0
	1980～1989	9.1	4.3	2.2	6.4	3.6	1.7	2.9	2	0.8	1.9	1.3	0.6	0.7	0.5	0.2	0.1	0.1	0.1	0	0	0
	1990～1999	6	3.2	0.9	4.5	2.8	0.7	1.5	1.1	0.3	0.5	0.5	0	0.2	0.2	0	0	0	0	0	0	0
	2000～2004	2.2	0.4	1.2	1.4	0.4	1	0.8	0	0.8	0.2	0	0.2	0	0	0	0	0	0	0	0	0

表 6-10　花园口站各年代各级洪峰频次统计

项目	时段	>2 000 m³/s			>4 000 m³/s			>6 000 m³/s			>8 000 m³/s			>10 000 m³/s		
		全年	7～8月	9～10月	全年	7～8月	9～10月	全年	7～8月	9～10月	全年	7～8月	9～10月	全年	7～8月	9～10月
出现次数	1946～1949	21	8	7	12	6	6	7	5	4	3	1	2	2	1	1
	1950～1959	81	48	21	30	26	6	12	10	1	6	6	0	2	2	0
	1960～1969	65	25	13	21	12	7	5	2	4	1	1	0	0	0	0
	1970～1979	57	38	18	13	9	4	4	3	1	1	1	0	0	0	0
	1980～1989	62	36	19	18	11	7	9	4	5	1	1	0	1	1	0
	1990～1999	42	30	9	6	6	0	1	1	0	0	0	0	0	0	0
	2000～2004	10	3	3	0	0	0	0	0	0	0	0	0	0	0	0
出现频次	1946～1949	10.5	4	3.5	6	3	3	3.5	2.5	2	1.5	0.5	1	1	0.5	0.5
	1950～1959	10.1	6	2.6	3.8	3.3	0.8	1.5	1.3	0.1	0.8	0.8	0	0.3	0.3	0
	1960～1969	6.5	2.5	1.3	2.1	1.2	0.7	0.5	0.2	0.4	0.1	0.1	0	0	0	0
	1970～1979	5.7	3.8	1.8	1.3	0.9	0.4	0.4	0.3	0.1	0.1	0.1	0	0	0	0
	1980～1989	6.2	3.6	1.9	1.8	1.1	0.7	0.9	0.4	0.5	0.1	0.1	0	0.1	0.1	0
	1990～1999	4.2	3	0.9	0.6	0.6	0	0.1	0.1	0	0	0	0	0	0	0
	2000～2004	2	0.6	0.6	0	0	0	0	0	0	0	0	0	0	0	0

渭河常发生秋汛洪水。据统计，1935 年以来平均 4 年多就会有 1 年发生秋汛，其中 1937、1964、1975、1983、2003 年均发生秋汛大洪水。2003 年秋汛为 1935 年以来的第四大秋汛，共有 5 次洪水过程(见表 6-11)。

从渭河华县站日均流量大于 1 500 m³/s 的洪水场次统计对比看，1950～2003 年共发生 128 次洪水，其中有 53 次发生在 9～10 月，20 世纪 50～80 年代平均每年均发生 1 次秋汛洪水，但 90 年代没有出现秋汛。

表 6-11　渭河华县站 2003 年的 5 次洪水要素统计

序号	时间 (月-日)	洪峰日均流量 (m³/s)	时间 (月-日)	天数 (d)	洪量 (亿 m³)	输沙 (亿 t)	含沙量 (kg/m³)
1	09-01	3 280	08-27～09-05	10	15.568	1.236	79
2	09-08	2 190	09-06～09-11	6	7.354	0.156	21
3	09-21	2 830	09-19～09-25	7	8.969	0.186	21
4	10-04	2 600	10-01～10-10	10	14.565	0.383	26
5	10-13	1 960	10-11～10-17	7	8.526	0.165	19

从 1950～2003 年的 54 年大平均看，秋汛洪水占总洪水场次数的 41%。当然秋汛洪水的分配并不均匀，各年代不等，各年也不同，1964 年和 2003 年的 9～10 月分别发生了 5 次秋汛洪水，1955 年和 1983 年各发生了 4 次秋汛洪水。20 世纪 70 年代以前一般隔 1～3 年就会有秋汛洪水发生，但从 1986～1999 年都没有发生过日均流量 1 500 m³/s 以上的

秋汛洪水，其中相隔了 14 年。从秋汛洪水不同流量级发生的场次数对比看，秋汛洪水日均洪峰流量在 3 000～4 000 m^3／s 流量级中占的比例相对较大。也就是说，在 3 000～4 000 m^3／s 流量级的洪水场次数中，秋汛洪水的场次数可占到 60%；而在小于 3 000 m^3／s 流量级的洪水场次数中，秋汛洪水的场次数小于 40%。

表 6-12 是对 1950～2003 年华县日均流量大于 3 000 m^3／s 秋汛洪水的场次要素统计。

表 6-12　渭河华县站秋汛洪峰日均流量大于 3 000 m^3／s 的洪水时段要素

序号	年份	时间(月-日)	洪峰流量(m^3／s)	起止日期(月-日)	天数(d)	华县站			洪量(亿 m^3)		清水区占(%)
						洪量(亿 m^3)	输沙量(亿 t)	含沙量(kg／m^3)	产沙区	清水区	
1	1950	10-21	3 220	10-18～10-29	12	16.327	0.311	19	＞1.97	＜14.4	＜87
2	1954	09-04	3 880	09-02～09-07	6	7.738	1.049	136	3.910	3.828	49.5
3	1955	09-12	3 230	09-11～09-15	5	7.283	0.508	70	1.016	6.266	86.0
4	1955	09-17	3 870	09-16～09-20	5	7.787	0.251	32	0.575	7.212	92.6
5	1964	09-05	3 760	09-01～09-07	7	11.116	0.391	35	1.567	9.549	85.9
6	1964	09-15	4 650	09-11～09-20	10	17.941	0.851	47	5.791	12.150	67.7
7	1964	10-05	3 370	10-02～10-10	9	13.088	0.218	17	3.229	9.859	75.3
8	1966	09-15	4 020	09-13～09-18	6	9.864	0.645	65	5.458	4.406	44.7
9	1968	09-12	4 720	09-08～09-17	10	19.072	0.886	46	3.566	15.506	81.3
10	1970	08-31	3 450	08-30～09-03	5	6.789	1.571	231	4.175	2.614	38.5
11	1970	09-27	3 160	09-24～09-29	6	8.644	0.283	33	1.534	7.110	82.3
12	1973	09-01	4 040	08-30～09-03	5	8.275	2.540	307	6.649	1.626	19.6
13	1975	10-03	3 990	09-29～10-07	9	22.075	0.626	28	4.782	17.293	78.3
14	1976	08-30	4 050	08-28～09-04	8	14.205	0.903	64	5.503	8.702	61.3
15	1981	09-08	5 130	09-06～09-14	9	19.889	0.666	33	5.418	14.471	72.8
16	1983	09-28	3 040	09-26～10-01	6	9.131	0.251	27	2.253	6.878	75.3
17	1983	10-06	3 650	10-03～10-12	10	17.496	0.258	15	2.448	15.048	86.0
18	2003	09-01	3 280	08-27～09-05	10	15.568	1.236	79	＞3.9	＜11.6	＜74.7

从表 6-12 中可以看到：①秋汛较大洪水的过程延续较长，一般在 5～12 d，平均 7.7 d。②秋汛较大洪水的洪量较大，日均洪峰流量 3 000 m^3／s 以上的秋汛洪水场次洪量为 7 亿～22 亿 m^3，平均达 12.9 亿 m^3。③大部分秋汛洪水的沙量较少，含沙量较低。表 6-12 中所列 18 次洪水中，除了 3 次洪水的含沙量较高外，其余的洪水含沙量都不高，洪峰时段平均含沙量一般不超过 80 kg／m^3。④秋汛洪水主要来自北道以下直至华县区间的清水区。平均清水区的洪量可占华县总洪量的 70%左右。

伊洛河及沁河也常发生秋汛。从表 6-13 可见，伊洛河及沁河 1951～2003 年多年平均 9、10 月径流量为 9.54 亿 m^3，占汛期径流量的 42.9%，其中 1964 年最大,为 43.39 亿 m^3；2003 年居第二，为 39.45 亿 m^3。1951 年以来发生较大秋汛洪水的有 1955、1963、1964、1968、1975、1983、1984 年和 2003 年，这些年 9～10 月的径流量均超过 20 亿 m^3，平均每 7 年发生 1 次，但分布不均，20 世纪 60 年代与 80 年代发生较多，1985～2002 年

18 年未发生较大的秋汛洪水。2003 年伊洛河及沁河共发生 4 次秋汛洪水，洪水总量为 30.84 亿 m^3，其中以 8 月 29 日～9 月 9 日的秋汛洪水洪量最大，为 13.6 亿 m^3，见表 6-14。

表 6-13 伊洛沁河各年代秋、伏汛期径流量变化对比 （单位：亿 m^3）

时段	7～10 月	非汛期	全年	7～8 月	9～10 月
1951～1959	38.40	19.50	57.90	29.02	9.38
1960～1969	28.00	21.51	49.52	12.87	15.13
1970～1979	17.02	9.60	26.61	9.33	7.68
1980～1989	22.12	11.90	34.02	10.78	11.34
1990～1999	9.40	8.96	18.37	6.19	3.21
2000～2003	16.85	7.63	24.47	4.96	11.89
1951～2003	22.23	13.69	35.93	12.69	9.54

表 6-14 2003 年伊洛沁河秋汛洪水统计

起止日期（月-日）	历时（d）	（伊洛沁）洪峰日均流量（m^3/s）	（伊洛沁）洪量（亿 m^3）	（小黑武）洪量（亿 m^3）	（伊洛沁）占（小黑武）比例（%）
08-29～09-09	12	2 235	13.62	18.54	0.735
09-18～09-25	8	791	3.628	10.388	0.349
10-01～10-08	8	1 594	7.192	16.66	0.432
10-10～10-16	7	1 507	6.39	15.04	0.425

黄河下游秋汛洪水主要来自兰州以上或兰州以上与渭河南山支流，有时伊洛沁河也有洪水补给。表 6-15 为 1950 年以来黄河下游历年秋汛洪水情况统计。由表 6-15 可知，洪水历时一般为 10～20 d，洪峰流量一般为 4 000～7 000 m^3/s，洪峰径流量一般为 30 亿～60 亿 m^3，洪峰平均含沙量为 20～30 kg/m^3。

2003 年黄河发生秋汛大洪水，黄河下游连续出现 5 场洪水，历时 78 d，花园口站日平均流量 2 000～3 000 m^3/s 有 60 d。2003 年秋汛黄河流域来水量大，各大水库在前期持续来水偏少，水库蓄水量严重不足的情况下，秋汛期大量蓄水。龙羊峡、刘家峡、小浪底等 7 座水库 9～10 月共蓄水 94.78 亿 m^3，占到黄河下游秋汛期洪水总量 112.4 亿 m^3

表 6-15 黄河下游历年秋季洪峰水沙量（三门峡站+黑石关站+武陟站）统计

时间（年-月-日）	天数（d）	洪峰流量（m^3/s）	水量（亿 m^3）	沙量（亿 t）	平均流量 Q（m^3/s）	平均沙量 S（kg/m^3）
1950-10-16～11-06	22	7 250	71.7	1.75	3 770	24.4
1951-09-17～10-04	28	3 540	72.3	1.51	2 988	20.9
1954-10-06～10-14	9	4 390	27.5	0.77	3 540	27.8
1955-10-05～10-19	15	5 680	52.8	1.05	4 075	19.9
1958-10-13～10-20	8	4 840	23.0	0.59	3 320	25.8
1961-10-23～11-02	12	5 580	50.3	0.01	4 851	0.2
1963-09-19～10-04	16	5 410	60.8	0.18	4 395	3.0

续表 6-15

时间 (年-月-日)	天数 (d)	洪峰流量 (m^3/s)	水量 (亿 m^3)	沙量 (亿 t)	平均流量 Q(m^3/s)	平均沙量 S(kg/m^3)
1963-11-02～12-14	43	2 920	58.8	0.02	1 585	0.3
1964-09-29～10-10	12	6 850	57.4	0.20	5 536	3.4
1964-10-11～10-24	14	5 490	59.0	0.33	4 880	5.6
1966-09-14～10-02	19	4 930	69.4	1.81	4 230	26.0
1966-10-03～10-17	15	3 510	43.5	1.43	3 360	30.8
1966-10-18～11-07	21	2 820	43.1	1.40	2 380	32.4
1967-09-07～10-08	32	7 280	15.7	3.43	5 960	21.8
1967-10-09～11-05	28	3 700	72.9	2.53	3 010	34.7
1968-09-28～10-10	13	4 800	45.6	1.28	4 055	28.2
1968-10-11～10-31	21	7 340	65.3	1.65	3 600	25.3
1969-09-28～10-09	12	3 090	20.0	0.96	1 930	47.9
1970-09-27～10-09	13	3 740	22.2	0.87	1 780	39.0
1970-10-10～10-31	22	1 930	28.1	0.62	1 477	22.2
1971-10-13～11-05	24	3 890	59.2	2.72	2 855	45.9
1974-10-02～10-13	12	4 010	23.5	0.91	2 260	38.7
1974-10-14～10-30	17	2 070	22.6	0.79	1 480	36.5
1975-09-29～10-05	7	7 580	34.6	0.92	5 721	26.4
1975-10-06～10-20	15	4 590	56.9	0.76	4 390	13.3
1975-10-21～11-03	14	4 260	50.3	1.13	4 158	22.4
1976-10-01～10-08	8	3 360	19.4	0.18	2 811	9.4
1976-10-09～10-20	12	3 110	27.1	0.52	2 610	19.2
1976-10-20～11-01	12	1 900	16.3	0.13	1 575	8.1
1978-10-01～10-14	12	2 690	23.4	0.43	2 258	18.4
1978-10-15～11-01	18	1 980	26.6	0.25	1 713	9.4
1979-10-01～10-31	31	2 620	49.1	0.87	1 832	17.7
1980-10-03～10-21	19	4 420	29.8	0.54	1 816	18.0
1981-09-25～10-17	23	7 050	98.9	2.49	4 978	25.1
1981-10-18～11-03	17	2 690	29.0	0.58	1 978	20.0
1982-10-07～10-26	20	2 740	38.3	0.61	2 215	16.0
1983-10-04～10-12	9	6 660	35.5	0.64	4 567	18.0
1983-10-13～10-26	14	5 140	53.1	0.28	4 387	14.6
1984-09-22～10-10	19	6 460	61.4	1.04	3 740	16.9
1984-10-11～10-18	8	2 350	13.7	0.31	1 982	22.6
1984-10-19～10-29	11	2 230	15.2	0.94	1 599	2.8
1985-09-24～10-13	20	5 600	70.7	1.45	4 091	20.5
1985-10-14～10-27	14	4 620	37.9	0.29	3 133	20.7
1985-10-28～11-04	7	2 680	13.5	0.21	1 953	15.8
1988-09-22～10-04	13	3 090	12.5	0.23	1 110	18.4
1989-08-30～10-02	34	3 960	90.0	2.15	3 060	23.9

续表 6-15

时间 (年-月-日)	天数 (d)	洪峰流量 (m^3 / s)	水量 (亿 m^3)	沙量 (亿 t)	平均流量 Q(m^3 / s)	平均沙量 S(kg / m^3)
1990-08-30～09-05	7	3 400	10.4	0.64	1 720	61.5
1994-08-30～09-06	8	3 860	13.9	2.02	2 010	91.6
1995-08-29～09-09	12	3 400	20.5	2.15	1 980	104.9
2003-08-31～09-05	6	2 780	9.23	0.067	1 780	7.3
2003-09-06～09-18	13	2 720	28.37	0.807	2 526	28.4
2003-09-24～10-26	33	2 760	70.52	0.34	2 473	4.8
2003-10-31～11-04	5	2 450	8.01	0	1 854	0
2003-11-05～11-21	17	2 560	30.6	0	2 083	0

的 84.3%。如果没有这些水库的蓄水，2003 年秋汛期进入下游的水量将达到 207.18 亿 m^3，是实测水量 112.4 亿 m^3 的 1.84 倍。另据分析，秋汛期上述水库不仅蓄减了黄河下游秋汛期洪水的水量，同时也大幅度削减了花园口站的洪峰流量，如果龙羊峡水库和小浪底水库不蓄水，则花园口站前 3 场洪水的洪峰日平均流量有可能分别达到 5 970、5 310 m^3 / s 和 6 240 m^3 / s。

综合分析 1949 年以来的各年秋季洪水，可以得到以下一些认识：

(1)黄河下游秋季洪水由黄河上中游地区大面积强连阴雨形成，降雨强度不大，降雨过程持续时间较长，且可有几个强连阴雨过程接连出现，其降雨落雨主要在兰州以上黄河上游地区、渭河流域、泾河、北洛河中下游及伊洛沁河流域等清水少沙来源区。因此，秋季洪水具有洪峰流量较小(一般为 10～20 d，最长可达 1 个月)、洪峰水量较大(一般为 30 亿～60 亿 m^3，最大可达 99 亿 m^3)、含沙量较低(一般为 20～30 kg / m^3)等特点。

(2)大多数秋季洪水期间黄河下游河道发生显著冲刷。冲刷最为强烈的洪水，一次洪水过程的冲刷量可超过 1 亿 t。秋季洪水，一般在下游不会漫滩，冲刷均发生在主槽内，对抑制黄河下游主槽淤积、维持主槽的过洪能力十分有利。

(3)天然状况下，秋季洪水发生的概率较大，可占黄河下游花园口站 5 000 m^3 / s 以上洪峰总数的 1 / 3。黄河丰水年，秋季 9～11 月黄河下游的来水量均超过 200 亿 m^3，其发生概率为 3～4 年一遇。

(4)龙羊峡水库投入运用后对黄河上游洪水进行调蓄，使黄河上游头道拐站最大流量削减为 1 500 m^3 / s 左右，黄河下游的秋季洪水来源组成发生明显变化，上游来水比例大幅度减少，渭河、泾河、北洛河下游及伊洛沁河成为秋季洪水的主要来源区，经小浪底水库等干支流水库调节后，黄河下游的洪峰流量下降到 2 000～4 000 m^3 / s。

第七章　结论与认识

(1)近5年黄河流域年均降水量为430.9 mm。降水有以下3个特点：①年均降水比多年均值偏少3.9%，比20世纪90年代偏多2.1%；②上游比多年均值偏少10.4%，下游则偏多5.4%，中游基本持平；③2003年降水量最多，为新中国成立以来第5位丰水年，2000年降水量最少，为新中国成立以来倒数第6位枯水年，最大最小年降水之比为1∶0.7。

近5年的降水变化随机性很大，2003年“华西秋雨”使龙门以下水量大幅度增加，但还看不出今后有趋势性的转折。据国家“973”计划“我国生存环境演变和北方干旱化趋势预测研究”项目研究，2000～2010年，华北地区的干旱化趋势仍将持续，但西北地区东部无干旱化趋势，未来10～20年黄河上中游和下游的实测年径流量将分别减少10%和20%。

(2)近5年黄河实测水量仍严重偏少，干流兰州、头道拐、龙门、三门峡、花园口各站5年平均实测水量比多年均值偏少24%～53%，比20世纪90年代枯水期偏少9%～29%。2003年因龙门以下发生1964年以来少有的秋雨，花园口和利津实测水量比90年代分别偏多6.2%和36.7%，但仍比多年均值分别偏少31.1%和30.4%。

进入下游的实测水量，由于受人类活动各方面的影响，完全改变了天然条件下的年内分配过程，而且各年的分配趋势各不相同。

(3)近5年人类耗用水量平均为264亿 m^3，比多年均值增加5.6%，但比20世纪90年代下降了11%。前3年降水严重偏少，龙羊峡水库分别补水34亿、23亿、42亿 m^3，相应耗水量较后2年要偏多9.8%。后2年水量较丰，龙羊峡水库分别蓄水64亿 m^3 和5亿 m^3。小浪底水库在2003年除了进行调水调沙试验外，为防止下游洪水漫滩，实现洪水资源化和考验坝体稳定性，水库共蓄水54.6亿 m^3，最高蓄水位达265.56 m。

(4)近5年天然水量衰减，干流兰州、头道拐、龙门、三门峡、花园口各站5年平均天然水量比多年均值偏少22%～35%，比20世纪90年代偏少8%～19%。2003年5站天然水量均大于90年代，其中花园口站又大于多年均值。近5年的降雨、径流关系基本对应。如果没有2003年的秋汛洪水，则近5年的平均水量减少更多。

(5)人类活动对径流的影响，一部分是通过直接引耗河道水量，造成河川径流量减少，这部分耗水量可以通过还原计算来恢复天然河川径流量。另一部分是通过改变流域下垫面条件或改变水循环路径，导致地表产汇水量的衰减，这部分水定量比较困难，在以往的水资源评价中没有考虑。据最近有关单位和专家估计，近一二十年黄河天然年径流量减少60亿～100亿 m^3，今后黄河水资源规划利用时必须注意这个问题。

(6)近5年天然径流减少的原因主要是人类活动影响和气候变化。如果以20世纪50年代人类活动影响较少的天然径流作为基准，与近5年的天然径流进行比较，则人类活动和气候变化的影响比例分别为74.5%、25.5%。

(7)近5年由于产沙区暴雨减少和人类活动的影响，黄河来沙量锐减，上游头道拐年均来沙量为0.258亿t，约为多年均值的1/5，为20世纪90年代的2/3；中游6站之和的输沙量为4.703亿t，约为多年均值的1/3，为20世纪90年代的1/2左右；由于小浪底水库的拦沙作用,进入下游(3 站之和)的泥沙只有 0.871 亿 t,仅为多年均值的 1/13,为 20 世纪 90 年代的 1/9。2003 年虽然降水量偏多,但由于增雨区主要分布在龙门以下地区,故该年河口镇—龙门区间的输沙量反而是近 5 年中最少的一年。

(8)黄河洪水已经发生了很大的变化,近 5 年潼关站大于 4 000 m^3/s 的洪水只出现一次,而花园口站一次也没有出现。据统计,近一二十年来对防洪有很大威胁的大洪水、特大洪水已明显减少,对塑造主槽河道形态的中常洪水亦减少很多。如大于 10 000 m^3/s 的大洪水,潼关站 20 世纪 80 年代以来已没有发生过,花园口站只有 1982 年出现过 1 次;6 000～8 000 m^3/s 的中常洪水,花园口站 90 年代只发生过 2 次,近 5 年一次也没有。相反,年均出现的小流量天数随年代越来越多,这些情况对今后塑造主槽河道形态、提高泄洪输沙能力都是不利的。

参 考 文 献

[1] 姚文艺，茹玉英，康玲玲．水土保持措施不同配置体系的滞洪减沙效应．水土保持学报，2004，18(2)：28～31

[2] 韩其为．水库淤积．北京：科学出版社，2003

[3] 张胜利，等．黄河中游多沙粗沙区水沙变化原因及发展趋势．郑州:黄河水利出版社，1998

[4] 汪岗，范昭．黄河水沙变化研究．郑州：黄河水利出版社，2002

[5] 姚文艺，李占斌，康玲玲．黄土高原土壤侵蚀治理的生态环境效应分析．北京：科学出版社，2005

[6] 李勇，董雪娜，张晓华，等．黄河水沙特性变化研究．郑州：黄河水利出版社，2004

[7] 陈江南，张胜利，赵业安，等．清涧河流域水利水保措施控制洪水条件分析．泥沙研究，2005(1)

[8] 徐建华，吕光圻，张胜利，等．黄河中游多沙粗沙区区域界定及产沙输沙规律研究．郑州：黄河水利出版社，2000